CW00749846

MERRY CHRISTMAS

Le Noël d'Hercule Poirot
Christmas pudding

AGATHA CHRISTIE

Merry Christmas

Le Noël d'Hercule Poirot

Christmas pudding

LIBRAIRIE DES CHAMPS-ÉLYSÉES

Titres originaux :

HERCULE POIROT'S CHRISTMAS

THE ADVENTURE OF THE CHRISTMAS PUDDING
AND A SELECTION OF ENTREES

Le Noël d'Hercule Poirot

TRADUIT DE L'ANGLAIS PAR FRANÇOISE BOUILLOT

Mon cher James,
Vous avez toujours été l'un de mes lecteurs les plus fidèles et les plus indulgents ; c'est dire à quel point recevoir de vous un mot de critique m'a troublée.

Vous y déploriez que mes meurtres deviennent trop épurés – exsangues, pour parler net. Vous y réclamiez « un de ces bons vieux meurtres bien saignants ». Un meurtre qui, sans l'ombre d'un doute, en soit bien un !

Cette histoire est donc la vôtre, écrite tout spécialement pour vous. Puisse-t-elle avoir l'heur de vous plaire.

Votre belle-sœur affectionnée, Agatha.

PREMIÈRE PARTIE

22 DÉCEMBRE

1

Stephen releva le col de son pardessus et s'engagea sur le quai d'un pas vif. Un brouillard opaque pesait sur la gare. De grosses locomotives sifflaient fièrement en lâchant des tourbillons de vapeur dans l'air glacé. Tout était sale, noir de suie.

« Quel fichu pays ! Quelle saleté de ville ! » se dit-il, écœuré.

L'excitation première que lui avaient causée Londres, ses boutiques, ses restaurants et ses jolies femmes à l'élégance parfaite était déjà retombée. La ville lui apparaissait à présent comme un cabochon de strass clinquant serti dans une monture en fer-blanc.

Dire qu'il aurait pu se trouver en Afrique du Sud, à l'heure qu'il était. Il eut un soudain accès de mal du pays. Soleil, ciel d'azur, jardins aux mille senteurs, fleurs aux frais tons de bleu, haies de plumbagos… et puis des liserons mauves montant à l'assaut de la moindre bicoque.

Ici, au contraire, tout n'était que poussière, crasse, va-et-vient continu de gens hagards, tous à courir et à se bousculer – fourmis laborieuses affairées à sillonner leur nid.

« J'aurais mieux fait de ne pas venir », pensa-t-il un instant.

Puis il se rappela le but de son voyage et ses lèvres se pincèrent en une ligne dure. Non, bon sang de bonsoir ! il ne s'arrêterait pas en si bon chemin ! Cela faisait des années qu'il se préparait à ça. Ce qu'il s'apprêtait à faire, il avait toujours voulu le faire. Oui, il irait jusqu'au bout !

Ce recul momentané, ces questions qui lui venaient soudain : « Pourquoi ? Est-ce que ça en vaut vraiment la peine ? Pourquoi ne pas oublier le passé ? Pourquoi ne pas laisser tomber… ? » – tout cela n'était que faiblesse. Il n'était plus un gamin pour se laisser ballotter au gré d'un coup de cafard. Il était un homme de quarante ans, tenace et sûr de lui. Ce qu'il était venu faire en Angleterre, il le ferait bel et bien.

Il monta dans le train et parcourut le couloir en quête d'une place. Il avait écarté le porteur et transbahutait lui-même sa valise de cuir brut. Il passa devant plusieurs compartiments : le train était bondé. On n'était qu'à trois jours de Noël. Stephen Farr contemplait avec dégoût la foule agglutinée.

Tous ces gens ! Cette marée humaine, qui n'en finissait pas ! Et avec ça ils avaient tous l'air… comment dire ? si *ternes* ! Si semblables, si affreusement semblables ! Quand ils n'avaient pas un profil de brebis bêlante, ils avaient un faciès de garenne apeuré. Certains jacassaient et s'agitaient. D'autres grognaient : des hommes à la quarantaine alourdie. Ceux-là ressemblaient plutôt à des gorets. Même les filles, minces, visage lisse, lèvres écarlates, étaient d'une déprimante uniformité.

Il lui vint brusquement une folle envie de prairie africaine, ouverte, immense, écrasée de soleil…

Et soudain, en passant devant un compartiment, il eut un coup au cœur. Cette fille, assise là… elle était différente. Des cheveux noirs, une pâleur veloutée, des yeux sombres et profonds comme la nuit. Les yeux mélancoliques et fiers des gens du Sud… Que cette fille soit dans ce train, parmi ces gens grisâtres, cela paraissait impossible ; impossible qu'elle soit en route pour les tristes Midlands anglaises. Elle aurait dû être à son balcon, une rose aux lèvres, une mantille de dentelle noire coiffant sa tête altière, et on aurait dû sentir alentour la poussière, la chaleur et l'odeur du sang – l'odeur des arènes… Elle aurait dû se trouver dans un décor sublime, et pas coincée ainsi au fond d'un wagon de troisième classe.

Stephen n'avait pas les yeux dans sa poche. Il ne manqua pas de noter l'aspect miteux de la jupe et du petit manteau noirs, la piètre qualité des gants de confection, les chaussures trop légères pour la saison et la note incongrue d'un sac à main rouge vif. Et pourtant « splendeur » était le mot qui lui venait en la regardant. Elle était belle, elle était exotique, elle était splendide, voilà !

Que diable était-elle venue faire dans ce pays de brouillard, de froid et de fourmis industrieuses ?

« Il faut que je sache qui elle est et ce qu'elle fait ici, se dit-il. Il le faut… »

2

Recroquevillée contre la vitre, Pilar se disait que les Anglais avaient décidément une drôle d'odeur… Jusqu'ici, c'était ce qui l'avait le plus frappée en Angleterre – la différence d'odeur. Pas d'ail, pas de poussière, et quasi-absence de parfums. Pour l'instant, ça sentait le froid et le renfermé – la puanteur sulfureuse des trains, mêlée à celle du savon et à une autre encore, très déplaisante, qui devait émaner du col de fourrure de la grosse dondon assise à côté d'elle. Pilar renifla délicatement, découvrant avec dégoût les relents de la naphtaline. Drôle d'idée que de s'inonder avec ça, se dit-elle.

Il y eut un coup de sifflet, une voix de stentor cria quelque chose, et le train s'ébranla en douceur. Ils étaient partis. Elle était en route…

Son cœur se mit à battre un peu plus fort. Est-ce que tout se passerait bien ? Est-ce qu'elle serait capable d'aller au bout de son entreprise ? Sans l'ombre d'un doute. Elle y avait si mûrement réfléchi. Elle s'était si bien préparée à toute éventualité. Oh oui, elle réussirait – il fallait qu'elle réussisse.

Sa lèvre rouge se retroussa, lui faisant soudain une bouche cruelle. Cruelle et gourmande, comme celle d'un chaton – une bouche qui ne connaissait que son propre désir et ignorait encore la pitié.

Elle regarda autour d'elle avec la franche curiosité d'un enfant. Que de gens ! Ils étaient sept, là, dans le compartiment. Et comme ils étaient drôles, ces Anglais ! Ils avaient tous l'air si riches, si prospères – ça se voyait rien qu'à leurs vêtements, leurs chaussures… Pas de doute, l'Angleterre était bien un pays riche comme on le lui avait d'ailleurs toujours dit. Mais pour ce qui est d'être gais, ils n'étaient pas gais, ça non !

Il y avait un très bel homme, debout dans le couloir. À tout le moins, Pilar le trouvait très beau. Elle aimait son visage bronzé, son nez busqué et ses épaules carrées. Plus vite qu'aucune Anglaise n'en aurait été capable, Pilar avait remarqué que cet homme l'admirait. À aucun moment elle ne l'avait regardé en face, mais elle savait très précisément combien de fois il l'avait dévisagée – et avec quelle expression.

Elle enregistrait le fait sans plus d'intérêt ou d'émotion que cela. Elle venait d'un pays où les hommes regardent les femmes avec un parfait naturel, sans éprouver le besoin de se dissimuler. Elle se demanda si celui-là était un Anglais et décida que non.

« Il est trop réel, trop vivant pour être anglais, décréta-t-elle. Et pourtant, il est blond. C'est peut-être un Americano. »

Il lui rappelait les acteurs qu'elle avait vus dans des westerns.

Un employé se frayait un chemin dans le couloir :

— Premier service! Les voyageurs pour le premier service, s'il vous plaît!

Les sept voisins de Pilar avaient tous des tickets pour le premier service. Ils se levèrent comme un seul homme et le compartiment fut soudain désert et silencieux.

Pilar s'empressa de remonter la vitre qu'avait baissée de quelques centimètres une dame aux cheveux gris, d'allure résolument féministe, qui occupait le coin opposé. Puis elle s'abandonna sur son siège et regarda la banlieue nord de Londres défiler derrière la vitre. Elle ne tourna pas la tête au bruit de la porte qui s'ouvrait. C'était l'homme du couloir et Pilar savait, bien sûr, qu'il était entré dans le compartiment pour lui parler.

Elle continua de regarder rêveusement le paysage.

— Voulez-vous que je vous baisse la vitre? demanda Stephen Farr.

— Oh non, au contraire, répondit Pilar sans s'émouvoir. Je viens de la remonter.

Elle parlait un anglais parfait, mais avec une pointe d'accent.

« Quelle voix délicieuse, songea Stephen pendant le silence qui suivit. Pleine de soleil… chaude comme une nuit d'été. »

De son côté, Pilar pensait :

« J'aime sa voix. Une voix ferme et forte, et virile. Il est séduisant – oh oui, il est très séduisant. »

— Le train est bondé, dit Stephen.

— Oui, n'est-ce pas? J'imagine que les gens désertent Londres parce que tout y est si noir.

On n'avait jamais inculqué à Pilar que c'était un crime de parler à des inconnus dans les trains. Elle savait se garder aussi bien qu'une autre, mais ignorait les tabous.

Stephen eût-il été élevé en Angleterre qu'il aurait sans doute été gêné d'engager la conversation avec une jeune fille. Mais il était d'un naturel expansif et trouvait tout ce qu'il y a de plus normal de parler à autrui quand l'envie lui en prenait.

Il lui sourit donc sans fausse honte :

— Londres est un endroit atroce, non ?

— Oh si ! Je ne l'aime pas du tout.

— Moi non plus.

— Vous n'êtes pas anglais, hein ? dit Pilar.

— Je suis britannique, mais je débarque d'Afrique du Sud.

— Oh, je vois, ça explique tout.

— Et vous, vous arrivez de l'étranger ?

Pilar hocha la tête :

— Je viens d'Espagne.

— D'Espagne ? répéta Stephen, intéressé. Vous êtes espagnole, alors ?

— À moitié. Ma mère était anglaise. C'est pour ça que je me débrouille en anglais.

— Que pensez-vous de cette guerre ? demanda Stephen.

— C'est horrible, oui… et désespérant. Il y a eu des dégâts, plein de dégâts, partout.

— De quel bord êtes-vous ?

Les convictions politiques de Pilar semblaient plutôt vagues. Dans son village, expliqua-t-elle, personne ne prêtait grande attention à la guerre civile.

— Elle n'est pas arrivée jusque chez nous, vous comprenez. Bien sûr, le maire a été nommé par le gou-

vernement, alors il est pour le gouvernement, et le curé
est pour le général Franco. Mais la plupart des gens ont
déjà assez à faire avec la terre et les vignes – ils n'ont
pas le temps de s'occuper de la question.

— Alors il n'y a pas eu de combats du côté de chez
vous ?

Pilar répondit que non, pas du côté de chez elle.

— Mais, poursuivit-elle, j'ai traversé tout le pays en
voiture et j'ai vu beaucoup de destructions, oui. J'ai
vu aussi tomber une bombe qui a fait exploser une
voiture… et puis une autre, qui a détruit une maison.
C'était plutôt excitant !

Stephen Farr eut un petit sourire en coin :

— C'est tout ce que ça vous a fait ?

— Non, c'était embêtant aussi, parce que je voulais
continuer ma route, et que le chauffeur de ma voiture
avait été tué.

Stephen la regarda avec plus d'attention :

— Vous n'en avez pas été bouleversée ?

Pilar écarquilla ses grands yeux noirs :

— Tout le monde doit mourir un jour ! C'est la vie,
non ? Si ça vous tombe comme ça du ciel d'un coup
– boum ! –, ça n'est pas plus mal qu'autre chose. On est
vivant un moment… et la minute d'après on est mort.
Amen !

Stephen Farr se mit à rire :

— Vous ne m'avez pas l'air d'une pacifiste, vous !

— Pas l'air d'une quoi ?

Pilar semblait perplexe à l'énoncé de ce mot qui ne
faisait visiblement pas partie de son vocabulaire.

— Pardonnez-vous à vos ennemis, señorita ?

Pilar secoua la tête :

— Je n'ai pas d'ennemis. Mais si j'en avais…

— Eh bien ?

Il la fixait, fasciné par la douceur et la cruauté de sa lèvre retroussée.

— Si j'avais un ennemi, dit gravement Pilar, si quelqu'un me haïssait et que je le haïsse, alors je lui couperais la gorge *comme ça…*

Elle fit un geste expressif.

Un geste si rapide et si cru que Stephen Farr en resta un instant sans voix.

— Vous êtes une jeune personne assoiffée de sang, dit-il en fin de compte.

— Et vous, vous lui feriez quoi, à votre ennemi ? s'enquit Pilar, prosaïque.

Il sursauta, la contempla, puis éclata de rire.

— Je me le demande, dit-il. Je me le demande bien !

Pilar eut une moue de réprobation :

— Allons, vous le savez très bien, en fait.

Il cessa de rire, prit une longue inspiration et dit tout bas :

— Oui, je le sais…

Puis il changea de sujet :

— Qu'est-ce qui vous amène en Angleterre ?

— Je vais désormais habiter dans ma famille, répondit Pilar avec une certaine retenue. Dans ma famille anglaise.

— Je vois.

Il se renfonça dans son siège. Tout en l'étudiant, il se demandait à quoi ressemblaient ces parents anglais dont elle parlait, et ce qu'ils allaient bien pouvoir faire de cette sauvageonne… Il essayait de s'imaginer la jeune Espagnole en train de fêter Noël au sein d'une famille anglaise bien classique.

— C'est joli, non, l'Afrique du Sud ? demanda soudain Pilar.

Il se mit à lui parler de l'Afrique du Sud. Elle lui prêtait l'attention ravie d'un enfant qui écoute une histoire. Il apprécia ses questions à la fois naïves et fines, et s'amusa à enjoliver son récit à la manière d'un conte de fées.

Le retour des occupants légitimes du compartiment mit fin à ce divertissement. Il se leva, lui sourit au fond des prunelles et s'en retourna dans le couloir.

À la porte, tandis qu'il s'effaçait pour laisser le passage à une dame âgée, ses yeux tombèrent sur l'étiquette d'une valise d'osier manifestement étrangère. Il lut le nom avec intérêt : *Miss Pilar Estravados*. Mais, quand il distingua l'adresse, il sentit l'incrédulité – et pas seulement l'incrédulité – l'envahir : *Gorston Hall, Longdale, Addlesfield*.

Il se retourna à demi et observa la jeune fille avec une expression nouvelle – perplexe, contrariée, soupçonneuse… Il sortit enfin dans le couloir et resta là à fumer une cigarette en fronçant les sourcils.

3

Dans le grand salon bleu et or de Gorston Hall,
Alfred Lee et sa femme Lydia discutaient des préparatifs de Noël. Alfred était un homme entre deux âges,
plutôt trapu, au bon visage et aux doux yeux marron.
Il s'exprimait toujours d'une voix calme et avec une
grande netteté d'élocution. La tête enfoncée dans les
épaules, il donnait une curieuse impression d'inertie.
Lydia, sa femme, évoquait au contraire un lévrier débor-
dant d'énergie. D'une minceur presque excessive, elle
faisait preuve, dans tous ses mouvements, d'une étonnante grâce vif-argent.

Son visage émacié, jamais maquillé, n'était pas beau,
mais racé. Elle avait une voix charmante.

— Père insiste! était en train de dire Alfred. Il n'y a
qu'à s'incliner.

Lydia contint un soudain mouvement d'impatience :

— Faudra-t-il donc toujours que tu lui cèdes?

— C'est un très vieil homme, ma chérie…

— Oh, je sais! Je sais!

— Et il veut faire comme il l'entend.

— Bien sûr, dit Lydia d'un ton sec, puisque c'est comme ça qu'il a toujours fait ! Mais un de ces quatre matins, Alfred, il faudra bien que tu y mettes le holà.

— Que veux-tu dire, Lydia ?

Il lui avait jeté un regard si visiblement surpris et peiné que, pendant un instant, elle se mordit la lèvre et sembla hésiter à continuer.

— Que veux-tu dire, Lydia ? répéta Alfred Lee.

Elle haussa ses minces et gracieuses épaules. Puis elle dit, en s'efforçant de choisir ses mots avec soin :

— Ton père a… tendance à être… quelque peu tyrannique.

— Il est vieux.

— Et il va devenir encore plus vieux. Et par conséquent encore plus tyrannique. Où cela s'arrêtera-t-il ? Il régente déjà nos vies. Nous ne pouvons pas faire un seul projet ! Quand par hasard nous en faisons un, il est toujours susceptible d'être annulé !

— Père entend passer en premier, dit Alfred. Mais il est très bon avec nous, ne l'oublie pas.

— Oh ! Bon avec nous !

— *Très* bon avec nous, répéta Alfred d'une voix sévère.

— Tu veux dire sur le plan financier ?

— Oui. Lui-même a des goûts très simples, mais il ne nous refuse rien. Tu peux dépenser sans compter pour tes robes ou pour la maison, les factures sont toujours réglées sans un murmure. Il nous a offert une nouvelle voiture pas plus tard que la semaine dernière.

— De ce point de vue-là, ton père est très généreux, je le reconnais, dit Lydia. Mais en contrepartie, il attend de nous une soumission d'esclaves.

— D'esclaves ?

— Je ne retire pas le mot. Tu *es* son esclave, Alfred. Si nous avons projeté un voyage et que tout soudain Père désire que nous restions, tu annules tout sans protester ! S'il lui prend la fantaisie de nous envoyer au diable Vauvert, nous voilà partis… Nous n'avons aucune vie à nous – aucune indépendance.

Son mari eut l'air navré :

— Je n'aime pas t'entendre parler comme ça, Lydia. C'est profondément injuste. Père a tout fait pour nous…

Elle retint la réplique qu'elle avait sur les lèvres et haussa encore une fois les épaules.

— Tu sais très bien, reprit Alfred, que Père t'aime beaucoup.

— Eh bien, moi, je ne l'aime pas du tout, répondit-elle tout net.

— Lydia, ça me désole de t'entendre parler comme ça. C'est tellement méchant…

— Peut-être. Mais on éprouve parfois le besoin de dire la vérité.

— Si Père se doutait…

— Ton père sait très bien que je ne peux pas le souffrir. Je crois d'ailleurs que ça l'amuse.

— Là, vraiment, je suis sûr que tu te trompes. Il m'a souvent dit combien il te trouvait charmante.

— Oh, bien sûr, je suis polie avec lui. Je le serai toujours. Je te dis simplement ce que je pense : je n'aime pas ton père. J'estime que c'est un vieillard sournois et tyrannique. Il te persécute, il abuse de ton affection. Ça fait des années que tu devrais lui tenir tête.

— Assez, Lydia ! Je t'en prie, n'en dis pas plus.

Elle soupira :

— Excuse-moi. J'ai peut-être eu tort… Parlons de nos arrangements pour Noël. Tu crois que ton frère David va vraiment venir ?

— Pourquoi pas ?

Elle secoua la tête d'un air de doute :

— David est si… bizarre. Songe qu'il n'a pas mis les pieds ici depuis des années. Il était tellement attaché à votre mère… Cette maison lui rappelle trop de souvenirs.

— Avec sa musique et ses airs rêveurs, David a toujours tapé sur les nerfs de Père, dit Alfred. Peut-être aussi que Père a été parfois un peu dur avec lui. Mais je crois que Hilda et lui viendront quand même. C'est Noël, après tout.

— Et paix sur la terre aux hommes de bonne volonté, murmura Lydia.

Sa bouche délicate prit un pli ironique :

— J'en suis moins sûre que toi ! En tout cas, George et Magdalene viennent. Sans doute demain, ont-ils dit. J'ai bien peur que Magdalene ne s'ennuie à mourir !

— Que mon frère soit allé épouser une fille de vingt ans de moins que lui, ça me dépasse ! dit Alfred d'un air quelque peu contrarié. George s'est toujours conduit comme un imbécile.

— Il fait une belle carrière, dit Lydia. Ses administrés l'aiment bien. Je crois que Magdalene l'aide beaucoup sur le plan politique.

— Je ne l'aime pas beaucoup, murmura Alfred. Elle est très jolie ; mais elle me fait parfois penser à ces très belles poires, tu sais, avec la peau toute rose, comme cirée…

Il secoua la tête.

— … et qui sont pourries à l'intérieur ? compléta Lydia. Comme c'est drôle que tu dises ça !

— Pourquoi drôle ?

— Parce que tu es toujours tellement bonne pâte. C'est tellement rare que tu dises du mal de quelqu'un. Ça m'énerve parfois que tu sois si peu… Ah ! comment dire ? Si peu méfiant, si peu conscient des réalités !

Son mari eut un sourire :

— J'ai toujours estimé que le monde, c'était ce qu'on en faisait.

— Non ! répliqua Lydia. Le mal n'est pas une vue de l'esprit. Le mal existe ! Tu ne sembles pas en avoir conscience. Moi, si. Je peux sentir sa présence. Je l'ai toujours sentie, ici… dans cette maison.

Elle se mordit les lèvres et détourna la tête.

— Lydia… commença Alfred.

Mais elle leva vivement la main, les yeux rivés derrière lui. Il se retourna.

Un homme brun, au visage impénétrable, se tenait debout devant eux dans une attitude déférente.

— Qu'y a-t-il, Horbury ? demanda sèchement Lydia.

Horbury répondit à voix basse, dans un respectueux murmure :

— C'est Mr Lee, madame. Il m'a prié de vous dire qu'il y aurait deux invités supplémentaires pour Noël, et de vous demander de bien vouloir leur faire préparer des chambres.

— Deux invités de plus ? répéta Lydia.

— Oui, madame, dit doucement Horbury. Un monsieur, et une jeune personne.

— Une jeune personne ? dit Alfred, un peu surpris.

— C'est ce qu'a dit Mr Lee, monsieur.

Lydia dit d'un ton vif :

— Je vais monter le voir…

Horbury fit un petit pas en avant – à peine l'esquisse d'un mouvement, mais qui suffit à arrêter l'élan de Lydia :

— Pardonnez-moi, madame, mais Mr Lee fait sa sieste. Il a bien précisé qu'il ne voulait pas être dérangé.

— C'est bien, dit Alfred. Il va de soi que nous ne le dérangerons pas.

— Merci, monsieur.

Sur ces mots, Horbury se retira.

— Je déteste cet individu ! s'écria aussitôt Lydia. Il rôde partout comme un chat ! On ne l'entend jamais venir.

— Je ne l'aime pas beaucoup non plus, mais il connaît son métier et ce n'est pas si facile de trouver un bon infirmier. Et puis Père l'aime bien, c'est l'essentiel.

— Oui, c'est l'essentiel, comme tu dis. Alfred, qu'est-ce que c'est que cette histoire de jeune personne. Quelle jeune personne ?

Son mari secoua la tête :

— Je ne vois pas. Franchement, je n'en ai pas la moindre idée.

Ils échangèrent un long regard. Puis Lydia reprit, avec une grimace expressive :

— Tu sais ce que je pense, Alfred ?

— Quoi donc ?

— Je pense que ton père s'est beaucoup ennuyé ces derniers temps. Je pense qu'il se prépare un joyeux Noël pour lui tout seul.

— En introduisant des étrangers dans une réunion de famille ?

— Oh, je ne connais pas les détails, mais j'ai le sentiment très net que ton père s'apprête à bien s'amuser.

— Tout ce que j'espère, c'est que ça lui procurera un peu de joie, dit gravement Alfred. Ce pauvre vieux, handicapé comme il l'est, cloué dans un fauteuil… Après la vie aventureuse qu'il a menée.

— Oui, la vie… aventureuse qu'il a menée, répéta lentement Lydia.

La pause qu'elle avait marquée avant l'adjectif lui conférait une signification un rien équivoque. Alfred parut le sentir. Il rougit d'un air malheureux.

Elle s'écria brusquement :

— Comment il a fait pour avoir un fils comme toi, ça, je me le demande ! Vous êtes aux antipodes l'un de l'autre. Et il te fascine… Et tu l'adores, ni plus ni moins !

— Tu ne crois pas que tu vas un peu loin ? protesta Alfred, un peu vexé. C'est normal, non, qu'un fils aime son père. C'est le contraire qui ne le serait pas.

— Dans ce cas, répliqua Lydia, la plupart des membres de cette famille sont tout ce qu'il y a d'anormaux ! Oh, et puis cessons de nous chamailler ! Excuse-moi. Je t'ai fait de la peine, je le sais. Crois-moi, je ne l'ai pas cherché. Je t'admire énormément pour ta… fidélité. La loyauté est une vertu si rare, de nos jours. Disons, si tu veux, que je suis jalouse. Les femmes sont censées être jalouses de leur belle-mère – pourquoi ne le seraient-elles pas de leur beau-père ?

Il lui entoura gentiment les épaules de son bras :

— Tu ne penses pas ce que tu dis, Lydia. Tu n'as aucune raison d'être jalouse.

Elle lui posa un petit baiser repentant sur l'oreille :

— Je sais. Mais tout de même, Alfred, je ne crois pas que j'aurais été le moins du monde jalouse de ta mère. J'aurais bien aimé la connaître.

— C'était une malheureuse, dit-il.

Sa femme lui lança un regard vif :

— C'est ainsi que tu la voyais ? Une malheureuse… C'est intéressant.

— Je me la rappelle presque toujours malade, poursuivit-il d'un air rêveur. Souvent en pleurs… Elle manquait de caractère, conclut-il en secouant la tête.

— Comme c'est étrange… murmura Lydia sans le quitter des yeux.

Mais comme il lui lançait un regard interrogateur, elle détourna la tête et changea de sujet.

— Puisque nous ne sommes pas autorisés à connaître l'identité de nos mystérieux visiteurs, je vais aller finir mon jardin.

— Il fait très froid, ma chérie, et le vent est glacé.

— Je vais bien me couvrir.

Elle s'éclipsa. Laissé à lui-même, Alfred Lee resta quelques instants à froncer les sourcils, perdu dans ses pensées, puis il se dirigea vers la baie vitrée, au fond de la pièce. Dehors, une terrasse courait tout le long de la maison. Au bout de quelques instants, Lydia apparut, vêtue d'un gros manteau de drap, un panier plat sous le bras. Elle posa son panier et se pencha sur un bac de pierre surélevé de quelques centimètres au-dessus du sol.

Il la contempla ainsi un moment, finit par aller chercher un pardessus et une écharpe, et gagna à son tour la terrasse par une porte latérale. Il passa devant plusieurs autres bacs aménagés en jardins miniatures, tous nés des doigts agiles de Lydia.

L'un représentait une scène de désert, avec du sable blond, un petit massif de palmiers en fer-blanc peint en vert et une procession de chameaux menés par une ou deux minuscules silhouettes d'Arabes. Quelques bicoques de pisé avaient été réalisées en pâte à modeler. Plus loin, c'était un jardin italien avec des terrasses et des parterres de fleurs en cire à cacheter coloriée. Suivait un paysage arctique avec de petits morceaux de verre en guise d'icebergs et une microscopique colonie de pingouins. Puis venait un jardin japonais, avec deux ravissants bonzaïs, un miroir pour figurer l'eau et des petits ponts en pâte à modeler.

Il arriva enfin à sa hauteur et la regarda faire. Elle avait disposé un fond de papier bleu recouvert d'une plaque de verre. Autour s'empilaient des rochers. À présent, elle versait d'un sac des petits cailloux irréguliers qu'elle disposait de façon à simuler une plage. Quelques cactus nains se dressaient entre les rochers.

— Oui, c'est ça… Exactement ce que je voulais, murmura-t-elle pour elle-même.

— Et que représente ton dernier chef-d'œuvre? demanda Alfred.

Elle sursauta, car elle ne l'avait pas entendu s'approcher.

— Ça? Oh, c'est la mer Morte. Ça te plaît?

— C'est un peu aride, non? Il ne devrait pas y avoir un peu plus de végétation?

Elle secoua la tête :

— C'est mon idée de la mer Morte. Elle *est* morte, tu vois.

— Ce n'est pas aussi joli que les autres.

— Ce n'est pas fait pour être spécialement joli.

Des bruits de pas résonnèrent sur la terrasse. Un majordome tout chenu venait vers eux :

— Mrs George Lee au téléphone, madame. Elle demande si cela vous convient que Mr George et elle arrivent demain par le train de 17 h 20.

— Oui, dites-lui que c'est parfait.

— Merci, madame.

Le majordome se hâta vers la maison. Et Lydia le suivit des yeux, tout attendrie :

— Cher vieux Tressilian. Quel homme précieux ! Je me demande ce que nous ferions sans lui.

— Il est de la vieille école, approuva Alfred. Voilà près de quarante ans qu'il est ici, et il nous est dévoué à tous.

Lydia hocha la tête :

— Oui. C'est le vieux serviteur fidèle comme on en voit dans les romans. Je suis sûre qu'il n'hésiterait jamais à mentir effrontément pour protéger quelqu'un de la famille !

— C'est vrai, ça, dit Alfred. Oui, je crois bien qu'il en serait capable.

Lydia étala ses derniers galets :

— Là, dit-elle. C'est prêt.

— Prêt ? répéta Alfred, perplexe.

Elle rit :

— Pour Noël, bêta ! Pour ce chaleureux Noël familial que nous nous apprêtons à fêter !

4

David lisait sa lettre. Il avait commencé par en faire une boulette qu'il avait jetée au loin. Puis il l'avait ramassée, défroissée, et avait entrepris de la relire.

Hilda, sa femme, le contemplait sans rien dire. Elle remarqua le muscle – ou était-ce un nerf ? – qui battait à sa tempe, le léger tremblement de ses longues mains délicates, l'agitation de son corps tout entier. Quand enfin il repoussa la mèche de cheveux blonds qui lui retombait sans arrêt sur le front et qu'il leva sur elle des yeux bleus suppliants, elle était prête.

— Hilda, que faut-il faire ?

Hilda prit son temps pour répondre. Elle avait entendu la prière dans sa voix. Elle savait à quel point il dépendait d'elle – il en avait toujours été ainsi depuis leur mariage –, à quel point son avis serait déterminant. Mais pour cette raison, précisément, elle hésitait à prononcer des mots définitifs.

Elle dit enfin, de la voix calme et apaisante d'une nounou s'adressant à un petit enfant :

— Ça dépend de ce que tu ressens, David.

Une femme forte, Hilda. Pas une beauté, mais dotée d'une sorte de magnétisme. Quelque chose qui évoquait une peinture hollandaise. Quelque chose de chaleureux, de prenant dans la voix. Quelque chose de fort – cette force vitale invisible qui attire la faiblesse. Une petite femme boulotte, entre deux âges, ni très intelligente ni très brillante, mais possédant un Dieu sait quoi qui s'imposait à vous. La force ! Hilda Lee avait de la force.

David se mit à arpenter la pièce. Aucun fil gris ne se mêlait à ses cheveux blonds. Il avait un air curieusement adolescent et un visage d'une douceur préraphaélite. D'une certaine façon, il manquait d'épaisseur, de réalité charnelle…

— Tu le sais très bien, ce que je ressens, dit-il d'une voix chagrine.

— Je n'en suis pas sûre.

— Mais je te l'ai dit… je te l'ai dit et répété cent fois ! Combien je hais tout ça – la maison, la campagne qui l'entoure et tout ! Je n'en garde que des souvenirs de malheur. J'ai détesté chaque minute que j'ai vécue là-bas ! Chaque fois que j'y pense… chaque fois que je pense à tout ce qu'*elle* y a souffert… ma mère…

Sa femme hocha la tête en signe de compassion.

— Elle était si douce, Hilda, si patiente. Étendue, souvent souffrante, mais supportant tout, endurant tout. Et quand je pense à mon père qui lui a valu toute cette misère dans sa vie, qui n'a cessé de l'humilier, de se vanter de ses bonnes fortunes, qui l'a trompée à n'en plus finir sans se donner la peine de le cacher…

— Elle n'aurait jamais dû supporter ça, dit Hilda. Elle aurait dû le quitter.

— Elle était trop bonne pour ça, répondit-il avec une pointe de reproche. Elle pensait que c'était son devoir de rester. Et puis c'était sa maison, où serait-elle allée ?

— Elle aurait pu refaire sa vie.

— Pas à cette époque-là ! Tu ne te rends pas compte ! s'irrita David. Les femmes ne se conduisaient pas comme ça. Il leur fallait s'accommoder de leur sort. Elles prenaient leur mal en patience. Et puis il y avait nous. Que serait-il arrivé si elle avait divorcé ? Mon père se serait sans doute remarié. Il aurait pu avoir une seconde famille. Nos intérêts à nous auraient pu être lésés. Il fallait bien qu'elle pense à tout ça.

Hilda ne releva pas.

— Non, elle a choisi la bonne voie, poursuivit David. C'était une sainte ! Elle a tout supporté jusqu'à la fin… sans se plaindre.

— Elle devait quand même bien se plaindre un peu, sinon tu n'en saurais pas tant !

Le visage de David s'éclaira :

— Oui… elle me racontait des choses, murmura-t-il. Elle savait combien je l'aimais. Quand elle est morte…

Il se passa la main dans les cheveux :

— C'était atroce, Hilda ! Horrible ! La désolation ! Elle était encore jeune, elle *n'aurait pas dû* mourir. C'est *lui*, mon père, qui l'a tuée ! C'est lui qui est responsable de sa mort. Il lui a brisé le cœur. C'est à ce moment-là que j'ai décidé que je ne vivrais plus sous son toit. Je suis parti… parti loin de tout ça.

Hilda hocha la tête :

— Tu as eu raison. C'était ce qu'il fallait faire.

— Mon père voulait que j'entre dans l'affaire. Ça aurait signifié vivre à la maison. Je ne l'aurais pas supporté. Je me demande comment fait Alfred, comment il supporte ça depuis tout ce temps.

— Il ne s'est jamais révolté? demanda Hilda avec curiosité. Tu ne m'as pas dit qu'il avait dû renoncer à une autre carrière?

David acquiesça :

— Il devait entrer dans l'armée. Père avait tout arrangé. À Alfred, l'aîné, la carrière militaire dans un régiment de cavalerie. À Harry et moi, l'affaire familiale. À George, la politique.

— Et ça ne s'est pas passé comme ça?

David secoua la tête :

— Harry a tout fichu par terre! Ç'a toujours été une tête brûlée. Il s'est endetté, il s'est attiré toutes sortes d'ennuis et, pour finir, il a filé un beau jour avec plusieurs centaines de livres qui ne lui appartenaient pas, en laissant un mot où il disait qu'il n'était pas fait pour rester assis derrière un bureau et qu'il s'en allait courir le monde.

— Sur quoi vous n'avez plus jamais entendu parler de lui?

— Oh, que si! s'exclama David en se mettant à rire. Et souvent, même! Il n'a jamais cessé d'expédier des câbles des quatre coins de la planète pour réclamer de l'argent. Et il l'a généralement obtenu!

— Et Alfred?

— Père l'a forcé à abandonner l'armée et l'a fait revenir pour reprendre l'affaire.

— Comment a-t-il vécu ça?

— Très mal, au début. Il exécrait son nouveau métier. Mais Père l'avait toujours mené par le bout du nez. Et je crois d'ailleurs que ça n'a pas changé.

— Quant à toi… tu as pris la fuite ! dit Hilda.

— Oui. Je suis parti étudier la peinture à Londres. Père m'a dit tout net que si j'avais l'intention de perdre mon temps comme ça, il me servirait une petite rente tant qu'il vivrait, mais que je n'aurais rien à sa mort. Je lui ai répondu que je m'en fichais. Il m'a traité d'imbécile, point final ! Je ne l'ai plus jamais revu.

— Et tu ne l'as jamais regretté ? demanda Hilda avec douceur.

— Je te garantis bien que non. Je sais parfaitement que je n'irai pas bien loin avec ma peinture. Je ne serai jamais un grand artiste. Mais nous sommes heureux, dans ce cottage. Nous avons tout ce qu'il nous faut. L'essentiel en tout cas. Et si je meurs, tu auras mon assurance-vie.

Il s'interrompit avant d'ajouter, en frappant la lettre du plat de la main :

— Et maintenant… *ça* !

— Si ça doit te bouleverser à ce point, je regrette que ton père t'ait écrit cette lettre !

— Il me demande d'amener ma femme, poursuivit David comme s'il ne l'avait pas entendue. Il exprime le vœu que nous nous retrouvions tous ensemble pour Noël. Une famille unie ! Qu'est-ce que ça peut bien vouloir dire ?

— Est-ce que ça doit forcément vouloir dire autre chose que ce que ça dit ? demanda Hilda.

David la regarda sans comprendre.

— Je veux dire par là que ton père vieillit, expliqua-t-elle en souriant. Il éprouve le besoin de resserrer les liens. Ce sont des choses qui arrivent, tu sais.

— Peut-être bien, dit lentement David.

— C'est un vieil homme et il se sent seul.

Il lui lança un rapide coup d'œil :

— Tu veux que j'y aille, Hilda, c'est ça ?

— Ne pas saisir une main tendue… cela paraît désolant, murmura-t-elle. Je suis sans doute vieux-jeu, mais Noël n'est-il pas le moment ou jamais de faire la paix ?

— Après tout ce que je t'ai dit ?

— Je sais, mon chéri, je sais. Mais tout cela, c'est du *passé*. C'est ter-mi-né.

— Pas pour moi.

— Parce que *tu ne veux pas laisser mourir le passé*. Tu préfères l'entretenir dans ta mémoire.

— Je ne peux pas oublier.

— Tu ne *veux* pas oublier. C'est ça, le fond du problème.

Il serra les mâchoires, la bouche durcie :

— Nous sommes comme ça, dans la famille. Nous n'oublions rien, nous ruminons le passé, nous avons la mémoire longue.

— Y a-t-il vraiment de quoi s'en glorifier ? repartit Hilda avec une pointe d'impatience. Je ne suis pas de cet avis !

Il la contempla d'un air songeur, presque distant :

— Alors, pour toi, la loyauté, la fidélité à un souvenir, ça n'a aucune valeur ?

— J'estime que c'est le *présent* qui importe, pas le passé ! Le passé doit s'effacer. En cherchant à le maintenir vivant, je crois qu'on finit par le *déformer.* On le voit dans une perspective faussée, on en grossit les détails.

— Je me souviens parfaitement de chaque mot, de chaque événement de ce temps-là ! dit David avec passion.

— Oui, mais tu ne *devrais* pas, mon chéri ! Ce n'est pas normal ! Au lieu d'avoir le recul d'un homme, tu regardes cette époque avec les yeux d'un petit garçon.

— Qu'est-ce que ça changerait ? fit David.

Hilda hésita. Elle avait conscience qu'il aurait mieux valu s'arrêter là, mais il y avait des choses qu'elle brûlait de dire.

— Je pense, reprit-elle, que tu vois ton père comme un *croque-mitaine* ! Il est probable que si tu le voyais maintenant, tu comprendrais qu'il n'est au fond qu'un homme très ordinaire – un homme dominé par ses passions, sans doute, un homme dont la vie a toujours été loin d'être irréprochable, mais enfin un *homme*, tout bonnement, pas une espèce de monstre sans entrailles !

— Tu ne comprends pas ! La façon dont il a traité ma mère…

— Il existe une certaine sorte d'humilité, de soumission, qui suscite le pire chez un homme, répondit gravement Hilda. Alors que le même homme pourrait se révéler très différent s'il trouvait face à lui un peu de cran et de détermination.

— En somme, d'après toi, ce serait de sa faute à elle…

— Non, bien sûr que non ! Je ne doute pas que ton père ait très mal traité ta mère, mais un couple, c'est une entité mystérieuse, et je ne pense pas qu'une personne extérieure – fût-elle le propre enfant de ce couple –

soit en droit de le juger. De toute façon, ce ressentiment en toi n'est d'aucune utilité pour ta mère. Tout cela est *fini*, tout cela est derrière toi ! Ce qui reste aujourd'hui, c'est un vieil homme en mauvaise santé qui demande à son fils de venir le voir pour Noël !

— Et tu veux que j'y aille ?

Hilda hésita, puis elle se décida d'un seul coup.

— Oui, dit-elle. Je veux que tu y ailles et que tu terrasses le monstre une bonne fois pour toutes.

5

Quarante et un ans, député de Westeringham, George Lee était un individu plutôt corpulent. Ses yeux d'un bleu très pâle, légèrement proéminents, posaient sur le monde un regard soupçonneux. Il avait la mâchoire lourde et s'exprimait avec lenteur, d'un ton pédant.

Il était en train d'énoncer en détaillant chaque mot :

— Je t'ai dit et répété, Magdalene, que j'estime qu'il est de mon devoir d'y aller.

Sa femme haussa les épaules avec impatience.

C'était une créature élancée, une blonde platinée aux sourcils épilés et au visage lisse. En certaines circonstances, ce visage avait la capacité de n'exprimer rigoureusement rien, et c'est cette totale vacuité qu'il affichait à ce moment précis.

— Chéri, dit-elle, ça va être parfaitement lugubre, j'en suis sûre.

— En outre, poursuivit George Lee – et ses traits s'éclairèrent à cette agréable perspective –, cela va nous permettre de faire de sérieuses économies. Noël est toujours une période de dépenses. Nous allons pouvoir économiser sur les gages des domestiques.

— Oh, et puis de toute façon, s'exclama Magdalene, Noël est toujours lugubre où qu'on soit !

— J'imagine, dit George, poursuivant son idée, qu'ils s'attendent à un réveillon fastueux ! Une belle pièce de bœuf peut-être, à défaut d'une dinde…

— Qui ? Les domestiques ? Oh, George, arrête avec ça. Tu passes ta vie à parler d'argent.

— Il faut bien que quelqu'un s'en inquiète, dit George.

— Peut-être. Mais économiser des bouts de chandelles n'a jamais servi à rien. Pourquoi n'obtiens-tu pas de ton père qu'il te donne plus d'argent ?

— Il me sert déjà une assez jolie rente.

— C'est affreux de dépendre de lui comme ça ! Il aurait dû te faire une donation et qu'on n'en parle plus.

— Ça ne lui ressemblerait pas.

Magdalene le regarda. Ses yeux noisette se firent soudain durs et perçants. Le visage lisse, sans expression, montrait à présent de l'intérêt :

— Il est atrocement riche, n'est-ce pas, George ? Il est plus ou moins millionnaire, non ?

— Plus de deux fois millionnaire, je crois.

Magdalene eut un soupir de convoitise :

— Comment a-t-il fait pour amasser tout ça ? L'Afrique du Sud, non ?

— Oui, il a fait fortune là-bas, quand il était jeune. Dans les diamants, une majeure partie.

— Comme c'est excitant !

— Et puis il est venu en Angleterre où il s'est lancé dans les affaires, et il a dû doubler ou tripler son capital.

— Qu'est-ce qui va se passer à sa mort ?

— Père n'a jamais dit grand-chose là-dessus, et ce n'est évidemment pas une question facile à poser. J'imagine que l'essentiel ira à Alfred et moi. Alfred aura la plus grosse part, bien entendu.

— Mais tu as d'autres frères, non ?

— Oui, il y a mon frère David. Mais je ne pense pas que *lui* ait grand-chose. Il a quitté la maison pour faire de la peinture ou je ne sais quelle ânerie dans ce goût-là. Je crois que Père l'a prévenu qu'il le déshériterait et que David a répondu qu'il s'en fichait.

— Quel idiot ! dit Magdalene avec dédain.

— Il y avait aussi ma sœur Jennifer. Elle est partie avec un étranger – un artiste espagnol, un ami de David. Mais elle est morte il y a un an. Elle avait une fille, je crois bien. Père lui laissera peut-être quelques sous, mais pas des tas. Et puis, bien sûr, il y a Harry…

Il s'arrêta, légèrement embarrassé.

— Harry ? s'étonna Magdalene. Qui est Harry ?

— Eh bien… euh… mon frère.

— Je ne savais pas que tu avais un autre frère.

— Ma chère, ce n'est pas un grand… hum !… sujet de fierté pour nous. Nous n'en parlons jamais. Il s'est conduit de façon scandaleuse. Nous n'avons pas entendu parler de lui depuis des années. Il est sans doute mort.

Magdalene éclata soudain de rire.

— Qu'y a-t-il ? Qu'est-ce qui te fait rire ?

— Rien. Je me disais que c'était tordant que toi – *toi*, George, tu aies un frère de mauvaise réputation ! Tu es tellement respectable.

— Je l'espère bien, dit George, très froid.

Magdalene plissa les paupières :

— Ton père, lui, ne l'est pas… très.

— Voyons, Magdalene !

— Il dit parfois des choses qui me mettent franchement mal à l'aise.

— Vraiment, Magdalene, tu m'étonnes. Est-ce que… hum !… Lydia pense comme toi ?

— C'est un genre de choses qu'il ne dit pas à Lydia, grinça Magdalene en se mettant en colère. *Non*, il ne lui parle jamais comme ça, à *elle*. Je me demande d'ailleurs bien pourquoi.

George lui lança un regard furtif, puis détourna les yeux.

— Bah ! dit-il vaguement. Il a des excuses. À son âge… et avec sa mauvaise santé…

— Il est vraiment… très malade ?

— Je n'irai pas jusque-là. Il est incroyablement résistant. Enfin, quoi qu'il en soit, puisqu'il veut avoir sa famille auprès de lui pour Noël, je pense que nous avons de bonnes raisons d'y aller. C'est peut-être son dernier Noël.

— Ça, c'est toi qui le dis ! s'emporta encore Magdalene. Mais il peut encore vivre des années, non ?

— Oui, oui, bien sûr, c'est possible, balbutia son mari, légèrement interloqué.

— Oh, bon, fit Magdalene, résignée. Après tout, ce n'est peut-être pas plus mal d'y aller.

— Je n'en doute pas un instant.

— Mais moi, j'en suis malade ! Alfred est tellement rasoir, et puis Lydia me snobe.

— Quelle bêtise !

— Elle me snobe, je te dis ! Et je déteste ce domestique odieux.

— Le vieux Tressilian ?

— Non, Horbury. Toujours à fouiner partout et à faire des simagrées.

— Vraiment, je ne comprends pas que Horbury te fasse un tel effet !

— Il me porte sur les nerfs, un point c'est tout. Mais n'y pensons plus. Il faut y aller, j'ai compris. Ça ne servirait à rien d'offenser le vieux.

— Non, non, précisément. Pour en revenir au réveillon des domestiques…

— Pas maintenant, George, une autre fois. Je vais appeler Lydia pour lui dire que nous arriverons demain par le 17 h 20.

Magdalene quitta la pièce en coup de vent. Après avoir téléphoné, elle monta dans sa chambre et s'assit à son secrétaire. Elle ouvrit l'abattant et fourragea dans les divers casiers. Des cascades de factures en jaillirent. Elle les tria, s'efforça d'y mettre un semblant d'ordre. En fin de compte, avec un soupir d'exaspération, elle les remit en vrac dans les casiers d'où elles étaient sorties et passa la main dans ses cheveux platine.

— Qu'est-ce que je vais bien pouvoir faire ? gémit-elle.

6

Au premier étage de Gorston Hall, un long corridor menait à une vaste chambre qui donnait sur l'allée principale. C'était une pièce dans ce que le néogothique peut avoir de plus flamboyant : papier mural gaufré, fauteuils de cuir repoussé, immenses vases ornés de dragons crachant des flammes, statues de bronze patinées par les ans. Tout y était somptueux, tout y avait coûté les yeux de la tête, tout y était bâti pour l'éternité.

Dans un grand fauteuil à oreillettes, le plus profond et le plus imposant de tous ceux que comptait la pièce, se perdait la mince silhouette parcheminée d'un vieillard. Ses longues mains semblables aux serres d'un oiseau reposaient sur les accoudoirs. Une canne à pommeau d'or était posée à son côté. Il portait une vieille robe de chambre bleue plutôt râpée. Il avait des pantoufles aux pieds. Sa chevelure était blanche – et jaune la peau de son visage.

Une pauvre vieille loque insignifiante, aurait-on pu croire au premier regard. Mais le nez aquilin et fier, et les yeux noirs, brûlant d'une vie intense, auraient bientôt contraint l'observateur à changer d'opinion. Il y avait là du feu, de la vigueur et de la vie.

Le vieux Simeon Lee émit un gloussement – un brusque gloussement de plaisir :

— Vous avez transmis mon message à Mrs Alfred, hein ?

Horbury se tenait debout près du fauteuil.

— Oui, monsieur, répondit-il de sa voix douce et déférente.

— Exactement dans les termes que je vous ai dits ? Exactement, hein ?

— Oui, monsieur. Je n'y ai pas changé un mot, monsieur.

— C'est vrai, vous ne commettez jamais d'erreur. Et vous faites aussi bien, d'ailleurs, vous le regretteriez ! Et qu'a-t-elle dit, Horbury ? Et qu'a dit Mr Alfred ?

Impassible, Horbury rapporta la scène. Le vieil homme gloussa de nouveau et se frotta les mains :

— Magnifique ! Impeccable ! Ils ont dû passer l'après-midi à se creuser la tête ! Magnifique ! Je veux les voir à présent. Allez les chercher.

— Oui, monsieur.

Horbury traversa la pièce sans un bruit et sortit.

— Et puis Horbury…

Le vieillard regarda autour de lui, puis poussa un juron :

— Ce type se déplace comme un chat. On ne sait jamais où il est.

Il demeura sans bouger dans son fauteuil, à se caresser le menton du doigt, jusqu'à ce qu'on frappe à la porte. Alfred et Lydia entrèrent.

— Ah ! vous voilà, vous voilà. Asseyez-vous ici près de moi, ma chère Lydia. Vous avez de belles couleurs !

— Je suis sortie dans le froid. Les joues vous brûlent, après.

— Comment vas-tu, Père ? s'enquit Alfred. Tu t'es bien reposé cet après-midi ?

— Impeccable, impeccable. Rêve d'autrefois ! Avant que je me range et que je devienne un pilier de la bonne société.

Il laissa fuser un petit rire.

Sa belle-fille s'assit en silence, et attendit avec un sourire poli.

— Père, qu'est-ce que c'est que cette histoire d'invités supplémentaires pour Noël ?

— Ah, ça ! C'est vrai, il faut que je vous en parle. Ça va être un fameux Noël pour moi cette année – un fameux Noël. Voyons voir, George vient avec Magdalene…

— Oui, intervint Lydia, ils arrivent demain par le train de 17 h 20.

— Un crétin, George ! dit le vieux Simeon. Une baudruche ! Mais enfin, c'est mon fils.

— Ses administrés l'apprécient, dit Alfred.

Simeon gloussa.

— Ils le croient sans doute honnête. Honnête ! Un Lee honnête, ça ne s'est encore jamais vu.

— Oh, voyons, Père !

— Sauf toi, mon garçon. Sauf toi, bien sûr.

— Et David ? demanda Lydia.

— Hum, David… Je suis curieux de voir ce qu'il est devenu, après toutes ces années. C'était un gamin pleurnicheur. Je me demande à quoi ressemble sa femme.

En tout cas, il n'a pas épousé une fille de vingt ans de moins que lui, comme cet imbécile de George !

— Hilda a écrit une lettre très gentille, dit Lydia. Et je viens de recevoir un télégramme d'elle pour confirmer leur arrivée demain.

Son beau-père la transperça du regard. Puis il se mit à rire.

— Je n'arriverai jamais à faire sortir Lydia de ses gonds, dit-il. On peut porter ça à votre crédit, Lydia, vous avez de la race. La race ne ment pas, ça, je le sais. Une drôle de chose, quand même, l'hérédité. Il n'y en a qu'un seul qui tienne de moi, un seul sur toute la portée.

Ses yeux pétillèrent :

— Et maintenant, devinez qui vient pour Noël. Je vous donne trois chances, et je vous parie cinq livres que vous ne trouverez pas.

Ses yeux allaient de l'un à l'autre. Alfred, perplexe, fronça les sourcils :

— Horbury a dit que tu attendais une « jeune personne ».

— Et ça t'a intrigué, je vois ça. Oui, Pilar devrait arriver d'une minute à l'autre. J'ai donné des ordres pour qu'on aille la chercher en voiture à la gare.

— *Pilar* ? dit vivement Alfred.

— Pilar Estravados, répliqua Simeon. La fille de Jennifer. Ma petite-fille. J'ai hâte de la voir.

— Bon sang, Père ! s'écria Alfred. Tu ne m'avais jamais dit…

— Non, j'ai voulu que ce soit mon secret ! ricana le vieillard. Je suis passé par Charlton pour tout régler.

— Tu ne m'avais jamais dit… répéta Alfred d'un ton blessé et chargé de reproches.

Son père eut un sourire narquois :

— Ça n'aurait plus été une surprise ! Je me demande quel effet ça va faire d'avoir de nouveau du sang jeune dans cette maison. Je n'ai jamais vu Estravados. Je me demande de qui tient la fille : de son père ou de sa mère ?

— Père, crois-tu vraiment que ce soit très sage… commença Alfred. Tout bien considéré…

Le vieillard l'interrompit :

— Prudence, prudence ! Tu n'as que ce mot-là à la bouche, Alfred ! Tu as toujours été comme ça. Eh bien, pas moi ! Fais ce que tu as envie de faire, et le reste on s'en fout ! Voilà ce que je dis ! Cette fille est ma petite-fille, le seul petit-enfant de toute la famille. Je me fiche de savoir qui était son père et ce qu'il a pu fabriquer ! Elle est la chair de ma chair et le sang de mon sang ! Et elle va venir vivre ici, chez moi.

— Elle vient *vivre* ici ? demanda Lydia, cassante.

Il lui décocha un regard acéré :

— Vous y voyez une objection ?

Elle secoua la tête en souriant :

— Comment m'opposerais-je à ce que vous invitiez quelqu'un sous votre propre toit ? Non, je me posais la question… pour elle.

— Que voulez-vous dire, pour elle ?

— Je me demandais si elle serait heureuse ici.

Le vieux Simeon rejeta la tête en arrière.

— Elle n'a pas un sou vaillant ! Elle devrait m'en être reconnaissante !

Lydia haussa les épaules tandis que Simeon se tournait vers Alfred :

— Tu vois ? Ça va être un Noël splendide ! Tous mes enfants auprès de moi. *Tous* mes enfants ! Allons,

Alfred, je t'ai donné un indice. Maintenant, devine qui est l'autre invité.

Alfred le regarda sans oser comprendre.

— Tous mes enfants! Devine, mon garçon! *Harry*, bien sûr! Ton frère Harry!

Alfred avait blêmi.

— Harry... balbutia-t-il. Quand même pas Harry...

— Harry en personne.

— Mais nous pensions qu'il était mort!

— Pas lui!

— Tu... tu le reçois ici? Après tout ce qui s'est passé?

— Le fils prodigue, hein? C'est bien ça. Le veau gras! Nous devons tuer le veau gras, Alfred. Nous devons lui faire un accueil du feu de Dieu.

— Mais il s'est conduit de façon ignoble envers toi, et envers nous tous... Il...

— Inutile d'énumérer ses crimes! La liste est longue. Mais, à Noël, on pardonne les offenses, n'est-il pas vrai? Nous allons accueillir le fils prodigue à bras ouverts.

Alfred se leva :

— C'est... c'est pour moi un choc. Je n'aurais jamais imaginé que Harry repasserait un jour cette porte.

Simeon se pencha vers lui.

— Tu n'as jamais aimé Harry, n'est-ce pas? dit-il doucement.

— Après la façon dont il s'est conduit envers toi...

— Bof! le passé est le passé, gloussa Simeon. C'est l'esprit de Noël, n'est-ce pas, Lydia?

Lydia avait pâli, elle aussi.

— Je vois que vous avez beaucoup songé à Noël, cette année, dit-elle d'une voix mordante.

— Je veux avoir ma famille auprès de moi. Qu'on fasse la paix et qu'on se réjouisse ! Je suis un vieil homme. Tu t'en vas, mon garçon ?

Alfred se retirait en hâte. Lydia s'apprêtait à le suivre.

Simeon eut un signe de tête en direction de la silhouette qui s'éloignait :

— Ça l'a bouleversé. Harry et lui ne se sont jamais entendus. Harry se moquait d'Alfred. Il l'appelait « Ranplan-plan ».

Lydia ouvrit la bouche. Elle allait parler, mais, en voyant l'expression avide du vieillard, elle se retint. Il fut fort dépité de sa maîtrise, et elle, toute rassérénée de le constater.

— Le lièvre et la tortue, dit-elle. Bah, c'est la tortue qui gagne.

— Pas à tous les coups, dit Simeon. Pas à tous les coups, ma chère Lydia.

— Excusez-moi, dit-elle toujours souriante, mais je dois rejoindre Alfred. Il supporte mal les émotions soudaines.

— Oui, gloussa Simeon, Alfred n'aime pas le changement. Ç'a toujours été le type même du pantouflard.

— Alfred vous est très dévoué, dit Lydia.

— Cela vous paraît bizarre, n'est-ce pas ?

— Oui, répondit-elle, parfois.

Simeon la regarda sortir de la pièce en ricanant doucement.

— Ça ne fait que commencer, on va bien s'amuser, murmura-t-il en se frottant les mains. Je sens que ce Noël va me plaire.

Il se dressa sur ses pieds avec effort et, appuyé sur sa canne, traversa péniblement la pièce.

Il se dirigea vers un gros coffre qui se dressait dans un coin de la chambre. Il composa la combinaison et tourna la poignée. La porte s'ouvrit, et il glissa à l'intérieur une main tremblante.

— Eh bien, mes tout beaux, vous êtes toujours là… Toujours les mêmes… toujours mes vieux amis… Ah, c'était le bon temps ! Oui, le bon temps… Vous ne serez jamais taillés, mes amis. *Vous*, vous n'irez pas orner le cou des femmes, ni leurs doigts, ni leurs oreilles. Vous êtes à *moi* ! Nous en savons, des choses, vous et moi. Je suis vieux, d'après eux, vieux et malade. Mais je ne suis pas encore fini ! Elle est encore bien vivante, la vieille carne. Et elle peut encore se payer quelques bons moments. Oh oui, quelques bons moments…

DEUXIÈME PARTIE

23 DÉCEMBRE

1

Tressilian se hâtait tant bien que mal vers la porte d'entrée. La sonnette avait carillonné avec une agressivité inhabituelle, et il n'avait pas encore parcouru toute la longueur du hall qu'elle venait de retentir de nouveau.

Tressilian rougit d'indignation. En voilà des manières de s'annoncer chez des gens comme il faut ! Si c'était encore une de ces bandes de chanteurs de noëls, il allait leur dire sa façon de penser.

À travers la vitre dépolie du panneau supérieur de la porte, il distingua une silhouette – un homme de haute taille, coiffé d'un chapeau mou à larges bords. Il ouvrit. C'était bien ce qu'il pensait : un étranger bruyant, voyant, vulgaire – la coupe de ce complet-veston tape-à-l'œil ! Encore un de ces démarcheurs sans vergogne !

— Ma parole, mais c'est ce bon Tressilian ! clama l'étranger. Ça boume toujours, Tressilian ?

Tressilian écarquilla les yeux, ouvrit la bouche, le regarda encore à deux fois. Cette mâchoire forte à la

ligne arrogante, ce nez aquilin, ce regard rigolard…
Oui, il connaissait ce visage, il l'avait vu ici des années
auparavant. En moins flambant, à l'époque.

— Mr Harry ! dit-il dans un souffle.

Harry Lee partit d'un gros éclat de rire :

— On dirait que ça vous flanque un coup. Pourquoi
ça ? Je ne suis pas attendu ?

— Si, monsieur. Bien sûr, monsieur.

— Alors, pourquoi le numéro de la surprise ?

Harry recula de quelques pas pour contempler la
maison – grosse masse de brique rouge sans caractère,
mais faite pour défier le temps.

— Toujours la même vieille baraque ! éructa-t-il.
Mais enfin elle est restée debout, c'est l'essentiel.
Comment va mon père, Tressilian ?

— Il n'est plus très valide, monsieur. Il garde la
chambre et ne se déplace qu'avec difficulté. Malgré
cela, il se porte étonnamment bien.

— Le vieux sacripant !

Harry entra, laissa Tressilian lui ôter son écharpe et
prendre son chapeau de matamore.

— Et mon cher frère Alfred, Tressilian ?

— Il se porte à merveille, monsieur.

Harry eut un large sourire :

— Impatient de me voir, hein ?

— Je le crois, monsieur.

— Eh bien, pas moi ! Je parie qu'il prend ça de
travers, ma réapparition ! Alfred et moi, on ne s'est
jamais entendus. Ça vous arrive de lire votre bible,
Tressilian ?

— Oh, oui, monsieur. Parfois, monsieur.

— Vous vous rappelez le retour du fils prodigue ?
Ça ne plaisait pas au bon frère, vous vous souvenez ?
Mais alors pas du tout ! Et je parie que ça ne plaît pas
du tout non plus à ce bon vieil Alfred.

Tressilian demeura silencieux, les yeux baissés,
protestant de tout son corps raidi. Harry lui tapa sur
l'épaule.

— Allons-y, ma vieille ! Le veau gras m'attend !
Menez-moi droit vers lui !

— Si vous voulez bien me suivre au salon, monsieur, murmura Tressilian. Je ne sais pas au juste où
ils sont… Ils ignoraient l'heure de votre arrivée, monsieur, c'est pourquoi ils n'ont pas envoyé la voiture.

Harry hocha la tête. Il suivit Tressilian dans le hall en
regardant de tous côtés.

— Toute la vieille antiquaille est en place, à ce que
je vois. Je crois bien que rien n'a changé depuis vingt
ans que je suis parti.

— Je vais voir si je peux trouver Mr ou Mrs Alfred,
murmura Tressilian en ouvrant la porte du salon – et il
se retira en hâte.

Harry Lee fit quelques pas dans la pièce, puis
s'arrêta net, en découvrant la personne qui était assise
sur le rebord d'une fenêtre. Ses yeux détaillaient sans y
croire les cheveux noirs, la pâleur veloutée de l'apparition.

— Doux Jésus ! s'exclama-t-il. Seriez-vous la septième et plus belle femme de mon père ?

Pilar glissa de son perchoir et s'avança vers lui.

— Je suis Pilar Estravados, annonça-t-elle. Et vous
devez être mon oncle Harry, le frère de ma mère.

— Alors, c'est ça que vous êtes ! dit Harry d'un air stupéfait. La fille de Jenny !

— Pourquoi m'avez-vous demandé si j'étais la septième femme de votre père ? répondit Pilar. Il a vraiment eu six femmes ?

Harry hurla de rire :

— Non, je crois qu'il n'en a eu officiellement qu'une. Eh bien, Pil… euh… c'est comment, au juste, votre nom ?

— Pilar.

— Eh bien, Pilar, ça m'en bouche un coin de voir une aussi jolie fleur s'épanouir dans ce mausolée.

— Ce maus… pardon ?

— Ce musée de vieilleries empaillées ! J'ai toujours trouvé que ce gourbi était une horreur ! Mais il est encore plus moche que dans mon souvenir !

— Oh, non, c'est superbe, ici ! dit Pilar d'une voix choquée. Les meubles sont superbes, et les tapis… je n'en ai jamais vu d'aussi épais, et il y en a partout – et puis il y a plein d'objets. Tout est de très bonne qualité, et tout fait très très riche !

— Là, vous n'avez pas tort, dit Harry avec un grand sourire. (Il la contempla d'un air amusé.) Vous savez, ça me fait vraiment quelque chose de vous voir au milieu de…

Il s'interrompit : Lydia avait fait irruption dans la pièce. Et elle venait droit vers lui.

— Comment allez-vous, Harry ? Je suis Lydia, la femme d'Alfred.

— Bonjour, Lydia.

Il lui serra la main, enveloppant son visage mobile et intelligent d'un rapide coup d'œil et appréciant mentalement sa façon de marcher. Si peu de femmes savent bouger.

Lydia, de son côté, s'était vite fait une opinion : « Il a tout de la parfaite crapule. Mais, dans son genre, il ne manque pas de séduction. Pourtant, je ne me fierais pas à lui une seconde… »

Elle lui sourit :

— Alors, à quoi ça ressemble après tant d'années ? Très changé, ou tout ce qu'il y a d'immuable ?

— Ma foi, tout ce qu'il y a d'immuable. (Il regarda autour de lui.) Mais cette pièce a été refaite.

— Oh, des tas de fois.

— Je veux dire refaite par vous. Vous l'avez rendue… différente.

— Oui, je l'espère.

Il la gratifia d'un brusque sourire, un sourire goguenard qui la fit tressaillir tant il rappelait le vieil homme, en haut.

— Ça a plus de classe, maintenant ! Je me suis laissé dire que ce vieil Alfred avait épousé une fille dont les aïeux avaient débarqué avec Guillaume le Conquérant.

— Eh oui, dit Lydia en souriant. Mais ils ont perdu quelques plumes depuis.

— Comment va ce vieil Alfred ? reprit Harry. Toujours aussi pantouflard ?

— Je ne sais pas du tout si vous le trouverez changé.

— Et comment vont les autres ? Dispersés aux quatre coins de l'Angleterre ?

— Non. Ils viennent tous ici pour Noël, vous savez.

Harry parut ébahi :

— Un vrai Noël familial, alors ? Qu'est-ce qui lui prend, au vieux ? Il ne donnait pas tellement dans le sentiment, autrefois ! Je ne me souviens pas de lui se souciant de sa famille ! Il doit avoir rudement changé !

— Peut-être, dit Lydia d'un ton sec.

Pilar ouvrait de grands yeux captivés.

— Et ce vieux George ? Toujours aussi rapiat ? Il criait comme un putois chaque fois qu'il devait lâcher un centime de son argent de poche !

— George est membre du Parlement, dit Lydia. Il est député de Westeringham.

— Quoi ? Boules de Loto au Parlement ? Seigneur, c'est la meilleure !

Harry rejeta la tête en arrière pour rire à son aise. Un rire énorme, barbare – on aurait dit qu'il allait tout fracasser dans la pièce. Pilar arrêta de respirer. Lydia eut un léger tressaillement.

Puis, Harry cessa de rire aussi brusquement qu'il avait commencé et se retourna d'un coup. Il n'avait entendu personne entrer, mais Alfred se tenait là, très calme, et regardait son frère avec une expression bizarre.

Harry demeura un instant immobile, puis un sourire lui vint lentement aux lèvres. Il fit un pas :

— Ma parole… mais c'est Alfred !

Alfred hocha la tête :

— Bonjour, Harry.

Ils restèrent là, se défiant du regard. Lydia retint son souffle.

« Comme c'est grotesque ! pensa-t-elle. On dirait deux chiens… en train de se mesurer… »

Quant à Pilar, les yeux exorbités, elle se disait :

« Ce qu'ils ont l'air bête, à rester plantés comme ça l'un devant l'autre… Pourquoi est-ce qu'ils ne s'embrassent pas ? Non, bien sûr, les Anglais ne font pas ça. Mais ils pourraient au moins *dire* quelque chose. Pourquoi est-ce qu'ils ne font rien que se regarder dans le blanc des yeux ? »

— Eh bien, finit par articuler Harry, ça fait drôle de se retrouver ici !

— Je m'en doute. Il y a pas mal de temps que tu… que tu es parti.

Harry redressa la tête. Il passa un doigt le long de sa mâchoire en un geste familier qui annonçait la bagarre.

— Oui, dit-il, je suis content d'être de retour… (il suspendit la fin de sa phrase comme pour lui donner plus de force) *au bercail*…

2

— Je crois bien que j'ai été un très mauvais sujet, dit Simeon Lee.

Bien calé dans son fauteuil, le menton relevé, il promenait pensivement un doigt sur sa mâchoire. Devant lui, dansaient les flammes claires d'un grand feu. Pilar était assise à ses pieds, un petit écran de papier mâché à la main dont elle se protégeait le visage. De temps à autre, elle s'éventait avec, d'un geste souple du poignet. Simeon la regarda avec satisfaction.

Il continua de parler, plus à lui-même sans doute qu'à la jeune fille, mais stimulé par sa présence silencieuse.

— Oui, dit-il, j'ai été un sale type. Que dis-tu de cela, Pilar ?

Pilar haussa les épaules :

— Tous les hommes sont mauvais. C'est ce que disent les bonnes sœurs. C'est pour ça qu'il faut prier pour eux.

— Ah, mais j'ai été plus mauvais que la plupart ! (Simeon rit.) Je ne le regrette pas, tu sais. Non, je ne regrette rien du tout. Je me suis bien amusé… J'ai profité de chaque minute. Il paraît qu'on se repent dans sa vieillesse. C'est de la blague. Je ne me repens pas. Et comme je te le disais, j'ai tout fait… Tous les bons vieux péchés ! J'ai triché, j'ai volé, j'ai menti. Seigneur oui ! Et les femmes… toujours les femmes ! Quelqu'un m'a parlé l'autre jour d'un cheik arabe qui avait une garde personnelle composée de quarante de ses fils – tous presque du même âge ! Ah ah, quarante ! Je ne sais pas trop pour quarante, mais je suis bien sûr que je pourrais produire une belle garde moi aussi pour peu que j'aille chercher tous mes mouflets ! Alors, Pilar, que penses-tu de ça ? Choquée ?

Pilar le regarda sans ciller :

— Non, pourquoi serais-je choquée ? Les hommes désirent les femmes. Mon père comme les autres. C'est pour ça que les femmes sont si souvent malheureuses et qu'elles vont prier à l'église.

Le vieux Simeon fronça les sourcils.

— J'ai rendu Adélaïde malheureuse… dit-il tout bas, comme pour lui-même. Seigneur, quelle femme ! Blanche et rose et jolie comme un cœur quand je l'ai épousée. Et après ? Toujours à pleurnicher. Ça réveille le démon chez un homme, une femme qui pleure sans arrêt. Elle n'avait pas de caractère, c'était ça le malheur avec Adélaïde. Si seulement elle m'avait tenu tête ! Mais elle ne l'a jamais fait, pas une fois. Quand je me suis marié, je croyais dur comme fer que j'allais me ranger, élever une famille, rompre avec le passé…

Sa voix s'éteignit. Il contempla pensivement le feu rougeoyant :

— Élever une famille… Quelle famille, Seigneur !
(Il laissa fuser un petit rire irrité.) Regarde-les, non
mais regarde-les ! À eux tous, ils n'ont pas été fichus
de faire un seul enfant pour me continuer ! Qu'est-ce
qui ne va pas, chez eux ? Ils n'ont donc pas une seule
goutte de mon sang dans les veines ? Pas un garçon à
eux tous, même illégitime. Alfred, par exemple : le ciel
me pardonne, ce qu'il est assommant, avec ses yeux
de chien fidèle ! Prêt à m'obéir au doigt et à l'œil…
Bon sang, quelle andouille ! Sa femme, Lydia, c'est
autre chose. Elle me plaît. Elle a de la branche, elle !
Mais elle ne m'aime pas. Non, elle ne m'aime pas.
Mais elle est bien obligée de me supporter, à cause de
ce cornichon d'Alfred… Pilar, souviens-toi de ça : il
n'y a rien de plus ennuyeux que la dévotion !

La jeune fille lui sourit. Il poursuivit, réchauffé par
sa jeunesse et sa troublante féminité :

— Et George ? C'est quoi, George ? Un faux poids !
Un crétin satisfait ! Une enflure pompeuse, sans tripes
ni cervelle – et avec ça, radin comme ça n'est pas
permis ! David ? David a toujours été un imbécile,
un imbécile et un songe-creux. Le petit garçon à sa
maman, voilà David ! La seule chose sensée qu'il ait
jamais faite, ç'a été d'épouser cette femme solide et
bien en chair. (Il frappa le bras de son fauteuil.) Harry
est encore le meilleur de tous ! Pauvre vieil Harry, la
brebis galeuse ! Mais lui, au moins, il est *vivant* !

— Oui, approuva Pilar, il est bien. Il rit, il rit très
fort, en renversant la tête. Je l'aime beaucoup.

Le vieillard la regarda :

— Tu l'aimes bien, hein, Pilar ? Harry a toujours su
s'y prendre avec les filles. Il tient de moi pour ça. (Il se

mit à rire, un petit rire hoquetant.) J'ai eu une bonne vie. Une très bonne vie. J'ai eu tout ce qu'on peut vouloir.

— En Espagne, dit Pilar, on a un proverbe qui dit : « Prends ce qui te plaît, paies-en le prix et Dieu sera content. »

Simeon frappa le bras de son fauteuil en signe d'approbation :

— C'est bien. C'est ça. Prends ce qui te plaît… C'est ce que j'ai fait, toute ma vie… Prendre ce qui me plaisait.

La voix de Pilar sonna, haute et claire, impressionnante soudain :

— Et vous en avez payé le prix ?

Simeon cessa de rire. Il se redressa, les yeux rivés sur elle :

— Qu'est-ce que tu as dit là ?

— J'ai dit : en avez-vous payé le prix, grand-père ?

— Je… je n'en sais rien… répondit lentement le vieillard.

Puis, frappant son fauteuil du poing, il s'écria avec colère :

— Qu'est-ce qui te fait dire ça, petite ? Hein ? Qu'est-ce qui te fait dire ça ?

— Je me demandais, dit Pilar.

Le petit écran s'était immobilisé au bout de son bras. Ses yeux étaient sombres et mystérieux. Elle était assise, la tête en arrière, consciente d'elle-même, de sa féminité.

— Espèce de sale gosse… murmura Simeon.

Elle répondit doucement :

— Mais vous m'aimez bien, grand-père. Vous aimez que je vienne m'asseoir à côté de vous.

— Oui, j'aime ça, dit Simeon. Cela fait bien long-temps que je n'ai pas vu un brin de fille aussi jeune et aussi joli. Ça me fait du bien, ça réchauffe mes vieux os… Et tu es ma chair et mon sang… Un bon point pour Jennifer, c'était elle la meilleure de toute la troupe, après tout !

Pilar souriait.

— Mais on ne m'a pas comme ça, reprit Simeon. Je sais pourquoi tu viens t'asseoir là à m'écouter si patiemment débiter mes histoires. C'est l'argent… C'est ça qui t'intéresse. Ou est-ce que tu prétendrais aimer ton vieux grand-père ?

— Non, je ne vous aime pas, dit Pilar. Mais je vous aime bien. Je vous aime beaucoup, même. Vous devez le croire, parce que c'est vrai. Je suis persuadée que vous avez été infect, mais j'aime bien ça, aussi. Vous êtes plus réel que tous les autres dans cette maison. Et vous avez des choses intéressantes à raconter. Vous avez voyagé et vous avez mené une vie aventureuse. Si j'étais un homme, je serais comme ça, moi aussi.

Simeon hocha la tête :

— Oui, je le crois volontiers… Nous avons du sang gitan dans la famille, c'est du moins ce qu'on a tou-jours prétendu. Ça ne se voit pas beaucoup chez mes enfants – sauf chez Harry – mais je crois qu'il est res-sorti chez toi. Je peux être patient, figure-toi, quand il le faut. Une fois, j'ai attendu quinze ans pour régler mes comptes avec un homme qui m'avait fait du tort. C'est une autre caractéristique des Lee – ils n'oublient jamais ! Ils vengeront un affront, même s'ils doivent attendre des années pour ça. Un homme m'a roulé, un jour. J'ai attendu quinze ans que la chance se présente – et là, j'ai frappé ! Je l'ai mis sur la paille. Complètement lessivé !

Il rit doucement.

— C'était en Afrique du Sud ? demanda Pilar.

— Oui. Un grand pays.

— Et vous y êtes retourné, après ?

— J'y suis retourné cinq ans après mon mariage. C'était la dernière fois.

— Mais avant ça ? Vous êtes resté là-bas long-temps ?

— Oui.

— Racontez-moi.

Il se mit à parler. Pilar, protégeant son visage, écoutait.

La voix du vieil homme ralentit, hésita.

— Attends, dit-il, je vais te montrer quelque chose.

Il se mit précautionneusement sur ses pieds en s'aidant de sa canne, boitilla à travers la pièce, ouvrit le gros coffre-fort et lui fit signe d'approcher.

— Tiens, regarde ça. Touche-les, fais-les rouler entre tes doigts.

Il vit son expression étonnée et se mit à rire.

— Tu sais ce que c'est ? Des diamants, petite ! Des diamants !

Pilar ouvrit de grands yeux. Elle se pencha sur les pierres :

— Mais ce ne sont que des petits cailloux !

— Ce sont des diamants bruts. C'est comme ça qu'on les trouve, sous cette forme.

— Et s'ils étaient taillés, demanda Pilar d'une voix incrédule, ce seraient de vrais diamants ?

— Absolument.

— Ils brilleraient de toutes leurs facettes ?

— De toutes leurs facettes !

— Oh, dit Pilar d'un ton enfantin, je n'arrive pas à y croire !

Simeon s'amusait :

— C'est la pure vérité.

— Ils ont de la valeur ?

— Pas mal, oui. C'est difficile à dire avant qu'ils soient taillés. Mais enfin, ce petit lot vaut plusieurs milliers de livres.

Pilar répéta, en espaçant ses mots :

— Plusieurs… milliers… de livres !

— Disons neuf ou dix mille. Ce sont des pierres assez grosses, tu vois.

Pilar écarquilla les yeux :

— Mais pourquoi vous ne les vendez pas, alors ?

— Parce que j'aime les avoir près de moi.

— Mais tout cet argent ?

— Je n'en ai pas besoin.

— Oh ! dit Pilar, visiblement impressionnée. Mais pourquoi ne pas les faire tailler, pour qu'ils soient beaux ?

— Parce que je les préfère comme ça.

Son visage s'était durci. Il se détourna et se mit à marmonner :

— Les toucher, les sentir entre mes doigts, ça me ramène au bon vieux temps. Tout me revient, le soleil brûlant, l'odeur du veldt, les troupeaux, le vieil Eb, les indigènes, tous, et les couchers de soleil…

Il y eut un léger coup à la porte.

— Remets-les dans le coffre, dit Simeon, et claque la porte.

Puis il cria :

— Entrez !

Horbury entra, plein d'onction et de déférence.

— Le thé est servi en bas, dit-il.

— Ah ! tu es là, David, dit Hilda. Je t'ai cherché partout. Ne restons pas dans cette pièce, il y fait un froid de loup.

David ne répondit pas tout de suite. Il restait debout, perdu dans la contemplation d'une chaise basse recouverte d'un satin fané. Puis il dit brusquement :

— C'était sa chaise… Celle où elle s'asseyait toujours. C'est celle-là, c'est bien celle-là. Simplement un peu passée, bien sûr.

Le front de Hilda se plissa légèrement.

— Je vois, dit-elle. Sortons d'ici, David. On gèle.

David, sans lui prêter la moindre attention, regardait tout autour de lui.

— C'est ici qu'elle se tenait le plus souvent. Je me revois sur ce tabouret pendant qu'elle me lisait *Jean, le tueur de géants*. Oui, c'était ça, je m'en souviens – *Jean, le tueur de géants*. Je devais avoir six ans.

Hilda lui posa fermement la main sur le bras :

— Reviens dans le salon, mon chéri. Cette pièce n'est pas chauffée.

Docile, il se tourna vers elle, mais elle sentit un léger frisson lui parcourir le corps.

— Rien n'a changé, murmura-t-il. Rien. Comme si le temps s'était arrêté.

Hilda parut inquiète. Elle se força à dire d'une voix ferme et joyeuse :

— Je me demande où sont les autres ! On ne doit pas être loin de l'heure du thé.

David dégagea son bras et ouvrit une autre porte :

— Autrefois, il y avait un piano, ici… Oh, mais il est toujours là ! Je me demande s'il est accordé.

Il s'assit, l'ouvrit et fit courir ses doigts sur le clavier.

— Oui, manifestement, on l'entretient.

Il se mit à jouer. Il avait un bon toucher, et la mélodie coulait avec aisance sous ses doigts.

— Qu'est-ce que c'est ? demanda Hilda. Il me semble que je connais, mais je n'arrive pas à me rappeler.

— Je ne l'ai pas jouée depuis des années. Elle la jouait souvent. C'est une des *Romances sans paroles* de Mendelssohn.

La douce, trop douce mélodie emplit la pièce.

— Joue-moi du Mozart, demanda Hilda. Je t'en prie.

David secoua la tête. Il attaqua une autre pièce de Mendelssohn.

Et puis soudain il abattit ses mains sur le clavier qui rendit un son discordant, et se leva. Il tremblait de tous ses membres. Hilda vint vers lui :

— David… David…

— Ce n'est rien, dit-il. Ce n'est rien.

4

La sonnette retentit, agressive. Tressilian se leva de
son siège dans l'office et se dirigea à pas lents vers la
porte.

La sonnette retentit de nouveau. Tressilian fronça les
sourcils. À travers la vitre dépolie, il vit la silhouette
d'un homme coiffé d'un chapeau mou.

Tressilian se passa la main sur le front. Quelque
chose le mettait mal à l'aise. C'était comme si la scène
se jouait une seconde fois.

Pas de doute, c'était déjà arrivé. Pas de doute…

Il tira le verrou et ouvrit la porte.

Le charme fut rompu. L'homme sur le seuil
demanda :

— C'est bien ici qu'habite Mr Simeon Lee ?

— Oui, monsieur.

— Pourrais-je le voir, s'il vous plaît ?

Le faible écho d'un souvenir traversa la mémoire de
Tressilian. Il avait déjà entendu cette intonation autre-
fois, à l'époque où Mr Lee venait de s'installer en
Angleterre.

Tressilian secoua la tête d'un air dubitatif.

— Mr Lee est invalide, monsieur. Il ne reçoit guère. Si vous…

L'étranger interrompit le majordome en lui tendant une enveloppe.

— Veuillez remettre ceci à Mr Lee.

— Bien, monsieur.

Simeon Lee prit l'enveloppe, d'où il sortit une simple feuille de papier. La surprise se peignit sur son visage. Ses sourcils se haussèrent, mais il souriait.

— Ça, alors, c'est merveilleux ! s'exclama-t-il.

Puis, au majordome :

— Faites monter Mr Farr, Tressilian.

— Bien, monsieur.

— Je pensais justement au vieil Ebenezer Farr, dit Simeon. C'était mon associé là-bas, à Kimberley. Et voilà son fils qui débarque !

Tressilian réapparut en annonçant : « Mr Farr. »

Stephen Farr entra avec une pointe d'appréhension, qu'il dissimula sous un air plus désinvolte que nature.

— Mr Lee ? dit-il en exagérant son accent sud-africain.

— Je suis heureux de vous voir. Alors, comme ça, vous êtes le fils d'Eb ?

Stephen Farr eut un sourire un peu intimidé.

— Ma première visite au vieux pays ! Père m'avait toujours dit de passer vous voir si j'entreprenais le voyage.

— Et il a bien fait. (Le vieillard tourna la tête.) Voici ma petite-fille, Pilar Estravados.

— Comment allez-vous? murmura Pilar d'un air réservé.

« Petit monstre froid, pensa Stephen Farr, épaté. Elle a été surprise de me voir, mais elle s'est rattrapée tout de suite. »

— Ravi de faire votre connaissance, miss Estravados, dit-il en appuyant assez lourdement sur chaque mot.

— Vous êtes trop bon, répondit Pilar.

— Asseyez-vous et parlez-moi de vous, dit Simeon. Vous comptez séjourner longtemps en Angleterre?

— Oh, maintenant que je suis ici, je ne suis pas pressé de repartir!

Sur quoi, il se mit à rire, la tête renversée en arrière.

— Vous avez bien raison. Il faut rester quelque temps chez nous.

— Voyons, monsieur! Pas question que je joue les intrus. On est à deux jours de Noël.

— Il faut que vous passiez Noël avec nous – à moins que vous n'ayez d'autres projets?

— Non, aucun, mais je ne veux pas…

— C'est une affaire réglée, trancha Simeon. Pilar?

— Oui, grand-père.

— Va dire à Lydia que nous avons un autre invité. Demande-lui de monter.

Pilar quitta la pièce. Stephen la suivit des yeux, ce que Simeon nota avec amusement.

— Vous arrivez directement d'Afrique du Sud? demanda-t-il.

— À peu près.

Ils se mirent à parler de l'Afrique. Lydia entra quelques instants plus tard.

— Voici Stephen Farr, dit Simeon, le fils de mon vieil ami et associé, Ebenezer Farr. Il va rester avec nous pour Noël, si vous pouvez lui trouver une chambre.

— Bien sûr, dit Lydia en souriant.

D'un rapide coup d'œil, elle enregistra le visage bronzé, les yeux bleus et le port de tête désinvolte du jeune étranger.

— Ma belle-fille, dit Simeon.

— Je suis très gêné de vous tomber dessus comme ça en pleine fête de famille, s'excusa Stephen.

— Vous faites partie de la famille, mon garçon, dit Simeon. Considérez que vous êtes ici chez vous.

— C'est trop gentil à vous, monsieur.

Pilar réapparut et s'assit en silence près du feu. Elle ramassa son petit écran, et recommença à s'éventer d'un lent mouvement du poignet. Elle affectait une pose modeste, et gardait les yeux baissés.

TROISIÈME PARTIE

24 DÉCEMBRE

1

— Tu veux vraiment que je m'installe ici, Père ? demanda Harry. (Il rejeta la tête en arrière.) J'ai l'impression que ça va créer pas mal de problèmes, tu sais.

— Que veux-tu dire ? demanda Simeon, acerbe.

— Frère Alfred, dit Harry. Mon bon frère Alfred, si je peux me permettre, n'est pas ravi de ma présence ici.

— Et alors ! aboya Simeon. Je suis maître chez moi.

— Tout de même, monseigneur, je crois comprendre que tu t'en remets beaucoup à lui. Je ne veux pas bouleverser…

— Tu feras ce que je dirai, trancha Simeon.

Harry bâilla :

— Je me demande si je serais capable de supporter longtemps cette vie plan-plan. Plutôt étouffant, pour un type qui a roulé sa bosse aux quatre coins du monde.

— Tu ferais mieux de te marier et de t'établir, rétorqua son père.

— Et qui vais-je épouser? Dommage qu'on ne puisse pas épouser sa nièce. La jeune Pilar est fichtrement séduisante.

— Ah, tu as remarqué ça?

— À propos de mariage, le gros George ne s'est pas trop mal débrouillé, dirait-on. Qui est-ce?

Simeon haussa les épaules.

— Est-ce que je sais? Je crois que George l'a ramassée à un défilé de mannequins. Elle prétend que son père était officier de marine en retraite.

— Ouais, le second d'un caboteur quelconque, ricana Harry. S'il ne la tient pas à l'œil, George va avoir de gros ennuis avec elle.

— George est un imbécile, décréta Simeon Lee.

— Pourquoi l'a-t-elle épousé? Pour son argent?

Simeon haussa les épaules.

— Enfin bon, tu penses que tu peux arranger les choses avec Alfred?

— Nous allons régler ça tout de suite, trancha Simeon, glacial.

Il agita une clochette posée près de lui sur la table et Horbury apparut aussitôt.

— Dites à Mr Alfred de monter, ordonna Simeon.

Horbury sortit et Harry grommela :

— Ce type-là écoute aux portes!

— Probablement, dit Simeon avec un haussement d'épaules.

Alfred arriva ventre à terre. Son visage se contracta quand il vit son frère.

— Tu voulais me voir, Père? dit-il en ignorant ostensiblement Harry.

— Oui, assieds-toi. J'étais en train de me dire qu'il allait falloir réorganiser un peu la maison maintenant que nous avons deux personnes de plus.

— *Deux ?*

— Pilar va rester vivre ici, naturellement. Et Harry est revenu pour de bon.

— Harry va habiter ici ? dit Alfred.

— Pourquoi pas, mon vieux ? dit Harry.

Alfred se tourna vivement vers lui :

— J'aurais cru que tu le comprendrais tout seul !

— Eh bien, désolé, mais je ne vois pas.

— Après tout ce qui s'est passé ? La façon honteuse dont tu t'es conduit. Le scandale…

Harry eut un geste d'insouciance :

— Tout ça, c'est du passé, mon vieux.

— Tu t'es conduit d'une façon abominable envers Père, après tout ce qu'il avait fait pour toi.

— Écoute voir, Alfred, il me semble que c'est l'affaire de Père, pas la tienne. S'il préfère oublier et pardonner…

— C'est bien mon intention, dit Simeon. Harry est mon fils, après tout.

— Oui, mais moi ça me scandalise, par égard pour toi, Père.

— Harry revient à la maison ! dit Simeon d'un ton ferme. Je le veux. (Il posa doucement la main sur l'épaule de ce dernier.) J'aime beaucoup Harry.

Alfred se leva et quitta la pièce, le visage décomposé. Harry se leva également et le suivit en riant.

Simeon se mit à ricaner doucement. Soudain, il sursauta :

— Qu'est-ce que… ? Oh, c'est vous, Horbury. Vous ne pourriez pas marcher comme tout le monde ?

— Je vous demande pardon, monsieur.

— Aucune importance. Écoutez-moi bien, j'ai des instructions pour vous. Je veux que tout le monde monte ici après le déjeuner. *Tout le monde.*

— Oui, monsieur.

— Attendez, ce n'est pas tout : quand ils viendront, vous monterez avec eux. Et quand vous serez à mi-chemin dans le couloir, *parlez fort, que je vous entende.* Peu importe le prétexte. Compris ?

— Oui, monsieur.

Une fois redescendu, Horbury confia à Tressilian :

— Si vous voulez mon avis, nous allons avoir un joyeux Noël.

— Que voulez-vous dire ? demanda sèchement Tressilian.

— Attendez et vous verrez, Mr Tressilian. Demain, c'est Noël, et l'ambiance est à la fête, c'est moi qui vous le dis !

Ils s'immobilisèrent sur le seuil.

Simeon parlait au téléphone. Il leur fit un signe de la main.

— Asseyez-vous, tous autant que vous êtes. J'en ai pour une minute.

Il poursuivit sa conversation téléphonique :

— Je suis bien chez Charlton, Hodgkins & Bruce ? C'est vous, Charlton ? Simeon Lee à l'appareil. Oui, n'est-ce pas ?… Oui… Non, je voulais que vous me prépariez un nouveau testament… Oui, ça fait un moment que j'ai rédigé l'autre… La situation a changé… Oh non, non, rien d'urgent. Je ne veux pas vous gâcher les fêtes. Après Noël, disons le 26 ou le 27, par là. Passez me voir, je vous donnerai mes instructions. Non, non, c'est parfait. Je ne vais pas mourir à la seconde.

Il reposa le récepteur, enveloppa les huit membres de sa famille d'un regard circulaire, et dit en gloussant :

— Vous avez tous l'air bien sombre. Qu'y a-t-il ?

— Tu nous as convoqués… dit Alfred.

— Oh, oui, excusez-moi, répliqua vivement Simeon. Rien de grave. Vous pensiez qu'il s'agissait d'un conseil de famille? Non, je suis simplement un peu fatigué aujourd'hui, c'est tout. Inutile de monter me voir après le dîner. Je vais me coucher tôt. Je veux être en forme pour le jour de Noël.

Il leur fit un large sourire.

— Bien sûr… Bien sûr… dit George, toujours zélé.

— Une noble et belle institution, Noël, reprit Simeon. Cela resserre les liens familiaux. Qu'en pensez-vous, ma chère Magdalene?

Magdalene Lee sursauta. Elle ouvrit sa petite bouche stupide et la referma :

— Oh… oh oui !

— Mais dites-moi, reprit Simeon, vous viviez bien avec un officier de marine en retraite… (il fit une pause :) votre *père*, non ? M'est avis que vous ne deviez pas fêter beaucoup Noël. Il faut une grande famille, pour ça.

— Euh… eh bien… oui, peut-être bien…

Simeon l'abandonna pour se tourner vers George :

— Ça m'ennuie de parler de choses déplaisantes à cette période de l'année, George, mais tu sais, j'ai bien peur de devoir réduire un peu ta pension. Les dépenses ici vont devenir plus lourdes.

George s'empourpra :

— Mais Père, tu ne peux pas faire ça !

— Ah, tu crois ? susurra Simeon.

— J'ai des frais très lourds. Très lourds. Même dans l'état actuel des choses, j'ai déjà du mal à joindre les deux bouts. Je suis obligé de faire très attention !

— Laisse donc ta femme s'occuper un peu du ménage. Les femmes sont très douées pour ça. Elles trouvent le moyen d'économiser là où un homme n'imaginerait pas ça possible. Et puis une femme astucieuse peut faire ses robes elle-même. Je me souviens que ma femme excellait aux travaux d'aiguille. C'était bien la seule chose où elle excellait, d'ailleurs. Une brave femme, mais à périr d'ennui…

David bondit sur ses pieds, mais son père l'arrêta d'un geste :

— Assieds-toi, mon garçon, tu vas renverser quelque chose.

— Ma mère… commença David.

— Ta mère n'avait pas plus de cervelle qu'un piaf ! Et j'ai comme l'impression qu'elle a transmis ça à ses enfants. (Il se dressa soudain, et deux taches rouges apparurent sur ses joues. Sa voix se fit criarde :) Vous ne valez pas un pet de lapin, tous autant que vous êtes ! Vous me dégoûtez ! Vous n'êtes pas des *hommes* ! Vous êtes des mauviettes, une bande de mauviettes lamentables, voilà ce que vous êtes ! Pilar vaut autant que vous tous réunis ! Je veux bien être pendu si je n'ai pas quelque part dans le monde un fils un peu mieux que vous, même si vous êtes nés dans le bon lit !

— Holà Père, doucement ! s'écria Harry.

Il avait sauté sur ses pieds et se tenait campé, une expression tendue sur son visage habituellement jovial.

— Ça vaut aussi pour *toi* ! aboya Simeon. Tu as fait quoi, *toi*, dans la vie ? À part m'envoyer des câbles du monde entier pour quémander de l'argent ! Je vous dis que vous me dégoûtez, tous autant que vous êtes! Sortez d'ici!

Haletant quelque peu, il se renversa dans son fauteuil.

Lentement, un par un, les membres de la famille se retirèrent. George était rouge d'indignation. Magdalene semblait terrorisée. David était pâle et tremblant. Harry sortit de la pièce en trombe. Alfred titubait comme un somnambule. Lydia le suivit, la tête haute. Seule Hilda s'arrêta sur le seuil et revint lentement sur ses pas.

Elle resta penchée au-dessus du vieux Simeon, qui sursauta quand il rouvrit les yeux. Il y avait quelque chose de menaçant dans sa façon de se tenir là, immobile comme une statue.

— Qu'y a-t-il? dit-il avec irritation.

— Quand votre lettre est arrivée, dit Hilda, j'ai cru ce qu'elle disait: que vous vouliez être entouré de votre famille pour Noël. Et j'ai persuadé David de venir.

— Et alors? grinça Simeon.

— Vous vouliez en effet votre famille auprès de vous, répondit lentement Hilda, mais pas dans le but que vous prétendiez! Vous vouliez les réunir pour semer la zizanie entre eux, n'est-ce pas? Si c'est là votre idée du plaisir, vous êtes tombé bien bas!

Simeon ricana:

— J'ai toujours eu un sens de l'humour très particulier. Qu'on l'apprécie ou pas, je m'en moque. *Moi*, je m'amuse!

Elle ne répondit rien. Un vague sentiment d'appréhension envahit Simeon Lee.

— À quoi pensez-vous? demanda-t-il d'un ton abrupt.

— J'ai peur… dit lentement Hilda Lee.

— Vous avez peur… de moi?

— Pas *de* vous. J'ai peur *pour* vous !

Puis, comme un juge qui a prononcé sa sentence, elle se détourna et sortit de la chambre d'un pas lourd.

Simeon resta les yeux rivés sur la porte.

Puis il se mit péniblement sur ses pieds et se dirigea vers le coffre en murmurant :

— Allons jeter un petit coup d'œil à mes beautés.

3

La sonnette retentit vers 8 heures moins le quart.

Tressilian alla ouvrir. De retour à l'office, il trouva Horbury en train de tripoter des tasses à café dont il examinait le monogramme avec intérêt.

— Qui était-ce ? dit Horbury.

— Un officier de police, le superintendant Sugden. Mais faites donc attention !

Horbury venait de laisser échapper une tasse qui s'écrasa sur le sol.

— Regardez ce que vous avez fait, se lamenta Tressilian. Onze ans que je lave ces tasses et jamais une de cassée. Il suffit que vous veniez là vous mêler de ce qui ne vous regarde pas, et voilà le résultat !

— Je suis désolé, Mr Tressilian. Vraiment désolé, s'excusa l'autre dont le visage était couvert de sueur. Je ne sais pas comment c'est arrivé. Vous dites qu'un policier est venu ?

— Oui. Mr Sugden.

Le valet se passa la langue sur les lèvres :

— Et… qu'est-ce qu'il voulait ?

— Il fait une quête pour l'orphelinat de la police.

— Oh !

Horbury redressa les épaules et reprit d'une voix plus naturelle :

— Il a obtenu quelque chose ?

— J'ai porté le cahier à Mr Lee, qui m'a dit de faire monter le superintendant et de poser le sherry sur la table.

— C'est la période des quêtes, dit Horbury. Le vieux guignol est généreux, il faut lui reconnaître ça, malgré tous ses défauts.

— Mr Lee a toujours donné sans compter, dit Tressilian d'un air digne.

Horbury acquiesça.

— C'est bien ce qu'il a de mieux ! Bon, eh bien, j'y vais.

— Vous allez au cinéma ?

— Je pense. Salut, Mr Tressilian.

Il disparut par la porte qui menait à l'entrée de service.

Tressilian regarda l'horloge murale.

Il pénétra dans la salle à manger et enveloppa les petits pains dans les serviettes.

Puis, après s'être assuré que tout était en ordre, il frappa sur le gong du vestibule.

Le dernier coup résonnait encore quand le superintendant descendit les escaliers. Le superintendant Sugden était un bel homme impeccablement sanglé dans son uniforme bleu et fort pénétré de son importance.

— Je crois bien qu'il va geler cette nuit, dit-il d'un ton affable. C'est une bonne chose : il a fait trop doux ces temps-ci.

Tressilian hocha la tête :

— Oui, cette humidité, c'est mauvais pour mes rhumatismes.

Le superintendant convint que les rhumatismes étaient un mal bien pénible, et Tressilian le raccompagna.

Le vieux majordome reverrouilla la porte et revint dans le hall d'un pas lent. Il se passa la main sur les yeux et soupira. Puis il se redressa en voyant Lydia entrer dans le salon, tandis que George Lee descendait les escaliers.

Tressilian était fin prêt. Quand Magdalene, qui était la dernière, fut passée au salon, il apparut à son tour en murmurant :

— Le dîner est servi.

À sa façon, Tressilian était un connaisseur en toilettes féminines. Il ne manquait pas d'en faire l'examen critique quand il circulait autour de la table, carafe en main.

Il nota que Mrs Alfred portait sa nouvelle robe en taffetas à fleurs noires et blanches. Un dessin audacieux, qui se remarquait. Mais, contrairement à beaucoup, elle pouvait se le permettre. La robe de Mrs George était un modèle de grand couturier, il en était certain. Elle avait dû coûter les yeux de la tête. C'est Mr George qui avait dû être content de recevoir la facture ! Mr George n'aimait pas dépenser son argent – il n'avait jamais aimé cela. Mrs David, maintenant. Une gentille femme, mais aucun sens de la toilette. Pour sa corpulence, il aurait fallu un simple velours noir. Ce velours broché, cramoisi de surcroît, était un choix déplorable. Quant à miss Pilar, peu importait ce qu'elle portait : avec sa silhouette et sa chevelure, elle pouvait tout s'autoriser. Quand même, là, cette pauvre petite robe blanche de rien du tout… Enfin, Mr Lee allait bientôt remédier à cela ! Il l'avait vraiment prise en affection. C'était toujours pareil avec les messieurs vieillissants. Un frais minois pouvait tout obtenir d'eux !

— Vin du Rhin, ou bordeaux ? chuchota Tressilian avec déférence à l'oreille de Mrs George.

Du coin de l'œil, il nota que Walter, le valet de pied, recommençait à présenter les légumes avant la sauce – ce n'était pourtant pas faute de l'avoir mis en garde !

Tressilian fit le tour de la table avec le soufflé. Il fut frappé de constater, à présent que son intérêt pour les toilettes des dames et ses appréhensions concernant les insuffisances de Walter s'étaient dissipés, combien tout le monde était silencieux, ce soir. Enfin, pas tout à fait : Mr Harry parlait pour vingt. Non, pas Mr Harry : le monsieur d'Afrique du Sud. Et les autres parlaient aussi, mais brièvement comme par saccades. Il y avait quelque chose de bizarre autour de cette table.

Mr Alfred, par exemple. Il n'avait vraiment pas l'air bien du tout. Comme si on lui avait tapé sur le crâne. Il avait l'air hébété et chipotait dans son assiette. La maîtresse s'inquiétait pour lui, Tressilian le voyait bien. Elle ne cessait de regarder dans sa direction, discrètement bien sûr, mais quand même. Mr George était très rouge – il s'empiffrait sans goûter. S'il n'y prenait pas garde, il finirait par avoir une crise d'apoplexie, un de ces jours. Mrs George ne mangeait rien. Elle surveillait sa ligne aussi sûr que deux et deux font quatre. Miss Pilar avait l'air d'apprécier ce qu'elle avait dans son assiette – ce qui ne l'empêchait pas de parler et de rire avec le monsieur d'Afrique du Sud. Il avait l'air subjugué. Ces deux-là au moins ne semblaient pas avoir de soucis !

Et Mr David ? Tressilian était inquiet au sujet de Mr David. C'était le portrait de sa mère. L'air incroyablement jeune encore. Mais d'un nerveux ! Là, voilà ! Il avait renversé son verre…

Tressilian l'escamota aussitôt et épongea prestement le liquide sur la nappe. Et voilà. Mr David semblait ne s'être rendu compte de rien, il était là, tout blême, les yeux perdus dans le vide.

Au fait, il en avait fait une drôle de tête, tout à l'heure Horbury, en entendant qu'un policier était à la maison… presque comme si…

Les pensées de Tressilian n'allèrent pas plus loin. Walter venait de laisser tomber une poire de la corbeille qu'il présentait ! Les valets de pied ne valaient rien, de nos jours ! Tout juste bons pour les écuries.

Il fit le tour de la table avec le porto. Mr Harry semblait un peu distrait, ce soir. Il regardait sans arrêt Mr Alfred. Ils n'avaient jamais vraiment pu se souffrir, ces deux-là, même petits. Bien sûr, Mr Harry avait toujours été le préféré de son père, et Mr Alfred l'avait encore sur le cœur. Mr Lee ne s'était jamais beaucoup soucié de Mr Alfred. Quelle pitié, quand on voyait combien il vénérait son père.

Ah, voilà Mrs Alfred qui se levait de table et entraînait les autres dames dans son gracieux sillage. Très beau, vraiment, ce motif sur le taffetas. Et cette cape lui allait à ravir. Une dame d'une grande élégance.

Tressilian retourna à l'office après avoir refermé la porte de la salle à manger sur les messieurs en tête à tête avec leur porto.

Il apporta le plateau du café au salon. Les quatre dames se tenaient là, pas très à l'aise, pensa-t-il. Elles ne disaient rien. Il servit le café en silence.

Il ressortit. Comme il se dirigeait vers l'office, il entendit la porte de la salle à manger s'ouvrir. David Lee en sortit et se dirigea vers le salon.

De retour à l'office, Tressilian entreprit de dresser à Walter la liste de ses péchés, lequel Walter répondit avec un aplomb qui frisait l'insolence.

Une fois seul, Tressilian s'assit avec lassitude.

Il se sentait déprimé. La veille de Noël, et toute cette tension dans la maison… Il n'aimait pas ça !

Il fit un effort pour se relever, retourna au salon et desservit le café. Il n'y avait plus personne, à l'exception de Lydia, à l'autre bout de la pièce, à demi dissimulée par les rideaux. Elle se tenait près de la fenêtre et contemplait la nuit dehors.

De la pièce voisine parvint le son du piano.

Mr David jouait. Mais pourquoi donc, se demanda Tressilian, Mr David jouait-il la *Marche funèbre* ? Car c'était cela qu'on entendait. Décidément, tout allait mal.

Il traversa lentement le hall en direction de l'office.

C'est alors qu'il entendit le bruit au-dessus de sa tête : un fracas de porcelaine brisée, de meubles renversés, une série de craquements et de chocs sourds.

« Bonté divine ! pensa Tressilian. Que fait donc Mr Lee ? Que se passe-t-il là-haut ? »

Et alors, un cri jaillit, haut et clair, un horrible hurlement plaintif qui s'étouffa dans une sorte de gargouillis.

L'espace d'un instant, Tressillian resta cloué sur place, puis il se rua vers le grand escalier. D'autres l'avaient rejoint. Le hurlement avait été entendu dans toute la maison.

Ils escaladèrent les marches au pas de course, tournèrent dans le couloir, passèrent devant un renfoncement où des statues dessinaient d'inquiétantes silhouettes blafardes et s'engouffrèrent dans le passage qui menait à la porte de Simeon Lee. Mr Farr était déjà là, avec Mrs David. Elle était adossée au mur ; et lui tournait en tous sens la poignée de la porte.

— La porte est fermée à clé, balbutiait-il. La porte est fermée à clé !

Harry Lee le bouscula et s'empara de la poignée. Il la secoua à son tour. En vain.

— Père ! hurla-t-il ! Père, laisse-nous entrer !

Il leva la main pour réclamer le silence et tout le monde écouta. Il n'y eut pas de réponse. Aucun son ne leur parvint de l'intérieur de la pièce.

La sonnette de la porte d'entrée retentit, mais personne ne lui prêta attention.

— Il faut enfoncer la porte, dit Stephen Farr. C'est la seule solution.

— Ça va être coton, répondit Harry. Ces portes sont bougrement solides. Allons-y, Alfred.

Ils poussèrent et cognèrent de toutes leurs forces. De guerre lasse, ils allèrent chercher un banc de chêne dont ils se servirent comme d'un bélier. Le battant finit par céder. Ses gonds craquèrent et la porte s'abattit avec un bruit sourd.

Un instant, ils se tinrent sur le seuil serrés les uns contre les autres, les yeux braqués à l'intérieur. Ce qu'ils virent là, aucun d'eux ne devait jamais l'oublier…

À l'évidence, il y avait eu une bagarre effroyable. De lourds fauteuils anciens étaient renversés. Des débris de vases de porcelaine fracassés jonchaient le sol. Et, au beau milieu de la carpette placée devant la cheminée, éclairé par le feu rougeoyant, Simeon Lee gisait dans une mare de sang… Du sang, il y en avait partout. C'était une véritable scène de carnage.

Un long soupir se fit entendre, puis deux voix s'élevèrent tour à tour. Curieusement, toutes deux, pour prononcer une citation.

— *Les meules du Seigneur broient avec lenteur…* psalmodia David Lee.

Et juste après, comme en écho, ce murmure s'envola des lèvres de Lydia :

— *Qui aurait cru que ce vieil homme eût en lui tant de sang…?*

4

Le superintendant Sugden avait déjà sonné trois fois. En désespoir de cause, il se rabattit sur le heurtoir.

Ce fut un Walter épouvanté qui vint en fin de compte lui ouvrir.

— Ah, ben ça ! couina-t-il avec un air de soulagement manifeste. Justement que j'étais en train d'appeler la police.

— Pourquoi ? lança le superintendant. Qu'est-ce qui se passe ?

— C'est le vieux Mr Lee, chuchota Walter. *On lui a fait son affaire…*

Le superintendant le repoussa et se rua dans l'escalier. Il pénétra dans la pièce sans que personne n'y prête attention. Il vit Pilar qui se baissait pour ramasser quelque chose par terre. Il vit David Lee, le visage caché dans les mains.

Il vit les autres agglutinés dans un coin. Seul Alfred Lee s'était approché de son père. Le visage sans expression, il regardait le corps affalé à ses pieds.

George pontifiait :

— Rappelez-vous que rien, *rigoureusement rien* ne doit être touché jusqu'à l'arrivée de la police. C'est *de la plus haute* importance !

— Excusez-moi, dit Sugden.

Il se fraya un chemin vers le corps en écartant doucement les dames.

Alfred Lee le reconnut :

— Ah, c'est vous, Sugden. Vous avez fait vite.

— Oui, Mr Lee. (Le superintendant Sugden ne perdit pas de temps en explications :) Qu'est-ce qui s'est passé ici ?

— Mon père a été tué, dit Alfred Lee, *assassiné…*

Sa voix se brisa.

Magdalene éclata soudain en sanglots hystériques.

Le superintendant Sugden leva la grande main de la Loi et dit avec autorité :

— Que tout le monde sorte, s'il vous plaît, sauf Mr Alfred Lee et… euh… Mr George Lee.

Ils se dirigèrent vers la porte à contrecœur, comme un troupeau de moutons. Le superintendant Sugden intercepta Pilar au passage.

· — Excusez-moi, mademoiselle, dit-il aimablement. Rien ne doit être touché ni dérangé.

Elle le regarda avec étonnement. Stephen Farr vola à son secours :

— Bien sûr. Elle l'a parfaitement compris.

— Ne venez-vous pas de ramasser quelque chose par terre ? reprit le superintendant de la même voix aimable.

Pilar ouvrit de grands yeux incrédules :

— Moi ?

— Oui. Je vous ai vue, dit le superintendant Sugden d'une voix toujours aimable mais un petit peu plus ferme.

— Oh !

— Alors, donnez-moi ça, s'il vous plaît. Vous l'avez dans la main.

Pilar ouvrit lentement la main, découvrant un lambeau de caoutchouc et un petit objet en bois. Le superintendant Sugden s'en saisit et les mit dans une enveloppe qu'il fit disparaître dans sa poche de poitrine.

— Merci, dit-il.

Il se détourna. L'espace d'un instant, il y eut une expression de respect étonné dans le regard de Stephen Farr. Comme si, peut-être, il avait sous-estimé le grand et bel officier de police.

Ils sortirent lentement de la pièce. Derrière eux, le superintendant disait de son ton le plus service-service :

— Et maintenant, si vous le voulez bien…

5

— Rien de tel qu'une bonne flambée, ronronna le colonel Johnson qui rajouta une bûche dans la cheminée et rapprocha son fauteuil. Servez-vous, ajouta-t-il en désignant d'un geste affable la cave à liqueurs et le siphon posés à côté de son hôte.

Celui-ci leva la main en signe de refus poli. Prudemment, il rapprocha son propre fauteuil des flammes, tout en pensant que la possibilité de se rôtir la plante des pieds, outre que ça évoquait une torture moyenâgeuse, ne compensait en rien le glacial vent coulis qui lui courait dans le dos.

Le colonel Johnson, chef de la police du Middleshire, pouvait bien penser que rien ne valait un bon feu de bois, Hercule Poirot estimait, lui, que le chauffage central l'emportait haut la main en toutes circonstances !

— Drôle d'histoire que cette affaire Cartwright, remarqua pensivement son hôte. Quel homme étonnant ! Un charme fantastique. Quand il est arrivé ici avec vous, nous sommes tous venus lui manger dans la main.

Il hocha la tête.

— Nous ne sommes pas près de revoir affaire pareille. Les cas d'empoisonnement à la nicotine ne sont pas monnaie courante, Dieu merci.

— Il fut un temps où on aurait juré que l'empoisonnement en général n'était guère britannique, glissa Hercule Poirot avec son plus effroyable accent. Un truc d'étrangers ! Pas sport pour deux sous !

— Je ne crois pas qu'on puisse dire ça, répliqua le chef de la police. Il y a plein d'empoisonnements à l'arsenic — probablement bien plus que nous ne le soupçonnerons jamais.

— C'est bien possible.

— C'est toujours embêtant, ces affaires d'empoisonnement. Les experts se contredisent ; quant aux médecins, il faut les trois quarts du temps leur arracher les mots. Jamais facile d'aller devant un jury avec des affaires pareilles. Non, s'il *faut* qu'il y ait meurtre – ce qu'à Dieu ne plaise –, qu'on me donne une affaire bien carrée, où la cause de la mort ne fait aucun doute.

Poirot hocha la tête :

— La blessure par balle, la gorge tranchée, le crâne enfoncé ? C'est là que va votre préférence ?

— Oh, ne parlez pas de préférence, mon cher ami. Ne vous imaginez pas que j'*aime* les affaires de meurtre ! Je voudrais ne plus jamais en avoir. En tout cas, le temps de votre visite, nous devrions dormir sur nos deux oreilles.

— Ma réputation… commença Poirot, toujours modeste.

Mais Johnson poursuivait :

— C'est le temps de Noël. Jouez hautbois, résonnez musettes, et tout et tout. C'est l'époque des bons sentiments.

Hercule Poirot se renversa dans son fauteuil. Il joignit le bout des doigts en étudiant pensivement son hôte. Puis il murmura :

— Vous pensez donc que Noël n'est pas une bonne saison pour le crime ?

— En effet.

— Et pourquoi donc ?

— Pourquoi ? (Johnson eut l'air un peu déconcerté.) Eh bien, comme je vous l'ai dit, c'est la saison des réjouissances, de tout ça, quoi !

— Ces Anglais, murmura Poirot, quel peuple sentimental !

— Et après ? s'insurgea Johnson. Pourquoi n'aimerions-nous pas les vieilles traditions et les fêtes qui vont avec ? Quel mal y a-t-il à cela ?

— Aucun, aucun. C'est on ne peut plus charmant ! Mais tenons-nous-en aux *faits*. Vous dites que Noël est la saison des réjouissances. Ce qui signifie, si je ne m'abuse, que l'on mange et que l'on boit beaucoup ? Autant dire, en fait, qu'on se *goinfre* ! Et quand on se goinfre, on attrape des indigestions ! Or les indigestions rendent irritable !

— On ne tue pas par irritation, objecta le colonel Johnson.

— Je n'en suis pas si sûr ! Prenez un autre aspect de la question. Il règne à Noël un esprit d'amour universel. C'est la tradition, comme vous dites si bien. On oublie les vieilles querelles : ceux qui s'étaient disputés consentent à se réconcilier, même si ça ne doit durer qu'un temps.

Johnson hocha la tête :

— On enterre la hache de guerre, exactement.

— Et les familles… prenez les familles qui ont été séparées toute l'année, poursuivit Poirot. Elles se rassemblent une fois de plus. Eh bien, mon ami, quand toutes ces conditions sont réunies, il vous faut admettre qu'il doit en résulter une très grande *tension.* Des gens qui n'ont pas *envie* d'être aimables font un gros effort sur eux-mêmes pour *avoir l'air* aimables. Il y a énormément d'*hypocrisie* à Noël – hypocrisie honorable, hypocrisie pour le bon motif, c'est entendu, mais hypocrisie tout de même !

— Hum, j'avoue que j'ai du mal à voir les choses sous cet angle, regimba le colonel Johnson.

Poirot lui adressa un grand sourire :

— Évidemment, c'est moi qui les décris en ces termes, pas *vous.* Je vous fais remarquer que, dans ces conditions de tension et de *malaise* physique, il y a de fortes chances pour que des antipathies légères et des désaccords sans importance prennent soudain un tour plus sérieux. Quand on se force à paraître plus aimable, plus généreux, plus magnanime qu'on ne l'est en fait, on finit généralement par se montrer plus désagréable, plus mesquin et plus odieux que nature ! Si vous réprimez un comportement naturel, mon bon ami, le barrage cède tôt ou tard et le cataclysme se produit !

Le colonel Johnson le contempla d'un air sceptique.

— Je ne sais jamais quand vous êtes sérieux et quand vous vous moquez de moi, grommela-t-il.

Poirot lui sourit :

— Je ne parle pas sérieusement ! Pas le moins du monde ! Mais quand même, il y a du vrai dans ce que je dis : des conditions artificielles déclenchent des réactions naturelles.

Le serviteur du colonel Johnson pénétra dans la pièce.

— Le superintendant Sugden au téléphone, monsieur.

— Fort bien. J'y vais.

Avec un murmure d'excuse, le colonel quitta la pièce.

Il revint quelques minutes plus tard, le visage grave et troublé.

— Mille tonnerres ! dit-il. Un meurtre ! Et la nuit de Noël, par-dessus le marché !

Poirot leva les sourcils :

— Il n'y a aucun doute… pour le meurtre, veux-je dire ?

— Hein ? Oh, aucun doute là-dessus ! Un cas tout ce qu'il y a de plus clair. C'est un meurtre, et un meurtre d'une rare brutalité !

— Qui est la victime ?

— Le vieux Simeon Lee. Un de nos plus riches concitoyens ! Il a bâti sa fortune en Afrique du Sud. Les mines d'or – non, les diamants, plutôt. Il a englouti des sommes colossales dans la fabrication d'un outillage de forage. Sa propre invention, je crois. En tout cas, ça lui a rapporté au centuple ! On le dit multimillionnaire.

— Et il était populaire ? demanda Poirot.

— Je ne crois pas que qui que ce soit tenait à lui, dit lentement Johnson. Un drôle de type. Invalide depuis un certain temps déjà. Pour ma part, je ne sais pas grand-chose de lui, mais c'est l'une des personnalités du comté.

— Alors cette affaire, ça va faire des remous ? s'enquit Poirot dans son anglais le plus malsonnant.

— Oui. Je dois me rendre à Longdale dans les plus brefs délais.

Il jeta un regard hésitant à son hôte. Poirot entendit la question informulée :

— Vous aimeriez que je vous accompagne ?

— J'ai un peu honte de vous demander ça, répondit Johnson avec embarras. Mais enfin, vous savez ce que c'est : le superintendant Sugden est un bon élément, le meilleur qui soit, précis, prudent, fiable à cent pour cent, mais, bon... sans une once d'*imagination*... Bref, puisque vous êtes là, j'aimerais beaucoup profiter de vos lumières.

Poirot acquiesça sans hésiter :

— J'en serai ravi. Comptez sur moi pour vous assister dans toute la mesure de mes moyens. Mais gardons-nous bien de vexer ce bon superintendant. Ce sera son affaire – pas la mienne. Je ne serai là qu'à titre de conseiller privé.

— Vous êtes un brave type, Poirot, dit le colonel Johnson avec chaleur.

Et sur ces bonnes paroles, les deux hommes se mirent en route.

6

Ce fut un constable qui leur ouvrit la porte en saluant. Le superintendant Sugden apparut aussitôt derrière lui :

— Content de vous voir ici, monsieur. Si nous passions dans le bureau de Mr Lee ? J'aimerais vous exposer tout de suite les grandes lignes. C'est une affaire bizarre.

Il les fit entrer dans une petite pièce située à gauche du hall. Il y avait là un téléphone et un grand bureau couvert de papiers. Des bibliothèques couraient tout le long des murs.

— Sugden, dit le chef de la police, voici M. Hercule Poirot. Vous avez peut-être déjà entendu parler de lui. Il se trouve séjourner chez moi en ce moment... Superintendant Sugden.

Poirot fit un petit signe de tête tout en examinant le superintendant. Il vit un homme de haute taille aux épaules carrées et au maintien militaire, pourvu d'un nez aquilin, d'une mâchoire volontaire et d'une abondante moustache châtain clair. À la mention de son nom,

Sugden avait levé sur Poirot un regard attentif. Hercule Poirot de son côté regardait fixement la moustache du superintendant. Son abondance semblait le fasciner.

— Bien sûr que j'ai entendu parler de vous, monsieur Poirot, finit par dire Sugden. Vous êtes venu dans le coin voici quelques années, si je me souviens bien. La mort de sir Bartholomew Strange. Empoisonnement. Nicotine. Pas mon district, mais j'en ai tout naturellement entendu parler.

Le colonel Johnson coupa court :

— Bon, Sugden, si nous en venions aux faits ? Ils sont tout ce qu'il y a de clair, disiez-vous ?

— Oui, monsieur. Il s'agit bien d'un meurtre, il n'y a aucun doute là-dessus. Mr Lee a eu la gorge tranchée, la veine jugulaire coupée net, d'après le médecin. Mais il y a quelque chose de très étrange dans toute cette histoire.

— Que voulez-vous dire ?

— Je voudrais tout d'abord vous raconter mon histoire, monsieur. Voici les circonstances : cet après-midi, aux alentours de 5 heures, Mr Lee m'a téléphoné au poste d'Addlesfield. Il avait une voix un peu bizarre, il m'a demandé de passer le voir ce soir à 8 heures précises – il a bien insisté sur l'heure. Et il m'a demandé en outre de dire au majordome que je venais quêter pour une quelconque œuvre de la police.

Le colonel Johnson releva vivement la tête :

— Il cherchait un prétexte plausible pour vous introduire dans la maison ?

— C'est cela, monsieur. Bon, naturellement, Mr Lee est quelqu'un d'important, et j'ai accédé à sa demande. Je suis arrivé ici un peu avant 8 heures du soir, et j'ai prétendu que je quêtais pour l'orphelinat de la police. Le majordome est monté et il est revenu me dire que Mr Lee allait me recevoir. Là-dessus, il m'a conduit à la chambre de Mr Lee, qui se trouve au premier étage, juste au-dessus de la salle à manger.

Le superintendant Sugden fit une pause, reprit son souffle et poursuivit son rapport comme faire se doit.

— Mr Lee était assis dans un fauteuil près de la cheminée. Il portait une robe de chambre. Quand le majordome a eu quitté la pièce et refermé la porte derrière lui, Mr Lee m'a demandé de m'asseoir près de lui. Puis il m'a dit en hésitant un peu qu'il voulait me signaler un vol. Je lui ai demandé ce qui avait été dérobé. Il m'a répondu qu'il avait des raisons de croire que des diamants – des diamants bruts, a-t-il précisé, je crois – d'une valeur de plusieurs milliers de livres avaient été volés dans son coffre-fort.

— Des diamants, hein ? dit le chef de la police.

— Oui, monsieur. Je lui ai posé les questions de routine, mais il avait un ton très incertain et ses réponses restaient assez vagues. Il a fini par me dire : « Vous devez comprendre, superintendant, que je peux me tromper dans cette affaire. » Et j'ai répondu : « Je ne saisis pas très bien, monsieur. Ou bien les diamants ont disparu, ou bien ils sont toujours là. C'est tout l'un ou tout l'autre. » À quoi il m'a rétorqué : « Oh, les diamants ont bien disparu, mais ça n'est peut-être qu'une blague stupide. » Bon, tout cela m'a paru bizarre, mais je n'ai pas bronché. Il a continué : « Il m'est difficile de vous donner des explications détaillées, mais en gros, cela revient à ça : pour autant que je sache, seules deux personnes ont pu s'emparer de ces diamants. L'une d'elles peut l'avoir fait par jeu. Si c'est l'autre personne qui les a pris, alors cela signifie qu'ils ont vraiment été volés. » J'ai dit : « Et que voulez-vous que je fasse au juste, monsieur ? » Et il a décrété tout à trac : « Je veux que vous reveniez ici dans une heure environ – non, même un peu plus tard, vers 9 heures et quart. À ce moment-là, je serai en mesure de vous dire précisément s'il s'agit d'un vol ou non. » J'étais un peu perplexe, mais enfin j'ai dit d'accord et je suis parti.

— Curieux, commenta le colonel Johnson. Très curieux. Qu'en pensez-vous, Poirot ?

Hercule Poirot se tourna vers Sugden :

— Puis-je vous demander, superintendant, quelles ont été vos propres conclusions ?

Le superintendant se caressa la mâchoire avant de répondre prudemment :

— Eh bien, il m'est venu plusieurs idées, mais, en gros, voilà comment je vois les choses. Il ne s'agit absolument pas d'une farce. Les diamants ont bel et bien été volés. Mais le vieux ne savait pas avec certitude qui les avait pris. À mon avis, il disait la vérité quand il déclarait qu'il pouvait s'agir de deux personnes – et, toujours selon moi, sur ces deux personnes, l'une était un domestique, et l'autre un *membre de la famille*.

Poirot approuva d'un signe de tête :

— Très bien. Oui, cela explique fort bien son attitude.

— D'où son désir de me voir revenir plus tard. Dans l'intervalle, il avait l'intention d'avoir un entretien avec les personnes en question. Il leur dirait qu'il avait déjà parlé du vol à la police, mais que, en cas de restitution rapide, il passerait l'éponge.

— Et si le suspect ne saisissait pas la perche ? s'enquit le colonel Johnson.

— Dans ce cas, il avait l'intention de remettre l'affaire entre nos mains.

Le colonel Johnson fronça les sourcils en tortillant sa moustache.

— Pourquoi n'avoir pas eu cet entretien *avant* de vous faire venir ? objecta-t-il.

— Non, non, monsieur, dit le superintendant en secouant la tête. Dans ce cas-là, l'autre aurait pu croire qu'il bluffait. Ça n'aurait pas été aussi convaincant, comprenez-vous ? La personne pouvait se dire : « Quels que soient ses soupçons, le vieux n'appellera jamais la police ! » Mais si le vieux lui dit : « J'ai déjà parlé à la police, le superintendant sort d'ici », alors le voleur questionne le majordome, et le majordome confirme. Il dit : « Oui, le superintendant est passé juste avant le dîner. » Alors le voleur comprend que le vieux est tout ce qu'il y a de sérieux et il ne lui reste plus qu'à rendre les pierres.

— Hum… Oui, je vois, dit le colonel Johnson. Une idée, Sugden, sur l'identité de ce « membre de la famille » ?

— Non, monsieur.

— Aucun indice ?

— Pas le moindre.

— Bon, poursuivons.

Le superintendant Sugden reprit son ton de rapport officiel :

— Je suis revenu ici à 9 h 15 précises. Juste au moment où je m'apprêtais à appuyer sur la sonnette, j'ai entendu un hurlement qui venait de l'intérieur de la maison, suivi de cris et d'un branle-bas général. J'ai sonné à plusieurs reprises, j'ai fini par utiliser le heurtoir, et j'ai attendu encore trois ou quatre minutes avant qu'on vienne. Quand le valet de pied m'a enfin ouvert, j'ai vu qu'il venait de se passer quelque chose de grave. Il tremblait de tous ses membres et semblait sur le point de s'évanouir. Il a balbutié que Mr Lee avait été assassiné. J'ai grimpé l'escalier à toute allure, et j'ai trouvé la chambre de Mr Lee complètement dévastée. Il y avait manifestement eu une lutte acharnée. Mr Lee était affalé au beau milieu d'une mare de sang devant le foyer, la gorge tranchée.

— Est-ce qu'il n'aurait pas pu faire ça lui-même ? demanda le colonel Johnson.

Sugden secoua la tête :

— Impossible, monsieur. D'abord, il y avait tout ce mobilier sens dessus dessous, les fauteuils, les tables, la porcelaine et les bibelots fracassés, et puis il n'y avait aucune trace du rasoir ou du couteau avec lequel le crime a été commis.

— Oui, dit pensivement Johnson, cela ne paraît guère discutable. Personne dans la chambre ?

— Les membres de la famille étaient là, monsieur. Debout, autour de lui.

— Des suggestions, Sugden ?

— C'est une sale affaire, monsieur, répondit prudemment le superintendant. J'ai bien l'impression que c'est l'un d'entre eux qui a fait le coup. Je vois mal comment quelqu'un de l'extérieur aurait pu le faire et s'échapper à temps.

— Et les fenêtres ? Ouvertes ? Fermées ?

— Il y a deux fenêtres dans la chambre, monsieur. L'une était fermée et verrouillée. L'autre était ouverte de quelques centimètres en bas, mais bloquée dans cette position par un boulon antivol. J'ai essayé de la soulever, et elle n'a pas bougé – pas été ouverte depuis des années, à mon avis. Et puis le mur extérieur est parfaitement lisse, pas de lierre, pas de plantes grimpantes. Je ne vois pas comment on aurait pu s'enfuir par là.

— Combien de portes dans la chambre ?

— Une seule. La chambre se trouve tout au fond d'un couloir. La porte était fermée à clé de l'intérieur. Quand ils ont entendu le bruit de la bagarre et le cri d'agonie du vieil homme, et qu'ils se sont précipités en haut, ils ont dû enfoncer la porte pour entrer.

— Et qui se trouvait dans la pièce ?

— Il n'y avait personne dans la chambre, monsieur, répondit le superintendant Sugden d'une voix grave. Sauf le vieil homme qui venait d'être assassiné quelques minutes auparavant.

7

Le colonel Johnson contempla Sugden un moment avant de bredouiller avec indignation :

— Seriez-vous en train de me chanter, superintendant, qu'il s'agit d'un de ces fichus cas qu'on ne trouve que dans les romans policiers et où un homme est tué dans une chambre close par quelque intervention apparemment surnaturelle ?

L'esquisse d'un sourire frémit sous la moustache du superintendant :

— Je ne crois pas que l'affaire se présente aussi mal que ça, monsieur.

— Un suicide ! dit le colonel Johnson. Ce doit être un suicide !

— Où est l'arme, dans ce cas ? Non, monsieur, il ne peut s'agir d'un suicide.

— Alors, comment le meurtrier s'est-il enfui ? Par la fenêtre ?

Sugden secoua la tête :

— Je suis prêt à parier que non.

— Mais puisque vous dites que la porte était fermée à clé de l'intérieur !

Le superintendant hocha la tête. Il sortit une clé de sa poche et la posa sur la table.

— Aucune empreinte, annonça-t-il. Mais regardez cette clé de plus près, monsieur. Prenez cette loupe.

Poirot se pencha. Johnson et lui examinèrent la clé de concert, puis le chef de la police poussa une exclamation :

— Bon sang, je vois ce que vous voulez dire ! Ces légères éraflures au bout du canon. Vous les voyez, Poirot ?

— Bien sûr, que je les vois. Cela signifie, si je ne m'abuse, que la clé a été tournée de l'extérieur – tournée à l'aide d'un instrument qu'on a introduit dans le trou de la serrure pour manœuvrer le canon. Peut-être une simple paire de pinces aura-t-elle fait l'affaire.

Le superintendant acquiesça.

— Donc, poursuivit Poirot, puisque la porte était fermée de l'intérieur et qu'il n'y avait personne dans la pièce, l'idée était que la mort passerait pour un suicide ?

— C'était bien l'idée, monsieur Poirot. Pour moi, ça ne fait pas l'ombre d'un doute.

Poirot secoua la tête d'un air dubitatif :

— Mais le désordre de la chambre ! Comme vous venez de le dire, cela suffisait à soi tout seul pour éliminer l'hypothèse du suicide. Le meurtrier aurait certainement commencé par remettre la pièce en ordre.

— Mais il n'en a pas eu le *temps*, monsieur Poirot. Tout est là. Il n'en a pas eu le temps. Il espérait sans doute prendre le vieux par surprise, mais les choses n'ont pas tourné comme ça. Il y a eu bagarre – bagarre qu'on a parfaitement entendue au rez-de-chaussée. Et qui plus est, le vieux a appelé à l'aide. Tout le monde s'est rué au premier. Le meurtrier n'a eu que le temps de se glisser hors de la chambre et de tourner la clé de l'extérieur.

— C'est juste, admit Poirot. Votre meurtrier, supposons qu'il s'y soit mal pris, qu'il ait loupé son coup, comme on dit. Mais pourquoi, oh oui pourquoi n'a-t-il pas au moins laissé l'arme sur le terrain. Car il va bien évidemment de soi que pas d'arme équivaut à pas de suicide ! Ça, c'est vraiment une très grosse erreur.

Mais rien ne semblait pouvoir démonter le superintendant Sugden :

— Les criminels commettent toujours des erreurs. Nous sommes payés pour le savoir.

Poirot poussa un léger soupir :

— Quoi qu'il en soit, et malgré toutes ses erreurs, il s'est échappé, ce criminel.

— Je ne pense pas qu'il se soit à proprement parler *échappé.*

— Vous voulez dire qu'il est encore dans la maison ?

— Je ne vois pas où il pourrait être ailleurs. C'est un coup qui a été fait du dedans.

— Mais tout de même, insista doucement Poirot, il s'est au moins échappé en ceci que *vous ne savez pas qui il est.*

— J'ai dans l'idée que nous allons le savoir vite, répliqua le superintendant Sugden, courtois mais ferme. Nous n'avons pas encore commencé les interrogatoires.

— Dites, Sugden, intervint le colonel Johnson, un détail me frappe. Celui qui a fait tourner cette clé de l'extérieur devait posséder le coup de main. Autrement dit, avoir quelques cambriolages à son actif. Ce genre d'instruments n'est pas si facile à manier.

— Vous voulez dire que c'était un travail de professionnel, monsieur ?

— C'est ça, oui.

— Ça y ressemble, en effet, admit Sugden. Partant de là, on pourrait conclure qu'il y a un cambrioleur professionnel parmi les domestiques. Cela expliquerait le vol des diamants, dont le meurtre serait la conséquence logique.

— Eh bien, y a-t-il quelque chose qui aille à l'encontre de cette théorie ?

— Sur le moment, j'avais cru que ça collait. Mais ça pose quand même quelques problèmes. Il y a huit domestiques dans la maison, dont six femmes ; et sur les six, cinq sont ici depuis au moins quatre ans. Restent le majordome et le valet de pied. Le majordome est ici depuis près de quarante ans – une sorte de record. Le valet de pied a grandi ici : c'est le fils du jardinier. Je vois mal comment il pourrait être monte-en-l'air de profession. Il ne reste plus que le valet personnel de Mr Lee. Par rapport aux autres, c'est un nouveau venu, mais il était dehors à l'heure du crime, et il l'est encore. Il est sorti juste avant 8 heures.

— Avez-vous la liste des personnes présentes ? demanda le colonel Johnson.

— Oui, monsieur. Je la tiens du majordome. (Il sortit son calepin.) Je vous la lis ?

— S'il vous plaît.

— Mr et Mrs Alfred Lee. Mr George Lee, député, et sa femme ; Mr Henry Lee, Mr et Mrs David Lee. Miss…

Le superintendant se concentra avant d'articuler avec prudence :

— Pi-lar (dans sa bouche, cela ressemblait à un terme d'architecture)… Es-tra-va-dos. Mr Stephen Farr. Pour les domestiques : Edward Tressilian, major-dome. Walter Champion, valet de pied. Emily Reeves, cuisinière. Queenie Jones, fille de cuisine. Gladys Spent, gouvernante. Grace Best, femme de chambre. Beatrice Moscombe, seconde femme de chambre. Joan Kench, bonne à tout faire. Sydney Horbury, valet personnel de Mr Lee.

— C'est tout ?

— C'est tout, monsieur.

— Savez-vous où se trouvaient tous ces gens au moment du meurtre ?

— Grosso modo, seulement. Comme je vous l'ai dit, je n'ai encore interrogé personne. D'après Tressilian, les messieurs étaient encore dans la salle à manger. Les dames étaient passées au salon où il leur avait servi le café. Il dit qu'il venait juste de rentrer à l'office quand il a entendu un fracas au premier, suivi d'un cri terrible. Il est sorti en courant et a monté les escaliers derrière les autres.

— Qui dans la famille habite ici ? demanda le colonel Johnson.

— Mr et Mrs Alfred Lee vivent ici. Tous les autres sont en visite.

Johnson hocha la tête.

— Où sont-ils, tous ?

— Je leur ai demandé de rester dans le salon jusqu'à ce que je sois prêt à recueillir leurs dépositions.

— Je vois. Bon, il serait peut-être temps d'aller examiner le travail.

Le superintendant les précéda dans le grand escalier et le long du corridor. En entrant dans la pièce où le meurtre avait été commis, Johnson laissa échapper un long sifflement.

— Quelle boucherie ! dit-il sobrement.

Il resta quelques instants sur le seuil à contempler les fauteuils renversés, la porcelaine fracassée et les mille et un débris éclaboussés de sang.

Un homme mince d'un certain âge était agenouillé près du corps. Il se releva pour les saluer.

— 'Soir, Johnson. Sacré carnage, hein ?

— Comme vous dites. Quelque chose pour nous, docteur ?

Celui-ci haussa les épaules.

— Vous attendrez l'enquête pour les termes scientifiques, dit-il en souriant. Rien de compliqué là-dedans. Saigné comme un porc. Il s'est vidé de son sang en moins d'une minute. Aucune trace de l'arme.

Poirot alla examiner les fenêtres à guillotine. Comme l'avait dit le superintendant, l'une était fermée et verrouillée. L'autre était ouverte de quelques centimètres et bloquée dans cette position par un système de sécurité connu autrefois sous le nom de « boulon antivol ».

— D'après le majordome, expliqua Sugden, cette fenêtre restait entrouverte par tous les temps. On a posé par terre un carré de linoléum au cas où la pluie rentrerait, mais étant donné que l'avancée du toit protège la fenêtre, il ne sert pas à grand-chose.

Poirot hocha la tête. Il revint vers le corps du vieil homme.

Ses lèvres étaient retroussées sur des gencives exsangues, comme s'il montrait les dents. Ses doigts étaient recourbés comme des serres.

— Il n'avait pas l'air du genre costaud, ça non, remarqua Poirot.

— Il était pourtant très résistant, répliqua le médecin. Il avait survécu à des sales maladies qui en auraient tué plus d'un.

— Ce n'est pas ce que je veux dire, reprit Poirot. Je veux dire, il n'était pas épais, pas fort physiquement.

— Non, il était plutôt frêle.

Poirot se détourna du cadavre et se pencha pour examiner un fauteuil renversé, un lourd fauteuil d'acajou massif. À côté gisaient une table ronde, en acajou également, et les fragments d'une grosse lampe de porcelaine. Deux autres fauteuils étaient retournés. Les débris d'une carafe et de deux verres, un lourd presse-papier en verre, intact, un amas de livres, un grand vase japonais en morceaux et une statuette de bronze complétaient la scène.

Poirot se pencha sur chacun de ces objets et les étudia avec attention, mais sans les toucher. Il avait les sourcils froncés.

— Quelque chose vous frappe, Poirot? demanda Johnson.

Hercule Poirot soupira.

— Un vieil homme tout ratatiné, si frêle… murmurat-il, et pourtant… tout ceci.

Johnson parut décontenancé. Il se tourna vers le sergent, qui s'activait dans la pièce.

— Des empreintes?

— Des quantités, monsieur, partout.

— Sur le coffre-fort ?

— Rien d'intéressant. Les seules empreintes sont celles du vieux monsieur, lui-même.

Johnson s'adressa au médecin.

— Et les taches de sang ? Le meurtrier a certainement du sang sur lui.

Le médecin fit la moue.

— Pas forcément. Le sang a coulé de la veine jugulaire. Ça ne jaillit pas comme d'une artère.

— Non, bien sûr. Pourtant, il semble y en avoir partout.

— Oui, approuva Poirot, beaucoup de sang ! C'est frappant, cette quantité de sang.

Le superintendant Sugden se tourna respectueusement vers lui :

— Vous… euh… cela vous suggère une idée, monsieur Poirot ?

Poirot promena dans la pièce un regard perplexe :

— Il règne ici une atmosphère de… de fureur brutale… Oui, c'est bien ça, de *fureur brutale*. Et de rage sanguinaire, d'emphase sur le côté sanglant… Il y a… comment dire ?… Il y a *trop de sang*. Du sang sur les fauteuils, sur les tables, sur le tapis. Le sang rituel ? Le sang sacrifice ? Est-ce de cela qu'il s'agit ? Peut-être… Un homme aussi frêle, aussi maigre, aussi desséché, et pourtant… dans la mort… *tant de sang*…

Sa voix s'éteignit. Le superintendant Sugden le fixait, les yeux ronds.

— C'est drôle, dit-il d'une voix troublée… c'est ce qu'elle a dit… la dame.

— Quelle dame ? Qu'est-ce qu'elle a dit ?

— Mrs Lee… Mrs Alfred, répondit Sugden. Elle était là, à la porte, et elle chuchotait à moitié. Je n'ai pas compris de quoi elle parlait.

— Qu'est-ce qu'elle disait ?

— Quelque chose comme « qui aurait pensé que le vieux monsieur avait tant de sang en lui… »

Poirot dit doucement :

— *Qui aurait cru que ce vieil homme eût en lui tant de sang ?* Ce sont les mots de Lady Macbeth. Elle a dit ça… Ah, c'est intéressant…

8

Alfred Lee et sa femme entrèrent dans le petit bureau où Poirot, Sugden et le chef de la police attendaient debout. Le colonel Johnson les accueillit :

— Comment allez-vous, Mr Lee ? Nous ne nous sommes jamais rencontrés, mais comme vous le savez, je suis le chef de la police du comté. Je m'appelle Johnson. Je ne saurais vous dire à quel point je compatis...

— Je vous remercie, dit Alfred d'une voix rauque, l'air d'un chien battu. C'est terrible. Je... voici ma femme.

Lydia posa la main sur l'épaule de son mari.

— Ç'a été un choc terrible pour mon mari... pour nous tous... mais particulièrement pour lui, dit-elle de la voix calme qui lui était habituelle.

— Voulez-vous vous asseoir, Mrs Lee ? demanda le colonel Johnson. Permettez-moi de vous présenter M. Hercule Poirot.

Hercule Poirot s'inclina. Ses yeux allaient avec intérêt de la femme au mari.

Lydia pressa doucement l'épaule d'Alfred :

— Assieds-toi, Alfred.

Alfred obéit.

— Hercule Poirot, murmura-t-il. Mais enfin, qui… ?

Il se passa la main sur le front d'un air égaré.

— Le colonel Johnson va devoir te poser des quantités de questions, Alfred, lui dit sa femme.

Le chef de la police lui jeta un regard approbateur. Il était soulagé que Mrs Alfred Lee se révèle une femme aussi sensée et compétente.

— Bien sûr, dit Alfred. Bien sûr…

« Il a l'air complètement sonné, pensa Johnson. Espérons qu'il va se ressaisir un peu. »

— J'ai ici, dit-il, la liste de toutes les personnes qui se trouvaient ce soir dans la maison. Peut-être pourrez-vous me dire si elle est correcte, Mr Lee.

Il se tourna vers Sugden qui tira son calepin de sa poche et récita une nouvelle fois la liste de noms.

Cette formalité concrète parut ramener Alfred Lee à un état quasi normal. Il avait repris le contrôle de lui-même et ses yeux ne fixaient plus le vide avec égarement. Quand Sugden eut terminé, il fit un signe d'approbation :

— C'est bien cela.

— Voudriez-vous m'en dire un peu plus sur vos invités ? Mr et Mrs George Lee, ainsi que Mr et Mrs David Lee sont des parents, je suppose ?

— Ce sont mes frères cadets et leurs épouses.

— Ils ne font que séjourner ici ?

— Oui, ils sont venus pour Noël.

— Mr Harry Lee est également votre frère ?

— Oui.

— Et les deux autres invités? Miss Estravados et Mr Farr?

— Miss Estravados est ma nièce. Mr Farr est le fils de l'ancien associé de mon père en Afrique du Sud.

— Ah, un vieil ami.

— Non, intervint Lydia. En fait, c'est la première fois que nous le voyons.

— Bien. Mais vous l'avez néanmoins invité à passer les fêtes avec vous?

Alfred hésita, puis jeta un regard à sa femme, qui prit la parole:

— Mr Farr est arrivé hier à l'improviste. Il se trouvait dans les environs, et il est passé rendre visite à mon beau-père. Quand celui-ci a appris qu'il était le fils de son vieil ami et associé, il a insisté pour qu'il passe Noël avec nous.

— Je vois, dit le colonel Johnson. Voilà donc pour la famille et les invités. Et en ce qui concerne les domestiques, Mrs Lee, vous les considérez tous comme des personnes de confiance?

Lydia réfléchit un moment avant de répondre.

— Oui, dit-elle enfin. Je suis certaine qu'ils sont tous parfaitement honnêtes. Tressilian, le majordome, est ici depuis l'enfance de mon mari. Les seuls nouveaux venus sont Joan, la bonne et l'infirmier-valet de chambre qui était au service personnel de mon beau-père.

— Et ces deux-là?

— Joan est une petite dinde. C'est bien tout le mal qu'on puisse en dire. Quant à Horbury, je sais fort peu de choses sur son compte. Il n'est ici que depuis un an.

Il est très compétent, et mon beau-père semblait content de lui.

— Mais vous, madame, souligna Poirot, perspicace, vous n'en étiez pas si contente ?

Lydia haussa légèrement les épaules :

— Cela ne me concernait pas.

— Vous êtes pourtant la maîtresse de maison, madame ? Ce qui vous confère la haute main sur les domestiques, n'est-il pas vrai ?

— Si, bien sûr. Mais Horbury était le valet personnel de mon beau-père. Il ne dépendait pas de moi.

— Je vois.

Le colonel Johnson intervint :

— Venons-en aux événements de la soirée. Je crains que ça ne vous soit pénible, Mr Lee, mais j'aimerais avoir votre version des faits.

— Bien sûr, dit Alfred dans un souffle.

— Quand, par exemple, enchaîna le colonel Johnson, avez-vous vu votre père pour la dernière fois ?

Un léger spasme de douleur crispa le visage d'Alfred.

— C'était après le thé, dit-il à voix basse. Je suis resté un petit moment avec lui. Je lui ai souhaité bonne nuit et j'ai dû le quitter vers… attendez… vers 6 heures moins le quart.

— Vous lui avez souhaité bonne nuit ? releva Poirot. Vous ne pensiez donc pas le revoir dans la soirée ?

— Non. Mon père se faisait toujours monter un souper léger dans sa chambre à 7 heures. Après cela, il se mettait au lit ou restait assis dans son fauteuil, mais il ne souhaitait pas nous voir le soir. Ou alors il nous envoyait expressément chercher.

— Il vous envoyait souvent chercher ?

— Parfois. Quand l'envie lui en prenait.

— Mais ce n'était pas l'habitude ?

— Non.

— Poursuivez, Mr Lee, je vous prie.

— Nous avons dîné à 8 heures. Après quoi ma femme et les autres dames sont passées au salon. (Sa voix s'altéra. Ses yeux se perdirent de nouveau dans le vide.) Nous étions assis là… à table… Soudain, il y a eu ce bruit épouvantable à l'étage au-dessus. Fauteuils renversés, meubles jetés à terre, verre brisé, porcelaine fracassée, et puis… Oh, Seigneur… (Il frissonna.) Je l'entends encore. Mon père a poussé un cri, un cri horrible, interminable, le cri d'un homme à l'agonie…

Il se couvrit le visage de ses mains tremblantes. Lydia lui toucha la manche.

— Et ensuite ? fit doucement le colonel Johnson.

Alfred reprit d'une voix brisée :

— Je crois que… que nous sommes un instant restés *abasourdis*. Et puis nous avons sauté sur nos pieds, grimpé l'escalier quatre à quatre et nous sommes précipités vers la chambre de mon père. La porte était fermée à clé. Impossible d'entrer. Il a fallu l'enfoncer. Et puis, quand elle a cédé, nous avons vu…

Sa voix s'éteignit.

— Nous n'avons pas besoin d'entrer dans ces détails, Mr Lee, s'empressa Johnson. Revenons un peu en arrière, au moment où vous étiez dans la salle à manger. Qui était avec vous quand vous avez entendu ce cri ?

— Qui était là ? Eh bien, nous étions tous là… Non, attendez… Mon frère était là – mon frère Harry.

— Personne d'autre ?

— Personne.

— Et où étaient les autres messieurs ?

Alfred soupira, sourcils froncés :

— Laissez-moi réfléchir, cela paraît si loin… Oui, à des années de distance. Que s'est-il donc passé ? Ah oui, George était allé téléphoner. Puis nous avons commencé à discuter d'affaires de famille, et Stephen Farr a dit qu'il voyait bien que nous avions des problèmes à débattre, et il est sorti. Il l'a fait avec beaucoup de tact et de gentillesse.

— Et votre frère David ?

Alfred fronça les sourcils.

— David ? Il n'était pas là ? Non, bien sûr que non. Je ne sais pas du tout quand il s'est éclipsé.

— Ainsi, dit doucement Poirot, vous aviez à discuter d'affaires de famille ?

— Euh… Oui.

— C'est-à-dire que vous aviez à discuter avec *un* des membres de votre famille ?

— Que voulez-vous dire, monsieur Poirot ? intervint Lydia.

Il se tourna vers elle :

— Madame, votre mari vient de dire que Mr Farr avait quitté la pièce parce qu'il voyait qu'ils avaient à discuter d'affaires de famille. Mais il ne s'agissait pas d'un *conseil de famille*, puisque ni Mr David ni Mr George n'étaient présents. Il s'agissait donc d'une discussion personnelle entre deux membres de la famille.

— Mon beau-frère Harry est resté à l'étranger pendant des années, expliqua Lydia. Il était naturel que mon mari et lui aient des choses à se dire.

— Ah, je vois. C'était donc ça.

Elle lui lança un regard acéré, puis détourna les yeux.

— Bien, reprit Johnson, tout cela semble assez clair. Avez-vous remarqué quelqu'un d'autre en courant vers la chambre de votre père ?

— Je… vraiment, je ne sais pas. Je pense, oui. Nous arrivions de toutes les directions. Mais je n'ai pas fait attention… J'étais tellement inquiet. Ce cri effroyable…

Le colonel Johnson s'empressa de passer à un autre sujet :

— Je vous remercie, Mr Lee. Il reste maintenant un autre point crucial. J'ai cru comprendre que votre père avait en sa possession des diamants d'une valeur considérable.

Alfred parut assez surpris.

— Oui, dit-il. C'est exact.

— Où se trouvaient-ils ?

— Dans le coffre de sa chambre.

— Pouvez-vous les décrire ?

— C'étaient des diamants bruts – c'est-à-dire des pierres non taillées.

— Pourquoi votre père les gardait-il là ?

— Une lubie à lui. Il avait rapporté ces pierres d'Afrique du Sud et ne les avait jamais fait tailler. Il aimait simplement les avoir en sa possession. Comme je vous l'ai dit, une lubie.

— Je vois, dit le chef de la police.

Il était clair à son ton qu'il ne voyait rien du tout. Il poursuivit :

— Ces pierres avaient-elles beaucoup de valeur ?

— Mon père les estimait à environ dix mille livres.

— C'étaient donc des pierres d'une très grande valeur ?

— Oui.

— Cela semble une idée curieuse que de conserver de telles pierres dans le coffre d'une chambre à coucher.

— Voyez-vous, colonel Johnson, intervint Lydia, mon beau-père était un homme assez curieux. Il n'avait pas les idées de tout le monde. Il éprouvait un réel plaisir à manier ces pierres.

— Peut-être lui rappelaient-elles le passé, hasarda Poirot.

Lydia parut le considérer d'un œil neuf.

— Oui, dit-elle, je crois que c'était ça.

— Étaient-elles assurées ? demanda Johnson.

— Je ne crois pas.

Johnson se pencha en avant :

— Saviez-vous, Mr Lee, que ces pierres avaient été dérobées ?

— Quoi ? fit Alfred, médusé.

— Votre père ne vous a rien dit de leur disparition ?

— Pas un mot.

— Vous ne saviez pas qu'il avait fait venir le superintendant Sugden pour lui signaler le vol ?

— Je n'en avais pas la moindre idée !

Le chef de la police se retourna :

— Et vous, Mrs Lee ?

Lydia secoua la tête.

— Je n'ai rien entendu de tel.

— Pour vous, les pierres n'avaient pas bougé ?

— Non.

Elle hésita :

— Est-ce pour ça qu'il a été tué ? À cause de ces diamants ?

— C'est ce que nous allons découvrir ! dit le colonel Johnson. Qui aurait pu commettre ce vol, Mrs Lee, en avez-vous la moindre idée ?

— Absolument pas. Je suis certaine de l'honnêteté des domestiques. Et de toute façon, il leur aurait été très difficile d'avoir accès au coffre. Mon beau-père était toujours dans sa chambre. Il ne descendait jamais.

— Qui faisait sa chambre ?

— Horbury. Il faisait le ménage et le lit. La femme de chambre venait simplement retirer les cendres et allumer le feu chaque matin. Horbury s'occupait de tout le reste.

— Horbury serait donc le coupable le plus vraisemblable, murmura Poirot.

— Oui.

— Pensez-vous, en ce cas, que c'est lui qui a volé les diamants ?

— C'est possible. Pourquoi pas ?… Il était le mieux placé pour ça. Oh, je ne sais que penser.

— Votre mari nous a fait son récit de la soirée, dit le colonel Johnson. Voulez-vous nous faire le vôtre, Mrs Lee ? Quand avez-vous vu votre beau-père pour la dernière fois ?

— Nous étions tous dans sa chambre cet après-midi, avant le thé. C'est la dernière fois que je l'ai vu.

— Vous n'êtes pas venue plus tard lui souhaiter bonne nuit ?

— Non.

— Alliez-vous lui dire bonsoir, d'habitude? demanda Poirot.

— Non, dit brièvement Lydia.

— Où étiez-vous quand le crime a eu lieu?

— Dans le salon.

— Vous avez entendu le bruit de la lutte?

— Je crois que j'ai entendu tomber quelque chose de lourd. Mais, bien sûr, la chambre de mon beau-père est au-dessus de la salle à manger. Du salon je ne pouvais pas entendre grand-chose.

— Mais vous avez entendu le cri?

Lydia frissonna :

— Oui, j'ai entendu ça… C'était horrible, c'était… comme une âme en enfer. J'ai tout de suite su qu'il était arrivé quelque chose d'épouvantable. Je suis sortie en courant et j'ai suivi mon mari et Harry dans les escaliers.

— Qui d'autre se trouvait dans le salon à ce moment-là?

Lydia fronça les sourcils :

— Vraiment, je ne m'en souviens pas. David était à côté, dans la salle de musique, en train de jouer du Mendelssohn. Je crois que Hilda était allée le rejoindre.

— Et les deux autres dames?

Lydia fouilla ses souvenirs :

— Magdalene était partie téléphoner. Je n'arrive pas à me souvenir si elle était revenue ou non. Je ne sais pas où était Pilar.

— En fait, dit doucement Poirot, vous étiez peut-être toute seule dans le salon?

— Oui… Oui, en fait, je crois bien que oui.

— À propos de ces diamants, reprit le colonel Johnson, il faudrait peut-être en avoir le cœur net. Connaissez-vous la combinaison du coffre de votre père, Mr Lee ? Je vois qu'il est d'un modèle assez ancien.

— Vous la trouverez dans un petit carnet qu'il gardait dans la poche de sa robe de chambre.

— Bien. Nous verrons cela tout à l'heure. Il vaut mieux, je pense, en terminer d'abord avec les dépositions. Les dames aimeraient peut-être aller se coucher.

Lydia se leva :

— Viens, Alfred.

Elle se tourna vers les policiers :

— Dois-je vous les envoyer ?

— Un par un, s'il vous plaît, Mrs Lee.

— Certainement.

Elle se dirigea vers la porte, Alfred sur les talons.

Soudain, au dernier moment, celui-ci fit volte-face.

— Mais bien sûr ! s'écria-t-il en revenant vers Poirot. Vous êtes Hercule Poirot ! Où avais-je la tête ? J'aurais dû le comprendre tout de suite.

Il parlait vite, d'une voix basse et fébrile :

— Votre présence ici est une véritable bénédiction ! Vous devez découvrir la vérité, monsieur Poirot. Ne regardez pas à la dépense ! Je prends tout à ma charge. *Mais découvrez la vérité !* Mon pauvre père… assassiné… aussi sauvagement assassiné ! Il *faut* que vous découvriez qui a fait cela, monsieur Poirot. Mon père doit être vengé.

— Je peux vous assurer, Mr Lee, répondit posément Poirot, que je suis prêt à faire tout mon possible pour assister le colonel Johnson et le superintendant Sugden.

— Je veux que vous travailliez pour *moi*, insista Alfred Lee. Mon père doit être vengé.

Il se mit à trembler violemment. Lydia était revenue sur ses pas. Elle lui prit doucement le bras.

— Viens, Alfred. Il faut que nous allions chercher les autres.

Ses yeux croisèrent ceux de Poirot. Des yeux qui gardaient leur secret. Et qui ne cillèrent pas.

Qui aurait cru que ce vieil homme… cita Poirot à mi-voix.

Elle l'interrompit :

— Taisez-vous ! Ne dites pas ça !

— C'est *vous* qui l'avez dit, madame, murmura Poirot.

— Je sais, dit-elle dans un souffle. Je m'en souviens… C'était… si horrible !

Puis elle sortit brusquement de la pièce, précédant son mari.

9

George Lee se montra solennel et compassé.

— Terrible affaire, dit-il en secouant la tête. Terrible, terrible affaire. Il ne peut s'agir que de... hum... de l'œuvre d'un fou !

— C'est là votre théorie ? s'enquit poliment le colonel Johnson.

— Oui, oui bien sûr. Un fou homicide. Échappé, qui sait, d'un quelconque asile des environs.

Le superintendant Sugden intervint :

— Et comment expliquez-vous que ce... fou ait pu s'introduire dans la maison, Mr Lee ? Et comment en est-il ressorti ?

— Ça, répliqua George, catégorique, c'est à la police de le découvrir.

— Nous avons tout de suite fait le tour de la maison, répondit Sugden. Toutes les fenêtres étaient fermées et les barres mises. La porte de service était verrouillée, ainsi que la porte d'entrée. Personne n'aurait pu sortir par les cuisines sans être vu du personnel.

— Mais c'est absurde ! s'écria George Lee. Vous allez bientôt me dire que mon père n'a jamais été assassiné !

— Il a bien été assassiné, dit le superintendant Sugden. Il n'y a aucun doute là-dessus.

Le colonel Johnson s'éclaircit la gorge et prit la relève :

— Où étiez-vous au juste, Mr Lee, à l'heure du crime ?

— J'étais dans la salle à manger. C'était juste après le dîner. Non, en fait, je devais être dans cette pièce. Je venais de passer un coup de téléphone.

— Vous avez passé un coup de téléphone ?

— Oui. J'ai appelé le secrétaire du Parti conservateur à Westeringham – ma circonscription. Une affaire urgente.

— Et c'est après ce coup de téléphone que vous avez entendu le cri ?

George Lee eut un léger frisson :

— Oui, très déplaisant. Ça m'a glacé le sang. Et puis ça s'est éteint dans une sorte de gargouillis.

Il sortit un mouchoir de sa poche pour essuyer la transpiration qui perlait à son front.

— Terrible affaire, marmotta-t-il.

— Et vous vous êtes précipité au premier ?

— Oui.

— Avez-vous vu vos frères, Mr Alfred et Mr Harry Lee ?

— Non. Ils ont dû monter juste devant moi, je suppose.

— Quand avez-vous vu votre père pour la dernière fois, Mr Lee ?

— Cet après-midi. Nous étions tous réunis dans sa chambre.

— Vous ne l'avez pas revu ensuite ?

— Non.

Le chef de la police marqua une pause, puis reprit :

— Saviez-vous que votre père conservait des diamants bruts d'une valeur considérable dans le coffre de sa chambre ?

George Lee hocha la tête.

— Disposition tout à fait déraisonnable, décréta-t-il, sentencieux. Je le lui avais maintes fois répété. Un coup à se faire assassiner… Euh… Je veux dire… Enfin…

Le colonel Johnson coupa court.

— Êtes-vous au courant de ce que ces pierres ont disparu ?

George en resta la mâchoire pendante, ses gros yeux globuleux sortis de la tête :

— Alors, c'est pour cela qu'il a été tué ?

Le chef de la police prit son temps pour répondre :

— Il s'était aperçu de leur disparition et l'avait signalée à la police quelques heures avant sa mort.

— Mais alors, balbutia George… Je ne comprends pas… Je…

Hercule Poirot adopta son ton le plus suave :

— Nous non plus, nous ne comprenons pas…

10

Harry Lee entra dans la pièce d'un air fanfaron. Un instant, Poirot fronça les sourcils. Il avait la sensation d'avoir déjà vu cet homme-là quelque part. Il étudia ses traits : le nez busqué, l'arrogant port de tête, la ligne dure de la mâchoire. Il comprit alors qu'en dépit de la différence de gabarit, il existait une grande ressemblance entre Harry et son père.

Il remarqua également autre chose. Malgré ses airs bravaches, Harry Lee était mal à l'aise. Il s'en tirait en plastronnant mais l'anxiété sous-jacente était là, bien réelle.

— Eh bien, messieurs, dit-il, que voulez-vous savoir ?

— Tout ce que vous pourrez nous apprendre sur les événements de ce soir sera le bienvenu, répondit le colonel Johnson.

Harry Lee secoua la tête :

— Je ne sais rien du tout. Tout cela est atroce et totalement inimaginable.

— Vous êtes revenu de l'étranger il y a peu, Mr Lee, si je ne m'abuse ? demanda Poirot.

Harry se tourna vers lui :

— Oui. J'ai débarqué en Angleterre il y a quinze jours.

— Vous étiez resté absent longtemps ?

Harry Lee releva le menton et se mit à rire :

— Autant vous le dire tout de suite, vous l'apprendrez de toute façon ! Messieurs, je suis le fils prodigue ! Cela fait presque vingt ans que je n'avais pas mis les pieds dans cette maison.

— Mais à présent vous voilà de retour. Voulez-vous nous dire pourquoi ? demanda Poirot.

Harry ne se fit pas prier pour répondre – et ce avec le même air de sincérité apparente :

— C'est la bonne vieille parabole. J'en ai eu assez de manger les gousses que l'on donne aux pourceaux – ou dont ils ne veulent pas, je ne sais plus. Je me suis dit que le veau gras ferait un agréable changement. J'avais reçu une lettre de mon père me suggérant de revenir à la maison. J'ai obéi à l'injonction paternelle et je suis venu. C'est tout.

— Vous êtes venu pour un court séjour ? s'enquit Poirot. Ou pour plus longtemps ?

— Je suis revenu à la maison… pour de bon !

— Selon le vœu de votre père ?

— Le vieux était ravi.

Harry se remit à rire, en plissant ses yeux charmeurs :

— Pas marrant pour lui de vivre ici avec Alfred ! C'est un éteignoir, mon frère – irréprochable et tout, mais pas un boute-en-train. Mon père avait été assez joyeux drille, au bon vieux temps. Il avait hâte de retrouver ma compagnie.

— Et votre frère et sa femme étaient-ils heureux de vous voir vous installer ici?

Poirot avait posé la question en haussant quelque peu les sourcils.

— Alfred? Il était vert de rage. Lydia, je n'en sais rien. Ça l'embêtait sans doute à cause d'Alfred, mais je suis sûr qu'au bout du compte ça ne lui aurait pas déplu. J'aime bien Lydia. C'est une femme charmante. Je me serais bien entendu avec elle. Mais Alfred, c'est une autre paire de manches! (Il rit encore.) Alfred a toujours été jaloux de moi comme ça n'est pas permis. Lui, ç'a toujours été le bon fils bien soumis, qui reste à la maison avec papa. Et qu'est-ce qu'il y a finalement gagné? Ce que récoltent toujours les bons fils bien soumis – un coup de pied aux fesses. C'est moi qui vous le dis, messieurs, la vertu ne paie pas.

Il les regarda tour à tour bien en face:

— J'espère que ma franchise ne vous choque pas. Mais après tout, c'est la vérité que vous cherchez. Vous finirez bien par sortir tout le linge sale de la famille au grand jour, alors autant déballer le mien tout de suite. Je ne suis pas particulièrement affligé par la mort de mon père – après tout, je n'avais pas vu la vieille canaille depuis mon jeune âge – mais enfin, c'était quand même mon père, et il a été assassiné. Je vous garantis que je suis cent pour cent décidé à ce qu'on fasse payer le meurtrier!

Il serra les mâchoires et les défia du regard:

— Nous sommes assez portés sur la vengeance, dans la famille. Un Lee, ça n'oublie pas facilement. Je veux être sûr et certain que le meurtrier de mon père sera pendu.

— Je pense que vous pouvez vous en remettre à nous pour ça, Mr Lee, dit Sugden.

— Si vous ne le faites pas, je me rendrai justice moi-même ! fanfaronna Harry.

Le chef de la police réagit aussitôt :

— Auriez-vous des soupçons sur l'identité du meurtrier, Mr Lee ?

Harry secoua la tête.

— Non, pas le moindre, dit-il lentement. Vous savez, ça vous flanque un coup, parce que plus j'y réfléchis, moins je vois comment ça pourrait être quelqu'un de l'extérieur…

— Ah ! dit Sugden en hochant la tête.

— Ce qui revient à décréter, poursuivit Harry, que c'est forcément quelqu'un de la maison. Mais qui diable aurait pu faire ça ? Impossible de soupçonner les domestiques. Tressilian est ici de fondation. Le valet de pied à moitié idiot ? Jamais de la vie. Il est vrai que Horbury est un drôle de client, mais Tressilian m'a dit qu'il était allé au cinéma. Alors, que reste-t-il ? À part Stephen Farr – et pourquoi diable Stephen Farr serait-il venu du fin fond de l'Afrique du Sud assassiner un parfait étranger ? –, il n'y a plus que la famille. Et j'ai beau tortiller ça dans tous les sens, je n'arrive pas à imaginer l'un d'entre nous faisant ça. Alfred ? Il adorait son père. George ? Il n'en aurait pas le cran. David ? David a toujours été dans la lune. Il tomberait dans les pommes s'il s'écorchait un doigt. Leurs femmes ? Les femmes n'égorgent pas des hommes de sang-froid. Qui, alors ? Je donnerais cher pour le savoir. Parce que ce genre de situation, c'est pas pour dire, mais ça crée un fichu malaise.

Le colonel Johnson s'éclaircit la gorge – un tic professionnel – pour demander :

— Quand avez-vous vu votre père pour la dernière fois ?

— Après le thé. Il venait tout juste de se chamailler avec Alfred – au sujet de votre humble serviteur. Le vieux s'ennuyait tout seul. Il aimait bien faire battre les montagnes. À mon avis, c'est pour ça qu'il n'a pas averti les autres de mon arrivée. Il voulait voir voler les coups quand je débarquerais à l'improviste ! C'est aussi pour ça qu'il a parlé de modifier son testament.

Poirot s'agita quelque peu.

— Votre père a évoqué son testament ? murmurat-il.

— Oui, devant nous tous, en nous surveillant du coin de l'œil, comme un matou, pour voir comment nous allions réagir. Il a simplement dit à son notaire de passer le voir après Noël.

— Et quelles modifications envisageait-il ?

Harry Lee eut un large sourire :

— Ça, il ne nous l'a pas dit ! Vous pouvez faire confiance au vieux renard ! J'imaginais – allez, j'espérais – que c'était en faveur de votre humble serviteur ! Je me doute bien qu'il m'avait rayé de ses testaments précédents. Mais là, j'ai dans l'idée que j'allais être réintégré. Sale coup pour les autres ! Pilar, également : il s'était pris d'affection pour elle. À mon avis, elle y était pour une belle part. Vous ne l'avez pas encore vue ? C'est ma nièce espagnole. C'est une beauté, Pilar ! Toute la chaleur du Sud – et toute sa cruauté. J'aimerais bien être autre chose que son oncle !

— Vous dites que votre père l'avait prise en affection ?

Harry hocha la tête.

— Elle savait y faire, avec le vieux. Et que je m'asseye près de lui… et que je l'écoute bavasser en ouvrant de grands yeux étonnés ! Elle savait ce qu'elle voulait, je vous en fiche mon billet ! Enfin, il est mort, à présent. Il n'y aura pas de modifications en faveur de Pilar – pas plus qu'en la mienne, d'ailleurs : dommage !

Il fronça les sourcils, absorbé dans ses réflexions, puis reprit d'une voix changée :

— Mais je m'égare. Vous vouliez savoir quand j'avais vu mon père pour la dernière fois ? Comme je vous l'ai dit, c'était après le thé, un peu après 6 heures. Le vieux était de bonne humeur, à ce moment-là. Un peu fatigué, peut-être. Je suis parti et je l'ai laissé avec Horbury. Je ne l'ai jamais revu.

— Où étiez-vous au moment de sa mort ?

— Dans la salle à manger avec frère Alfred. Et pas pour une paisible conversation d'après-dîner. Nous étions au beau milieu d'une explication assez rude quand nous avons entendu le boucan à l'étage. On aurait dit qu'une dizaine de bonshommes s'empoignaient là-haut. Et puis mon pauvre vieux père s'est mis à hurler. Comme un porc qu'on égorge. Ça a paralysé Alfred. Il restait là, la mâchoire pendante… J'ai dû le secouer un bon coup. Nous avons couru au premier. La porte était bouclée. Il a fallu l'enfoncer. Et ça n'a pas été une mince affaire ! Comment diable cette porte avait-elle bien pu être fermée à clé, je me le demande ! Il n'y avait personne dans la pièce à part Père, et je veux bien être pendu si quelqu'un a pu s'enfuir par les fenêtres !

— La porte avait été fermée de l'extérieur, dit Sugden.

— Quoi ? dit Harry d'un air stupéfait. Mais j'aurais juré que la clé était à *l'intérieur !*

— Ainsi, vous avez remarqué cela ? murmura Poirot.

— J'ai l'œil, répliqua Harry. C'est un don, chez moi.

Il dévisagea ses trois interlocuteurs :

— Y a-t-il autre chose que vous aimeriez savoir, messieurs ?

Johnson secoua la tête :

— Merci, Mr Lee, pas pour le moment. Pouvez-vous demander au suivant de nous rejoindre ici ?

— Mais certainement.

Il se leva et sortit sans se retourner.

Les trois hommes échangèrent un regard. Le colonel Johnson se chargea de conclure :

— Qu'en pensez-vous, Sugden ?

Le superintendant fit une moue dubitative :

— Il a peur de quelque chose. Je me demande bien pourquoi…

11

Magdalene Lee garda la pose quelques secondes, effleurant d'une main fine la soie platine de sa chevelure. Sa robe de velours vert soulignait la moindre de ses courbes gracieuses. Elle avait l'air très jeune et un peu effrayée.

Les trois hommes restèrent un instant immobiles, les yeux braqués sur elle. Ceux de Johnson exprimaient la surprise et l'admiration. Ceux de Sugden ne montraient rien, sinon l'impatience d'un homme désireux de poursuivre son travail. Quant au regard de Poirot, il lui rendait un vibrant hommage, comme elle ne manqua pas de s'en apercevoir — hommage, cependant, qui n'allait pas tant à sa beauté qu'à sa façon de s'en servir. Elle ne se doutait pas qu'il songeait en lui-même et dans sa langue maternelle par-dessus le marché :

« *Joli mannequin, la petite. Mais elle a les yeux durs.* »

Le colonel Johnson se disait :

« Sacrément jolie fille. George Lee va avoir des ennuis avec elle s'il ne veille pas au grain. En voilà une qui s'y connaît en hommes. »

Le superintendant Sugden pensait :

« Une poupée sans cervelle. Espérons qu'on en aura vite fini avec elle. »

— Voulez-vous vous asseoir, Mrs Lee ? Voyons, vous êtes…

— Mrs George Lee.

Elle accepta le fauteuil avec un doux sourire de gratitude. « Au fond, semblait dire son regard, bien que vous *soyez* un homme et un policier, vous n'êtes après tout pas si terrible. »

Le sourire incluait Poirot. Les étrangers étaient si chatouilleux quand il s'agissait de femmes. Quant au superintendant Sugden, elle ne s'en soucia pas.

— Tout cela est affreux. J'ai tellement peur ! murmura-t-elle, en se tordant les mains dans un joli geste de détresse.

— Allons, allons, Mrs Lee, dit gentiment mais fermement le colonel Johnson. Ç'a été un grand choc, je sais, mais c'est fini, maintenant. Tout ce que nous voulons, c'est entendre votre relation des événements de la soirée.

— Mais je ne sais rien ! s'écria-t-elle. Je vous assure !

Pendant un instant, les yeux du chef de la police ne furent plus que deux fentes.

— Non, bien sûr… dit-il doucement.

— Nous ne sommes arrivés qu'hier. C'est George qui a *tenu* à ce que je vienne pour Noël. Si seulement nous nous étions abstenus ! Je sais que je ne serai plus jamais la même.

— Oui, c'est bouleversant, bien sûr.

— Voyez-vous, je connais à peine la famille de George. Je n'ai vu Mr Lee qu'à une ou deux reprises

– pour notre mariage, et puis une autre fois. Bien sûr, j'ai vu Alfred et Lydia plus souvent, mais ce sont quand même tous de parfaits étrangers pour moi.

De nouveau, elle fit ses grands yeux d'enfant effrayé. De nouveau, Hercule Poirot apprécia. Et, de nouveau, il songea en français :

« Elle joue très bien la comédie, cette petite... »

— Bien sûr, bien sûr, reprit le colonel Johnson. À présent, parlez-nous de la dernière fois où vous avez vu votre beau-père vivant.

— Oh, *ça !* Ça, c'était cet après-midi. Ç'a été atroce.

— Atroce ? Pourquoi, atroce ? demanda vivement Johnson.

— Ils étaient dans une telle colère !

— Qui était en colère ?

— Oh, tous... Je ne parle pas de George. Son père ne lui a rien dit. Mais tous les autres.

— Que s'est-il passé, au juste ?

— Eh bien, quand nous sommes arrivés là-haut – il nous avait tous convoqués –, il était au téléphone avec son notaire. Il parlait de son testament. Et puis il a demandé à Alfred pourquoi il faisait une tête de dix pieds. Je crois que c'était parce que Harry revenait vivre à la maison. Ça contrariait beaucoup Alfred, à mon avis. Vous comprenez, Harry a fait quelque chose de très mal, dans le temps. Et puis il a dit quelque chose au sujet de sa femme – elle est morte depuis longtemps, mais il a dit qu'elle avait autant de cervelle qu'un moineau – il a dit un piaf –, et David a bondi et l'a regardé comme s'il avait envie de le tuer... Oh !

Elle s'arrêta brusquement, l'air effrayé :

— Ce n'est pas ce que j'ai voulu dire ! Ce n'est pas du tout ce que j'ai voulu dire !

— Bien sûr, acquiesça le colonel Johnson d'un ton apaisant. Simple façon de parler, voilà tout.

— Hilda – c'est la femme de David – l'a calmé, et puis… Je crois bien que c'est tout. Mr Lee a dit qu'il ne voulait plus voir personne ce soir, alors nous sommes tous sortis.

— Et c'est la dernière fois que vous l'avez vu ?

— Oui. Jusqu'à… Jusqu'à.

Elle frissonna.

— Oui bien sûr, dit le colonel Johnson. À présent, où étiez-vous au moment du crime ?

— Oh… Eh bien… Je crois que j'étais dans le salon.

— Vous n'en êtes pas sûre ?

Le regard de Magdalene vacilla un peu. Elle battit des paupières.

— Oh, mais si ! Que je suis bête. J'étais allée télé-phoner. Je ne sais plus où j'ai la tête.

— Vous étiez au téléphone, dites-vous. Dans cette pièce ?

— Oui, c'est le seul téléphone de la maison, à part celui qui se trouve dans la chambre de mon beau-père.

— Y avait-il quelqu'un d'autre dans la pièce avec vous ? demanda Sugden.

Elle ouvrit de grands yeux.

— Oh, non, j'étais toute seule.

— Vous êtes restée là longtemps ?

— Eh bien… un petit moment. C'est assez long d'obtenir une communication le soir.

— C'était un appel interurbain, alors ?

— Oui… à Westeringham.

— Je vois.

— Et ensuite ?

— Ensuite, il y a eu ce cri horrible, et tout le monde s'est mis à courir, et la porte était fermée à double tour et il a fallu l'enfoncer. Oh, quel *cauchemar* ! Je m'en souviendrai toute ma vie !

— Mais non, mais non, la réconforta machinalement le colonel Johnson qui enchaîna : Saviez-vous que votre beau-père conservait dans son coffre des diamants d'une grande valeur ?

— Non, pas possible ? (Le ton marquait une franche excitation :) De vrais diamants ?

— Des diamants d'une valeur d'environ dix mille livres, précisa Hercule Poirot.

— Oh !

Ce n'avait guère été qu'un petit hoquet – mais dans ce petit hoquet il y avait la quintessence de la cupidité féminine.

— Eh bien, dit le colonel Johnson, je crois que ce sera tout. Nous ne vous ennuierons pas davantage, Mrs Lee.

— Oh, merci !

Elle se leva, lança à Johnson et à Poirot un sourire de petite fille reconnaissante, puis sortit, cambrée, la tête haute, et les paumes offertes.

Le colonel Johnson se leva pour la rappeler :

— Voudriez-vous demander à votre beau-frère, Mr David Lee, de venir ?

Il referma la porte et revint s'asseoir.

— Eh bien, dit-il, qu'en pensez-vous ? Nous tenons un petit quelque chose enfin ! Vous aurez remarqué :

George Lee était au téléphone quand il a entendu le cri! Sa femme téléphonait quand elle l'a entendu! Ça ne colle pas – ça ne colle pas du tout. Qu'en pensez-vous, Sugden?

— Sans vouloir offenser cette personne, répondit lentement le superintendant, elle est certainement imbattable pour faire casquer un bonhomme, mais pour ce qui est de lui couper la gorge, alors là, non, je ne crois pas du tout qu'elle en ait le cran.

— On ne sait jamais, mon vieux, murmura Poirot.

Le chef de la police se tourna vers lui :

— Et vous, Poirot, qu'en pensez-vous?

Hercule Poirot se pencha sur le bureau, remit le sous-main d'aplomb, chassa du doigt une infime poussière sur un chandelier, et se décida :

— Je dirai que le caractère de feu Mr Simeon Lee commence à se dessiner. C'est là, je crois, que se trouve le nœud de l'affaire – dans le caractère du défunt.

Le superintendant Sugden parut désorienté :

— Je ne vous suis pas très bien, monsieur Poirot. Qu'est-ce que le caractère de la victime a à voir avec son assassinat?

— Le caractère de la victime, dit rêveusement Poirot, a toujours quelque chose à voir avec son assassinat. L'âme franche et candide de Desdémone a été la cause directe de sa mort. Une femme plus soupçonneuse aurait compris les machinations de Iago et les aurait prévenues beaucoup plus tôt. La maladie de Marat a permis qu'il soit assassiné dans son bain. La fougue de Mercutio lui a valu de mourir par l'épée.

Le colonel Johnson tirailla sa moustache :

— Où voulez-vous en venir, Poirot?

— Je dis que, parce que Simeon Lee était un certain type d'homme, il a mis en mouvement certaines forces, lesquelles forces ont finalement causé sa mort.

— Alors vous pensez que l'histoire des diamants n'a rien à voir avec le meurtre?

Poirot sourit de la franche perplexité qui se peignait sur le visage de Johnson.

— Mon cher, dit-il, c'est bien parce que Simeon Lee avait ce caractère particulier qu'il gardait plusieurs milliers de livres de diamants bruts dans son coffre! Ce n'est pas là le comportement de tout un chacun.

— Ça, c'est bien vrai, monsieur Poirot, dit le superintendant Sugden de l'air d'un homme qui voit enfin où veut en venir son interlocuteur. Pour un type bizarre, c'était un type bizarre, Mr Lee. Il gardait ces pierres pour pouvoir les regarder, les tripoter, retrouver les sensations d'autrefois. Je vous fiche mon billet que c'est pour ça qu'il ne les a jamais fait tailler.

Poirot hocha la tête avec énergie:

— Précisément, précisément! Je vois que vous ne manquez pas de perspicacité, superintendant.

Le colonel Johnson ne laissa pas à son subordonné le temps de décider s'il s'agissait d'un compliment:

— Il y a encore autre chose, Poirot. Je ne sais pas si cela vous a frappé…

— Mais si, dit Poirot. Je sais ce que vous voulez dire. Mrs George Lee nous en a appris un peu plus qu'elle ne croit! Elle nous a donné une impression assez éloquente de la dernière réunion de famille. Elle nous a raconté — oh, en toute ingénuité! — qu'Alfred faisait la tête à son père, et que David avait l'air « d'avoir envie de le tuer ». Les deux affirmations, je pense,

sont exactes. Mais on peut aussi en inférer d'autres
choses. Pourquoi Simeon Lee les a-t-il réunis ? Pourquoi sont-ils arrivés à temps pour l'entendre téléphoner
à son notaire ? Parbleu, ce n'était pas un hasard, ça ! Il
voulait qu'ils entendent ! Ce pauvre vieux, il est cloué
dans son fauteuil et il a perdu toutes les distractions
de sa jeunesse. Alors, il s'en invente une nouvelle. Il
s'amuse à jouer sur la cupidité de la nature humaine –
oui, et sur ses émotions, et ses passions aussi ! Mais de
là, nous pouvons tirer une autre déduction. Dans ce jeu
qui consiste à exciter la convoitise, le ressentiment de
ses enfants, il n'aurait certainement épargné personne.
Donc, logiquement, Mr George Lee a dû en prendre
pour son grade, tout comme les autres ! Sa femme se
tait prudemment là-dessus. À elle aussi, il a très bien pu
envoyer une ou deux flèches empoisonnées. Nous saurons par les autres, je pense, ce que Simeon Lee avait à
dire à George Lee et à sa femme…

Il s'interrompit. La porte venait de s'ouvrir et David
Lee entra.

12

David Lee se contrôlait bien. Il paraissait calme – presque anormalement calme, en fait. Il vint vers eux, approcha une chaise et s'assit en posant sur le colonel Johnson un regard grave et interrogateur.

La lumière frappait la mèche de cheveux blonds qui retombait sur son front et accentuait le délicat modelé de ses pommettes. Il semblait absurdement jeune pour être le fils du vieil homme desséché qui gisait au premier étage.

— Eh bien, messieurs, que puis-je vous dire?

Le colonel Johnson prit la parole :

— Je crois comprendre, Mr Lee, qu'il y a eu cet après-midi une sorte de réunion de famille dans la chambre de votre père?

— En effet. Mais rien d'officiel. Je veux dire que ce n'était pas un conseil de famille, ni quoi que ce soit de ce genre.

— Que s'est-il passé?

— Mon père était d'humeur dangereuse, expliqua David. C'était un vieil homme invalide, bien sûr, il faut en tenir compte. Mais il semblait ne nous avoir réunis que pour… eh bien… pour nous cracher son mépris.

— Vous rappelez-vous ce qu'il a dit ?

— Des choses assez démentes, dit placidement David. Il a dit que nous ne valions rien, tous autant que nous étions, qu'il n'y avait pas un seul homme dans la famille ! Il a dit que Pilar – c'est ma nièce espagnole – valait mieux à elle seule que nous tous réunis. Il a dit…

David s'interrompit. Poirot l'encouragea :

— Je vous en prie, Mr Lee, les termes exacts, si vous le pouvez.

— C'était des propos assez grossiers, répondit David avec réticence. Il a dit qu'il était bien sûr d'avoir quelque part des fils un peu mieux que nous, même si eux étaient de la main gauche…

On pouvait lire sur son visage sensible le dégoût que lui inspiraient les paroles qu'il répétait. Le superintendant Sugden s'anima soudain :

— Votre père s'en est-il pris en particulier à votre frère, Mr George Lee ?

— À George ? Je ne m'en souviens pas. Ah si, je crois qu'il lui a dit qu'il devrait limiter ses dépenses à l'avenir, parce qu'il comptait réduire sa pension. George a accusé le coup. Il est devenu rouge tomate, il a bredouillé qu'il ne pouvait pas s'en sortir avec moins. Mon père a répondu froidement qu'il le faudrait bien. Il lui a conseillé de demander à sa femme de l'aider à faire des économies. Ça, c'était un coup bas : c'est George, l'économe – il rogne sur tout, sur des bouts de chandelles. Et Magdalene doit jeter l'argent par les fenêtres – elle a des goûts extravagants.

— Si bien, dit Poirot, qu'elle aussi devait être furieuse ?

— Oui. D'autant que mon père lui a envoyé un autre coup assez raide en évoquant sa vie avec un officier de marine. Il parlait de son père, bien sûr, mais dans sa bouche, ça prenait un sens assez scabreux. Magdalene est devenue écarlate. Je la comprends.

— Votre père a-t-il mentionné sa défunte femme, votre mère ?

Le sang monta au front de David. Ses mains agrippèrent le bord de la table en tremblant.

— Oui, il en a parlé. Il l'a insultée, dit-il d'une voix étouffée.

— Qu'a-t-il dit ? demanda le colonel Johnson.

— Je ne m'en souviens plus. Une remarque méprisante, en passant.

Poirot prit sa voix la plus douce :

— Cela fait longtemps que votre mère est morte ?

— Elle est morte quand j'étais enfant, répondit brièvement David.

— Elle n'était… peut-être… pas très heureuse, ici ?

David eut un rire amer :

— Qui pourrait être heureux avec un homme comme mon père ? Ma mère était une sainte. Elle est morte le cœur brisé.

— Votre père a peut-être été très affecté par sa mort ?

— Je ne sais pas, dit David sèchement. J'ai quitté la maison.

Il fit une pause avant d'ajouter :

— Vous l'ignorez peut-être, mais je n'avais pas revu mon père depuis vingt ans. Alors, vous voyez, je ne peux pas vous dire grand-chose de ses habitudes, de ses ennemis, ou de ce qui se passait ici.

— Saviez-vous que votre père conservait des diamants d'une grande valeur dans le coffre de sa chambre ? demanda le colonel Johnson.

David accueillit l'information avec indifférence :

— Vraiment ? Cela paraît une idée bien stupide.

— Pouvez-vous nous raconter brièvement ce que vous avez fait au cours de la soirée ?

— Moi ? Oh, je me suis levé de table assez rapidement. Ça m'assomme, ces séances autour d'un vieux porto. Et puis je voyais bien qu'Alfred et Harry s'apprêtaient à se voler dans les plumes. J'ai horreur des disputes. Je me suis éclipsé, je suis allé dans la salle de musique et j'ai joué du piano.

— La salle de musique, intervint Poirot, est contiguë au salon, n'est-ce pas ?

— Oui. J'ai joué un certain temps, jusqu'à ce que… jusqu'à ce que ça arrive.

— Qu'avez-vous entendu exactement ?

— Oh ! Un bruit assourdi de meubles renversés quelque part au premier. Et puis un cri épouvantable. (Ses mains se crispèrent de nouveau.) Le cri d'une âme en enfer. Seigneur, c'était, atroce !

— Étiez-vous seul dans la salle de musique ? demanda Johnson.

— Hein ? Non, Hilda, ma femme, était là. Elle m'avait rejoint, du salon. Nous… nous sommes montés en même temps que les autres…

Il ajouta rapidement, avec nervosité :

— Vous ne voulez pas, n'est-ce pas, que je vous décrive ce que j'ai vu là-haut ?

— Non, non, dit Johnson, tout à fait inutile. Merci, Mr Lee, ce sera tout. Vous n'imaginez pas, je suppose, qui aurait pu vouloir assassiner votre père ?

— Oh, à mon avis... des tas de gens ! répondit David avec insouciance. Mais je ne vois personne en particulier.

Il sortit d'un pas vif et referma bruyamment la porte derrière lui.

13

Le colonel Johnson eut à peine le temps de s'éclaircir la gorge que déjà la porte s'ouvrait, livrant passage à Hilda Lee.

Hercule Poirot la contempla avec intérêt. Il lui fallait admettre que les femmes de ces Lee formaient un groupe remarquable. La vive intelligence et l'élégance de lévrier de Lydia, les grâces affectées de Magdalene, et à présent la force solide et rassurante de Hilda. Il s'aperçut qu'elle était plus jeune que sa coiffure et ses vêtements démodés ne la faisaient paraître. Aucun fil gris dans ses cheveux châtains et ses calmes yeux noisette brillaient dans son visage un peu rond comme deux phares de gentillesse. Il se dit que c'était une femme bien.

Le colonel Johnson avait sorti son ton le plus aimable :

— ... Une épreuve pour vous tous, disait-il. J'ai appris par votre mari que c'est la première fois que vous venez à Gorston Hall, Mrs Lee ?

Elle acquiesça de la tête.

— Aviez-vous déjà rencontré votre beau-père?

— Non, répondit Hilda de sa voix chaleureuse. Nous nous sommes mariés peu après que David a quitté la maison de son père. Il ne voulait rien avoir à faire avec sa famille. Jusque-là, je ne connaissais aucun d'eux.

— Comment cette visite s'est-elle donc décidée?

— Mon beau-père a écrit à David. Il parlait de son grand âge et de son désir d'avoir tous ses enfants auprès de lui pour Noël.

— Et votre mari a répondu à cet appel?

— C'est moi, j'en ai peur, qui l'ai poussé à accepter… Je n'avais pas bien… apprécié la situation.

— Auriez-vous la bonté de vous expliquer un peu plus clairement, madame? intervint Poirot. Je crois que ce que vous nous direz pourrait nous être utile.

Elle se tourna aussitôt vers lui :

— À ce moment-là, je n'avais encore jamais vu mon beau-père. J'ignorais tout de ses intentions réelles. J'ai pensé que c'était un vieillard esseulé et qu'il souhaitait vraiment se réconcilier avec ses enfants.

— Et selon vous, madame, quel était son véritable motif?

Hilda hésita un moment avant de répondre lentement :

— Il me paraît tout à fait clair que mon beau-père ne cherchait pas à faire la paix, mais à susciter de nouveaux conflits.

— De quelle façon?

— Cela l'amusait de réveiller les pires instincts de la nature humaine. Il y avait en lui… comment dire? Une sorte de malice diabolique. Il voulait que chaque membre de la famille soit à couteaux tirés avec les autres.

— Et y est-il parvenu ? demanda vivement Johnson.

— Oh, oui, dit Hilda. Il y est parvenu.

— Nous avons entendu parler, madame, reprit Poirot, d'une scène qui a eu lieu cet après-midi. Une scène assez violente, n'est-ce pas ?

Elle inclina la tête.

— Pourriez-vous nous la décrire, le plus fidèlement possible, s'il vous plaît ?

Elle réfléchit quelques instants :

— Quand nous sommes entrés, mon beau-père était au téléphone.

— Avec son notaire, si j'ai bien compris ?

— Oui, il suggérait que Mr... était-ce Charlton ? je ne sais plus au juste... vienne le voir parce qu'il voulait modifier son testament. L'ancien, disait-il, était totalement périmé.

— Réfléchissez bien, madame, dit Poirot. À votre avis, votre beau-père a-t-il délibérément fait en sorte que vous entendiez tous cette conversation, ou l'avez-vous surprise simplement par *hasard* ?

— Je suis pratiquement certaine qu'il voulait que nous l'entendions.

— Dans le but de semer le doute et le soupçon parmi vous ?

— Oui.

— De sorte qu'il n'avait peut-être nullement l'intention de modifier son testament ?

— Non, je crois qu'une partie de cette comédie était vraie. Il souhaitait sans doute rédiger un nouveau testament, mais cela l'amusait beaucoup de nous le faire savoir.

— Madame, reprit Poirot, je n'ai pas ici de fonction officielle et mes questions, vous le comprendrez, ne sont peut-être pas celles que vous poserait un représentant de la loi britannique. Mais j'aimerais beaucoup que vous me disiez ce qu'à votre avis aurait contenu ce nouveau testament. Je vous demande non pas ce que vous savez, bien entendu, mais simplement votre opinion. Les femmes ont vite fait de se former une opinion, Dieu merci !

Hilda Lee eut un petit sourire :

— Cela ne me gêne nullement de vous dire ce que je pense. Jennifer, la sœur de mon mari, avait épousé un Espagnol, Juan Estravados. Sa fille, Pilar, vient juste d'arriver ici. C'est une très jolie fille, et c'est aussi le seul petit-enfant de la famille. Le vieux Mr Lee était enchanté de sa présence. Elle lui a tout de suite plu énormément. Selon moi, il désirait lui laisser une somme considérable. Sans doute ne lui avait-il laissé qu'une petite part, ou même rien du tout, dans son précédent testament.

— Connaissez-vous votre belle-sœur ?

— Non, je ne l'ai jamais rencontrée. Je crois que son mari espagnol est mort dans des circonstances tragiques peu après leur mariage. Jennifer elle-même est morte voici un an. Pilar était donc seule au monde. C'est pourquoi Mr Lee lui a proposé de venir vivre avec lui en Angleterre.

— Et les autres membres de la famille, comment l'ont-ils accueillie ?

— Je crois que tout le monde l'aime bien. C'était très agréable d'avoir quelqu'un de jeune et de vivant dans la maison.

— Et elle, avait-elle l'air heureuse ici ?

— Je ne sais pas, dit lentement Hilda. L'endroit doit sembler plutôt froid et bizarre à une fille qui a grandi dans le Sud – en Espagne.

— Encore que ça ne doit pas être très drôle d'être en Espagne en ce moment, intervint Johnson. À présent, Mrs Lee, nous aimerions entendre votre récit de la réunion de cet après-midi.

— Pardonnez-moi, murmura Poirot. C'est moi qui suis responsable de toutes ces digressions.

— Une fois que mon beau-père a eu fini de téléphoner, reprit Hilda Lee, il nous a regardés et s'est mis à rire en disant que nous faisions tous de drôles de têtes. Et puis il a dit qu'il était fatigué et qu'il voulait se coucher tôt. Personne ne devait monter le voir dans la soirée. Il a dit qu'il voulait être en forme pour le jour de Noël, quelque chose dans ce goût-là.

» Ensuite… (Sourcils froncés, elle rassembla ses souvenirs) je crois qu'il a ajouté quelque chose sur la nécessité de faire partie d'une grande famille pour fêter dignement Noël, et puis il s'est mis à parler d'argent. Il a dit à George et Magdalene que son train de maison allait être plus important désormais, et qu'il leur faudrait économiser. Il a suggéré à Magdalene de faire elle-même ses robes. Idée un peu vieux-jeu, j'en ai peur. Je comprends qu'elle l'ait mal pris. Il a dit que sa propre femme excellait aux travaux d'aiguille.

— Est-ce tout ce qu'il a dit à son propos ? demanda doucement Poirot.

Hilda rougit :

— Il a fait une allusion désobligeante à son intelligence. Mon mari était très attaché à sa mère, et ça l'a profondément blessé. Et puis, d'un seul coup, Mr Lee s'est mis à crier après nous. Il s'y était préparé, je pense. Bien sûr, je peux comprendre ce qu'il ressentait…

— Et que ressentait-il? interrompit Poirot de la même voix douce.

Elle tourna vers lui ses yeux tranquilles :

— Il était déçu, bien sûr, parce qu'il n'y a pas de petits-enfants, pas de garçons, s'entend, pas de Lee pour le continuer. Il devait avoir ça sur le cœur depuis longtemps. Alors soudain, il n'a pas pu se retenir davantage et il a passé sa colère sur ses fils en les traitant de femmelettes incapables – quelque chose de ce genre. J'en étais désolée pour lui, parce que j'ai compris à quel point il souffrait dans son orgueil.

— Et ensuite?

— Et ensuite, dit lentement Hilda, nous sommes tous sortis.

— C'est la dernière fois que vous l'avez vu?

Elle hocha la tête.

— Où étiez-vous au moment du crime?

— J'étais avec mon mari dans la salle de musique. Il jouait pour moi.

— Et ensuite?

— Nous avons entendu des tables et des fauteuils renversés au premier, de la porcelaine brisée… une bagarre terrible. Et puis ce cri horrible quand on lui a coupé la gorge…

— Était-ce vraiment un cri si affreux?

Poirot marqua un temps :

— Était-ce… *le cri d'une âme en enfer*?

— C'était pire que cela !

— Que voulez-vous dire, madame?

— C'était le cri… le cri de quelqu'un *qui n'aurait pas eu d'âme*. C'était inhumain, c'était le hurlement d'une bête…

— C'est ainsi… que vous l'avez jugé, madame ? dit gravement Poirot.

Elle l'arrêta d'un geste douloureux. Puis elle baissa les yeux et contempla obstinément le sol.

14

Pilar entra dans la pièce avec la méfiance d'un animal qui flaire un piège. Ses yeux allaient rapidement d'un homme à l'autre. Elle avait l'air plus soupçonneuse que vraiment effrayée.

Le colonel Johnson se leva pour lui offrir un fauteuil :

— Je suppose que vous comprenez l'anglais, miss Estravados ?

Pilar ouvrit de grands yeux :

— Bien sûr. Ma mère était anglaise. Je suis très anglaise moi-même.

Un léger sourire passa sur les lèvres du colonel Johnson, tandis qu'il notait l'éclat sombre de la chevelure, le fier regard noir et la belle bouche rouge. Très anglaise, vraiment ! Un qualificatif bien incongru pour Pilar Estravados.

— Mr Lee était votre grand-père, reprit-il. Il vous a fait venir d'Espagne et vous êtes arrivée il y a quelques jours. C'est bien cela ?

Pilar hocha la tête :

— C'est cela. Oh, ç'a été toute une aventure de traverser l'Espagne. Une bombe est tombée et le chauffeur a été tué – il n'y avait plus que du sang là où il y avait eu sa tête. Et je ne sais pas conduire, alors j'ai dû marcher pendant des kilomètres, et j'ai horreur de marcher. Je ne marche jamais. J'avais mal aux pieds, mais mal…!

Le colonel Johnson sourit :

— Enfin, vous avez fini par arriver. Votre mère vous avait-elle beaucoup parlé de votre grand-père ?

Pilar hocha joyeusement la tête :

— Oh oui ! Elle disait que c'était un vieux sacripant.

Hercule Poirot ne put retenir un sourire.

— Et qu'avez-vous pensé de lui à votre arrivée, mademoiselle ?

— Oh, bien sûr, qu'il était très, très vieux. Il devait rester toute la journée dans son fauteuil, et son visage était tout desséché. Mais je l'aimais bien quand même. Je pense que quand il était jeune, il a dû être très beau – beau… comme vous, dit Pilar en s'adressant au superintendant Sugden.

Ses yeux s'attardèrent avec un plaisir naïf sur le visage viril du policier, lequel était devenu rouge brique sous le compliment.

Le colonel Johnson retint un gloussement. C'était l'une des rares fois où il lui avait été donné de voir le flegmatique superintendant perdre contenance.

— Mais bien sûr, continua Pilar avec une note de regret, il n'a jamais dû être aussi bien bâti que vous.

Hercule Poirot soupira.

— Vous aimez les hommes grands, señorita ? demanda-t-il.

Pilar acquiesça avec enthousiasme :

— Oh, oui ! J'aime qu'un homme soit très grand, bien bâti, avec des épaules larges, et très, très fort…

— Avez-vous passé beaucoup de temps avec votre grand-père depuis que vous êtes ici ? coupa le colonel Johnson.

— Oh, oui ! J'allais m'asseoir près de lui et il me racontait des choses – quel sale type il avait été, et tout ce qu'il avait fait en Afrique du Sud…

— Vous a-t-il jamais dit qu'il avait des diamants dans le coffre de sa chambre ?

— Oui, il me les a montrés. Mais ça ne ressemblait pas à des diamants. C'était comme des cailloux, très moches, très, très moches.

— Ainsi, il vous les a montrés ? souligna le super-intendant.

— Oui.

— Il ne vous en a pas donné un ?

Pilar secoua la tête :

— Non. Je pensais qu'il le ferait peut-être un jour, si j'étais très gentille et si je venais souvent m'asseoir près de lui. Parce que les vieux messieurs, ça aime beaucoup les jeunes filles.

— Savez-vous que ces diamants ont été volés ? demanda le colonel Johnson.

Pilar ouvrit des yeux démesurés :

— Volés ?

— Oui. Avez-vous la moindre idée de qui peut les avoir pris ?

— Oh, oui ! Ça doit être Horbury.

— Horbury ? Vous voulez dire le valet ?

— Oui.

— Qu'est-ce qui vous fait penser cela ?

— Parce qu'il a une tête de voleur. Ses yeux font comme ça, de tous les côtés, il marche doucement et il écoute aux portes. Il est comme un chat. Et les chats sont voleurs.

— Hum… dit le colonel Johnson. Laissons cela pour l'instant. Je crois savoir que toute la famille était réunie dans la chambre de votre grand-père cet après-midi, et qu'il y a eu… hum… quelques mots échangés…

Pilar hocha la tête en souriant.

— Oui, dit-elle. C'était très amusant. Grand-père les a mis dans une de ces colères !

— Ah, ça vous a plu, ça ?

— Oui. J'aime bien quand les gens se mettent en colère. J'adore ça. Mais en Angleterre, les gens ne se fâchent pas comme en Espagne. En Espagne, ils sortent leurs couteaux et ils jurent et ils crient. En Angleterre ils ne font rien, ils deviennent très rouges et ils serrent très fort les lèvres.

— Vous rappelez-vous ce qu'on a dit ?

Pilar eut l'air assez incertain :

— Je n'en suis pas sûre. Grand-père a dit qu'ils n'étaient bons à rien parce qu'ils n'avaient pas d'enfants. Il a dit que je valais mieux qu'eux tous réunis. Il m'aimait beaucoup.

— A-t-il parlé d'argent ou d'un testament ?

— Un testament, non, je ne crois pas. Je ne m'en souviens pas.

— Que s'est-il passé ensuite ?

— Ils sont tous sortis, sauf Hilda, la grosse, la femme de David. Elle est restée derrière.

— Oh, vraiment ?

— Oui. David avait l'air très bizarre. Il était tout tremblant et tout pâle. On aurait dit qu'il allait être malade.

— Et ensuite ?

— Ensuite je suis allée retrouver Stephen. Nous avons dansé au son du gramophone.

— Stephen Farr ?

— Oui. Il vient d'Afrique du Sud – c'est le fils de l'ancien associé de grand-père. Il est très beau, lui aussi. Il est très grand, très viril et très bronzé, et il a de beaux yeux.

— Où étiez-vous au moment du crime ? demanda Johnson.

— Vous me demandez où j'étais ?

— Oui.

— J'étais allée au salon avec Lydia. Après, je suis montée dans ma chambre et je me suis maquillée pour retourner danser avec Stephen. Et puis, très loin, j'ai entendu un cri et tout le monde s'est mis à courir, alors j'ai fait pareil. Et là, ils étaient en train d'essayer d'enfoncer la porte de grand-père. C'était Harry qui faisait ça avec Stephen, ils sont tous les deux grands et forts.

— Oui ?

— Et alors, crac, la porte est tombée et on a tous regardé à l'intérieur. Oh, quel spectacle ! Tout était sens dessus dessous, et grand-père était allongé dans une mare de sang, et il avait la gorge tranchée comme ça (elle fit un geste terriblement expressif sur son propre cou) jusqu'à l'oreille.

Elle s'arrêta, visiblement satisfaite de son récit.

— Le sang ne vous a pas rendue malade? demanda Johnson.

Elle le regarda, interloquée :

— Non, pourquoi? En général, quand les gens sont tués, il y a du sang. Là, il y avait plein de sang partout!

— Est-ce que quelqu'un a dit quelque chose? demanda Poirot.

— David a dit une chose très bizarre… Qu'est-ce que c'était? Ah oui. *Les meules du Seigneur…* C'est ce qu'il a dit. (Elle répéta en appuyant sur chaque mot.) *Les meules-du-Seigneur…* Qu'est-ce que ça veut dire? Les meules servent à faire la farine, non?

— Je crois, la coupa le colonel Johnson, que ce sera tout pour l'instant, miss Estravados.

Pilar se leva docilement. Elle eut un charmant sourire à l'adresse des trois hommes et déclara :

— Alors, je m'en vais.

Et elle sortit.

— *Les meules du Seigneur broient avec lenteur, mais elles réduisent en infime poussière*, récita le colonel Johnson. Et David Lee a dit ça !

15

Au bruit de la porte qui s'ouvrait encore une fois, le colonel Johnson leva la tête. Un instant, il crut voir Harry Lee revenir, mais il s'aperçut de son erreur quand Stephen Farr eut fait quelques pas dans la pièce.

— Asseyez-vous, Mr Farr.

Stephen s'assit et fit face aux trois hommes. Son regard était hardi et intelligent.

— Je crains de ne pas vous être très utile, mais posez-moi toutes les questions que vous jugerez bon. Je ferais peut-être mieux de vous expliquer d'abord qui je suis. Mon père, Ebenezer Farr, était l'associé de Simeon Lee en Afrique du Sud. Je vous parle d'il y a quarante ans.

» Mon père m'a beaucoup parlé de Simeon Lee – du genre de personnage que c'était. Ensemble, ils avaient ramassé un joli magot. Simeon Lee est revenu en Angleterre avec une fortune, et mon père ne s'en est pas mal tiré non plus. Il m'a toujours dit que le jour où je viendrais dans ce pays, il faudrait que j'aille voir Mr Lee. Je lui ai dit une fois que tout ça se passait il y a très longtemps et que Mr Lee ne saurait sans doute pas qui j'étais, mais ça l'a fait tordre de rire. Il m'a dit : « Quand deux types sont passés par où on est passés, Simeon et moi, ils n'oublient pas. » Eh bien, mon père est mort il y a deux ans. Cette année, je suis venu en Angleterre pour la première fois, et je me suis dit que j'allais suivre son conseil et venir voir Mr Lee.

Il poursuivit avec un léger sourire :

— J'étais bien un peu inquiet en arrivant ici, mais j'avais tort. Mr Lee m'a accueilli à bras ouverts et a insisté pour que je passe Noël avec sa famille. Je craignais de déranger, mais il n'a rien voulu entendre.

Il ajouta un peu timidement :

— Ils ont tous été très gentils avec moi. Mr et Mrs Alfred n'auraient pas pu l'être davantage. Je suis vraiment peiné de ce qui leur arrive.

— Depuis combien de temps êtes-vous ici, Mr Farr ?

— Depuis hier.

— Avez-vous vu Mr Lee aujourd'hui à un moment quelconque ?

— Oui, j'ai bavardé un moment avec lui ce matin. Il était de bonne humeur et très impatient d'entendre des nouvelles du pays, des gens qu'il avait connus.

— C'est la dernière fois que vous l'avez vu ?

— Oui.

— Vous a-t-il confié qu'il conservait des diamants bruts dans son coffre ?

— Non.

Il ajouta aussitôt :

— Voulez-vous dire que le vol est le mobile du crime ?

— Nous n'en sommes pas certains encore, dit Johnson. Pour en venir aux événements de la soirée, pouvez-vous nous dire en quelques mots ce que vous faisiez?

— Certainement. Après que les dames ont quitté la salle à manger, je suis resté un moment à boire du porto. Puis j'ai compris que les Lee avaient à discuter de problèmes familiaux et que ma présence les gênait. Je me suis donc excusé et je les ai laissés.

— Et qu'avez-vous fait ensuite?

Stephen Farr s'adossa à sa chaise. Il se caressa la mâchoire de l'index et dit avec une certaine raideur :

— Je… je suis entré dans une grande pièce parquetée – une sorte de salle de bal, j'imagine. Il y avait là un gramophone et quelques disques de danse. J'en ai passé plusieurs.

— Il n'était pas impossible, dit Poirot, que quelqu'un vienne vous rejoindre?

Un très léger sourire passa sur les lèvres de Stephen Farr.

— Ce n'était pas impossible, en effet. L'espoir fait vivre.

Son sourire s'élargit encore.

— La señorita Estravados est très belle, insinua Poirot.

— Elle est – et de loin – ce que j'ai vu de plus décoratif depuis mon arrivée en Angleterre, répondit Stephen.

— Et miss Estravados vous a-t-elle rejoint? demanda le colonel Johnson.

Stephen Farr secoua la tête.

— J'étais encore là quand j'ai entendu le ramdam. Je suis sorti et j'ai couru à toute allure pour voir ce qui se passait. J'ai aidé Harry à enfoncer la porte.

— Est-ce là tout ce que vous avez à nous dire ?

— Strictement tout, hélas !

Hercule Poirot se pencha vers lui :

— Je crois pourtant, monsieur Farr, suggéra-t-il doucement, que vous pourriez nous en dire beaucoup plus, pour peu que vous le vouliez.

— Qu'entendez-vous par là ? s'insurgea Farr.

— Vous pourriez nous parler de quelque chose de très important dans cette affaire – le caractère de Mr Lee. Vous dites que votre père vous a beaucoup parlé de lui. Quelle sorte d'homme vous a-t-il décrit ?

— Je crois comprendre où vous voulez en venir, dit lentement Stephen Farr. À quoi ressemblait Simeon Lee dans sa jeunesse ? Eh bien… vous voulez que je sois franc, j'imagine ?

— S'il vous plaît.

— Pour commencer, je ne pense pas que Simeon Lee était un citoyen très recommandable. Je ne veux pas dire que c'était un escroc, mais il naviguait serré. Ce n'étaient pas les principes qui l'étouffaient, mais il avait du charme, beaucoup de charme, et il était incroyablement généreux. Dans la débine, personne n'a fait appel à lui en vain. Il buvait pas mal, mais gardait le contrôle, plaisait aux femmes et il avait le sens de l'humour. À côté de ça, il avait un curieux penchant pour la vengeance. L'éléphant qui n'oublie rien, vous savez… eh bien voilà Simeon Lee tout craché. Mon père m'a raconté plusieurs histoires où Lee avait attendu des années pour faire payer un type qui lui avait joué un tour de cochon.

— C'est un jeu qui peut se jouer à deux, remarqua le superintendant. Vous n'auriez pas connaissance d'un sale tour que Simeon Lee aurait joué à quelqu'un, là-bas? Rien dans son passé qui pourrait expliquer le meurtre de ce soir?

Stephen Farr secoua la tête:

— Il avait des ennemis, bien sûr. Étant donné l'homme qu'il était, il en avait forcément. Mais je ne connais aucune histoire en particulier. De plus… (ses yeux se rétrécirent) je crois savoir – en fait, j'ai questionné Tressilian – qu'il n'y avait ce soir aucun étranger dans la maison ou alentour.

— *À l'exception de vous-même, Mr Farr*, dit Hercule Poirot.

Stephen Farr bondit:

— Alors, c'est ça, hein? Le sombre étranger qui s'est introduit dans la place! Eh bien, non, vous ne trouverez rien de ce genre. Pas de vieille histoire où Simeon Lee aurait escroqué Ebenezer Farr, avec son fils qui reviendrait pour venger son père! Non, dit-il en secouant la tête, Simeon et Ebenezer n'avaient rien l'un contre l'autre. Je suis venu ici, comme je vous l'ai dit, par pure curiosité. En outre, j'imagine qu'un gramophone est un alibi qui en vaut bien un autre. Je n'ai pas arrêté de passer des disques – quelqu'un doit bien les avoir entendus. Un seul disque ne m'aurait pas laissé le temps de foncer au premier – avec ces corridors qui n'en finissent pas –, couper la gorge d'un vieillard, nettoyer le sang sur moi et revenir avant que les autres ne se précipitent à l'étage. C'est grotesque!

— Nous n'avons rien insinué contre vous, Mr Farr, intervint le colonel Johnson.

— Je n'ai pas tellement apprécié le ton de Mr Hercule Poirot.

— Là, dit Hercule Poirot, vous m'en voyez tout marri.

Et il le gratifia d'un sourire bénin.

Stephen Farr lui jeta un regard furibond, mais le colonel Johnson s'empressa de conclure :

— Merci, Mr Farr. Ce sera tout pour le moment. Je vous demanderai, bien sûr, de ne pas quitter cette maison.

Stephen Farr acquiesça. Il se leva et quitta la pièce d'une démarche souple et assurée.

Au moment où la porte se refermait sur lui, Johnson dit :

— Voilà X, l'élément inconnu. Son histoire semble assez plausible. N'empêche, c'est notre outsider. Il aurait pu barboter ces diamants, il aurait pu arriver avec une histoire bidon pour s'introduire dans la maison. Vous feriez bien de relever ses empreintes, Sugden, et de voir s'il est fiché.

— Je les ai déjà, dit le superintendant avec un sourire pincé.

— C'est bien. Vous ne laissez pas échapper grandchose. Je suppose que vous faites faire toutes les vérifications d'usage ?

Sugden énuméra en comptant sur ses doigts :

— Vérifier ces coups de téléphone – l'heure, etc. Vérifier l'histoire de Horbury. À quelle heure il est sorti, qui l'a vu sortir. Vérifier toutes les entrées et les sorties. Vérifier les antécédents des domestiques. Vérifier la situation financière des membres de la famille. Vérifier le testament auprès du notaire. Fouiller la maison pour trouver l'arme et des vêtements tachés de sang – et éventuellement des diamants cachés Dieu sait où.

— Eh bien, voilà ce qui s'appelle serrer le problème ou je ne m'y connais pas ! approuva Johnson. Avez-vous autre chose à suggérer, monsieur Poirot ?

Poirot secoua la tête :

— Je trouve le superintendant admirablement exhaustif.

— Ce ne va pas être de la petite bière de fouiller la maison pour retrouver ces diamants, dit sombrement Sugden. Je n'ai jamais vu autant de babioles et de bibelots de ma vie.

— Ça ne manque certainement pas de cachettes, admit Poirot.

— Et vous n'avez vraiment rien à suggérer, Poirot ?

Le chef de la police semblait légèrement déçu, comme un homme dont le chien a refusé de faire son tour favori.

— Me permettrez-vous, dit Poirot, de faire à mon idée ?

— Mais certainement, certainement, acquiesça Johnson en même temps que le superintendant s'inquiétait, méfiant :

— Quelle idée ?

— J'aimerais converser, beaucoup, souvent, avec les membres de la famille.

— Vous voulez dire, leur reposer toutes ces questions ? demanda le colonel, un peu déconcerté.

— Non, non, pas questionner : converser !

— Pourquoi ? demanda Sugden.

Hercule Poirot balaya l'espace d'un ample geste de la main.

— Vous n'imaginez pas le nombre de détails cachés qui peuvent resurgir au cours d'une conversation ! Si un être humain bavarde à tort et à travers, il arrive forcément un moment où la vérité lui échappe !

— Vous pensez donc que quelqu'un ment ? demanda Sugden.

Poirot soupira :

— Très cher, tout le monde ment peu ou prou – il y a à boire et à manger. Tout le problème consiste à séparer les mensonges anodins des mensonges capitaux.

— Si on y réfléchit deux secondes, c'est tout de même incroyable, non ? s'écria Johnson. Nous nous trouvons face à un meurtre particulièrement brutal, sauvage, et qui avons-nous comme suspects ? Alfred Lee et sa femme – tous les deux charmants, calmes et distingués. George Lee, qui est membre du Parlement et la quintessence de la respectabilité. Sa femme ? Une jolie femme moderne comme il y en a tant. David Lee me fait l'effet d'un individu paisible, et si l'on en croit son frère Harry, il ne supporte pas la vue du sang. Sa femme semble bonne et sensée – absolument normale. Restent la nièce espagnole et l'homme d'Afrique du Sud. Les beautés espagnoles ont le sang chaud, mais j'imagine mal cette séduisante créature en train d'égorger son grand-père de sang-froid, d'autant qu'apparemment elle avait toutes les raisons de souhaiter qu'il vive – en tout cas jusqu'à ce qu'il ait refait son testament. Stephen Farr est une possibilité ; autrement dit c'est peut-être un escroc qui visait les diamants en s'introduisant ici. Le vieil homme a découvert le vol et Farr l'a égorgé pour le faire taire. Ce n'est pas impossible – cet alibi du gramophone n'est pas si bon que ça.

Poirot secoua la tête :

— Mon cher ami, comparez donc le physique de Mr Stephen Farr et celui du vieux Simeon Lee. Si Farr avait décidé de tuer le vieillard, il aurait pu le faire en une minute : Simeon Lee aurait été bien incapable de lutter contre lui. Peut-on croire que ce frêle vieillard et ce magnifique spécimen d'homme ont lutté pendant plusieurs minutes en renversant des fauteuils et en brisant de la porcelaine ? Cela passe l'imagination !

Les yeux du colonel Johnson s'étrécirent :

— Vous voulez dire que c'est un homme *faible* qui a tué Simeon Lee ?

— Ou une femme ! dit le superintendant.

16

Le colonel Johnson consulta sa montre :

— Je n'ai plus grand-chose à faire ici. Vous avez l'affaire bien en main, Sugden. Ah, si, une chose encore. Nous devrions voir ce majordome. Je sais que vous l'avez déjà interrogé, mais nous en savons maintenant un peu plus. Il serait bon qu'il puisse nous confirmer les déclarations de chacun sur l'endroit où il se trouvait au moment du crime.

Tressilian entra de son pas lent. Le chef de la police le pria de s'asseoir.

— Merci, monsieur. Bien volontiers, si vous le permettez. Je me suis senti tout drôle, ces derniers temps – oui, vraiment tout drôle. Mes jambes, voyez-vous, monsieur, et puis ma tête.

— Vous avez subi un choc, c'est certain, dit gentiment Poirot.

Le majordome frissonna.

— Un... un drame d'une telle violence ! Dans cette maison ! Où tout a toujours été si paisible !

— C'était une maison bien tenue, n'est-ce pas ? dit Poirot. Mais pas une maison très heureuse ?

— Je ne voudrais pas dire cela, monsieur.

— Autrefois, quand toute la famille était là, c'était une maison heureuse ?

— Ce n'était peut-être pas ce qu'il est convenu d'appeler un foyer harmonieux, monsieur, dit lentement Tressilian.

— Feu Mrs Lee n'était pas bien valide, non ?

— Non, monsieur, elle avait une petite santé, c'est certain.

— Ses enfants l'aimaient beaucoup ?

— Mr David avait une véritable dévotion pour elle. Plus comme une fille que comme un fils. Et après sa mort, il est parti, il ne pouvait plus supporter de vivre ici.

— Et Mr Harry ? Comment était-il ?

— Ç'a toujours été un jeune homme plutôt rebelle, monsieur, mais il avait bon cœur. Oh, Seigneur, ça m'a vraiment donné un coup, vous savez, quand la sonnette s'est mise à carillonner et à recarillonner avec tant d'impatience, que j'ai ouvert la porte et qu'il y avait cet étranger, et puis que la voix de Mr Harry m'a dit : « Ma parole, mais c'est ce bon Tressilian !... »

— Oui, cela a vraiment dû vous faire tout drôle, dit Poirot avec sympathie.

Un peu de rose monta aux joues fanées de Tressilian :

— On a parfois l'impression, monsieur, que le passé n'est pas passé ! Je crois qu'on a joué une pièce sur ce sujet, à Londres. Il y a du vrai là-dedans, monsieur, il y a du vrai. C'est une sensation qui vous prend soudain... comme si, ce que vous êtes en train de faire, vous l'aviez déjà fait. J'entends la sonnette, et je vais

ouvrir, et j'ai l'impression que c'est encore et toujours
Mr Harry – même si je vois bien qu'il s'agit de Mr Farr
ou de quelqu'un d'autre – et je me dis en moi-même :
« *Ce que tu fais là, tu l'as déjà fait...* »

— C'est très intéressant, ça, dit Poirot. Très intéressant...

Tressilian lui jeta un regard de gratitude.

Quant à Johnson, il s'éclaircit la voix d'un air exas-
péré et reprit la direction des opérations :

— Moi, ce que je voudrais simplement, c'est vérifier quelques emplois du temps, dit-il. Voyons, quand le
vacarme a commencé au premier, je crois comprendre
que seuls Mr Alfred Lee et Mr Harry Lee étaient encore
dans la salle à manger. Est-ce exact ?

— Je ne saurais vraiment vous dire, monsieur. Tous
ces messieurs étaient là quand j'ai servi le café – mais
c'était environ un quart d'heure plus tôt.

— Mr George Lee était en train de téléphoner.
Pouvez-vous confirmer ce point ?

— Je crois en effet que quelqu'un a téléphoné,
monsieur. Le téléphone sonne dans l'office, et quand
quelqu'un décroche le récepteur pour appeler un
numéro, la sonnerie fait un petit cling. Je me souviens
bien d'avoir entendu ça, mais je n'y ai pas prêté attention.

— Vous ne savez donc pas exactement quand
c'était ?

— Je ne saurais dire, monsieur. C'était après que
j'ai porté le café à ces messieurs, c'est tout ce que je
puis affirmer :

— Savez-vous où étaient les dames à ce moment-là ?

— Mrs Alfred était dans le salon quand je suis venu desservir le café. C'était juste une minute ou deux avant que j'entende le cri au premier.

— Que faisait-elle? demanda Poirot.

— Elle se tenait au fond de la pièce, à la fenêtre, monsieur. Elle soulevait un peu le rideau et elle regardait dehors.

— Et aucune des autres dames n'était dans la pièce?

— Non, monsieur.

— Savez-vous où elles étaient?

— Non, monsieur, pas du tout.

— Et pour les autres, vous ne savez pas non plus?

— Mr David jouait du piano, je crois, dans la salle de musique, juste à côté du salon.

— Vous l'avez entendu jouer?

— Oui, monsieur. (Le vieil homme frissonna de nouveau.) C'était comme un présage, monsieur, voilà ce que je me suis dit après. C'était la *Marche funèbre* qu'il jouait. Même à ce moment-là, je me souviens que ça m'a donné la chair de poule.

— C'est curieux, en effet, dit Poirot.

— Et ce type, Horbury, le valet, dit le colonel Johnson. Êtes-vous prêt à jurer qu'il était hors de la maison à 8 heures du soir?

— Oh, oui, monsieur. C'était juste après votre arrivée, Mr Sugden. Je m'en souviens bien, parce qu'il a cassé une tasse à café.

— Horbury a cassé une tasse à café? demanda Poirot.

— Oui, monsieur, une des belles tasses en porcelaine de Worcester. Onze ans que je les lave, et pas une de cassée jusqu'à ce soir.

— Que faisait Horbury avec ces tasses à café ?

— Eh bien, justement, monsieur, il n'avait pas à y toucher. En tout cas, il en avait une à la main, il l'admirait, apparemment, et juste quand j'ai parlé de la visite de Mr Sugden, il l'a laissée tomber.

— Avez-vous simplement dit « Mr Sugden », ou avez-vous mentionné la police ?

Tressilian eut l'air un peu saisi :

— À présent que vous m'y faites penser, monsieur, j'ai dit que le superintendant venait d'arriver.

— Et Horbury a lâché la tasse, dit Poirot.

— Assez révélateur, ça, dit Johnson. Est-ce que Horbury a posé des questions sur les raisons de cette visite ?

— Oui, monsieur, il a demandé ce qu'il voulait. Je lui ai dit qu'il quêtait pour l'orphelinat de la police et qu'il était monté voir Mr Lee.

— Et Horbury a eu l'air soulagé quand vous avez dit cela ?

— Savez-vous, monsieur, maintenant que vous le dites, c'est vrai qu'il a eu l'air soulagé. Il a tout de suite changé de voix. Il a dit que Mr Lee était un homme qui savait se montrer généreux – il a employé des mots très irrespectueux – et puis il est sorti.

— Par où ?

— Par la porte qui va au vestibule réservé aux domestiques.

Sugden s'interposa :

— Tout ça est O.K., monsieur. Il a traversé la cuisine, où la cuisinière et son aide l'ont vu passer, et il est sorti par la porte de service. Maintenant, réfléchissez bien,

Tressilian. Horbury aurait-il pu se débrouiller pour rentrer dans la maison sans que personne le voie ?

Le vieil homme secoua la tête :

— Je ne vois pas comment il aurait fait, monsieur. Toutes les portes sont fermées à clé de l'intérieur.

— Et en supposant qu'il ait eu une clé ?

— Elles sont également fermées au verrou, monsieur.

— Comment rentre-t-il quand il revient ?

— Il a une clé de la porte de service, monsieur. Tous les domestiques passent par là.

— Il aurait donc pu rentrer par ce chemin-là ?

— Pas sans traverser la cuisine, monsieur. Et il y a eu du monde à la cuisine jusqu'à 9 heures et demie, 10 heures moins le quart.

— Ça règle la question, dit le colonel Johnson. Merci, Tressilian.

Le vieil homme se leva et quitta la pièce en s'inclinant. Il reparut quelques instants plus tard :

— Horbury vient de rentrer, monsieur. Désirez-vous le voir maintenant ?

— Oui, s'il vous plaît, envoyez-le-nous tout de suite.

17

L'aspect de Sydney Horbury ne prévenait pas en sa faveur. Il entra et resta debout à se frotter les mains en jetant des coups d'œil furtifs à la ronde. Il était plein d'onction.

— Vous êtes Sydney Horbury ? demanda Johnson.

— Oui, monsieur.

— Attaché au service de Mr Lee ?

— Oui, monsieur. C'est terrible, n'est-ce pas ? J'ai failli tomber à la renverse quand Gladys m'a appris… Pauvre vieil homme…

Johnson coupa court :

— Contentez-vous de répondre à mes questions, je vous prie.

— Bien, monsieur. Certainement, monsieur.

— À quelle heure êtes-vous sorti ce soir, et où êtes-vous allé ?

— J'ai quitté la maison juste avant 8 heures, monsieur. Je suis allé au Superb, monsieur, qui n'est qu'à cinq minutes à pied. Le film, c'était *L'Amour à Séville*, monsieur.

— Quelqu'un vous a-t-il vu là-bas ?

— La jeune personne de la caisse, monsieur, elle me connaît. Et le contrôleur à l'entrée, il me connaît aussi. Et puis… hum… en fait, j'étais avec une jeune personne, monsieur. J'avais rendez-vous avec elle.

— Ah, vraiment ? Et comment s'appelle-t-elle ?

— Doris Buckle, monsieur. Elle travaille aux Laiteries Réunies, monsieur, 23, Markham Road.

— Très bien. Nous vérifierons ça. Vous êtes rentré directement ici ?

— J'ai d'abord ramené cette jeune personne chez elle, monsieur. Et puis je suis rentré tout droit. Vous verrez que je vous dis vrai, monsieur. Je n'ai rien à voir avec cette histoire. J'étais…

Le colonel Johnson le coupa derechef d'un ton bref :

— Personne ne vous accuse d'y être mêlé.

— Non, monsieur, bien sûr, monsieur. Mais ce n'est pas très agréable d'avoir un meurtre dans une maison où l'on sert, monsieur.

— Personne n'a prétendu que ça l'était. Bon, maintenant, depuis combien de temps étiez-vous au service de Mr Lee ?

— Un peu plus d'un an, monsieur.

— La place vous plaisait ?

— Oui, monsieur. J'étais très satisfait. Les gages étaient bons. Mr Lee se montrait bien parfois un peu difficile, mais il va de soi que j'ai l'habitude de m'occuper d'invalides.

— Vous avez eu des expériences antérieures ?

— Oh, oui, monsieur. J'ai servi chez le major West, et puis chez l'honorable Jasper Finch…

— Vous pourrez donner plus tard tous ces détails à Sugden. Ce que je veux savoir est ceci : à quelle heure avez-vous vu Mr Lee pour la dernière fois ce soir ?

— Il devait être 7 heures et demie, monsieur. Mr Lee se faisait monter tous les soirs un dîner léger à 7 heures. Puis je lui faisais sa toilette pour la nuit. Ensuite, il s'asseyait en robe de chambre devant le feu jusqu'à ce que l'envie lui prenne d'aller se coucher.

— Ce qui se passait généralement à quelle heure ?

— Cela dépendait, monsieur. Parfois, il se couchait dès 8 heures du soir, s'il se sentait fatigué. Mais parfois il restait dans son fauteuil jusqu'à des 11 heures ou plus.

— Que faisait-il quand il voulait aller se coucher ?

— En général, il me sonnait, monsieur.

— Et vous l'aidiez à se mettre au lit ?

— Oui, monsieur.

— Mais ce soir, c'était votre jour de sortie. C'est toujours le vendredi ?

— Oui, monsieur. Le vendredi est mon jour habituel.

— Que se passait-il alors quand Mr Lee voulait aller se coucher ?

— Il sonnait, et Tressilian ou Walter montaient s'occuper de lui.

— Il n'était pas impotent ? Il pouvait se déplacer seul ?

— Oui, monsieur, mais avec difficulté. Rhumatismes articulaires, monsieur, c'est de ça qu'il souffrait. Il allait plus ou moins bien selon les jours.

— Il ne s'installait jamais dans une autre pièce pendant la journée ?

— Non, monsieur. Mr Lee n'avait pas des goûts de luxe. Il préférait rester dans sa chambre, c'est une grande pièce claire et bien aérée.

— Vous dites que Mr Lee a pris son dîner à 7 heures ?

— Oui, monsieur. J'ai enlevé le plateau et j'ai posé le sherry et deux verres sur le bureau.

— Pourquoi cela ?

— Ordres de Mr Lee.

— Était-ce l'habitude ?

— Parfois. Il était de règle qu'aucun membre de la famille ne monte voir Mr Lee dans la soirée, sauf s'il l'en priait expressément. Certains soirs, il voulait être seul. D'autres fois, il demandait à Mr Alfred, ou Mrs Alfred, ou aux deux, de monter après le dîner.

— Mais pour autant que vous sachiez, il ne l'a pas fait ce soir ? Je veux dire : il n'a fait dire à aucun membre de la famille de monter le voir ?

— Il ne le leur a pas fait dire par *moi*, monsieur.

— De sorte qu'il n'attendait personne de sa famille ?

— Il a pu le demander personnellement à l'un d'entre eux, monsieur.

— Bien sûr.

Horbury poursuivit :

— J'ai vérifié que tout était en ordre, j'ai souhaité bonne nuit à Mr Lee et j'ai quitté la pièce.

— Vous êtes-vous occupé du feu avant de partir ? demanda Poirot.

Le valet de chambre hésita :

— Ce n'était pas nécessaire, monsieur. Il flambait très bien.

— Mr Lee aurait-il pu le faire lui-même ?

— Oh, non, monsieur. C'est Mr Harry Lee qui a dû le faire.

— Mr Harry Lee était avec lui quand vous êtes entré avec son dîner ?

— Oui, monsieur. Il est sorti quand je suis entré.

— Dans quel état d'esprit étaient-ils, autant que vous puissiez en juger ?

— Mr Harry avait l'air de très bonne humeur, monsieur. Il rejetait la tête en arrière et riait beaucoup.

— Et Mr Lee ?

— Il était silencieux et plutôt pensif.

— Je vois. Il y a encore une chose que je voudrais savoir : que pouvez-vous nous dire au sujet des diamants que Mr Lee avait dans son coffre ?

— Des diamants, monsieur ? Je n'ai jamais vu de diamants.

— Mr Lee conservait là une certaine quantité de diamants bruts. Vous devez l'avoir vu les manier.

— Ces drôles de petits cailloux, monsieur ? Oui, je les ai vus dans ses mains une ou deux fois. Mais je ne savais pas que c'étaient des diamants. Il les a montrés à la jeune personne étrangère pas plus tard qu'hier – ou était-ce avant-hier ?

Le colonel Johnson se fit abrupt :

— Ces pierres ont été volées.

— J'espère, monsieur, s'écria Horbury, que vous ne pensez pas que je puisse être mêlé à ça !

— Je ne porte aucune accusation, dit Johnson. Je vous demande si vous savez quelque chose qui aurait un rapport avec cette affaire ?

— Les diamants, monsieur ? Ou le meurtre ?

— Les deux.

Horbury prit le temps de la réflexion. Il passa plusieurs fois la langue sur ses lèvres pâles. Quand il leva les yeux, il avait quelque chose de fuyant dans le regard.

— Je ne vois rien, monsieur.

Poirot dit doucement :

— Vous n'auriez rien entendu – au cours de votre service, par exemple – qui puisse nous être utile ?

Le valet de chambre battit un peu des paupières :

— Non, monsieur. Je ne crois pas, monsieur. Il y avait un peu de tirage entre Mr Lee et… et certains membres de la famille.

— Lesquels ?

— J'ai cru comprendre que le retour de Mr Harry Lee posait quelques problèmes. Ça ne plaisait pas à Mr Alfred. Je crois que son père et lui ont eu des mots à ce sujet – mais rien de plus. Mr Lee ne l'a pas accusé un instant d'avoir pris les diamants. Et je suis certain que Mr Alfred ne ferait jamais une chose pareille.

Poirot enchaîna très vite :

— Son entretien avec Mr Alfred a pourtant eu lieu *après* qu'il a découvert la disparition des diamants, n'est-ce pas ?

— Oui, monsieur.

Poirot se pencha en avant.

— Je croyais, Horbury, dit-il doucement, que *vous n'étiez pas au courant du vol des diamants jusqu'à ce que nous vous en informions, il y a un instant.* Dans ce cas, comment savez-vous que Mr Lee avait découvert le vol *avant* d'avoir cette conversation avec son fils ?

Horbury devint rouge brique.

— Inutile de mentir, gronda Sugden. Crachez le morceau. Quand l'avez-vous appris ?

— Je l'ai entendu téléphoner à quelqu'un à ce sujet, répondit Horbury à contrecœur.

— Vous n'étiez pas dans la chambre ?

— Non, derrière la porte. Je n'ai pas entendu grand-chose, juste quelques mots.

— Qu'avez-vous entendu exactement ? demanda Poirot, suave.

— J'ai entendu les mots vol et diamants, et je l'ai entendu dire : « Je ne sais qui soupçonner », et puis je l'ai entendu dire quelque chose à propos de ce soir, 8 heures.

Le superintendant Sugden hocha la tête :

— C'était à moi qu'il parlait, mon garçon. Vers 5 h 10, c'est bien ça ?

— C'est bien ça, monsieur.

— Et ensuite, quand vous êtes entré dans sa chambre, avait-il l'air troublé ?

— Plutôt, monsieur. Il semblait absent et préoccupé.

— Si bien que vous avez eu la frousse… hein ?

— Eh, attendez voir, Mr Sugden, je ne vous permettrai pas. Je n'ai jamais touché à ces diamants, moi, et vous ne pouvez pas prouver le contraire. Je ne suis pas un voleur.

— Ça, ça reste à voir, répliqua le superintendant, fort peu impressionné.

Il lança un coup d'œil interrogateur au chef de la police, reçut son feu vert et conclut :

— C'est bon, mon garçon, on vous a assez vu pour ce soir.

Horbury s'éclipsa sans se faire prier.

— Joli travail, monsieur Poirot, reconnut Sugden. Vous l'avez piégé, et en beauté. Voleur ou pas, en tout cas c'est un fieffé menteur !

— Un peu reluisant personnage, commenta Poirot.

— Drôle d'oiseau, oui, approuva Johnson. La question est : que faut-il penser de son témoignage ?

Sugden résuma clairement la situation :

— Il me semble qu'il existe trois possibilités : 1) Horbury est un voleur *et* un meurtrier. 2) Horbury est un voleur, mais *pas* un meurtrier. 3) Horbury est innocent. Quelques éléments en faveur de l'hypothèse n° 1 : il a surpris une conversation téléphonique, et il savait que le vol avait été découvert. Il a compris à l'attitude du vieux Lee que celui-ci le soupçonnait. Il a tiré ses plans en conséquence. Il est sorti ostensiblement à 8 heures, histoire de se concocter un alibi. Pas très compliqué de se glisser hors d'un cinéma et d'y retourner sans se faire voir. Il fallait quand même qu'il soit bigrement sûr de la fille. Je verrai demain ce que je peux tirer d'elle.

— Quoi qu'il en soit, comment a-t-il fait pour rentrer dans la maison ? demanda Poirot.

— C'est là que ça se complique, admit Sugden. Mais il y a sûrement une solution. Qu'est-ce qui nous dit qu'une des domestiques ne lui a pas ouvert une porte de service ?

Poirot haussa des sourcils perplexes :

— Il se met donc à la merci de deux femmes ? Avec *une* seule femme, ce serait déjà très risqué. Mais *deux*… alors là, le risque devient extravagant !

— Certains criminels s'imaginent qu'ils s'en tireront toujours ! dit Sugden.

» Examinons l'hypothèse n° 2. Horbury a barboté ces diamants. Il les a sortis de la maison ce soir, éventuellement pour les remettre à un complice. Jusque-là, pas de problèmes, et de fortes probabilités. Mais alors il nous faut admettre que quelqu'un d'autre a choisi ce même soir pour assassiner Mr Lee, sans rien savoir de cette histoire de vol de diamants. C'est possible, bien sûr, mais un peu gros comme coïncidence.

» Possibilité n° 3 : Horbury est innocent. Quelqu'un d'autre a pris les diamants et assassiné le vieux.

» Voilà le topo. Maintenant, à nous de découvrir la vérité.

Le colonel Johnson bâilla. Il jeta un nouveau coup d'œil à sa montre et se leva.

— Eh bien, dit-il, je crois que ça ira pour ce soir, non ? Jetons quand même un œil dans le coffre avant de partir. Ce serait drôle, si ces satanés diamants n'avaient jamais bougé.

Mais les diamants n'étaient pas là. La combinaison, ils l'avaient relevée là où Alfred Lee l'avait dit, dans le petit calepin que le vieux Simeon gardait sur lui, au fond de la poche de sa robe de chambre. Dans le coffre, ils trouvèrent un sac en peau de chamois, vide. Parmi les papiers qu'il contenait par ailleurs, un seul présentait un certain intérêt.

C'était un testament datant d'une quinzaine d'années. Outre quelques legs et dons, ses dispositions étaient fort simples. La moitié de la fortune de Simeon Lee revenait à Alfred Lee. L'autre moitié était divisée en parts égales entre ses autres enfants : Harry, George, David et Jennifer.

QUATRIÈME PARTIE

25 DÉCEMBRE

1

Sous le soleil étincelant de cette fin de matinée de Noël, Hercule Poirot arpentait les jardins de Gorston Hall. Le manoir lui-même était une vaste bâtisse solide et massive, sans aucune prétention architecturale.

Sur son côté sud courait une large terrasse bordée d'ifs taillés. Du gazon nain poussait entre les dalles, et des bacs de pierre plantés de jardins miniatures étaient disposés à intervalles réguliers.

Poirot les contempla d'un œil approbateur.

— Ça, c'est une bonne idée ! se murmura-t-il en lui-même.

À quelque distance de là, il aperçut deux silhouettes qui se dirigeaient vers une pièce d'eau, environ trois cents mètres plus loin. Pilar était aisément reconnaissable, et Poirot crut d'abord que son compagnon était Stephen Farr, puis il se rendit compte de son erreur : c'était Harry Lee qui cheminait au côté de Pilar. Un Harry Lee très absorbé, sembla-t-il, par sa charmante nièce. Par moments, il renversait la tête pour lancer son grand rire, puis il se penchait de nouveau attentivement vers elle.

« En voilà en tout cas un qui ne porte pas le deuil », se dit Poirot.

Un léger bruit dans son dos le fit se retourner. Magdalene Lee se tenait derrière lui. Elle aussi regardait s'éloigner les deux silhouettes. Elle tourna la tête vers Poirot et lui adressa un sourire enchanteur :

— Quelle journée splendide ! On a du mal à croire à toutes les horreurs de la nuit dernière, n'est-ce pas, monsieur Poirot ?

— C'est bien difficile, en effet, madame.

— C'est la première fois de ma vie que je suis mêlée de près à une tragédie, soupira Magdalene. En fait je… je viens de passer d'un seul coup à l'âge adulte. Je crois que j'étais restée gosse trop longtemps. Ce qui n'est pas une bonne chose.

Elle poussa un nouveau soupir :

— Quant à Pilar, elle a l'air tellement maîtresse d'elle-même ! Ça doit être son sang espagnol. Tout cela est quand même très bizarre, non ?

— Qu'est-ce qui est bizarre, chère petite madame ?

— Cette façon d'arriver soudain, de surgir de nulle part !

— J'ai appris que Mr Lee la recherchait depuis un certain temps. Il était en correspondance avec le consulat à Madrid et avec le vice-consul à Aliquara, où sa mère est morte.

— Il ne s'en était pas vanté, dit Magdalene. Alfred n'en savait rien. Lydia non plus.

— Ah ! fit Poirot.

Magdalene se rapprocha de lui. Il pouvait sentir son parfum délicat.

— Vous savez, monsieur Poirot, il y a une histoire au sujet d'Estravados, le mari de Jennifer. Il est mort très peu de temps après leur mariage, et il y a tout un mystère là-dessous. Alfred et Lydia sont au courant. Je crois que c'était quelque chose… d'assez scandaleux…

— Tout ceci est bien triste, dit Poirot.

— Mon mari pense – et je suis d'accord avec lui – qu'on aurait dû mettre la famille au courant des antécédents de cette fille. Après tout, si son père était un criminel…

Elle attendit mais Hercule Poirot restait silencieux. Il semblait admirer toutes les beautés qu'étaient susceptibles d'offrir les parterres de Gorston Hall au cœur de l'hiver.

— Je ne peux m'empêcher de penser que la façon dont mon beau-père a été tué est assez *significative*, insista Magdalene. C'est un crime… comment dire?… *si peu anglais!*

Hercule Poirot se retourna lentement. Ses yeux graves rencontrèrent ceux de la jeune femme, ingénument interrogatifs.

— Tiens, tiens!… la patte espagnole, vous croyez?

— Ces gens-là sont archicruels, non? dit Magdalene d'une voix de petite fille. Les corridas et tout ça!

— Vous voulez dire qu'à votre avis la señorita Estravados a égorgé son grand-père? demanda Poirot d'un ton léger.

— Oh, non, monsieur Poirot! protesta Magdalene avec véhémence. Je n'ai jamais rien dit de pareil! Je vous assure bien que non!

— Exact, concéda Poirot. Peut-être ne l'avez-vous pas dit.

— Mais je pense en effet qu'elle est… eh bien, sus-pecte. La façon furtive dont elle a ramassé quelque chose par terre, dans la chambre, hier soir, par exemple.

La voix de Poirot changea d'intonation.

— Elle a ramassé quelque chose par terre hier soir ?

Magdalene hocha la tête. Sa bouche enfantine fit une moue de dédain.

— Oui, dès que nous sommes entrés dans la pièce. Elle a jeté un coup d'œil pour voir si personne ne la regardait et hop ! elle a fondu sur sa proie. Encore heu-reux que le superintendant l'ait vue et qu'il ait exigé une restitution immédiate !

— Et qu'avait-elle dans la main, vous le savez, madame ?

— Non, je n'étais pas assez près pour voir. (Il y avait du regret dans la voix de Magdalene.) C'était quelque chose de très petit.

Poirot fronça les sourcils.

— Intéressant, ça, murmura-t-il.

— Oui, appuya Magdalene, j'ai pensé qu'il fallait que vous soyez au courant. Après tout, nous ne savons *rien* de l'éducation de Pilar ni de la vie qu'elle a menée. Alfred est toujours si sourcilleux et la chère Lydia, si insouciante ! D'ailleurs, je ferais mieux d'aller voir si je peux l'aider. Il y a peut-être des lettres à écrire.

Et elle s'éloigna, un sourire de malveillance satis-faite sur les lèvres.

Poirot resta sur la terrasse, perdu dans ses pensées.

2

Le superintendant Sugden vint bientôt vers lui, l'air sombre.

— Bonjour, monsieur Poirot, dit-il. Pas vraiment le cas de se souhaiter Joyeux Noël, n'est-ce pas?

— Mon cher collègue, votre physionomie n'incite certes pas à se réjouir. M'eussiez-vous dit « Joyeux Noël », que je n'aurais pas osé vous en souhaiter « Beaucoup d'autres semblables! », comme vous le faites ici.

— J'espère bien que c'est le premier et le dernier de ce genre, ça, c'est sûr, dit Sugden.

— Vous avez progressé?

— J'ai vérifié pas mal de choses. L'alibi de Horbury tient la route. Le contrôleur du cinéma l'a vu entrer avec la fille et repartir avec elle à la fin de la séance. Horbury n'est pas sorti et n'aurait pas pu le faire et revenir pendant la projection, il est catégorique. La fille jure ses grands dieux qu'il est resté avec elle pendant toute la séance.

Poirot leva les sourcils.

— Alors, je ne vois pas ce qu'on peut ajouter.

— Bah ! sait-on jamais, avec les filles ! dit le cynique Sugden. Pour un homme, elles seraient toutes capables de mentir jusqu'à la gauche !

— Ce qui tendrait à prouver qu'elles ont du cœur, dit Poirot.

— Ça, c'est bien un point de vue d'étranger, grommela Sugden. Ça entrave le cours de la justice.

— La justice est une chose très étrange, rétorqua Poirot. Y avez-vous jamais songé ?

Sugden le regarda fixement.

— Vous êtes un type bizarre, monsieur Poirot.

— Pas du tout. Je me contente de suivre une ligne de pensée logique. Mais nous n'allons pas nous quereller là-dessus. Vous estimez donc, vous, que la demoiselle de la laiterie ne dit pas la vérité ?

Sugden secoua la tête.

— Non, dit-il, ce n'est pas ça. En fait, je crois qu'elle dit la vérité. Elle n'est pas du genre compliqué, et, si elle me mentait, je crois que je le saurais tout de suite.

— Vous avez de l'expérience, hein !

— Exactement, monsieur Poirot. Quand on a passé des années à recueillir des déclarations, on repère, en gros, quand les gens disent la vérité et quand ils mentent. Non, je crois que le témoignage de la fille est sincère, auquel cas, Horbury *n'a pas pu* assassiner le vieux Lee, ce qui nous ramène aux gens de la maison.

Il prit une profonde inspiration :

— C'est l'un d'eux qui a fait le coup, monsieur Poirot. C'est l'un d'eux. Mais lequel ?

— Aucun élément nouveau ?

— Si, j'ai eu de la chance avec les coups de téléphone. Mr George Lee a obtenu une communication pour Westeringham à 9 heures moins 2. Cet appel a duré moins de six minutes.

— Tiens donc !

— Comme vous dites ! Et qui plus est, il n'y *a pas eu d'autre appel*, ni pour Westeringham ni pour nulle part ailleurs.

— Très intéressant, approuva Poirot. Mr George Lee prétend qu'il venait juste de raccrocher quand il a entendu le bruit au premier – mais en fait, il avait raccroché au moins *dix minutes avant*. Où était-il fourré pendant ces dix minutes ? Mrs George Lee dit qu'*elle* était en train de téléphoner – mais elle n'a jamais appelé personne. Où diable était-elle passée ?

— Je vous ai vu lui parler, monsieur Poirot ?

C'était une question indirecte, à laquelle Poirot répondit tout de go :

— Vous faites erreur !

— Hein ?

— *Je* ne *lui* parlais pas, c'est elle qui *me* parlait !

— Oh…

Sugden fut sur le point de balayer le distinguo avec impatience. Puis la signification lui en apparut :

— C'est *elle* qui *vous* parlait, dites-vous ?

— Absolument. Elle est venue me trouver expressément dans ce but.

— Et qu'avait-elle à dire ?

— Elle voulait attirer mon attention sur certains points : le caractère résolument non anglais du meurtre, les antécédents vraisemblablement douteux de miss Estravados du côté paternel, le fait que miss Estravados avait furtivement ramassé quelque chose par terre hier soir.

— Ah! elle vous a dit ça? fit Sugden avec intérêt.

— Oui. Qu'est-ce qu'elle a donc ramassé, la señorita?

— J'aimerais bien qu'on me le dise! soupira Sugden. Je vous montrerai. Dans un roman policier, c'est le genre de truc qui vous résout le mystère en cinq sec. Mais dans le cas présent, si vous arrivez à en tirer quelque chose, je veux bien rendre mon uniforme!

— Montrez-moi.

Sugden sortit une enveloppe de sa poche et en renversa le contenu sur sa paume. Un léger sourire flottait sur ses lèvres.

— Voilà. Quelles conclusions vous suggère ça?

Sur la large paume du superintendant gisaient un lambeau de caoutchouc rose et une petite cheville de bois.

Le sourire de Sugden s'élargit quand Poirot saisit les deux objets et les examina en fronçant les sourcils.

— Alors, cela vous inspire, monsieur Poirot?

— Ce petit morceau de caoutchouc pourrait-il avoir été découpé dans une trousse de toilette?

— C'est le cas. Ça provient de la trousse de toilette du vieux Simeon Lee. Quelqu'un y a découpé un triangle avec des ciseaux. Mr Lee peut fort bien l'avoir fait lui-même, pour autant que je sache. Mais ce qui m'échappe, c'est *pourquoi* il aurait fait ça. Horbury est incapable de nous fournir la moindre lueur sur la question. Quant au bout de bois, ça ressemble à un fichet de trictrac, mais généralement, ce sont des pièces en ivoire. Ça, c'est un vulgaire morceau de bois, qu'on jurerait taillé au couteau.

— Tout à fait remarquable, murmura Poirot.

— Gardez-les si cela vous chante, proposa aimablement Sugden. Moi, je n'en veux pas.

— Mon bon ami, je ne voudrais pas vous en priver !

— Ça n'évoque rien du tout pour vous ?

— Rigoureusement rien, je dois le reconnaître !

— Sensationnel ! railla Sugden d'un ton de lourd sarcasme en remettant les deux objets dans sa poche. Voilà ce qui s'appelle faire un grand pas en avant !

— Mrs George Lee affirme que la jeune Pilar a ramassé ces deux babioles d'une manière furtive. En diriez-vous autant ?

Sugden réfléchit à la question.

— N-non, répondit-il avec hésitation. Je n'irais pas jusque-là. Elle n'avait pas l'air coupable – rien de ce genre –, mais elle les a effectivement ramassés… eh bien… très vite, mine de rien, si vous voyez ce que je veux dire. *Et elle ne savait pas que je l'avais vue faire !* Ça, j'en suis sûr. Elle a sursauté quand je lui suis tombé dessus.

— Ce qui tendrait à prouver, dit pensivement Poirot, qu'elle avait une raison d'avoir ramassé ça ? Mais quelle espèce de raison pouvait-elle bien avoir ? Ce petit morceau de caoutchouc est tout neuf. Il n'a servi à rien. Il ne peut avoir aucune signification. Et pourtant…

Sugden l'interrompit avec impatience :

— Bon, eh bien, faites-vous des cheveux blancs là-dessus si cela vous dit, monsieur Poirot. Moi, j'ai d'autres chats à fouetter.

— La situation se présente comment, à votre avis ? demanda Poirot.

Sugden sortit son calepin :

— Tenons-nous-en aux *faits*. Pour commencer, il y a les gens qui *ne peuvent pas* avoir commis le crime. Mettons-les à part tout de suite…

— Et ce sont… ?

— Alfred et Harry Lee. Ils possèdent un alibi inattaquable. Mrs Alfred Lee également, puisque Tressilian l'a vue dans le salon une minute avant que le grabuge ne commence au premier. Ces trois-là sont hors de cause. Voyons maintenant les autres. Tenez, voici la liste que j'ai dressée pour plus de clarté.

Il tendit son carnet à Poirot.

Au moment du meurtre

George Lee	était	*?*
Mrs George Lee	était	*?*
David Lee	était	*dans la salle de musique en train de jouer du piano (confirmé par sa femme)*
Mrs David Lee	était	*dans la salle de musique (confirmé par son mari)*
Miss Estravados	était	*dans sa chambre (aucune confirmation)*
Stephen Farr	était	*dans la salle de bal en train de passer des disques sur le gramophone (confirmé par trois domestiques qui entendaient la musique depuis le vestibule)*

Poirot rendit son carnet à Sugden :

— Et vous en concluez… ?

— Et j'en conclus, dit Sugden, que George Lee a pu tuer le vieux. Que Mrs George Lee peut l'avoir tué.

Que Pilar Estravados peut l'avoir tué. Et que Mr *ou* Mrs David Lee peut l'avoir tué, mais pas *les deux.*

— Vous n'acceptez donc pas leur alibi ?

Le superintendant secoua énergiquement la tête :

— Jamais de la vie ! Ils sont mari et femme, et solidaires l'un de l'autre ! Ils peuvent avoir monté leur coup ensemble, ou si un seul est coupable, l'autre est prêt à soutenir son alibi mordicus. Je vois les choses comme ça : *quelqu'un* jouait du piano dans la salle de musique. C'était *peut-être* David Lee. C'était *sans doute* lui, puisqu'il est musicien accompli, mais rien ne nous prouve que sa femme était là elle aussi, *sauf leur parole à tous les deux.* De la même façon, ç'aurait pu être Hilda qui jouait du piano pendant que David se faufilait au premier pour tuer son père ! Non, ce n'est pas du tout le même cas de figure que les deux frères dans la salle à manger. Alfred et Harry Lee ne peuvent pas se souffrir. Et ni l'un ni l'autre ne commettrait un parjure pour sauver la peau de l'autre.

— Qu'en est-il de Stephen Farr ?

— C'est un suspect possible parce que cet alibi du gramophone est un peu mince. D'un autre côté, il est plus vraisemblable qu'un alibi en béton armé qui neuf fois sur dix a été fabriqué à l'avance !

Poirot hocha pensivement la tête :

— Je vois ce que vous voulez dire. C'est l'alibi d'un homme *qui ne savait pas qu'il aurait à en fournir un.*

— Exactement ! Et puis, de toute façon, je ne crois pas qu'un étranger soit mêlé à cette affaire.

— Je suis bien d'accord avec vous, s'empressa d'acquiescer Poirot. C'est une affaire de *famille.* C'est comme un poison qui court dans le sang. C'est intime.

Ça plonge ses racines au plus profond… On trouve ici réunies, me semble-t-il, la *haine* et la *familiarité*… Ah, je ne sais pas, soupira-t-il finalement, c'est difficile !

Le superintendant Sugden avait attendu avec respect, mais sans paraître autrement impressionné.

— Sans doute, monsieur Poirot. Mais n'ayez aucune crainte, en procédant avec logique et par élimination, nous arriverons au but. Nous avons déjà les coupables possibles – les personnes qui ont eu tout loisir de tuer. George Lee, Magdalene Lee, David Lee, Hilda Lee, Pilar Estravados, et j'ajouterai Stephen Farr. Voyons maintenant le *mobile*. Qui avait une *raison* d'éliminer le vieux Mr Lee ? Là encore, nous pouvons écarter d'emblée certaines personnes. Miss Estravados, pour commencer. Je suppose que le testament actuel ne lui laisse rien du tout. Si Simeon Lee était mort avant sa mère, elle aurait hérité de la part de celle-ci, à moins que sa mère en ait disposé autrement. Mais comme Jennifer Estravados est morte avant Simeon Lee, sa part réintègre la succession. Miss Estravados avait donc tout intérêt à ce que le vieil homme vive. Il l'avait prise en affection ; il ne l'aurait certainement pas oubliée dans son nouveau testament. Elle avait tout à perdre et rien à gagner avec ce meurtre. Vous êtes d'accord avec ça ?

— Parfaitement.

— Il reste bien sûr l'éventualité qu'elle lui ait coupé la gorge dans le feu d'une dispute, mais cela me semble hautement improbable. D'abord, ils étaient dans les meilleurs termes, et puis elle n'était pas ici depuis assez longtemps pour avoir des griefs contre lui. Il semble donc très douteux que miss Estravados ait quoi que ce soit à voir avec ce meurtre – sauf, bien sûr, à considérer que couper la gorge d'un homme est un comportement fort peu anglais, comme l'a suggéré votre amie Mrs George Lee?

— N'en parlez pas comme de *mon* amie, se défendit Poirot, ou je vous parlerai de *votre* amie Pilar Estravados, qui vous trouve si bel homme!

Il eut la satisfaction de voir se troubler le très gourmé superintendant, qui, pour la seconde fois, vira à l'écarlate. Poirot le considéra d'un œil malicieux, et reprit, non sans une soudaine mélancolie:

— C'est vrai que vous avez une moustache superbe… Dites-moi, vous utilisez une pommade spéciale?

— Une *pommade*? Grands dieux, non!

— Qu'est-ce que vous mettez, alors?

— Ce que je mets? Rien du tout. Elle – elle pousse, c'est tout!

— Heureux homme!

Poirot caressa sa propre moustache, noire et bien fournie, et soupira derechef:

— Si coûteux que soit le produit employé, restaurer la couleur naturelle appauvrit toujours quelque peu la qualité du poil.

Le superintendant Sugden, qui n'avait que faire de ces problèmes cosmétiques, poursuivait cependant avec flegme:

— Si l'on examine le *mobile* du crime, je dirais que nous pouvons sans doute éliminer Mr Stephen Farr. Il est possible qu'il y ait eu quelque entourloupe entre son père et Mr Lee, et que le premier en ait souffert, mais ça m'étonnerait. Farr avait l'air tellement tranquille et sûr de lui en parlant de ça! Je ne pense pas qu'il jouait la comédie. Non, je doute que nous trouvions quelque chose de ce côté.

— Je ne pense pas non plus, en effet, dit Poirot.

— Et il y a encore quelqu'un qui avait intérêt à ce qu'il n'arrive rien au vieux Lee : son fils Harry. C'est vrai qu'il bénéficie aussi du testament actuel, *mais je ne pense pas* qu'il *le savait*, et en tout cas il ne pouvait en être *sûr* ! Le sentiment général était que Harry avait été définitivement déshérité quand il avait largué les amarres. Mais là, il était sur le point de rentrer en grâce ! Que son père rédige un nouveau testament était tout à son avantage. Il n'aurait pas été assez bête pour le tuer juste à ce moment-là. Et d'ailleurs, comme nous le savons, il *n'aurait pas* pu le faire. Vous voyez, nous avançons. Nous éliminons du monde.

— C'est vrai. Il ne restera bientôt plus personne !

— Oh, pas si vite ! dit Sugden avec un grand sourire. Il nous reste George Lee et sa femme, et David et Hilda Lee. Ils profitent tous de cette mort, et l'argent, ai-je cru comprendre, est l'idée fixe de George Lee. En outre, son père menaçait de rogner sur sa pension. Nous avons donc pour George Lee un mobile et une occasion !

— Continuez, dit Poirot.

— Nous avons aussi Mrs George. Elle aime l'argent autant qu'un chat la crème. Et je serais prêt à parier qu'elle est endettée jusqu'au cou en ce moment même ! Elle était jalouse de la jeune Espagnole. Elle a eu tôt fait de s'apercevoir qu'elle prenait de l'ascendant sur le vieil homme. Elle entend celui-ci convoquer son notaire. Alors elle frappe très vite. Cela pourrait se tenir.

— Possible.

— Et puis il y a David Lee et sa femme. Ils bénéficient du testament actuel, mais je ne pense pas que l'argent soit une motivation particulièrement forte dans leur cas.

— Non ?

— Non. David Lee a plutôt l'air d'un rêveur – pas d'un type intéressé. Mais il est… comment dire ?… il est *bizarre*. Et pour ma part, je vois trois mobiles possibles pour ce meurtre. Il y a l'affaire des diamants, il y a le testament, et il y a… eh bien, la *haine* pure et simple.

— Ah, vous voyez ça, vous ?

— Naturellement. J'ai eu ça à l'esprit depuis le début. *Si* David Lee a tué son père, je ne crois pas que ce soit pour l'argent. Et si c'était lui le criminel, cela expliquerait… eh bien, le bain de sang.

Poirot lui décocha un regard approbateur :

— Nous y voilà ! Je me demandais quand vous vous décideriez à prendre ça en considération. *Tant de sang !* – c'est ce qu'a dit Mrs Alfred. Cela nous ramène aux rites anciens, aux sacrifices sanglants, à l'onction dans le sang du sacrifice…

Sugden se renfrogna :

— Vous voulez dire que c'est l'œuvre d'un fou ?

— Très cher, l'homme possède en lui toutes sortes d'instincts dont il n'a même pas conscience. La soif de sang… l'exigence du sacrifice !

— David Lee a l'air d'un type bien tranquille, inoffensif, objecta Sugden.

— Vous ne comprenez pas la psychologie, dit Poirot. David Lee est un homme qui vit dans le passé

– un homme chez qui le souvenir de sa mère demeure extrêmement vif. Il a évité son père pendant des années parce qu'il ne pouvait pas lui pardonner la façon dont il avait traité sa mère. Il est peut-être venu – concédons-lui ça –, dans l'intention de pardonner. *Mais supposons qu'il n'ait pas pu…* Il y a une chose que nous savons : nous savons que quand David Lee s'est trouvé devant le cadavre de son père, une partie de lui était satisfaite et apaisée. « *Les meules du Seigneur broient avec lenteur, mais elles réduisent en infime poussière.* » Châtiment ! Vengeance ! Le mal lavé par l'expiation !

Sugden eut un brusque frisson :

— Ne parlez pas comme ça, monsieur Poirot. Vous me flanquez la chair de poule. Ça s'est peut-être passé comme vous dites. Dans ce cas, Mrs David le sait et elle a l'intention de le protéger par tous les moyens. Je la vois bien faisant ça. D'un autre côté, je ne la vois pas du tout en meurtrière. Elle a l'air si popote, si quelconque !

— C'est donc ça ce qui vous frappe en elle ? murmura Poirot en le dévisageant avec curiosité.

— Eh bien, oui, quoi ! « Bobonne », si vous voyez ce que je veux dire !

— Oh, je vois parfaitement !

Sugden lui lança un regard inquisiteur :

— Allez, monsieur Poirot, vous avez vos idées sur cette affaire. Racontez.

— Oui, dit lentement Poirot, j'ai des idées, mais elles sont assez nébuleuses. Laissez-moi d'abord écouter votre résumé de l'affaire.

— Eh bien, comme je vous l'ai dit, je vois trois mobiles possibles : la haine, l'argent, et l'embrouille des diamants. Prenons les faits par ordre chronologique.

» 15 h 30, réunion de famille. Conversation téléphonique avec le notaire, entendue par tout un chacun. Sur quoi le vieux tombe à bras raccourcis sur ses enfants, leur dit leur fait et les flanque à la porte. Ils filent comme des lapins paniqués.

— Hilda Lee est restée en arrière, rappela Poirot.

— En effet, mais pas longtemps. Puis, vers 18 heures, Alfred a une conversation avec son père – conversation pénible. Harry est rétabli à sa place et dans ses droits ; Alfred n'est pas content. Alfred, bien sûr, *devrait* être notre principal suspect : c'est lui qui a le mobile le plus puissant, et de loin. Enfin bref, Harry arrive à son tour. Il a amené le vieux là où il voulait. Et il est d'humeur plutôt exubérante. Mais *avant* ces deux entretiens, Simeon Lee a découvert la perte des diamants et m'a téléphoné. Il ne mentionne cette disparition à aucun de ses deux fils. Pourquoi ? Selon moi, parce qu'il était sûr qu'aucun des deux n'était coupable. Il ne les soupçonnait pas. Je crois, comme je n'ai cessé de le dire, que le vieux soupçonnait Horbury et *une autre personne.* Et je vois très bien ce qu'il comptait faire. Rappelez-vous, il a dit de façon catégorique qu'il ne voulait pas voir un chat ce soir-là. Pourquoi ? Parce qu'il se préparait à deux choses : d'abord, ma visite ; ensuite, *la visite de la personne qu'il soupçonnait.* Il a effectivement demandé à *quelqu'un* de venir le voir juste après le dîner. Bon, mais qui pouvait être cette personne ? Peut-être George Lee. Plus vraisemblablement encore, sa femme. Et puis il y a quelqu'un d'autre qu'il faut bien remettre sur la liste : c'est Pilar Estravados. Il lui a montré les diamants. Il lui a indiqué leur valeur. Comment savons-nous que cette fille n'est pas une voleuse? Rappelez-vous les mystérieuses allusions au comportement scandaleux de son père. C'était peut-être bel et bien un voleur professionnel qui a fini par échouer en prison.

— Et donc, comme vous dites, murmura Poirot, revoilà Pilar Estravados sur la sellette…

— Oui, mais en tant que *voleuse*. Pas autrement. Elle *peut* avoir perdu la tête quand elle a été découverte. Elle *peut* s'être jetée sur son grand-père et l'avoir attaqué.

— Ce n'est pas exclu, non… admit Poirot, pensif.

Le superintendant Sugden le sonda du regard :

— Mais ce n'est pas là *votre* idée sur la question? Allons, monsieur Poirot, c'est *quoi* votre idée sur la question?

— J'en reviens toujours au même point, dit Poirot : *le caractère de la victime.* Quelle sorte d'homme était Simeon Lee?

— Ce n'est pas un bien grand mystère, gronda Sugden en le toisant d'un œil torve.

— En ce cas, dites-le-moi. À tout le moins, dites-moi comment on le considérait sur le plan local.

Le superintendant Sugden se caressa la mâchoire d'un doigt pensif. Il avait l'air embarrassé :

— Je ne suis pas vraiment du coin. Je suis de là-bas, du Reeveshire, le comté voisin. Mais ce qu'il y a de sûr, c'est que le vieux Mr Lee était un personnage très connu dans la région. Et, par les commérages, j'en ai appris assez long sur son compte.

— Alors qu'est-ce qu'ils disaient, ces commérages?

— Eh bien, que c'était une fripouille; qu'il n'y avait pas beaucoup de salopards qui lui arrivaient à la cheville. Mais qu'il n'était pas près de ses sous. Qu'il avait le porte-monnaie facile, comme dit l'autre. Ça me dépasse que Mr George Lee puisse être exactement le contraire tout en étant le fils de son père.

— Ah! mais c'est qu'il y a deux tendances distinctes dans la famille : Alfred, George et David tiennent – superficiellement du moins – du côté maternel. Je me suis intéressé à certains portraits dans la galerie, ce matin.

— Il avait un caractère de cochon, poursuivit Sugden, et bien sûr, une sale réputation pour ce qui est des femmes – enfin, ça, c'est quand il était plus jeune. Parce que ça faisait quand même des années qu'il était invalide. Mais même là, il se montrait toujours très généreux. S'il y avait un problème, il payait sans lésiner et s'arrangeait plutôt deux fois qu'une pour caser la fille. C'était peut-être une crapule, mais il n'était pas mesquin. Il traitait mal sa femme, la négligeait et ne pouvait pas voir un jupon sans lui courir après. Elle est morte le cœur brisé, à ce qu'on dit. C'est une expression toute faite, mais je crois que la pauvre était vraiment très malheureuse. Elle était toujours plus ou moins souffrante et ne sortait pas beaucoup. Il ne fait aucun doute que Mr Lee était un drôle de coco. Très porté sur la vengeance, aussi. Si quelqu'un lui jouait un mauvais tour, il lui rendait toujours la monnaie de sa pièce, à ce qu'il paraît. Et peu importe le temps que ça prenait.

— Les meules du Seigneur broient avec lenteur, mais elles réduisent en infime poussière, murmura Poirot.

— Les meules du diable, plutôt ! s'exclama Sugden. Rien de saint chez Simeon Lee. Exactement le genre d'homme dont on pourrait dire qu'il avait vendu son âme au diable et trouvé le marché amusant ! Et il était orgueilleux, aussi ! Fier comme un paon !

— Fier comme un paon ! répéta Poirot. C'est très suggestif, ce que vous dites là.

Le superintendant haussa les sourcils :

— Vous ne voulez quand même pas dire qu'on l'a tué parce qu'il était orgueilleux ?

— Je veux dire qu'il existe quelque chose qui s'appelle l'hérédité. Cet orgueil, Simeon Lee l'a transmis à ses fils…

Il s'interrompit. Hilda Lee était sortie de la maison et, immobile sur la terrasse, semblait chercher quelqu'un.

3

— Je souhaitais vous parler, monsieur Poirot.

Le superintendant Sugden s'était déjà excusé et s'éloignait vers la maison. Hilda le suivit des yeux :

— Je ne le savais pas avec vous. Je le croyais avec Pilar. Il a l'air très brave homme, très plein d'égards.

Elle avait une voix agréable, à l'élocution lente, apaisante.

— Vous disiez que vous souhaitiez me voir ? reprit Poirot.

— Oui, dit-elle en inclinant la tête. Je vous crois capable de m'aider.

— J'en serais ravi, madame.

— Vous êtes un homme très intelligent, monsieur Poirot. Je m'en suis aperçue hier au soir. Il est des choses, je crois, que vous découvrirez sans peine. Et je voudrais que vous compreniez mon mari.

— Oui, madame ?

— Je ne me confierais pas ainsi au superintendant Sugden. Il ne comprendrait pas. Vous, si.

Poirot s'inclina :

— Vous m'honorez, madame.

— Depuis de longues années, poursuivit Hilda sans s'émouvoir, depuis bien avant que je le rencontre et l'épouse, mon mari est ce qu'il faut bien appeler un infirme mental.

— Ah !

— Quand on est gravement blessé dans son corps, c'est très douloureux sur le coup, mais peu à peu ça se guérit. La plaie se referme, l'os se ressoude. Il peut rester une légère faiblesse, une petite cicatrice, mais c'est tout. Mon mari, monsieur Poirot, a reçu une grave blessure mentale à l'âge le plus tendre. Il adorait sa mère et il l'a vue mourir. Il a pensé que son père était moralement responsable de cette mort. De ce choc, il ne s'est jamais vraiment remis. Son ressentiment contre son père n'a jamais faibli. C'est moi qui ai persuadé David de venir pour Noël cette année, pour qu'il se réconcilie avec son père. Je le voulais – pour *son* bien – pour que cette blessure mentale puisse enfin guérir. Je comprends à présent que c'était une erreur. Simeon Lee a pris plaisir à fouiller cette vieille plaie. C'était… s'exposer à un grave danger.

— Seriez-vous en train de m'avouer, madame, que votre mari a tué son père ?

— Ce que je vous avoue, monsieur Poirot, c'est qu'il *aurait* fort bien *pu* le faire. Mais j'ajouterai également ceci : il *ne* l'a *pas* fait ! Quand Simeon Lee a été tué, son fils jouait la *Marche funèbre*. Le désir de meurtre était dans son cœur. Il est passé dans ses doigts et s'est éteint dans la musique : voilà la vérité.

Poirot demeura quelques instants silencieux avant de reprendre :

— Et vous, madame, quel est votre verdict sur ce drame ancien ?

— Vous faites allusion à la mort de la femme de Simeon Lee ?

— Oui.

— J'ai assez vécu pour savoir qu'il faut se garder de juger sur les apparences. Tout tendrait à prouver que Simeon Lee s'est conduit envers sa femme de façon abominable et que lui seul doit encourir le blâme. En même temps, je crois sincèrement qu'une certaine faiblesse, une certaine prédisposition au martyre réveillent les pires instincts chez un type d'homme bien précis. Simeon Lee, je pense, aurait aimé rencontrer chez sa compagne courage et force de caractère. Résignation et larmes ne faisaient que l'exaspérer.

Poirot hocha la tête :

— Votre mari a dit hier soir : « Ma mère ne se plaignait jamais. » Est-ce vrai ?

— Bien sûr que non ! répliqua Hilda avec impatience. Elle ne cessait de se plaindre auprès de David ! Tout le poids de son malheur, elle le faisait peser sur ses épaules. Il était trop jeune – bien trop jeune pour supporter ce qu'elle lui demandait de supporter !

Poirot la regarda d'un air pensif. Elle rougit sous son regard et se mordit la lèvre.

— Je vois, dit-il.

— Que voyez-vous ? demanda-t-elle d'un ton âpre.

— Je vois qu'il vous a fallu être une mère pour votre mari quand vous auriez préféré être sa femme.

Elle se détourna.

À ce moment, David Lee sortit de la maison et, longeant la terrasse, vint dans leur direction.

— Hilda, lança-t-il d'une voix joyeuse, c'est une journée splendide, non? On jurerait le printemps au milieu de l'hiver!

Il s'approcha. Il avait la tête rejetée en arrière, une boucle de cheveux blonds lui tombait sur le front, ses yeux bleus brillaient. Incroyablement juvénile, il semblait déborder d'ardeur, de radieuse insouciance. Hercule Poirot retint son souffle…

— Viens, Hilda, descendons jusqu'au lac, la pressa David.

Elle sourit et passa son bras sous le sien.

Tandis que Poirot les regardait s'éloigner, il la vit se retourner pour lui jeter un bref coup d'œil. Et dans ce regard il eut le temps de saisir une lueur d'anxiété – à moins que ce ne fût de la peur!

Hercule Poirot regagna à pas lents l'autre extrémité de la terrasse.

— Comme je l'ai toujours dit, marmottait-il entre ses dents, moi, je suis le père confesseur! Et comme les femmes vont à confesse plus souvent que les hommes, ce sont les femmes qui sont venues à moi ce matin. Verrai-je bientôt paraître une autre de mes ouailles?

Comme il faisait demi-tour au bout de la terrasse, il eut la réponse à sa question. Lydia Lee marchait à sa rencontre.

4

— Bonjour, monsieur Poirot, dit Lydia. Tressilian m'a dit que je vous trouverais ici avec Harry, mais je suis heureuse de vous y trouver seul. Mon mari m'a parlé de vous : il est très désireux de vous voir.

— Ah oui ? Dois-je aller le trouver maintenant ?

— Pas encore. Il a à peine dormi cette nuit et j'ai fini par lui donner un somnifère assez puissant. Il dort encore, et je ne veux pas le déranger.

— Je comprends. Vous avez bien fait. J'ai pu constater hier soir à quel point ç'avait été pour lui un choc.

— Voyez-vous, monsieur Poirot, dit-elle d'un ton grave, il *aimait* vraiment son père – bien plus que ne le font les autres.

— Je comprends.

— Avez-vous… le superintendant a-t-il la moindre idée de qui a pu commettre un crime aussi monstrueux ?

— Nous avons quelque idée, madame, répondit posément Poirot, de qui *n'a pas* pu le commettre !

Lydia laissa échapper un cri d'exaspération :

— Ça a tout du cauchemar ! Ça passe l'entende-
ment ! Je n'arrive pas à croire que ça puisse être vrai !

Elle s'interrompit, puis reprit :

— Et Horbury ? Était-il vraiment au cinéma, comme
il l'a prétendu ?

— Oui, madame. On a vérifié ses déclarations. Il a
dit la vérité.

Lydia pâlit quelque peu. Elle arracha une brindille
d'if.

— Mais c'est *atroce* ! Ça ne laisse que… que la
famille !

— Très juste.

— Monsieur Poirot, je *ne peux pas* croire une chose
pareille !

— Madame, vous *pouvez* le croire et vous le *croyez*
bel et bien !

Elle parut sur le point de protester, puis eut un sourire piteux :

— Ce qu'on peut être hypocrite !

Il hocha la tête :

— Qu'un membre de la famille assassine votre beau-
père ne vous étonne pas le moins du monde. Si vous
étiez franche avec moi, vous l'admettriez, madame.

Lydia se rebiffa :

— C'est là une assertion peu banale, monsieur
Poirot !

— Exact. Mais, peu banal, votre beau-père l'était
lui aussi.

— Pauvre vieux, murmura Lydia. Dire que maintenant j'en arrive à le plaindre. Quand il était vivant, il
m'horripilait au-delà de toute expression !

— Je vous crois sans peine, avoua Poirot.

Il se pencha sur un des bacs :

— C'est très ingénieux, ça. Très joli.

— Ravie que ça vous plaise. C'est mon passe-temps favori. Celui-là, avec la glace et les pingouins, c'est l'océan Arctique, vous aimez ?

— Charmant. Et là, qu'est-ce que c'est ?

— Oh, ça, c'est la mer Morte – ou du moins ça va l'être. Je n'ai pas encore fini, il ne faut pas regarder. Là, c'est censé représenter Piana, en Corse. Les rochers sont roses, vous savez, c'est ravissant avec la mer bleue. Et cette scène de désert, c'est amusant, non ?

Ils firent le tour des paysages miniatures. Arrivée au dernier, Lydia jeta un coup d'œil à sa montre :

— Il faut que j'aille voir si Alfred est réveillé.

Quand elle se fut éloignée, Poirot retourna lentement vers le jardin qui représentait la mer Morte. Il l'examina avec beaucoup d'intérêt, puis saisit une petite poignée de cailloux qu'il fit rouler entre ses doigts.

Soudain, son visage changea. Il approcha les cailloux de ses yeux.

— Sapristi ! s'exclama-t-il. Ça, pour une surprise !… Mais qu'est-ce que ça peut bien vouloir dire ?

CINQUIÈME PARTIE

26 DÉCEMBRE

1

Le colonel Johnson et le superintendant Sugden fixaient Poirot d'un air incrédule. Ce dernier replaça précautionneusement une poignée de petits cailloux dans une boîte en carton et repoussa le tout vers le chef de la police.

— Hé, oui ! dit-il. Ce sont bien les diamants.

— Et vous les avez trouvés où, dites-vous ? Dans le jardin ?

— Dans un des petits jardins miniatures de Mrs Alfred Lee.

— Mrs Alfred ?

Sugden secoua la tête :

— C'est aberrant.

— Vous voulez dire, je suppose, demanda Poirot, qu'il vous semble peu probable que Mrs Alfred ait égorgé son beau-père ?

Sugden balaya la question :

— Nous savons déjà qu'elle ne l'a pas fait. J'ai du mal à croire qu'elle ait fauché ces diamants, c'est ça que je voulais dire.

— Difficile de la prendre pour une voleuse, en effet.

— N'importe qui aurait pu les cacher là, dit Sugden.

— C'est vrai. Ça tombait bien que dans ce jardin – ça représente la mer Morte – il y ait, comme par un fait exprès, des petits cailloux qui ont presque la même forme et le même aspect.

— Voulez-vous dire qu'elle les a mis là exprès ? dit Sugden. En prévision ?

Le colonel Johnson intervint avec force :

— Je n'y crois pas un instant. Pas un instant ! Pourquoi aurait-elle pris ces diamants, pour commencer ?

— Oh, pour ça… marmonna Sugden.

— Il y a une réponse possible à cela, coupa Poirot. Elle peut avoir pris les diamants pour suggérer un mobile. Cela revient à dire qu'elle savait qu'un meurtre allait être commis, bien qu'elle-même n'y ait pris aucune part active.

Johnson fronça les sourcils :

— Ça ne tient pas debout. Vous faites d'elle une complice, mais de qui aurait-elle pu être la complice ? Uniquement de son mari. Mais comme nous savons que lui non plus n'a rien à voir avec le meurtre, le raisonnement s'écroule.

Sugden se caressa pensivement la mâchoire.

— Oui, dit-il, c'est l'évidence. Non, si Mrs Lee a pris les diamants – et c'est un gros « si » – ce n'était qu'un simple vol, et elle a effectivement pu faire ce jardin exprès pour y cacher les diamants en attendant que le calme soit revenu. Mais il peut s'agir aussi d'une *coïncidence*. Ce jardin, avec ses cailloux particuliers, a paru au voleur, quel qu'il soit, la cachette idéale.

— Ce n'est pas du tout exclu, admit Poirot. Je suis toujours prêt à admettre *une* coïncidence.

Le superintendant Sugden secouait la tête d'un air de doute.

— Qu'avez-vous sur le cœur, superintendant ?

— Mrs Lee est une femme tout ce qu'il y a de bien, répondit prudemment le policier. Pas commode de croire qu'elle puisse être mêlée à une histoire louche. Mais, bien sûr, on ne peut jamais jurer de rien.

Le colonel Johnson recommençait à s'énerver :

— En tout état de cause, et quelle que puisse être la vérité au sujet de ces diamants, elle n'est pas mêlée au meurtre, la question ne se pose même pas. Le major-dome l'a vue dans le salon à l'heure du crime. Vous vous souvenez de ça, Poirot ?

— Je ne l'avais pas oublié, très cher.

Le chef de la police se tourna vers son subordonné :

— Poursuivons. Qu'avez-vous à dire ? Quelque chose de neuf ?

— Oui, monsieur. J'ai quelques renseignements, sur Horbury en particulier. Il a au moins une bonne raison d'avoir peur de la police.

— Cambriolage ? Hein ?

— Non, monsieur. Extorsion de fonds. Chantage. Il s'en est sorti faute de preuves, mais j'ai dans l'idée qu'il a une ou deux bricoles de ce goût-là à son actif. Comme il n'a pas la conscience tranquille, il a dû penser que nous étions sur sa trace quand Tressilian a parlé d'un officier de police, et il a eu la frousse.

— Hum ! dit Johnson. Autant pour Horbury. Quoi d'autre ?

Le superintendant toussota :

— Euh… Mrs George Lee, monsieur. Nous avons quelque chose sur elle avant son mariage. Elle vivait avec un certain Jones, capitaine de frégate. Elle se faisait passer pour sa fille, mais *elle n'était pas sa fille*… À la lueur de ce qu'on nous a raconté, j'en déduis que le vieux Mr Lee ne s'y était pas trompé – il avait l'œil en matière de femmes et savait reconnaître une traînée quand il lui en passait une sous le nez ! Il a tiré comme ça, à l'aveuglette, pour s'amuser. Et il a mis en plein dans le mille !

— Ce qui, outre la question d'argent, donne à cette jeune personne un autre mobile, murmura le colonel Johnson d'un ton pensif. Elle a pu se dire qu'il avait découvert le pot aux roses et qu'il avait l'intention d'en parler à son mari. Son histoire de téléphone ne tient pas debout. Elle n'a *jamais* téléphoné.

— Pourquoi ne pas les faire venir tous les deux, monsieur, suggéra Sugden, et mettre carrément la question sur la table ? Pour voir ce que ça donne.

— Bonne idée, approuva Johnson.

Il sonna. Tressilian apparut.

— Veuillez prier Mr et Mrs George Lee de venir ici.

— Très bien, monsieur.

Comme le vieux majordome tournait les talons, Poirot dit :

— La date sur le calendrier, elle est restée comme ça depuis le meurtre ?

Tressilian se retourna :

— Quel calendrier, monsieur ?

— Celui qui est accroché au mur, là-bas.

Les trois hommes s'étaient de nouveau installés dans le petit bureau d'Alfred Lee. Le calendrier en question était un éphéméride avec la date imprimée en gros.

Tressilian le fixa de l'autre bout de la pièce, puis s'en rapprocha lentement.

— Je vous demande pardon, monsieur, dit-il quand il eut le nez dessus, il a bien été mis à jour. Nous sommes le 26, aujourd'hui.

— Ah, excusez-moi. Et qui donc l'a mis à jour, selon vous ?

— Mr Lee le fait chaque matin, monsieur. Mr Alfred est un monsieur très méthodique.

— Je vois. Je vous remercie.

Tressilian sortit. Sugden semblait éberlué :

— Il y a quelque chose de louche avec ce calendrier, monsieur Poirot ? Quelque chose qui m'aurait échappé ?

Poirot haussa les épaules :

— Le calendrier n'a aucune importance. Je me livrais tout juste à une petite expérience.

Le colonel Johnson leva la main pour abréger :

— Demain, nous aurons l'enquête. Et il y aura, cela va de soi, renvoi.

— Oui, monsieur, acquiesça Sugden. J'ai vu le coroner, et tout est réglé.

George Lee pénétra dans la pièce, accompagné de son épouse.

— Bonjour, dit le colonel Johnson. Asseyez-vous, je vous prie. J'ai quelques questions à vous poser à tous les deux. Un petit point à éclaircir.

— Je serai heureux de vous fournir toute l'assistance possible, déclara George avec emphase.

— Bien sûr ! approuva faiblement Magdalene.

Le chef de la police fit un signe de tête à Sugden, qui attaqua :

— Il s'agit de ces coups de téléphone, le soir du crime. Vous avez appelé Westeringham, nous avez-vous dit, n'est-ce pas, Mr Lee ?

— En effet, répondit George fraîchement. J'ai parlé au secrétaire de ma circonscription. Je peux vous adresser à lui et…

Le superintendant Sugden leva la main pour endiguer le flot :

— Fort bien, Mr Lee, fort bien. Nous ne contestons pas ce point. Vous avez obtenu une communication à 20 h 59 très précises.

— Euh… je… hum… l'heure exacte, je ne saurais dire.

— Ah, dit Sugden, Mais nous, nous le pouvons ! Nous vérifions toujours ces détails-là très soigneusement. Très très soigneusement. La communication a été établie à 20 h 59 et s'est terminée à 21 h 04. Votre père, Mr Lee, a été tué vers 21 h 15. Je dois donc vous prier encore une fois de nous dire ce que vous faisiez à ce moment-là.

— Mais je vous l'ai dit ! Je téléphonais !

— Non, Mr Lee, vous ne téléphoniez pas.

— Absurde, vous devez vous tromper ! Enfin, peut-être avais-je tout juste fini de téléphoner… Je crois que j'hésitais à passer un autre coup de téléphone. J'étais en train de me demander si… euh… si cela en valait la dépense, quand j'ai entendu le bruit au premier.

— Vous n'auriez quand même pas pesé le pour et le contre pendant dix minutes !

George s'empourpra.

— Que voulez-vous dire ? s'offusqua-t-il. Que diable essayez-vous d'insinuer ? Quelle impudence ! Vous mettez ma parole en doute ? La parole d'un homme de ma position ? Je… euh… au nom de quoi devrais-je vous rendre compte de mon emploi du temps minute par minute ?

— C'est la règle, répondit le superintendant avec un flegme que Poirot ne put s'empêcher d'admirer.

George se tourna d'un air furieux vers le chef de la police :

— Colonel Johnson, allez-vous cautionner ce… cette attitude inqualifiable ?

— Dans une affaire de meurtre, Mr Lee, dit celui-ci avec raideur, il est indispensable de poser des questions – *et d'obtenir des réponses.*

— J'ai répondu! Mon coup de téléphone était terminé et je… euh… j'hésitais à en passer un autre.

— Vous étiez dans cette pièce quand le branle-bas a commencé au premier?

— Oui… Oui, j'étais ici.

Johnson se tourna vers Magdalene :

— Mrs Lee, vous avez bien déclaré, n'est-ce pas, que *vous* étiez au téléphone quand vous avez entendu le bruit, et qu'à ce moment-là vous étiez toute seule dans cette pièce?

Magdalene perdit contenance. Elle chercha son souffle, jeta à George un coup d'œil oblique, regarda Sugden, lança une œillade pathétique au colonel Johnson.

— Oh, vraiment? dit-elle en désespoir de cause. Je ne sais plus… Je ne me souviens pas de ce que j'ai dit… J'étais tellement *bouleversée*…

— J'ai pris votre déclaration par écrit, vous savez, dit Sugden.

Elle tourna ses batteries vers lui – de grands yeux suppliants, une petite bouche tremblante. Mais elle ne rencontra que l'imperturbable froideur d'un homme de mœurs austères qui désapprouvait tout en elle.

— Je… bien sûr que j'ai téléphoné, balbutia-t-elle. Simplement, je ne suis plus sûre au juste de *quand*…

Elle se tut.

— Qu'est-ce que c'est que cette histoire? s'écria son mari. D'où as-tu téléphoné? Pas d'ici, en tout cas.

— Je prétends, Mrs Lee, dit le superintendant, que *vous n'avez pas téléphoné du tout*. Dans ce cas, où étiez-vous et que faisiez-vous ?

Ne sachant plus où tourner ses regards, Magdalene opta pour les sanglots.

— George, hoqueta-t-elle, ne les laisse pas me persécuter ! Tu sais bien que si on me fait peur et qu'on me bombarde de questions, je suis incapable de me souvenir *de quoi que ce soit* ! Je ne sais plus ce que j'ai dit ce soir-là – c'était si horrible… j'étais si bouleversée… et ils sont si monstrueux avec moi…

Elle se leva d'un bond et se rua hors de la pièce en sanglotant.

George Lee bondit à son tour.

— Qu'est-ce qui vous prend ? fulmina-t-il. Je n'admets pas qu'on harcèle ma femme et qu'on la terrorise de cette façon ! Elle est très sensible. C'est scandaleux ! J'interpellerai le Parlement sur les méthodes de la police. C'est inqualifiable !

Sur quoi il sortit d'un pas vengeur en claquant la porte.

Le superintendant Sugden renversa la tête en arrière et partit d'un énorme éclat de rire :

— Et voilà, nous avons ferré nos poissons ! Il n'y a plus qu'à laisser venir !

Le colonel Johnson lâcha la bride à son tempérament grognon :

— Tout ça ne tient pas debout. Je flaire du louche. Il va falloir que nous lui arrachions une autre déposition.

— Ne vous en faites pas, dit Sugden avec assurance, elle va revenir dans deux secondes. Quand elle aura trouvé quoi dire. Pas vrai, monsieur Poirot ?

Poirot, qui semblait s'être perdu dans un songe, sursauta :

— Pardon ?

— J'ai dit qu'elle n'allait pas tarder à revenir.

— Oh, sans doute… oui, sans doute… oui, bien
sûr !

— Qu'y a-t-il, monsieur Poirot ? demanda Sugden
en lui jetant un regard scrutateur. Vous avez vu un fantôme ?

— Vous ne croyez pas si bien dire, murmura lentement Poirot. Je me demande si ce n'est pas exactement
ça que je viens de voir.

Le colonel Johnson s'impatienta :

— Bon, Sugden, quoi d'autre ?

— J'ai essayé d'établir l'ordre dans lequel chacun
est arrivé sur le lieu du crime. Ce qui a dû se passer
est assez clair. Après le meurtre, quand le cri d'agonie de la victime a donné l'alarme, le meurtrier s'est
glissé hors de la chambre, a fermé la porte de l'extérieur avec des pinces ou un instrument du même genre,
et quelques instants plus tard, s'est mué en un de ceux
qui se hâtaient vers le lieu du crime. Il n'est, hélas,
pas facile d'établir avec certitude qui a vu qui, parce
que dans ce genre de circonstances, la mémoire tend à
s'embrouiller. Tressilian dit qu'il a vu Harry et Alfred
Lee traverser le hall en sortant de la salle à manger et
s'élancer dans les escaliers. Cela les met hors de cause
et, de toute façon, nous ne les suspectons pas. Autant
que je puisse en juger, miss Estravados est arrivée
plus tard, parmi les derniers. En gros, il semble que
Farr, Mrs George et Mrs David sont arrivés les premiers. Chacun de ces trois-là affirme que l'un des deux

autres était juste devant lui. C'est ça qui est difficile : comment faire le partage entre le mensonge délibéré et l'imprécision des souvenirs ? Tout le monde s'est précipité, là-dessus on est d'accord – mais dans quel ordre, c'est une autre paire de manches.

— Vous pensez que c'est important ? demanda Poirot.

— C'est le facteur temps, dit Sugden. Le meurtrier, rappelez-vous, n'a disposé que d'un temps incroyablement court.

— Je vous accorde que le temps est un facteur important dans cette affaire.

— Ce qui complique encore les choses, poursuivit Sugden, c'est qu'il y a deux escaliers. Il y a le grand escalier dans le hall, à égale distance de la porte de la salle à manger et de celle du salon. Et puis il y en a un autre à l'autre bout de la maison. Stephen Farr a emprunté celui-là. Miss Estravados est venue de cette partie-là de la maison par le couloir – sa chambre est à l'opposé de celle du vieux Lee. Les autres disent qu'ils ont pris le grand escalier.

— En effet, c'est assez confus, dit Poirot.

La porte s'ouvrit et Magdalene se glissa rapidement dans la pièce. Elle avait le souffle court et une tache rouge sur chaque joue. Elle s'approcha de la table :

— Mon mari croit que je me repose. Je suis sortie de ma chambre sans faire de bruit. Colonel Johnson (elle le suppliait de ses grands yeux pleins de détresse), si je vous dis la vérité, vous n'en soufflerez mot, n'est-ce pas ? Je veux dire, vous n'êtes pas forcé de rendre *tout* public ?

— Il s'agit, si je comprends bien, Mrs Lee, de quelque chose qui n'a pas de rapport avec le crime ?

— Non, aucun. C'est quelque chose qui concerne…
ma vie privée.

— Vous feriez mieux de tout nous dire, Mrs Lee, et
de nous laisser juges.

— Oui, dit Magdalene, les yeux pleins de larmes, je
vous fais confiance. Je sais que je peux. Vous avez l'air
si gentil. Vous comprenez, voilà : il y a quelqu'un…

Elle s'arrêta.

— Oui, Mrs Lee ?

— Je voulais téléphoner à quelqu'un hier soir – un
homme, un ami à moi, et je ne voulais pas que George
le sache. Je sais que c'était très mal de ma part, mais
enfin, c'est comme ça. Alors je suis venue pour téléphoner après dîner, pensant qu'à ce moment-là George
serait bien tranquillement à la salle à manger. Mais
quand je suis arrivée, je l'ai entendu téléphoner, alors
j'ai attendu.

— Où avez-vous attendu, madame ? demanda
Poirot.

— Il y a un recoin pour les manteaux et les para-
pluies derrière l'escalier. Il y fait sombre. Je m'y suis
glissée parce que, de là, je pouvais voir George sortir de
cette pièce. Mais il n'est pas sorti. Et puis il y a eu tout
ce bruit et Mr Lee a hurlé, et j'ai couru au premier.

— Donc, votre mari n'a pas quitté cette pièce
jusqu'au moment du meurtre ?

— Non.

— Et vous-même, dit Johnson, vous avez attendu
dans le renfoncement de l'escalier de 9 heures à
9 heures et quart ?

— Oui, mais je ne pouvais pas le *dire*, vous comprenez ! Ils auraient voulu savoir ce que je faisais là. C'était

très très embarrassant pour moi... vous, vous devez bien comprendre, n'est-ce pas?

— C'était certainement très embarrassant, dit Johnson d'un ton sec.

Elle lui adressa un sourire timide :

— Je suis *tellement* soulagée de vous avoir dit la vérité. Et vous ne répéterez *rien* à mon mari, n'est-ce pas? Non, je suis sûre que non. Je peux vous faire confiance, à tous les trois.

Elle les englobba dans un dernier regard pathétique puis s'en fut prestement.

Le colonel Johnson poussa un profond soupir :

— Bof! Il n'est pas *impossible* que ça se soit passé comme ça. C'est une histoire parfaitement plausible. D'un autre côté...

— ... il est tout ce qu'il y a de *possible* que tel ne soit pas le cas, compléta Sugden. Exactement. Nous n'en savons rien.

3

Lydia Lee se tenait devant la fenêtre, au fond du salon. Sa silhouette était à demi dissimulée par les lourdes tentures. Un bruit soudain la fit se retourner pour découvrir Poirot, immobile à l'entrée de la pièce.

— Vous m'avez fait peur, monsieur Poirot.

— Je m'excuse, madame. Je marche doucement.

— J'ai cru que c'était Horbury.

Hercule Poirot hocha la tête.

— C'est vrai qu'il a le pas léger, celui-là. Comme un chat… ou un *voleur*.

Il se tut et la regarda attentivement. Mais il ne vit rien sur son visage, rien d'autre qu'une petite grimace de dégoût.

— Cet homme m'a toujours déplu. Je serai contente de me débarrasser de lui.

— Vous serez fort avisée de le faire, madame.

Elle lui lança un coup d'œil acéré :

— Que voulez-vous dire ? Vous savez quelque chose sur son compte ?

— C'est un homme qui recueille des secrets… pour les utiliser à son profit.

— Vous pensez qu'il sait quelque chose… sur le meurtre ?

Poirot haussa les épaules :

— Il a le pied léger et l'oreille qui traîne. Il peut avoir surpris quelque chose qu'il garde momentanément pour lui.

— Vous voulez dire qu'il pourrait essayer de faire chanter l'un d'entre nous ? demanda Lydia sans y aller par quatre chemins.

— C'est dans le domaine du possible. Mais ce n'est pas ce qui m'amène ici.

— Qu'est-ce qui vous amène ?

— J'ai eu un entretien avec Mr Lee, dit Poirot en pesant ses mots. Il m'a fait une proposition, et je voulais en discuter avec vous avant d'accepter ou de refuser. Mais j'ai été si frappé par le tableau que vous formiez – le délicieux motif de votre robe sur le rouge profond des tentures – que je me suis arrêté pour admirer.

— Vraiment, monsieur Poirot, dit-elle vivement, est-ce bien le moment de se perdre en compliments ?

— Je vous demande pardon, madame. Si peu de dames anglaises ont le sens de la toilette. La robe que vous portiez la première fois que je vous ai vue – ce dessin audacieux et simple à la fois – était un condensé de grâce et de distinction.

— À quel propos vouliez-vous me voir ? s'impatienta Lydia.

Poirot devint grave :

— Simplement ceci, madame. Votre mari désire que je m'occupe de cette enquête. Il me demande de rester ici, dans la maison, et de faire tout ce qui est en mon pouvoir pour avoir le fin mot de cette affaire.

— Eh bien ?

— Je ne saurais accepter une invitation qui n'emporterait pas l'adhésion de la maîtresse de maison, dit gravement Poirot.

— Il va de soi que je m'associe à mon mari pour vous prier d'accepter, dit-elle avec froideur.

— Certes, madame, mais il me faut plus que cela. *Désirez*-vous vraiment me voir accepter ?

— Pourquoi pas ?

— Soyons tout à fait francs. Ce que je vous demande, c'est ceci : souhaitez-vous que la lumière soit faite, oui ou non ?

— Naturellement.

Poirot soupira :

— N'avez-vous donc à m'offrir que ces réponses conventionnelles ?

— Je suis une femme conventionnelle, dit Lydia.

Puis elle se mordit la lèvre, hésita et finit par dire :

— Peut-être vaut-il mieux parler à cœur ouvert. Je vous comprends, bien sûr ! La situation n'a rien d'agréable. Mon beau-père a été sauvagement assassiné et, à moins de parvenir à inculper de vol et de meurtre le suspect le plus plausible – Horbury – ce qui ne semble guère possible –, on en arrive à ceci : *c'est quelqu'un de sa propre famille qui l'a tué.* Or traduire cette personne en justice revient à jeter sur nous tous l'opprobre et le scandale. Pour être tout à fait honnête, je dois reconnaître que je *ne* souhaite *pas* que cela se produise.

— Vous préférez que le meurtrier reste impuni ?

— Il y a sûrement plus d'un meurtrier impuni qui se promène de par le monde.

— Ça, je vous l'accorde.

— Alors, un de plus, qu'est-ce que cela fait ?

— Et qu'en est-il des autres membres de la famille ? Les innocents ?

Elle le regarda avec stupeur.

— Eh bien, quel est le problème ?

— Vous rendez-vous compte que s'il en est ainsi, *personne ne saura jamais*. Le soupçon continuera de peser sur chacun d'entre vous ?

— Je n'avais pas pensé à ça, dit-elle, troublée.

— *Personne ne saura jamais qui est le coupable…* répéta Poirot. À moins, madame, ajouta-t-il à mi-voix, que *vous* ne le sachiez déjà ?

— Vous n'avez pas le droit de dire ça ! s'écria-t-elle. Ce n'est pas vrai ! Oh, si seulement ce pouvait être un étranger – pas un membre de la famille !

— Ça pourrait être les deux, dit Poirot.

Elle écarquilla les yeux :

— Que voulez-vous dire ?

— Ce pourrait être un membre de la famille… et en même temps, un étranger. Vous ne voyez pas ce que je veux dire ? Eh bien, c'est une idée qui est venue à l'esprit d'Hercule Poirot.

Il la regarda droit dans les yeux :

— Alors, madame, que dois-je dire à Mr Lee ?

Lydia leva les mains et les laissa retomber dans un geste d'impuissance :

— Vous devez accepter, bien sûr.

4

Pilar était debout au beau milieu de la salle de musique. Mais elle se tenait très raide et ses yeux étaient inquiets, comme ceux d'un animal qui flaire le danger.

— Je veux m'en aller d'ici !

— Vous n'êtes pas la seule à en avoir envie, lui répondit gentiment Stephen Farr. Mais ils ne vous laisseront pas partir, mon chou.

— Vous voulez dire… la police ?

— Oui.

— Ce n'est pas agréable d'avoir affaire à la police, dit Pilar avec un grand sérieux. C'est une chose qui ne devrait pas arriver à des gens respectables.

— Vous parlez de vous ? demanda Stephen avec un petit sourire.

— Non, je parle d'Alfred et de Lydia et de David et de George et de Hilda et… oui, même de Magdalene.

Stephen alluma une cigarette et en tira quelques bouffées.

— Pourquoi cette restriction ?

— Je vous demande pardon ?

— Pourquoi laisser de côté frère Harry ? dit Stephen.

Pilar se mit à rire, découvrant des dents blanches et régulières.

— Oh, Harry, c'est autre chose ! Je crois qu'il sait très bien ce que c'est que d'avoir affaire à la police.

— Vous avez peut-être raison. C'est vrai qu'il est un peu trop pittoresque pour coller dans le tableau de famille.

Il changea brusquement de sujet :

— Vous aimez bien votre famille anglaise, Pilar ?

— Ils sont… gentils, répondit-elle d'une voix hésitante. Ils sont tous très gentils. Mais ils ne rient pas souvent, ils ne sont pas gais.

— Ma chère petite, il vient d'y avoir un meurtre dans cette maison !

— Bof… oui, dit Pilar sans conviction.

— Un meurtre, énonça doctement Stephen, n'est pas un événement qui se produit tous les quatre matins, comme on pourrait le croire à voir votre insouciance. Pour l'Espagne, je ne sais pas… Mais en Angleterre, on prend le crime au sérieux.

— Vous vous moquez de moi, dit Pilar.

— Vous vous trompez. Je ne suis pas d'humeur à plaisanter.

Pilar le regarda longuement :

— Parce que vous aussi, vous voulez partir d'ici ?

— Oui.

— Et ce beau policier si bien bâti ne vous laissera pas faire ?

— Je ne le lui ai pas demandé. Mais il ne fait aucun doute qu'il refuserait. Il faut que je prenne bien garde où je mets les pieds, Pilar, et que je sois très très prudent.

— C'est fatigant, dit Pilar en hochant la tête.

— C'est même un peu plus que ça, ma chère. Et maintenant, on a cet étranger bizarre qui fourre son nez partout. Je ne crois pas qu'il arrive à grand-chose, mais il me rend nerveux.

Pilar avait l'air de réfléchir intensément :

— Mon grand-père était très, très riche, non ?

— J'imagine, oui.

— A qui va aller son argent, maintenant ? À Alfred et aux autres ?

— Ça dépend de son testament.

— Il aurait pu me laisser de l'argent, dit-elle pensivement, mais j'ai bien peur qu'il ne l'ait pas fait.

— Tout ira bien, dit gentiment Stephen. Après tout, vous faites partie de la famille. C'est chez vous, ici. Il faudra bien qu'ils s'occupent de vous.

— Oui, dit Pilar avec un grand soupir, c'est chez moi, ici… C'est très amusant, ça. Mais en fait ce n'est pas amusant du tout.

— Je comprends que vous ne trouviez pas ça hilarant.

Pilar poussa un nouveau soupir :

— Croyez-vous que nous pourrions faire marcher le gramophone et danser un peu ?

Stephen prit un air circonspect.

— Ça ne ferait pas très bon effet. Cette maison est en deuil, figurez-vous, petite horreur d'Espagnole sans cœur !

— Mais je ne me sens pas triste du tout, dit Pilar en ouvrant ses grands yeux. Parce que je ne connaissais pas vraiment mon grand-père, et même si j'aimais bien parler avec lui, je ne veux pas pleurer et avoir l'air malheureuse parce qu'il est mort. C'est très bête, de faire semblant.

— Vous êtes adorable! s'exclama Stephen.

— On pourrait mettre des bas et des gants dans le gramophone, suggéra Pilar d'une voix câline, comme ça, ça ne ferait pas trop de bruit et personne n'entendrait.

— Alors, allons-y, tentatrice!

Elle eut un rire joyeux et partit en courant vers la salle de danse, à l'autre bout de la maison.

À la hauteur du passage qui menait à la porte du jardin, elle se figea sur place et Stephen, qui l'avait rattrapée, en fit autant.

Hercule Poirot avait décroché un portrait du mur et l'examinait à la lumière qui venait de la terrasse. Il leva les yeux et s'aperçut de leur présence.

— Tiens, tiens! dit-il. Vous tombez bien.

— Que faites-vous? demanda Pilar.

Elle vint se placer à côté de lui. Poirot expliqua gravement:

— Je suis en train d'étudier quelque chose de très important: le visage de Simeon Lee jeune homme.

— Oh, c'est mon grand-père, ça?

— Oui, mademoiselle.

Elle contempla longuement le portrait.

— Quelle différence… dit-elle lentement… Quelle différence… Il était si vieux, si desséché… Là, il ressemble à Harry, comme Harry a pu être il y a dix ans.

Hercule Poirot hocha la tête:

— Oui, mademoiselle. Harry Lee est bien le fils de son père. Et là… (il la guida le long de la galerie), voici madame votre grand-mère: un long visage doux, des cheveux très blonds, des yeux bleu pâle.

— Comme David, dit Pilar.

— Un peu Alfred aussi, dit Stephen.

— L'hérédité, dit Poirot, c'est très intéressant. Mr Lee et sa femme étaient des types diamétralement opposés. Dans l'ensemble, les enfants issus de ce mariage ont pris du côté de leur mère. Voyez ici, mademoiselle.

Il pointa du doigt un tableau représentant une jeune fille d'à peine vingt ans avec des cheveux comme des fils d'or et de grands yeux bleus rieurs. Les tons rappelaient l'épouse de Simeon Lee, mais il y avait dans ce portrait-ci un esprit, une vivacité qui n'avaient jamais habité les yeux pâles et les traits placides de l'autre.

— Oh! dit Pilar.

Le rouge lui monta au visage tandis qu'elle portait la main à son cou. Elle tira un médaillon au bout d'une chaîne d'or, et l'ouvrit d'une pression du doigt. Le même visage rieur regarda Poirot.

— Ma mère, dit Pilar.

Poirot hocha la tête. L'autre face du médaillon contenait le portrait d'un homme. Il était jeune et beau, avec des cheveux noirs et des yeux bleu foncé.

— Votre père? dit Poirot.

— Oui, dit Pilar, c'est mon père. Il est follement beau, non?

— Tout à fait. Peu d'Espagnols ont les yeux bleus, n'est-ce pas, señorita?

— Parfois, dans le Nord. Et puis la mère de mon père était irlandaise.

— Ainsi, dit pensivement Poirot, vous avez du sang espagnol, irlandais et anglais, et une goutte de sang tsigane aussi. Savez-vous ce que je pense, mademoiselle?

Qu'avec un pareil héritage, vous feriez une ennemie redoutable.

Stephen éclata de rire :

— Vous vous rappelez ce que vous m'avez dit dans le train, Pilar ? Que vous, vos ennemis, vous leur couperiez la gorge… Oh !

Il s'interrompit, soudain conscient de la portée de ses paroles. Hercule Poirot s'empressa de changer de conversation :

— Ah, à propos, señorita, il y a une chose que je voulais vous demander : votre passeport. Mon ami le superintendant en a besoin. Comme vous le savez, il y a des règlements de police – très stupides et très assommants, mais inévitables – pour les étrangers dans ce pays. Et bien sûr, aux yeux de la loi, vous êtes une étrangère.

Pilar leva les sourcils :

— Mon passeport ? Oui, je vais le chercher, il est dans ma chambre.

Poirot lui emboîta le pas tout en s'excusant encore :

— Je suis navré de vous ennuyer avec ça, croyez-le bien.

Ils étaient arrivés au bout de la galerie ; de là partait un escalier. Pilar le grimpa en courant, Poirot à sa suite. Stephen fermait la marche. La chambre de Pilar se trouvait juste au débouché de l'escalier.

— Je vais vous le chercher, dit-elle devant sa porte.

Et elle s'engouffra tandis que Poirot et Stephen Farr restaient à attendre.

— Quel idiot ! Je m'en veux d'avoir dit ça, dit Stephen, tout contrit. Mais je ne crois pas qu'elle l'ait remarqué, en fait, pas vous ?

Poirot ne répondit pas. Il tenait la tête un peu de côté, comme s'il écoutait quelque chose.

— Les Anglais raffolent du grand air, finit-il par dire. Miss Estravados a dû hériter de cette passion.

— Pourquoi ? demanda Stephen, éberlué.

— Parce que, répondit doucement Poirot, bien qu'il fasse extrêmement froid aujourd'hui – il y a du verglas alors qu'hier il faisait si bon – miss Estravados vient d'ouvrir sa fenêtre en grand. C'est stupéfiant d'aimer l'air frais à ce point.

Il y eut une brusque exclamation en espagnol dans la chambre et Pilar réapparut en riant, l'air confus.

— Ah, c'est trop bête ! s'écria-t-elle. Je suis d'une maladresse ! Ma petite valise était posée sur l'appui de la fenêtre, et j'ai fouillé dedans tellement vite que j'ai bête-ment fait tomber mon passeport par la fenêtre. Il est dans le parterre de fleurs en dessous. Je cours le chercher.

— J'y vais, dit Stephen.

Mais Pilar s'était déjà élancée.

— Non, non, c'est de ma faute, cria-t-elle par-dessus son épaule. Allez dans le salon avec Mr Poirot, je vous l'apporterai là-bas.

Stephen Farr parut tenté de courir après elle, mais la main de Poirot s'abattit doucement sur son bras, et sa voix ordonna :

— Allons de ce côté.

Ils parcoururent le couloir du premier étage en direc-tion de l'autre extrémité de la maison, et parvinrent devant le grand escalier.

— Ne descendons pas tout de suite, proposa Poirot. Si vous voulez bien, allons dans la chambre du crime, il y a quelque chose que je voudrais vous demander.

Ils prirent le corridor qui menait à la chambre de Simeon Lee. Sur la gauche, ils passèrent devant une alcôve qui abritait deux statues de marbre, deux robustes nymphes agrippées à leurs chlamydes dans un paroxysme de décence victorienne.

Stephen Farr leur lança un coup d'œil :

— À la lumière du jour, elles vous font froid dans le dos ! Quand je suis passé devant l'autre soir, j'ai cru qu'il y en avait trois – mais Dieu merci elles ne sont que deux !

— Ce n'est plus dans le goût actuel, admit Poirot. Mais, en leur temps, elles ont certainement dû coûter une fortune. Elles font meilleur effet la nuit, je pense.

— Oui, on ne distingue alors que leurs silhouettes blafardes.

— La nuit, tous les chats sont gris ! murmura Poirot.

Ils trouvèrent le superintendant Sugden dans la chambre, agenouillé près du coffre qu'il examinait à l'aide d'une loupe. Il leva les yeux vers eux :

— Il a bien été ouvert avec la clé, par quelqu'un qui connaissait la combinaison. Aucun signe d'effraction.

Poirot s'approcha et lui chuchota quelque chose à l'oreille. Le superintendant hocha la tête et quitta la pièce.

Poirot se retourna vers Stephen Farr, qui contemplait, immobile, le fauteuil où Simeon Lee avait l'habitude de s'asseoir. Il semblait troublé et une veine battait sur son front. Poirot le regarda un long moment, avant de rompre le silence :

— Ça vous rappelle des souvenirs, hein… ?

— Il y a deux jours, dit lentement Stephen, il était assis là, bien vivant. Et maintenant…

Il s'ébroua :

— Eh bien, monsieur Poirot, vous m'avez amené ici pour me demander quelque chose... ?

— Ah, oui. C'est bien vous qui êtes arrivé le premier sur les lieux l'autre soir ?

— Vous croyez ? Je ne m'en souviens pas. Non, je crois qu'une des dames était ici avant moi.

— Laquelle ?

— La femme de George ou celle de David, je ne sais plus. Elles sont toutes les deux arrivées assez vite.

— Vous n'avez pas entendu le cri, avez-vous dit ?

— Je ne crois pas, non. Je ne m'en souviens plus très bien. Quelqu'un a crié, mais c'était peut-être quelqu'un en bas.

— Vous n'avez pas entendu quelque chose comme ça ?

Poirot renversa la tête en arrière et poussa soudain un hurlement strident.

C'était si inattendu que Stephen eut un mouvement de recul et manqua tomber.

— Bon sang de bonsoir ! s'écria-t-il avec colère, vous voulez donc ameuter toute la maison ? Non, je n'ai rien entendu qui ressemblait à ça ! Vous avez dû semer la panique ! Ils vont croire qu'il y a eu un nouveau meurtre !

Poirot prit un air penaud :

— C'est vrai... murmura-t-il. C'était idiot. Il faut les prévenir tout de suite.

Il sortit en toute hâte. Lydia et Alfred étaient au pied de l'escalier, la tête levée ; George sortit de la bibliothèque pour les rejoindre et Pilar arriva en courant, son passeport à la main.

— Ce n'est rien, ce n'est rien! claironna Poirot. Ne vous inquiétez pas. Je me livrais à une petite expérience. C'est tout.

Alfred eut l'air fâché et George, indigné. Poirot laissa Stephen se charger des explications et fila vers l'autre extrémité de la maison.

Au bout du couloir, le superintendant Sugden sortait discrètement de la chambre de Pilar.

— Eh bien? demanda Poirot.

Le superintendant secoua la tête :

— Rien entendu.

Puis il croisa le regard de Poirot et hocha la tête avec admiration.

5

— Alors, vous acceptez, monsieur Poirot ? dit Alfred Lee.

Il porta à sa bouche une main légèrement tremblante. Dans son bon regard brun brillait une fébrilité inhabituelle. Sa parole était saccadée. Lydia, debout près de lui, anxieuse, le regardait, sans rien dire.

— Vous ne savez pas, dit Alfred... Vous ne... n'... n'imaginez pas ce que ce... cela re... représente pour moi. Le meurtrier de mon père doit être t... tr... trouvé.

— Puisque vous m'assurez avoir mûrement réfléchi et pesé le pour et le contre, eh bien, oui, j'accepte. Mettez-vous cependant bien en tête, Mr Lee, qu'il ne peut y avoir de retour en arrière. Je ne suis pas un chien qu'on lance sur une piste et qu'on siffle pour le rappeler parce qu'on n'aime pas le gibier qu'il a levé !

— Bien sûr... bien sûr... Tout est prêt. Votre chambre a été préparée. Restez aussi longtemps que vous voudrez.

— Ce ne sera pas long, assura Poirot d'un ton grave.

— Hein ? Quoi ?

— J'ai dit que ce ne serait pas long. Dans cette affaire, le cercle des suspects est si restreint que je ne peux manquer de découvrir rapidement la vérité. Je crois que nous approchons déjà de la fin.

Alfred le fixa avec stupeur :

— Impossible !

— Pas du tout. Tous les faits convergent plus ou moins dans une même direction. Il reste encore à éclaircir quelques détails insignifiants. Quand ce sera fait, la vérité apparaîtra.

— Vous voulez dire que vous *savez* ? demanda Alfred d'une voix incrédule.

Poirot sourit :

— Oh oui, je sais.

— Mon père… mon père… dit Alfred.

Puis il se détourna.

Poirot, lui, enchaîna sans prendre de gants :

— J'ai deux requêtes à vous adresser.

— Tout ce que vous voudrez, dit Alfred d'une voix sourde.

— D'abord, je voudrais que le portrait de jeunesse de Mr Lee soit placé dans la chambre que vous avez eu la bonté de m'attribuer.

Alfred et Lydia le contemplèrent, bouche bée.

— Le portrait de mon père ! finit par dire Alfred. Mais pourquoi ?

Poirot eut un geste vague de la main :

— Eh bien, disons qu'il va… m'inspirer.

— Vous proposez-vous, monsieur Poirot, persifla Lydia, de résoudre ce crime par la voyance ?

— Disons, madame, que j'entends utiliser non seulement les yeux du corps, mais également ceux de l'esprit.

Elle haussa les épaules.

Poirot reprit :

— Ensuite, Mr Lee, j'aimerais connaître les circonstances exactes qui ont entouré la mort du mari de
votre sœur, Juan Estravados.

— Est-ce indispensable ? demanda Lydia.

— Il me faut tous les faits, madame.

— Au cours d'une querelle à propos d'une femme,
articula Alfred, Juan Estravados a tué un homme dans
un café.

— Comment l'a-t-il tué ?

Alfred jeta à Lydia un regard de détresse. Elle répondit d'une voix égale :

— Il l'a poignardé. Juan Estravados n'a pas été
condamné à mort, parce qu'il y avait eu provocation. Il
s'est vu infliger une lourde peine d'emprisonnement et
il est mort en prison.

— Sa fille est-elle au courant ?

— Je ne crois pas.

— Non, intervint Alfred. Jennifer ne le lui a jamais
dit.

— Merci.

— Vous ne croyez pas que Pilar… commença
Lydia. Oh, c'est absurde !

— À présent, Mr Lee, poursuivit Poirot, consentirez-
vous à me donner quelques renseignements sur votre
frère, Mr Harry Lee ?

— Que voulez-vous savoir ?

— J'ai cru comprendre qu'il était plus ou moins la
honte de la famille. Pourquoi ?

— C'est si loin, murmura Lydia.

— Si vous voulez le savoir, monsieur Poirot, dit Alfred, tandis que le rouge lui montait au front, il a volé une grosse somme d'argent en imitant la signature de mon père sur un chèque. Comme de bien entendu, mon père n'a pas porté plainte. Harry a toujours été un filou. Il a eu des ennuis dans le monde entier. Il a passé sa vie à envoyer des câbles pour qu'on le sorte du pétrin. Il a été en prison un petit peu partout.

— Tout ça, tu ne le *sais* pas vraiment, Alfred! dit Lydia.

Les mains de son mari se remirent à trembler sous le coup de la colère.

— Harry est un vaurien, un vaurien et un escroc! Il l'a toujours été!

— À ce que je vois, dit Poirot, vous n'éprouvez pas l'un pour l'autre un amour immodéré?

— Il a bafoué mon père – il l'a ignoblement bafoué!

Lydia poussa un soupir – un infime soupir d'impatience. Poirot l'entendit et lui jeta un coup d'œil acéré.

— Si seulement on pouvait retrouver ces diamants, dit-elle. Je suis sûre que c'est là que réside la solution.

— *Mais on les a retrouvés, madame*, dit Poirot.

— Quoi?

Poirot susurra :

— On les a retrouvés dans votre petit jardin de la mer Morte…

— Dans mon jardin? Ça alors! Ça, c'est… c'est inimaginable!

— N'est-ce pas, madame? fit Poirot dont la voix n'était plus qu'un murmure.

SIXIÈME PARTIE

27 DÉCEMBRE

1

Alfred Lee poussa un soupir :

— Ça s'est passé mieux que je ne le craignais !

Ils sortaient tout juste du tribunal.

Mr Charlton, notaire de la vieille école à l'œil bleu circonspect, s'y était rendu également et en était revenu avec eux :

— Je vous l'avais bien dit, que ce n'était qu'une simple formalité et que l'affaire serait renvoyée pour supplément d'enquête !

— Tout ceci est très déplaisant, on ne peut plus déplaisant ! intervint George Lee, extrêmement mortifié. Quelle situation ! Pour ma part, je suis convaincu que le meurtre a été commis par un fou qui a réussi à s'introduire dans la maison. Mais ce Sugden est têtu comme une mule. Le colonel Johnson devrait faire appel à Scotland Yard. Cette police locale est nulle. De vrais péquenots. Où en sont-ils à propos de Horbury, par exemple ? Le bruit court que son passé est plus que douteux, mais il en faut apparemment davantage pour émouvoir la police.

— Que voulez-vous, fit Mr Charlton, il apparaît que votre Horbury a un alibi satisfaisant pour l'heure en question. À tout le moins, la police l'a jugé tel.

— Et pourquoi donc ? fulmina George. À leur place, je n'accepterais un tel alibi qu'avec réserve – avec les plus extrêmes réserves. Un criminel a toujours un alibi, cela va de soi ! Le rôle de la police, c'est précisément de le démolir – enfin, quand elle connaît son travail.

— Allons, allons ! le gronda gentiment Mr Charlton, je ne pense pas que ce soit à nous d'apprendre à la police son métier. Ce sont des gars très compétents, dans l'ensemble.

George secoua sombrement la tête :

— Il faudrait exiger l'intervention de Scotland Yard. Je ne suis pas du tout satisfait du superintendant Sugden ; il se donne peut-être du mal, mais il n'est franchement pas brillant !

— Je ne suis pas d'accord avec vous, protesta Mr Charlton. Sugden est un bon policier. Il se garde de jouer les matamores, ce qui ne l'empêche pas d'obtenir des résultats.

— Je suis sûre que la police fait de son mieux, intervint Lydia. Un verre de sherry, Mr Charlton ?

Mr Charlton déclina poliment. Puis il s'éclaircit la gorge et, en présence de tous les membres de la famille, procéda à la lecture du testament.

Il lisait avec une certaine délectation, se gargarisant de la phraséologie la plus alambiquée, savourant la technicité du document.

Une fois sa lecture terminée, il ôta ses lunettes, les essuya, et promena sur l'assemblée un regard interrogateur.

— Tout ce jargon juridique est un peu difficile à suivre, dit Harry Lee. Donnez-nous les grandes lignes, voulez-vous ?

— Pourtant, dit Mr Charlton, ce testament est d'une parfaite limpidité.

— Seigneur ! ricana Harry. Alors qu'est-ce que ce serait qu'un testament compliqué !

Mr Charlton le moucha d'un regard froid :

— Les dispositions principales sont fort simples. La moitié de la fortune de Mr Lee revient à son fils, Mr Alfred Lee, le reste est divisé en parts égales entre ses autres enfants.

Harry eut un rire mauvais :

— Comme toujours, Alfred a touché le gros lot ! La moitié de la fortune de mon père ! C'est toi le petit veinard, hein, Alfred !

Alfred rougit :

— Alfred a toujours été un fils loyal et dévoué, dit sèchement Lydia. Il s'est occupé de l'affaire familiale pendant des années et en a porté seul le poids.

— Oh, ça, d'accord ! grinça Harry. Alfred a toujours été le bon fi-fils à son papa.

— Tu devrais déjà t'estimer heureux que mon père t'ait laissé quelque chose ! répliqua Alfred.

Harry renversa la tête et se mit à rire :

— Tu aurais voulu qu'il me déshérite purement et simplement, c'est ça ? Tu n'as jamais pu me voir en peinture !

Mr Charlton toussota. Il n'était que trop habitué aux scènes pénibles qui suivaient l'ouverture d'un testament et, là, il avait hâte de s'éclipser avant que ça ne dégénère pour de bon.

Il murmura :

— Je crois que… euh… miss Estravados n'est pas mentionnée dans le testament.

— Ne reçoit-elle pas la part de sa mère ?

— Si la señora Estravados avait vécu, expliqua le notaire, elle aurait bien sûr reçu une part égale aux vôtres. Mais comme elle est morte, la part qui aurait dû lui revenir réintègre la succession pour être partagée entre vous.

— Alors… je n'ai… rien ? dit lentement Pilar – et sa voix sembla soudain plus latine, plus exotique.

— Ma chérie, s'exclama Lydia, la famille y pourvoira, bien sûr.

— Vous pourrez vous installer ici avec Alfred – hein Alfred ? dit George. Nous… euh… vous êtes notre nièce, nous ferons notre devoir.

— Nous serons toujours heureux d'avoir Pilar avec nous, dit Hilda.

— Elle devrait avoir sa part. Elle devrait avoir l'héritage de Jennifer, protesta Harry, tandis que Mr Charlton murmurait :

— Bon… hum… il faut vraiment que je parte… Au revoir, Mrs Lee. Si je peux faire quelque chose, n'hésitez pas… à votre entière disposition…

Il prit la fuite. Son expérience lui permettait de juger que tous les ingrédients étaient réunis pour une empoignade familiale.

Au moment où la porte se refermait sur lui, Lydia disait d'une voix ferme :

— Je suis d'accord avec Harry. Je pense que Pilar a droit à sa part. Ce testament a été fait des années avant la mort de Jennifer.

— Absurde ! s'écria George. Proposition inconvenante et illégale, Lydia. La loi est la loi. Nous devons nous y conformer.

— Ce n'est pas de chance, appuya Magdalene, et nous sommes tous désolés pour Pilar, bien sûr. Mais George a raison. Comme il dit, la loi est la loi.

Lydia se leva et prit Pilar par la main.

— Ma chérie, dit-elle, tout ceci doit être très déplaisant pour vous. Voulez-vous nous laisser pendant que nous discutons de cette question ?

Elle mena la jeune fille vers la porte :

— Ne vous inquiétez pas, Pilar chérie. Laissez-moi faire.

Pilar sortit de la pièce à pas lents. Lydia ferma la porte derrière elle et se retourna vers les autres.

Il y eut un moment de silence pendant lequel tout le monde retint son souffle ; l'instant d'après, la mêlée était générale.

— Tu as toujours été un sale rapiat, George !

— En tout cas, rétorqua George, je n'ai jamais été un parasite et un tapeur !

— Tu veux rire, oui ! Tu n'as jamais rien fait d'autre que vivre aux crochets de Père !

— Tu as l'air d'oublier ma position, mes responsabilités…

— Responsabilités, mon œil ! Tu remues beaucoup d'air, c'est tout ce que tu sais faire !

— Comment osez-vous ! glapit Magdalene.

La voix calme de Hilda s'éleva au-dessus du tumulte :

— Ne pourrions-nous pas nous contenter de discuter *calmement* ?

Lydia lui lança un regard reconnaissant.

— Tout ce déballage sordide pour une question de *gros sous* ! intervint David avec une soudaine violence. Est-ce vraiment nécessaire ?

— Vous me faites rire avec votre grandeur d'âme, siffla Magdalene, venimeuse. Vous n'allez pas refuser votre part, n'est-ce pas ? Vous voulez votre argent tout autant que nous tous ! Tout ce beau détachement, ça n'est que de la pose !

— Vous pensez que je devrais le refuser ? dit David d'une voix étranglée. Je me demande, en effet, si…

— Bien sûr que non, répliqua vivement Hilda. Faut-il vraiment que nous nous comportions comme des enfants ? Alfred, vous êtes le chef de famille…

Alfred parut sortir d'un rêve :

— Je vous demande pardon. Mais si vous vous mettez tous à crier en même temps, je… je ne sais plus où j'en suis.

— Comme Hilda vient de le dire, reprit Lydia, nous ne sommes pas forcés de nous comporter comme des gamins voraces ! Parlons calmement, raisonnablement et… chacun à son tour. Alfred d'abord, puisque c'est lui l'aîné. Alfred, dis-nous ce que tu penses, que devons-nous faire à propos de Pilar ?

— Elle doit s'installer ici, c'est certain, répondit-il lentement. Et nous devrions lui verser une rente. Je ne vois pas qu'elle ait de droit légal sur l'argent qui aurait dû revenir à sa mère. Et de plus, ce n'est pas une Lee : elle est citoyenne espagnole.

— Un droit légal, non, répliqua Lydia. Mais j'estime qu'elle a un droit moral sur cet argent. Tel que j'en peux juger, et bien qu'elle ait épousé un Espagnol contre son gré, ton père avait reconnu à sa fille un droit égal à hériter. George, Harry, David et Jennifer devaient recevoir chacun une part égale. Jennifer n'est morte que l'an dernier, et je suis certaine qu'il avait l'intention de mettre Pilar en bonne place dans son nouveau testament. Il lui aurait au moins attribué la part de sa mère. Et il aurait peut-être fait bien davantage. N'oubliez pas qu'elle était son unique petite-fille. Je crois que le moins que nous puissions faire, c'est d'essayer de réparer une injustice, que votre père lui-même s'apprêtait à corriger.

Alfred approuva avec chaleur :

— Bien dit, Lydia. J'avais tort. Pilar doit recevoir la part qu'aurait eue Jennifer, je suis d'accord.

— À vous, Harry, dit Lydia.

— Je suis d'accord, comme je l'ai déjà dit. Je trouve que Lydia a très clairement exposé la situation, et je tiens à préciser que je l'en admire.

— George ? demanda Lydia.

George était cramoisi.

— En aucun cas ! bafouilla-t-il. C'est complètement aberrant ! Qu'on lui donne un foyer et une pension décente pour qu'elle ait de quoi se vêtir. C'est amplement suffisant !

— Alors, tu refuses de coopérer ? dit Alfred.

— Catégoriquement.

— Et il a parfaitement raison, s'écria Magdalene. Cette suggestion est tout bonnement scandaleuse ! Si on considère que George est le *seul* membre de la famille à avoir jamais fait *quoi que ce soit* dans la vie, je trouve déjà honteux que son père lui ait laissé si peu !

— David ? dit Lydia.

— Oh, j'estime que vous n'avez pas tort, répondit David, l'esprit ailleurs. On aurait pu s'épargner ces disputes sordides.

— Vous avez tout à fait raison, Lydia, approuva Hilda. Ce n'est que justice !

Harry jeta un regard à la ronde.

— Eh bien, dit-il, c'est clair. Alfred, moi-même et David soutenons la motion. George est contre. Les « oui » l'emportent.

— Il n'est pas question de « oui » ou de « non », tonna George. Ma part de l'héritage de mon père me revient en toute propriété. Je n'en céderai pas un penny.

— Sûrement pas, appuya Magdalene.

— Si vous voulez vous abstenir, dit sèchement Lydia, c'est votre affaire. À nous tous, nous compenserons votre participation.

Elle jeta un regard circulaire et les autres hochèrent la tête.

— Alfred se taille la part du lion, dit Harry. C'est lui qui devrait casquer le plus.

— Je vois que tes propositions désintéressées ne tiennent pas longtemps, dit Alfred.

Hilda intervint d'un ton ferme :

— Ne recommençons pas ! Lydia va dire à Pilar ce que nous avons décidé. Les détails peuvent être réglés plus tard.

Et pour faire diversion, elle ajouta :

— Je me demande où sont passés Mr Farr et Mr Poirot ?

— Nous avons laissé Poirot au village en allant au tribunal, répondit Alfred. Il avait une course importante à faire.

— Pourquoi n'est-il pas venu à l'audience ? s'étonna Harry. Il aurait dû être là !

— Peut-être savait-il que ce serait sans intérêt, dit Lydia. Qui est dans le jardin, là-bas ? Le superintendant Sugden, ou Mr Farr ?

Les efforts des deux femmes furent enfin récompensés : le conclave prit fin.

Lydia prit Hilda à part :

— Merci, Hilda. Heureusement que vous étiez là pour me soutenir. Je ne peux pas vous dire à quel point votre présence m'a fait du bien.

— Curieux, dit celle-ci, songeuse, comme l'argent peut faire perdre la tête.

Les autres avaient quitté la pièce, les deux femmes étaient seules.

— Oui, approuva Lydia. Même Harry, et pourtant, c'était sa proposition ! Et mon pauvre Alfred – il est si britannique ! Ça lui déplaît, au fond, que l'argent des Lee aille à une citoyenne espagnole.

Hilda sourit :

— Croyez-vous que nous, les femmes, nous sommes plus désintéressées ?

Lydia haussa légèrement ses épaules gracieuses :

— Eh bien, vous savez, ce n'est pas vraiment notre argent, pas notre argent *à nous* ! C'est peut-être ça qui fait la différence.

— C'est une gamine bizarre, dit Hilda d'un ton pensif. Pilar, je veux dire. Je me demande ce qu'elle va devenir.

Lydia soupira :

— Je suis contente qu'elle soit financièrement indépendante. Vivre ici au bout de la table et avec trois sous pour pouvoir s'habiller ne lui aurait guère plu, je pense. Elle est trop fière et… et je crois aussi, trop… *étrangère.*

Elle ajouta, rêveuse :

— Une fois, j'ai rapporté d'Égypte un beau collier en lapis. Là-bas, contre le soleil et le sable, il avait une couleur merveilleuse, un bleu chaud, brillant. Mais à la maison, le bleu avait perdu tout son éclat. Ce n'était plus qu'un rang de pierres ternes, sombres.

— Je comprends, dit Hilda.

— Je suis si heureuse de vous connaître enfin, vous et David, dit gentiment Lydia. Je suis contente que vous soyez venus tous les deux.

Hilda soupira :

— Dieu sait que je l'ai regretté, ces derniers jours !

— Je m'en doute… Mais vous savez, Hilda, le choc n'a pas affecté David autant qu'on aurait pu le craindre. Je veux dire, il est si sensible, il aurait pu en ressortir complètement brisé. En réalité, il n'a jamais eu l'air aussi bien que depuis le meurtre…

Hilda accusa le coup :

— Ah, vous avez remarqué ça ? C'est assez affreux, en un sens… mais… oh, Lydia, c'est indéniable !

Elle resta silencieuse quelques instants, repensant aux paroles prononcées par son mari pas plus tard que la nuit précédente. Le regard ardent, ramenant ses cheveux blonds en arrière, il avait déclaré :

— Hilda, tu te souviens dans *Tosca*, quand Scarpia est mort et que Tosca allume des cierges à sa tête et à ses pieds ? Tu te rappelles ce qu'elle dit : « *À présent*, je peux lui pardonner… » C'est ce que je ressens à propos de Père. Je vois maintenant que pendant toutes ces années j'ai été incapable de lui pardonner, et pourtant je le souhaitais vraiment… Mais, non… *Maintenant*, il n'y a plus de haine en moi. Tout est effacé. Et je sens… oh, j'ai l'impression d'être délivré d'un poids écrasant.

Elle avait demandé, luttant contre une sourde crainte :

— Parce qu'il est mort ?

Il avait répondu très vite, tout vibrant de ferveur :

— Non, non, tu ne comprends pas. Pas parce qu'il est mort, mais parce que ma stupide haine, ma haine infantile est morte !

Hilda réfléchissait à ces paroles, à présent.

Elle aurait voulu les répéter à la femme qui se tenait à son côté, mais elle sentit instinctivement qu'il était plus sage de n'en rien faire.

Elles sortirent toutes deux du salon.

Magdalene était là, dans le hall, près de la table, un petit paquet à la main. Elle sursauta en les voyant.

— Oh, dit-elle, ce doit être la course importante de Mr Poirot. Je viens de le voir la déposer ici. Je me demande ce que c'est.

Elle les regarda tour à tour avec un petit glousse-ment, mais ses yeux, durs et inquiets, contredisaient la gaieté affectée de ses paroles.

Lydia haussa les sourcils.

— Il faut que j'aille faire ma toilette pour le déjeu-ner, dit-elle.

Magdalene reprit sur le même ton puéril, impuissant à dissimuler l'accent désespéré de sa voix :

— Il faut absolument que je regarde !

Elle défit le papier et poussa un cri aigu en regardant dans sa main.

Lydia s'arrêta, Hilda aussi. Les deux femmes vinrent voir à leur tour.

— Une fausse moustache! dit Magdalene d'une voix effarée. Mais… mais pourquoi?

— Un déguisement? suggéra Hilda sans y croire. Pourtant…

Lydia termina à sa place :

— Pourtant, Mr Poirot a une très belle moustache bien à lui!

Magdalene refit le paquet :

— Je ne comprends pas. C'est… c'est complètement *dément*! *Pourquoi* Mr Poirot a-t-il acheté une fausse moustache?

En sortant du salon, Pilar tomba sur Stephen Farr, qui arrivait par la porte du jardin.

— Alors? Le conclave est terminé? Le testament a été lu? demanda-t-il.

— Je n'ai rien, rien du tout! dit Pilar, la gorge serrée. C'est un testament qu'il avait fait il y a des années. Mon grand-père avait laissé de l'argent à ma mère, mais comme elle est morte, ça leur revient à eux, pas à moi.

— Ça ne paraît pas très juste, dit Stephen.

— Si ce pauvre vieux avait vécu, reprit Pilar, il aurait fait un autre testament. Il m'aurait laissé de l'argent *à moi*, plein d'argent! Peut-être qu'avec le temps il m'aurait laissé *tout* son argent!

Stephen sourit :

— Ça n'aurait pas été très juste non plus, non?

— Pourquoi pas? Ç'aurait été parce qu'il me préférait, voilà tout.

— Quelle gourmande vous êtes. Une vraie petite chercheuse d'or.

— Le monde est très cruel pour les femmes, répondit sobrement Pilar. Elles doivent mettre les bouchées doubles et amasser le maximum tant qu'elles sont jeunes. Parce que, quand on est vieux et laid, plus personne ne lèvera le petit doigt pour vous.

— C'est assez exact, répondit gravement Stephen. Mais ce n'est pas *tout à fait* exact. Alfred Lee, par exemple : malgré tout ce que son père lui faisait subir, eh bien il l'aimait réellement.

Pilar releva fièrement le menton :

— Alfred est un crétin, assena-t-elle.

Stephen se mit à rire.

— Allez, ne vous inquiétez pas, charmante Pilar. Les Lee seront obligés de s'occuper de vous, vous savez.

Pilar prit un air lamentable :

— Ça ne va pas être très amusant, ça.

— Non, j'ai bien peur que non, en effet. Je vous vois mal habiter ici, Pilar. Cela vous dirait de venir en Afrique du Sud ?

Pilar fit oui de la tête, et Stephen poursuivit :

— Il y a du soleil, là-bas, et de l'espace. Mais le travail y est dur. Vous êtes travailleuse, Pilar ?

— Je ne sais pas, dit-elle, dubitative.

— Vous préférez vous empiffrer de sucreries toute la sainte journée à votre balcon ? Et devenir une grosse dondon avec un triple menton ?

Pilar se mit à rire.

— Ah, voilà qui est mieux, dit Stephen. Je vous ai fait rire !

— Je croyais que j'allais m'amuser pour Noël ! gémit Pilar. Dans les livres que j'ai lus, c'est très gai, un Noël anglais, on mange des raisins flambés et il y a un pudding couronné de flammes et un machin qu'on appelle une bûche de Noël.

— Ah, il faut que vous ayez un vrai Noël, sans meurtre. Venez par ici. Lydia m'a montré tout ça hier. C'est sa réserve.

Il la mena jusqu'à une petite pièce à peine plus grande qu'un placard.

— Regardez, Pilar, des boîtes et des boîtes de petits gâteaux, de fruits confits, d'oranges, de dattes et de noix… Et là…

— Oh! s'exclama Pilar en battant des mains. Comme c'est joli, ces boules dorées et argentées…

— C'est pour accrocher au sapin, avec les cadeaux pour les domestiques. Et ça, ce sont des petits bonshommes de neige tout brillants de givre que l'on met sur la table du réveillon. Et il y a des ballons de toutes les couleurs qui ne demandent qu'à être gonflés!

— Oh! s'écria encore Pilar, les yeux brillants. Est-ce qu'on peut en gonfler un? Lydia ne dira rien. J'adore les ballons.

— Quel bébé vous faites! dit Stephen. Alors, lequel voulez-vous?

— Le rouge, dit Pilar.

Ils choisirent leurs ballons et se mirent à souffler dedans en gonflant les joues. Pilar s'arrêta de souffler pour rire, et son ballon se dégonfla :

— Vous avez l'air si drôle, avec vos joues énormes, quand vous soufflez!

Son rire sonna haut et clair. Puis elle se remit à souffler avec application. Ils nouèrent soigneusement l'extrémité des ballons et se mirent à jouer avec, en les envoyant en l'air du plat de la main.

— Là-bas, dans le hall, on aurait plus de place, dit Pilar.

Ils s'envoyaient les ballons en riant quand Poirot traversa le hall. Il les contempla avec indulgence :

— Alors on fait joujou, comme les enfants ? C'est gentil, ça !

— Le mien, c'est le rouge, expliqua Pilar tout essoufflée. Il est plus gros que le sien. Bien plus gros. Si on l'envoyait dehors, il s'envolerait dans le ciel.

— Envoyons-les dans le ciel et faisons un vœu, dit Stephen.

— Oh oui, bonne idée !

Pilar courut vers la porte du jardin, suivie de Stephen. Poirot fermait la marche, l'air toujours aussi indulgent.

— Je vais souhaiter plein d'argent, annonça Pilar.

Elle se dressa sur la pointe des pieds. Le ballon, au bout de son fil, oscilla doucement sous la caresse du vent. Pilar le lâcha et il s'en alla flotter au loin, porté par la brise.

— Il ne faut pas dire votre vœu tout haut, dit Stephen en riant.

— Non ? Pourquoi pas ?

— Parce qu'il ne se réalisera pas. Maintenant, je vais faire le mien.

Il lâcha son ballon, mais il eut moins de chance. Le ballon partit à l'horizontale, accrocha une touffe de buis et éclata avec un bruit sec.

Pilar se précipita.

— Il est mort… annonça-t-elle d'une voix tragique.

Et, tout en remuant du pied le petit lambeau de caoutchouc, elle ajouta :

— Alors, c'est ça que j'ai ramassé dans la chambre de grand-père. Lui aussi, il avait eu un ballon, sauf que le sien était rose.

Poirot lança une brusque exclamation et Pilar se tourna vers lui d'un air interrogateur.

— Ce n'est rien, dit Poirot. Je me suis torché… non, pardon… tordu le pied.

Il se retourna et contempla la maison.

— Que de fenêtres ! dit-il. Une maison, mademoiselle, a des yeux — et aussi des oreilles. Il est vraiment regrettable que les Anglais aient un goût aussi prononcé pour les fenêtres ouvertes.

Lydia apparut sur la terrasse.

— Le déjeuner est prêt, dit-elle. Pilar, ma chérie, nous avons tout réglé pour le mieux. Alfred vous expliquera en détail après le déjeuner. Passons-nous à table ?

Ils regagnèrent la maison. Poirot fermait la marche. Il avait l'air grave.

3

Le déjeuner venait de s'achever.

En sortant de table, Alfred s'adressa à Pilar :

— Vous venez dans mon bureau ? Nous avons à parler.

Et il l'entraîna vers son cabinet de travail dont il referma la porte derrière eux. Les autres s'installèrent au salon. Seul Hercule Poirot resta dans le hall, à contempler pensivement la porte close du bureau.

Il eut soudain conscience que le vieux majordome rôdait autour de lui, l'air mal à l'aise.

— Oui, Tressilian, qu'y a-t-il ?

Le vieil homme paraissait troublé. Il finit par dire :

— Je souhaitais parler à Mr Lee, mais je ne veux pas le déranger maintenant.

— Il s'est passé quelque chose ? demanda Poirot.

— C'est tellement bizarre… Ça n'a aucun sens.

— Dites-moi, insista Poirot.

Tressilian hésita, puis il se lança :

— Eh bien, voilà, monsieur. Vous avez peut-être remarqué qu'il y avait deux gros boulets de canon à l'entrée – un de chaque côté de la porte. Deux grosses boules de pierre très lourdes. Eh bien, monsieur, l'une d'elles a disparu !

Hercule Poirot haussa les sourcils :

— Depuis quand ?

— Elles étaient là toutes les deux ce matin, monsieur. J'en mettrais ma tête à couper.

— Allons voir ça.

Ils sortirent tous deux sur le perron. Poirot se pencha pour examiner le boulet restant. Quand il se releva, son visage était très grave.

— Qui aurait l'idée de voler une chose pareille, monsieur ? chevrota Tressilian. Ça n'a aucun sens.

— Je n'aime pas ça, dit Poirot. Je n'aime pas ça du tout…

Tressilian le regardait avec anxiété. Il se mit à parler d'une voix fatiguée :

— Qu'est-il arrivé à cette maison, monsieur ? Depuis que le maître a été assassiné, on dirait que tout va de travers. J'ai sans arrêt l'impression de marcher dans un rêve. Je mélange tout, et par moments, je me dis que je ne peux plus faire confiance à mes propres yeux.

— Vous avez tort, dit Hercule Poirot en hochant énergiquement la tête. C'est précisément à vos propres yeux que vous devez faire confiance.

Tressilian secoua la tête :

— Ma vue est mauvaise, je n'ai plus d'aussi bons yeux qu'autrefois. Je confonds les choses – et les gens. Je deviens trop vieux pour faire mon travail.

Hercule Poirot lui tapota l'épaule :

— Courage !

— Merci, monsieur. Vous le dites gentiment, je le sais bien. Mais ça ne change rien, je me fais vieux. J'en reviens toujours à l'ancien temps et aux anciens visages. Miss Jenny, et master David, et master Alfred. Je les vois toujours comme des jeunes gens et de jeunes demoiselles. Depuis le soir où Mr Harry est revenu à la maison…

— Oui, dit Poirot avec un hochement de tête, c'est bien ce que je pensais. Vous avez dit tout à l'heure : « Depuis que le maître a été assassiné » – mais c'est en fait *avant* que tout a commencé. *C'est depuis que Mr Harry est revenu à la maison*, n'est-ce pas, que les choses ont commencé à changer et à paraître irréelles ?

— Vous avez tout à fait raison, monsieur, admit le majordome, c'est à ce moment-là. Mr Harry a toujours amené le trouble dans cette maison, même dans le bon vieux temps.

Son regard revint se poser sur l'emplacement vide.

— Qui peut bien avoir pris ce boulet, monsieur ? chuchota-t-il. Et pourquoi ? On se croirait dans… dans une maison de fous.

Poirot le fit taire :

— Ce n'est pas de la folie que j'ai peur. C'est de la saine logique, dit-il d'un ton grave. Quelqu'un, Tressilian, est en grand danger.

Il tourna les talons et rentra dans la maison.

Pilar sortait précisément du bureau. Ses joues étaient en feu. Elle avait la tête haute et l'œil étincelant.

Comme Poirot s'approchait d'elle, elle tapa soudain du pied en criant :

— Je n'accepterai pas !

— Qu'est-ce que vous n'accepterez pas, mademoiselle ? s'enquit Poirot en haussant les sourcils.

— Alfred vient de me dire que j'allais toucher la part de ma mère dans l'héritage de grand-père.

— Eh bien ?

— Il a dit que je n'y avais pas droit selon la loi, mais que Lydia, les autres et lui considèrent qu'elle doit me revenir. Ils disent que c'est une question de justice. Alors ils vont me la donner.

— Eh bien ? répéta Poirot.

Pilar tapa du pied encore une fois :

— Vous ne comprenez pas ? Ils me la donnent ! Ils me la *donnent* !

— Et alors ? Devez-vous en prendre ombrage ? Puisqu'ils ont raison, et qu'en toute justice cet argent doit vous revenir ?

— Vous ne comprenez pas… répéta Pilar.

— Détrompez-vous, dit Poirot. Je comprends très bien.

— Oh… !

Elle lui tourna le dos avec fureur.

La sonnette de l'entrée retentit. Poirot jeta un coup d'œil par-dessus son épaule et vit la silhouette du superintendant Sugden à travers la vitre dépolie.

— Où allez-vous ? demanda-t-il en toute hâte.

— Dans le salon, grommela Pilar, maussade. Rejoindre les autres.

— Bien, dit Poirot très vite. Restez avec eux. Ne vous promenez pas dans la maison toute seule, surtout après la tombée de la nuit. Soyez sur vos gardes. Vous êtes en grand danger, mademoiselle. Vous ne serez jamais en aussi grand danger qu'aujourd'hui.

Il se détourna brusquement et alla à la rencontre de Sugden. Ce dernier attendit que Tressilian soit retourné à l'office pour agiter un câble sous le nez de Poirot.

— Cette fois, ça y est ! dit-il. Lisez. Ça émane de la police d'Afrique du Sud.

Le câble disait :

« *Le fils unique d'Ebenezer Farr est mort il y a deux ans.* »

— À présent, nous savons ! dit Sugden. C'est drôle… j'étais sur une tout autre piste…

4

Pilar entra au salon bille en tête.

Elle marcha droit sur Lydia, assise près de la fenêtre, un tricot à la main :

— Lydia, je suis venue vous dire que je ne prendrai pas cet argent. Je m'en vais… tout de suite.

Lydia parut stupéfaite. Elle laissa tomber son tricot :

— Ma chère petite, Alfred a dû très mal s'expliquer ! Ce n'est pas du tout de la charité, si c'est cela que vous pensez. Vraiment, ce n'est ni de la gentillesse ni de la générosité de notre part. C'est une simple question de justice. Dans le cours normal des choses, votre mère aurait hérité de cet argent qui vous serait revenu ensuite. C'est votre droit, le droit du sang. Il ne s'agit pas de charité, mais de *justice* !

— Et c'est bien pour ça que je ne peux pas le prendre, dit Pilar avec fureur, pas quand vous parlez comme ça, pas quand vous êtes comme ça ! Ça m'a bien plu de venir ici. C'était amusant ! C'était une aventure, mais maintenant, vous avez tout gâché ! Je m'en vais tout de suite, et vous serez débarrassés de moi pour toujours.

Sa voix s'étrangla. Elle fit volte-face et sortit du salon en courant.

Lydia la regarda partir, bouche bée.

— Je n'imaginais pas qu'elle le prendrait comme ça ! dit-elle d'un ton navré.

— Cette petite a l'air complètement bouleversée, remarqua Hilda.

George s'éclaircit la voix avec componction.

— Hum ! Comme je le soulignais ce matin, le principe même en est inacceptable. Pilar a l'intelligence de le voir par elle-même. Elle refuse la charité…

— Ce n'est *pas* de la charité, l'interrompit sèchement Lydia. C'est son droit !

— Elle n'a pas l'air de le penser ! répliqua George.

Le superintendant Sugden et Hercule Poirot firent diversion en entrant en trombe. Le premier embrassa l'assemblée du regard :

— Où est Mr Farr ? Je voudrais lui dire un mot.

Avant que quiconque ait eu le temps de répondre, Hercule Poirot s'écria :

— Où est la señorita Estravados ?

— Partie faire ses bagages à ce qu'elle prétend, répondit George Lee sans pouvoir dissimuler sa satisfaction. Elle en a apparemment assez de sa famille anglaise.

Poirot se retourna d'un bond.

— Venez ! dit-il à Sugden.

Au moment où les deux hommes sortaient dans le hall, on entendit au loin un choc sourd, suivi d'un hurlement.

— Vite ! Venez ! cria Poirot.

Ils se précipitèrent vers les escaliers, qu'ils grimpèrent quatre à quatre. La porte de la chambre de Pilar était ouverte et un homme se tenait sur le seuil. Au bruit de leur course, il tourna la tête. C'était Stephen Farr.

— Elle n'a rien... dit-il simplement.

Pilar était recroquevillée contre le mur de sa chambre, les yeux rivés par terre, là où gisait une grosse boule de pierre.

Elle haletait :

— Elle était posée en équilibre sur le haut de ma porte. Elle m'aurait écrasé la tête, si ma jupe ne s'était pas prise à un clou et ne m'avait pas retenue au moment où j'entrais.

Poirot s'agenouilla pour examiner le clou. Un fil de tweed rouge y était resté accroché. Il leva les yeux et hocha gravement la tête :

— Ce clou, mademoiselle, vous a sauvé la vie.

Le superintendant semblait dépassé.

— Mais enfin, qu'est-ce que ça signifie ? s'exclamat-il, hagard.

— Quelqu'un a essayé de me tuer ! dit Pilar dont la tête dodelinait.

Le superintendant Sugden regarda la porte.

— Le coup du seau d'eau, dit-il. Une vieille plaisanterie de chambrée... mais là c'était pour tuer ! C'est le second crime projeté dans cette maison. Mais cette fois, la combine n'a pas marché !

— Dieu merci, vous n'avez rien, dit Stephen Farr, d'une voix enrouée.

Pilar leva les bras au ciel dans un grand geste d'imploration.

— *Madre de Dios*, s'écria-t-elle. Pourquoi pourraiton bien vouloir me tuer, *moi* ? Qu'est-ce que j'ai fait ?

Hercule Poirot prit un ton grave :

— Vous feriez mieux, mademoiselle, de vous demander : *qu'est-ce que je sais ?*

Elle le fixa sans comprendre.

— Moi ? Mais je ne sais rien du tout !

— C'est là que vous vous trompez, répondit Poirot. Dites-moi, mademoiselle Pilar, où étiez-vous au moment du meurtre ? Vous n'étiez pas dans cette chambre.

— J'étais ici. Je vous l'ai dit !

— Oui, susurra le superintendant Sugden avec une douceur trompeuse, mais vous nous avez menti en disant cela, et vous le savez. Vous nous avez dit que vous aviez entendu votre grand-père crier, mais vous n'auriez pas pu l'entendre si vous aviez été ici. Mr Poirot et moi l'avons vérifié hier.

Pilar étouffa un petit cri de stupeur.

— Vous étiez quelque part, beaucoup plus près de sa chambre, poursuivit Poirot. Je vais vous dire où je crois que vous étiez, mademoiselle. Vous étiez dans l'alcôve avec les statues, tout près de la chambre de votre grand-père.

— Oh ! Comment savez-vous ça ? sursauta Pilar, suffoquée.

Poirot eut un petit sourire :

— Mr Farr vous a vue.

— Moi ? Absolument pas, s'écria Stephen. C'est totalement faux !

— Je vous demande pardon, Mr Farr, répliqua Poirot, mais vous l'avez bel et bien vue. Rappelez-vous votre impression qu'il y avait là non pas *deux*, mais *trois* statues. Une seule personne portait une robe blanche cette nuit-là, mademoiselle Estravados. La troisième silhouette, c'était *elle*. N'est-ce pas, mademoiselle ?

Après quelques instants d'hésitation, Pilar finit par avouer :

— Oui, c'est vrai.

— À présent, mademoiselle, reprit Poirot avec douceur, dites-nous toute la vérité. *Pourquoi* étiez-vous là ?

— J'ai quitté le salon après le dîner en me disant que j'allais monter voir mon grand-père. J'étais persuadée que ça lui ferait plaisir. Mais quand j'ai tourné dans le couloir, j'ai vu qu'il y avait quelqu'un d'autre à sa porte. Je ne voulais pas qu'on me voie parce que je savais que grand-père ne voulait pas de visite ce soir-là. Je me suis cachée près des statues, pour le cas où la personne devant la porte se retournerait.

» Et puis, tout d'un coup, j'ai entendu des bruits horribles, des tables et des chaises – elle agita les mains –, tout qui tombait et se fracassait. Je n'ai pas bougé. Je ne sais pas pourquoi. J'avais peur. Et puis il y a eu un hurlement terrible (elle se signa) et mon cœur… mon cœur s'est arrêté de battre et j'ai pensé : « Quelqu'un est mort… »

— Et ensuite ?

— Ensuite, les gens sont arrivés en courant dans le couloir et j'ai fini par sortir et les rejoindre.

Le superintendant Sugden prit une voix cassante :

— Vous n'avez rien dit de tout ça quand nous vous avons interrogée. Pourquoi ?

Pilar secoua la tête d'un air sagace :

— Ce n'est jamais bon de trop en dire à la police. Vous comprenez, je me suis dit que si j'avouais que j'étais tout près, vous alliez croire que c'était moi qui l'avais tué. Alors j'ai dit que j'étais dans ma chambre.

— Tout ce qu'on gagne à mentir, la sermonna Sugden, c'est d'attirer sur soi les soupçons.

— Pilar? dit Stephen Farr.

— Oui?

— *Qui avez-vous vu devant la porte* quand vous avez tourné dans le couloir? Dites-le-nous.

— Oui, appuya Sugden, dites-le-nous.

La jeune fille hésita un moment. Ses yeux s'ouvrirent tout grands, puis s'étrécirent. Enfin elle déclara lentement :

— Je ne sais pas qui c'était. Il faisait trop sombre pour voir. *Mais c'était une femme…*

5

Le superintendant Sugden promena son regard sur le cercle des visages. Depuis le début de l'enquête, il n'avait jamais été aussi près de manifester de l'irritation :

— C'est tout à fait irrégulier, monsieur Poirot.

— C'est une petite idée à moi, répondit celui-ci. Je désire partager avec tout le monde la connaissance que j'ai acquise. Après quoi je demanderai à chacun son concours, et ainsi nous parviendrons à la vérité.

— Des tours de cirque, marmotta Sugden.

Il se renfonça dans son fauteuil.

Et Poirot commença :

— Avant tout, je crois que vous avez une explication à demander à Mr Farr.

La bouche de Sugden se durcit.

— J'aurais préféré un moment plus discret, dit-il. Néanmoins, je n'y vois pas d'objection. (Il tendit le câble à Stephen Farr.) À présent, Mr Farr, ainsi que vous vous faites appeler, vous allez peut-être pouvoir nous expliquer ceci ?

Stephen Farr prit le câble. Levant les sourcils, il le lut lentement à voix haute. Puis, en s'inclinant, il le rendit au superintendant.

— Oui, c'est plutôt accablant, n'est-ce pas ?

— C'est tout ce que vous trouvez à dire ? rétorqua Sugden. Je dois vous avertir que vous n'êtes pas tenu de faire une déclaration sans la présence…

Stephen Farr l'interrompit :

— Vous n'avez pas besoin de m'avertir, superintendant. Je sais déjà ce que vous allez me dire ! Oui, je vais vous donner une explication. Elle n'est pas très bonne, mais c'est la vérité.

Il fit une pause, puis commença son récit :

— Je ne suis pas le fils d'Ebenezer Farr, c'est vrai. Mais j'ai très bien connu le père et le fils. Maintenant, essayez de vous mettre à ma place. (À propos, mon vrai nom est Stephen Grant.) Je débarquais dans ce pays pour la première fois de ma vie. J'étais déçu. Tout me paraissait terne et froid, les gens, les choses, tout. Et puis je suis monté dans un train et j'ai vu une fille. Inutile de tourner autour du pot : j'ai eu le coup de foudre ! C'était la plus jolie créature du monde, et aussi la plus inattendue ! J'ai bavardé avec elle pendant un moment, et me suis juré de ne pas la perdre de vue. Comme je quittais le compartiment, mes yeux sont tombés sur l'étiquette de sa valise. Son nom ne me disait rien, mais l'adresse où elle allait, si. J'avais entendu parler de Gorston Hall, et je connaissais tout de son propriétaire. C'était l'ancien associé d'Ebenezer Farr, et le vieil Eb était intarissable à son égard et ne cessait de clamer à quel point c'était un personnage haut en couleur.

» Bref, l'idée m'est venue de me rendre à Gorston Hall en me faisant passer pour le fils d'Eb. Comme le dit ce câble, il était mort depuis deux ans, mais j'entendais encore le vieil Eb me répéter qu'il n'avait plus eu de nouvelles de Simeon Lee depuis des années, et j'ai fait le pari que Lee ne serait pas au courant de la mort du fils d'Ebenezer. En tout cas, je trouvais que le jeu en valait la chandelle.

— Mais vous n'avez pas tenté le coup tout de suite, fit remarquer Sugden. Vous êtes resté deux jours au *King's Arms*, à Addlesfield.

— Je réfléchissais – je pesais le pour et le contre, dit Stephen. En fin de compte, je me suis décidé. L'aventure était tentante. Et ça a marché comme sur des roulettes ! Le vieux m'a accueilli le plus amicalement du monde et m'a demandé aussitôt de rester chez lui. J'ai accepté. Voilà, superintendant, toute mon explication. Si elle vous défrise rappelez-vous les beaux jours où vous étiez amoureux et demandez-vous si vous ne vous êtes jamais livré à quelques gaudrioles. Quant à mon vrai nom, comme je vous l'ai dit, c'est Stephen Grant. Vous pouvez câbler en Afrique du Sud pour vérifier, mais permettez-moi de vous le dire : vous allez découvrir que je suis un citoyen parfaitement respectable. Je ne suis ni un escroc ni un voleur de bijoux.

— Je n'ai jamais pensé que vous l'étiez, dit doucement Poirot.

Le superintendant se caressait la mâchoire avec circonspection.

— Il va falloir que je vérifie tout ça. Ce que j'aimerais savoir, c'est pourquoi vous n'avez pas raconté votre petite histoire après le meurtre, au lieu de nous servir ce tissu de mensonges ?

Stephen eut un sourire désarmant :

— Parce que je me suis conduit comme un crétin ! Je pensais m'en tirer en douce ! Je me disais que si j'admettais que j'étais ici sous un faux nom, ça aurait l'air louche. Si je n'avais pas été le roi des imbéciles, j'aurais deviné que vous alliez câbler à Johannesburg.

— Eh bien, Mr Farr – enfin, Grant – je ne dis pas que je ne crois pas à votre histoire, conclut Sugden. De toute façon, elle ne tardera pas à être confirmée… ou infirmée.

Il jeta un coup d'œil interrogateur à Poirot qui reprit la parole :

— Je crois que miss Estravados a quelque chose à dire.

Pilar était devenue très pâle.

— C'est vrai, souffla-t-elle. Je ne vous l'aurais jamais dit, si ce n'était pas à cause de Lydia et de l'argent. Venir ici, me faire passer pour une autre et jouer la comédie – c'était très amusant. Mais quand Lydia a dit que l'argent était à moi et que ce n'était que justice, alors ç'a été différent. Ça ne m'a plus amusée du tout.

— Mais de quoi parlez-vous, Pilar ? Je ne comprends pas, dit Alfred, complètement égaré.

— Vous pensez que je suis votre nièce, Pilar Estravados ? Mais ce n'est pas vrai ! Pilar a été tuée quand je traversais l'Espagne avec elle. Une bombe est tombée sur notre voiture et elle a été touchée, tandis que moi, je n'avais rien. Je ne la connaissais pas très bien, mais elle m'avait tout raconté sur son compte :

comment son grand-père l'avait fait rechercher pour la ramener en Angleterre et à quel point il était très riche. Moi, je n'avais pas un sou et je ne savais ni quoi faire ni où aller. Et je me suis dit tout d'un coup : « Pourquoi est-ce que je ne prendrais pas le passeport de Pilar pour aller en Angleterre à sa place et devenir richissime ? »

Un grand sourire illumina son visage :

— Oh ! c'était excitant de me demander si je réussirais ! En photo, nous n'étions pas trop dissemblables. Mais quand on m'a demandé mon passeport ici, j'ai ouvert la fenêtre, je l'ai jeté dehors et, en courant le récupérer, j'ai frotté un peu de terre sur la photo, parce qu'à la douane ils ne regardent pas de très près, mais ici, ils auraient pu…

Alfred Lee l'interrompit avec colère :

— Vous voulez dire que vous vous êtes présentée à mon père comme sa petite-fille, et que vous vous êtes jouée de ses sentiments ?

Pilar affichait toute la satisfaction du monde :

— Oui, j'ai vu tout de suite que je pourrais l'amener à m'aimer beaucoup.

George Lee explosa :

— Inconcevable ! bredouilla-t-il. Criminel ! Tenter d'extorquer de l'argent par des moyens frauduleux…

— Ce n'est pas à *toi* qu'elle en aurait extorqué, mon vieux ! intervint Harry Lee. Pilar, je me range à vos côtés ! Je m'incline devant votre culot. Et, foutredieu ! je ne suis plus votre oncle, désormais ! Cela me laisse les mains libres.

Pilar regarda Poirot :

— *Vous*, vous le saviez ? Depuis quand le savez-vous ?

— Mademoiselle, dit Poirot en souriant, si vous aviez étudié les lois de Mendel, vous sauriez que deux personnes aux yeux bleus risquent fort peu d'avoir un enfant aux yeux noirs. Votre mère était, j'en suis convaincu, une personne aussi chaste que respectable. Il s'ensuivait *ipso facto* que vous n'étiez pas Pilar Estravados. Quand vous avez fait votre numéro du passeport, j'en ai été certain. C'était ingénieux, mais vous voyez, pas tout à fait assez ingénieux.

— C'est le tout qui n'est pas tout à fait assez ingénieux, gronda le superintendant d'une voix mauvaise.

Pilar écarquilla les yeux :

— Je ne comprends pas…

— Vous nous avez servi une histoire, continua Sugden, mais il y a encore plein de choses que vous ne nous avez pas racontées.

— Fichez-lui la paix ! s'écria Stephen.

Le superintendant Sugden ne se laissa pas impressionner. Il poursuivit :

— Vous nous avez dit que vous étiez montée dans la chambre de votre grand-père après le dîner. Vous prétendez avoir agi sous le coup d'une impulsion. Mais je vais vous suggérer autre chose. C'est vous qui avez volé ces diamants. Vous les avez eus entre les mains. À l'occasion, peut-être les avez-vous retirés du coffre sans que le vieux vous voie ! Quand il s'est aperçu que les diamants n'étaient plus là, il a compris tout de suite que seules deux personnes avaient pu les prendre. L'une était Horbury, qui aurait pu mettre la main sur la combinaison et se glisser dans la chambre pendant la nuit. L'autre personne, c'était vous.

» Mr Lee a aussitôt pris des mesures. Il m'a téléphoné et m'a prié de passer le voir. Puis il vous a fait
dire de monter chez lui aussitôt après le dîner. Vous êtes
montée, et il vous a accusée du vol. Vous avez nié. Il
a insisté. Je ne sais pas ce qui s'est passé ensuite – il
a peut-être compris que vous n'étiez pas sa petite-fille,
mais une très habile petite voleuse. En tout cas, les jeux
étaient faits, vous alliez être démasquée, et vous vous
êtes jetée sur lui avec un couteau. Il y a eu lutte et il
a crié. Vous aviez le dos au mur. Vous vous êtes pré-
cipitée hors de la chambre, vous avez tourné la clé de
l'extérieur, et puis, sachant que vous ne pouviez pas
vous enfuir, avant que les autres arrivent, vous vous
êtes *glissée dans le renfoncement, à côté des statues.*

Pilar se mit à crier d'une voix aiguë :

— Ce n'est pas vrai ! Ce n'est pas vrai ! Je n'ai pas
volé les diamants ! Je ne l'ai pas tué ! Je le jure sur la
Vierge Marie.

— *Alors qui l'a fait* ? aboya Sugden. Vous dites que
vous avez vu une silhouette devant la porte de Mr Lee.
D'après votre récit, *cette personne* serait *le meurtrier.*
Personne d'autre n'est passé devant les statues ! Mais
nous n'avons que *votre* parole pour savoir *qu'il y avait
là une silhouette.* En d'autres termes, *vous avez inventé
tout ça* pour vous disculper !

— Bien sûr, qu'elle est coupable ! s'écria George
Lee. C'est assez clair ! J'ai toujours dit et répété que
c'était un étranger qui avait tué mon père ! C'est une
absurdité sans nom de prétendre qu'un membre de la
famille aurait pu faire une chose pareille ! Ce... ce ne
serait pas naturel !

Poirot s'agita sur son siège :

— Je ne suis pas d'accord avec vous. Si l'on considère le caractère de Simeon Lee, ce serait au contraire la chose la plus naturelle au monde !

— Hein ?

Mâchoire pendante, George dévisageait Poirot.

— Et selon moi, poursuivit ce dernier, c'est effectivement ce qui s'est passé. Simeon Lee a été tué par sa propre chair et son propre sang, pour une raison qui était bonne et suffisante aux yeux du meurtrier.

— L'un de nous ? cria George. Je vous interdis…

La voix de Poirot l'interrompit, dure comme l'acier :

— Chacun de vous ici ferait un bon coupable. Nous commencerons par *vous*, Mr George Lee. *Vous* n'éprouviez aucune affection pour votre père ! Vous restiez en bons termes avec lui uniquement pour l'argent ! Le jour de sa mort, *il a menacé de réduire votre rente*. Vous saviez qu'à sa mort vous hériteriez sans doute d'une somme substantielle. Voilà pour le mobile. Après dîner, vous êtes allé, dites-vous, téléphoner. Vous avez bien téléphoné, mais la communication n'a duré que *cinq minutes*. Après cela, vous pouviez facilement monter dans la chambre de votre père, bavarder avec lui, puis l'attaquer et le tuer. Vous avez quitté la chambre et tourné la clé de l'extérieur, espérant ainsi mettre le crime sur le dos d'un cambrioleur. Seulement vous avez omis – la panique, sans doute – de vous assurer que la fenêtre était bien ouverte, pour appuyer la théorie du cambriolage. C'était stupide de votre part, mais, pardonnez-moi de vous le dire tout net, vous êtes un homme assez stupide !

» Néanmoins, conclut Poirot après une courte pause au cours de laquelle George essaya de proférer un son sans y parvenir, beaucoup d'hommes stupides ont été des criminels !

Il se tourna vers Magdalene :

— Madame aussi avait un mobile. Je pense qu'elle a des dettes, et le ton de certaines remarques de votre père peut l'avoir… alarmée. Elle non plus n'a pas d'alibi. Elle est allée téléphoner, mais elle *n'a pas* téléphoné, et nous n'avons *que sa parole* pour savoir ce qu'elle a fait en réalité…

» Et puis il y a Mr David Lee. On nous a parlé à maintes reprises du caractère vindicatif et de la longue mémoire qui caractérisent les Lee. Mr David Lee n'a ni oublié ni pardonné la façon dont son père a traité sa mère. Une dernière moquerie à l'égard de la morte a pu être la goutte d'eau qui fait déborder le vase. Il paraît que David Lee jouait du piano au moment du meurtre. Par coïncidence, il jouait la *Marche funèbre*. Mais si c'était *quelqu'un d'autre* qui jouait cette *Marche funèbre*, quelqu'un qui savait ce que David allait faire et qui approuvait cette action ?

— C'est là une suggestion infâme, dit Hilda Lee sans se départir de son calme.

Poirot se tourna vers elle :

— Je vais vous en faire une autre, madame. C'est *votre* main qui a accompli le forfait. C'est *vous* qui vous êtes glissée au premier pour exécuter un homme que vous jugiez au-delà de tout pardon humain. Vous êtes de ces gens, madame, qui peuvent être terribles dans la colère…

— Je ne l'ai pas tué, dit Hilda.

Le superintendant Sugden tonna soudain :

— Mr Poirot a tout à fait raison. Tout le monde aurait pu le tuer, sauf Mr Alfred Lee, Mr Harry Lee et Mrs Alfred Lee !

— Je n'excepterais même pas ces trois-là, dit benoîtement Poirot.

— Oh, voyons, monsieur Poirot ! protesta le superintendant.

— Et les charges contre moi, quelles sont-elles, monsieur Poirot ? demanda Lydia Lee.

Elle souriait un peu, les sourcils ironiquement levés. Poirot s'inclina :

— Je passe sur votre mobile, madame. Il est assez évident. Pour le reste, vous portiez l'autre soir une robe de taffetas avec une cape au motif très particulier. Je vous rappellerai que Tressilian, le majordome, est myope. Les objets lointains sont vagues et flous pour lui. Je vous ferai également remarquer que votre salon est vaste et éclairé par des lampes très tamisées. Ce soir-là, une minute ou deux avant qu'on entende le cri, Tressilian est entré dans le salon pour desservir le café. Il vous a vue, *croit-il*, dans une attitude familière devant la fenêtre du fond, à moitié dissimulée par les lourdes tentures.

— Il m'a pourtant bel et bien vue, insista Lydia Lee.

— Je suggère que *ce qu'il a discerné n'était peut-être que l'étole de votre robe*, disposée pour qu'on la voie contre le rideau, comme si vous étiez là en personne…

Lydia s'insurgea :

— Je me tenais là…

Alfred s'emporta :

— Comment osez-vous suggérer… ?

Harry l'interrompit :

— Laisse-le continuer, Alfred. C'est notre tour, après. Comment le cher Alfred a-t-il pu tuer son père bien-aimé, selon vous, alors que nous étions ensemble dans la salle à manger à ce moment-là ?

Poirot le gratifia d'un sourire radieux.

— Ça, c'est très simple. Un alibi gagne de la force quand il est donné à contrecœur. Votre frère et vous êtes en mauvais termes. C'est connu. *Vous*, vous ne perdez pas une occasion de vous payer *sa* tête en public. Et *lui*, il se ferait étriper plutôt que de dire du bien de *vous*. Mais *imaginons que tout cela fasse partie d'un habile complot.* Supposons qu'Alfred Lee soit fatigué de faire les trente-six volontés d'un tyran. Supposons que vous vous soyez rencontrés en cachette il y a de cela quelque temps. Votre plan est arrêté. Vous arrivez à la maison. Alfred semble ne pas apprécier votre retour. Il laisse voir sa jalousie et son antipathie à votre égard. Vous étalez votre mépris au sien. Et puis vient la nuit du meurtre que vous avez si ingénieusement projeté ensemble. L'un de vous deux reste dans la salle à manger, parlant tout fort, haussant le ton peut-être pour faire croire à une querelle. *L'autre grimpe l'escalier et commet le crime…*

Alfred bondit sur ses pieds.

— Espèce de salopard ! s'étrangla-t-il.

Sugden regardait Poirot avec des yeux ronds.

— Vous voulez vraiment dire que… ?

La voix de Poirot se fit impérieuse :

— Il fallait que je vous montre les *possibilités* ! Ce sont les choses qui *auraient pu* arriver ! Ce qui s'est *réellement* passé, on ne peut le dire qu'en allant au-delà des apparences, au cœur de la réalité…

Il fit une pause, puis reprit lentement :

— Comme je l'ai déjà dit, nous devons en revenir à la personnalité de Simeon Lee lui-même…

6

Il y eut un court moment de silence. Assez curieusement, toute indignation, toute fureur semblaient s'être
dissipées. Hercule Poirot tenait son public sous le
charme de sa personnalité. Ils le regardaient, fascinés,
tandis que, lentement, il reprenait son exposé :

— Tout est là, voyez-vous. La victime est le centre
et la clé du mystère ! Nous devons sonder profondément le cœur et l'âme de Simeon Lee et analyser ce
que nous y trouverons. Car un homme ne vit pas ni ne
meurt pour lui seul. Ce qu'il a, il le transmet à ceux qui
viennent après lui…

» Qu'avait donc Simeon Lee à léguer à sa des-
cendance ? L'orgueil, tout d'abord. Un orgueil frustré
chez le vieillard par la déception que lui causaient ses
enfants. La patience, ensuite. On nous a dit que Simeon
Lee était capable d'attendre des années l'occasion de
se venger de qui lui avait fait du tort. Nous voyons
que c'est le fils qui lui ressemblait le moins physiquement qui a hérité ce trait de caractère. David Lee est lui
aussi capable d'entretenir son ressentiment des années

durant. À l'opposé, Harry Lee est le seul des enfants de Simeon Lee qui lui ressemble *physiquement*. Cette ressemblance est très frappante quand on examine le portrait de Simeon Lee jeune homme. Même nez aquilin, même ligne dure de la mâchoire, même port de tête. Harry a en outre hérité des tics de son père – cette habitude, par exemple, de renverser la tête pour rire, et aussi cette caresse du doigt le long de sa mâchoire.

» Tous ces éléments à l'esprit, et bien convaincu que le meurtre avait été commis par une personne étroitement liée à la victime, j'ai étudié les membres de la famille d'un point de vue psychologique. C'est-à-dire que j'ai essayé de déterminer lesquels étaient *des criminels potentiels psychologiquement vraisemblables.* Selon moi, seules deux personnes entrent dans cette catégorie : Alfred Lee et Hilda Lee, la femme de David. Je ne retiens pas David lui-même parmi les meurtriers possibles. Je ne crois pas qu'un individu d'une sensibilité aussi frémissante aurait pu supporter l'effusion de sang qui résulte d'un égorgement. George Lee et sa femme, je les écarte également. Quels que puissent être leurs désirs profonds, je ne crois pas qu'il soit dans leur tempérament de prendre un *risque*. Ils sont tous les deux essentiellement prudents. Mrs Alfred Lee, j'en ai l'intime conviction, est totalement incapable d'un acte de violence. Elle est d'un naturel par trop ironique. À propos de Harry Lee, j'ai hésité. Il a bien cette agressivité d'allure, mais j'étais pratiquement certain qu'en dépit de son bluff et de ses airs bravaches, Harry Lee est au fond un faible. Cela, je le sais à présent, était aussi l'opinion de son père. D'après lui, Harry ne valait pas mieux que les autres. Il ne me restait plus que deux personnes déjà mentionnées. Alfred Lee est un homme capable d'un très grand dévouement. Un homme qui a rongé son frein et s'est, pendant des années, soumis à la volonté d'un autre. Il n'est jamais exclu, dans de telles conditions, qu'un ressort finisse par craquer. De plus, il peut avoir nourri à l'encontre de son père un grief secret qui, au fil du temps et faute d'avoir jamais pu s'exprimer, n'a fait que croître et embellir. Ce sont les gens les plus doux et les plus calmes qui sont souvent capables de la violence la plus brutale et la plus inattendue – et ce pour la bonne raison que quand ils perdent le contrôle sur eux-mêmes, ils le perdent complètement ! L'autre personne que j'estimais capable d'un crime était Hilda Lee. Elle est du genre qui peut, en certaines occasions, se substituer à la justice – et sans que ce soit jamais pour des raisons égoïstes. De telles personnes passent sans transition du rôle de juge à celui de bourreau. On trouve des caractères de ce type dans l'Ancien Testament : Jaël et Judith, par exemple.

» À ce point de mes réflexions, j'ai réexaminé les circonstances du crime lui-même. Et la première chose frappante – ce qui saute à la figure, s'il est permis de s'exprimer ainsi ! – ce sont les circonstances extraordinaires du meurtre ! Rappelez-vous cette chambre où gisait le cadavre de Simeon Lee. Si vous vous en souvenez, il y avait une table massive et un lourd fauteuil renversés, une lampe, des vases de porcelaine, des verres, etc. Mais le plus surprenant restait le fauteuil et la table : ils étaient en acajou massif. On imagine mal comment des meubles d'un tel poids auraient pu être renversés au cours d'une lutte – quelle qu'ait été sa violence – entre ce frêle vieillard et son agresseur.

Tout cela paraissait *irréel*. Et pourtant, aucune personne sensée ne serait allée organiser une telle mise en scène – à moins que Simeon Lee n'ait été tué par un homme très fort qui voulait donner l'impression que l'agresseur était une femme ou quelqu'un d'aussi faible que le vieil homme.

» Mais une telle hypothèse n'avait rien pour convaincre puisque le vacarme de cette mise en scène allait forcément donner l'alarme et que le meurtrier aurait très peu de temps pour s'enfuir. L'intérêt du meurtrier *quel qu'il soit* était certainement de couper la gorge de Simeon Lee *le plus silencieusement* possible.

» Un autre détail extraordinaire était la clé tournée dans la serrure de l'extérieur. Là encore, il semble n'y avoir aucune *raison* à un tel procédé. Cela ne pouvait suggérer un suicide, puisque rien dans cette mort ne s'accordait avec l'idée de suicide. Ce n'était pas pour suggérer une fuite par les fenêtres – puisque ces fenêtres étaient bloquées de telle sorte que toute retraite par là était impossible ! De plus, une fois encore, cela demandait du *temps*. Temps qui *devait* être compté au meurtrier !

» Il y avait encore un indice incompréhensible : un morceau de caoutchouc découpé dans la trousse de toilette de Simeon Lee et une petite cheville de bois que m'a montrés le superintendant Sugden. Ils avaient été ramassés sur le sol par une des premières personnes à être entrées dans la pièce. Là encore, *ces objets n'avaient aucun sens* ! Ils ne voulaient absolument rien dire ! Et pourtant, ils étaient là.

» Le crime, vous le voyez, devient de plus en plus incompréhensible. Il n'obéit à aucun ordre, aucune méthode – et, pour tout dire, il n'est pas *raisonnable*.

» À ce stade surgit une autre difficulté. Le superintendant Sugden a été appelé par la victime ; celle-ci lui a signalé un vol et lui a demandé de revenir une heure et demie plus tard. *Pourquoi ?* Si c'est parce que Simeon Lee soupçonne sa petite-fille ou un autre membre de la famille, pourquoi ne demande-t-il pas au superintendant Sugden d'attendre en bas pendant qu'il a un entretien avec la personne suspectée ? La présence du superintendant dans les murs lui aurait fourni un moyen de pression bien plus efficace.

» Nous en arrivons ainsi au point où ce n'est pas seulement le comportement du meurtrier qui est extraordinaire, mais également celui de Simeon Lee !

» C'est alors que je me dis : « Tout ceci est absurde ! » Et pourquoi est-ce absurde ? Parce que nous le regardons *sous le mauvais angle*. Nous le regardons *sous l'angle que le meurtrier cherche à nous imposer*…

» Nous sommes en présence de trois éléments qui n'ont aucun sens : la bagarre dévastatrice, la clé tournée de l'extérieur, et le lambeau de caoutchouc. Mais il *doit* y avoir une façon de considérer ces trois éléments qui leur donnerait un sens ! Je fais donc le vide dans mon esprit, j'oublie les circonstances apparentes du crime, et je considère enfin ces trois éléments pour *ce qu'ils sont*. Une *bagarre*. Dévastatrice. Qu'est-ce que cela suggère ? De la violence, des dégâts, du *bruit*. La *clé ? Pourquoi* tourne-t-on une clé ? Pour que personne n'entre. Mais la clé n'a empêché personne d'entrer, puisque la porte a été enfoncée presque aussitôt. Pour enfermer quelqu'un *dedans ?* Pour laisser quelqu'un *dehors ?* Et le lambeau de caoutchouc ? Un morceau de trousse de toilette n'est à tout prendre qu'un morceau de trousse de toilette, point final !

» On serait donc tenté de décréter qu'il n'y a rien à tirer de ces trois éléments… et pourtant, ce serait – oh, combien ! – inexact : il en demeure trois impressions : bruit, enfermement, absurdité…

» Cela cadre-t-il avec la personnalité de l'un ou l'autre de mes deux coupables possibles ? Non. Pour Alfred Lee comme pour Hilda, un meurtre *silencieux* aurait été infiniment préférable ; perdre du temps à fermer la porte de l'extérieur était absurde ; et quant au petit bout de trousse de toilette… il ne signifiait toujours strictement rien !

» Et pourtant, j'ai la conviction profonde qu'il n'y a rien d'absurde dans ce crime – qu'il a été au contraire fort bien préparé et remarquablement exécuté. Qu'il est, en fait, *réussi* ! Et donc que tout ce qui s'est passé était *voulu*…

» Et puis, à force de tourner et de retourner tout cela dans ma tête, une première lueur m'est apparue…

» Du sang – *tant de sang*, du sang partout… Une sorte d'emphase sur le sang – du sang frais, rouge, brillant… Tant de sang… *trop de sang*…

» Et il m'est venu là-dessus une autre pensée. Ce meurtre est un meurtre de sang – il s'explique *par* le sang. *C'est le sang de Simeon Lee qui retombe sur lui*…

Hercule Poirot se pencha en avant :

— Les deux indices les plus utiles dans cette affaire m'ont été fournis – oh, bien inconsciemment ! – par deux personnes différentes. Le premier, quand Mrs Alfred Lee a cité *Macbeth* : « Qui aurait cru que

le vieil homme eût en lui tant de sang ? » Et l'autre
quand Tressilian, le majordome, s'est laissé aller à
des confidences. Il m'a en effet confié que ses idées se
brouillaient, que tout ce qui se produisait lui semblait
la répétition de ce qui s'était déjà produit auparavant.
C'est un événement très simple qui lui a donné cette
étrange impression. Il a entendu la sonnette et il est allé
ouvrir la porte à Harry Lee, et puis le lendemain il a fait
la même chose pour Stephen Farr.

» Seulement voilà : *pourquoi* avait-il cette impression ? Regardez Harry Lee et Stephen Farr *et vous verrez pourquoi.* Ils se ressemblent de façon stupéfiante !
C'est pour cela qu'*ouvrir la porte à Stephen Farr
était exactement comme ouvrir la porte à Harry Lee.*
Ç'aurait presque pu être le même homme qui se tenait
là. Et pas plus tard qu'aujourd'hui encore, Tressilian
m'a dit qu'il ne cessait de confondre les gens. Pas étonnant ! Stephen Farr a le nez aquilin, l'habitude de rejeter la tête en arrière quand il rit et ce tic de se caresser la
mâchoire du doigt. Examinez attentivement le portrait
de Simeon Lee jeune homme, et vous verrez *non seulement Harry Lee, mais aussi Stephen Farr*…

Stephen s'agita. Son fauteuil craqua. Poirot poursuivit :

— Rappelez-vous la sortie de Simeon Lee, sa tirade
contre sa famille. Il a dit qu'il était bien sûr d'avoir des
fils un peu mieux que vous – même s'ils n'étaient que
de la main gauche. Nous en revenons une fois de plus
au caractère de Simeon Lee. Simeon Lee, qui plaisait
aux femmes et qui a brisé le cœur de la sienne ! Simeon
Lee, qui s'est vanté auprès de Pilar de pouvoir se constituer une jolie garde personnelle rien qu'en rameutant

ses bâtards ! J'en suis donc arrivé à cette conclusion :
Simeon Lee n'avait pas seulement sous son toit sa
famille légitime pour les fêtes de Noël, *mais aussi un
fils de son sang dont il ignorait jusque-là l'existence et
n'avait donc jamais pu reconnaître…*

Stephen bondit sur ses pieds.

— C'était là votre véritable raison, n'est-ce pas ?
dit Poirot. Pas cette touchante histoire de la jeune
inconnue rencontrée dans le train ! Vous étiez en route
pour Gorston Hall *avant de la rencontrer.* Vous veniez
voir *quelle sorte d'homme était votre père…*

Stephen était pâle comme la mort.

— Oui, je me le suis toujours demandé, avoua-t-il
d'une voix rauque. Ma mère me parlait de lui, parfois.
C'en est devenu une sorte d'obsession : voir à quoi il
ressemblait ! J'ai donc mis un peu d'argent de côté, histoire de venir en Angleterre. Je n'avais pas l'intention
de lui dire qui j'étais, mais de me présenter comme le
fils du vieil Eb. Je suis venu ici pour une seule raison :
voir à quoi ressemblait l'homme qui était mon père…

Le superintendant Sugden manqua s'étrangler :

— Bon Dieu ! Et dire que je n'y ai vu que du feu !
Mais où avais-je la tête ? Deux fois, je vous ai pris pour
Mr Harry Lee, et pourtant je n'ai rien compris !

Il se tourna vers Pilar :

— Alors, c'était ça, n'est-ce pas ? C'était Stephen
Farr que vous avez vu debout devant la porte ? Vous avez
hésité, je me souviens, vous l'avez regardé avant de dire
que c'était une femme. Mais c'était Farr que vous aviez
vu, et vous vous êtes bien gardée de le dénoncer !

Il y eut un crissement de soie froissée. Puis la voix
profonde de Hilda Lee s'éleva :

— Non, dit-elle. Vous vous trompez. C'est *moi* que Pilar a vue.

— Vous, madame ? dit Poirot. Oui, c'est bien ce que je pensais…

Hilda poursuivit sans s'émouvoir :

— Curieuse chose que l'instinct de conservation. Je ne me serais pas crue si lâche : me taire uniquement parce que j'avais peur !

— Vous déciderez-vous à parler, maintenant ?

Elle hocha la tête :

— J'étais avec David dans la salle de musique. Il jouait. Il était d'humeur très bizarre. J'avais un peu peur et je mesurais toute l'étendue de ma responsabilité, car c'était après tout moi qui avais insisté pour venir. David s'est mis à jouer la *Marche funèbre*, et j'ai soudain pris ma décision. Tant pis si cela paraissait incongru, j'avais décidé que nous partirions le soir même. Je suis sortie sans bruit de la salle de musique et suis montée au premier. Je voulais aller trouver Mr Lee et lui dire sans détour pourquoi nous ne restions pas. J'ai longé le couloir qui mène à sa chambre et frappé à la porte. Il n'y a pas eu de réponse. J'ai frappé un peu plus fort : toujours pas de réponse. J'ai essayé de tourner la poignée, mais la porte était fermée à clé. Et alors, comme je restais là, indécise, *j'ai entendu du bruit dans la chambre…*

Elle s'interrompit, puis reprit :

— Vous n'allez pas me croire, mais c'est la vérité ! *Il y avait quelqu'un à l'intérieur*, en train d'attaquer Mr Lee. J'ai entendu les tables et les fauteuils qu'on renversait et les verres et les vases qu'on brisait, et enfin j'ai entendu cet horrible cri d'agonie. Et puis le silence est retombé.

» J'étais clouée sur place ! Je ne pouvais plus bouger ! Et puis Mr Farr est arrivé en courant, et Magdalene et tous les autres. Mr Farr et Harry se sont mis à enfoncer la porte. Elle a cédé et nous avons vu la chambre, *et il n'y avait personne dedans*, excepté Mr Lee qui baignait dans tout ce sang.

Sa voix posée s'éleva d'un ton et elle s'écria :

— *Il n'y avait personne à l'intérieur, personne*, vous comprenez ! Et *personne n'était sorti de la chambre…*

7

Le superintendant Sugden poussa un soupir issu des tréfonds :

— Ou je deviens cinglé, ou c'est vous qui l'êtes tous ! Mrs Lee, ce que vous venez de nous débiter n'a ni queue ni tête. Ça ne tient pas debout !

— Je vous répète que je les ai entendus se bagarrer là-dedans, et que j'ai entendu le vieillard hurler quand on lui a coupé la gorge ! Mais personne n'est sorti, et il n'y avait personne dans la pièce !

— Et, depuis lors, vous ne nous avez pas soufflé mot de tout cela, murmura Hercule Poirot, le reproche dans la voix.

Hilda Lee était très pâle, mais elle répondit d'un ton ferme :

— Non, parce que si je vous avais raconté ce qui s'était passé, vous n'auriez pu sauter qu'à une seule conclusion : que c'était *moi* la meurtrière.

Poirot secoua la tête.

— Non, dit-il. Vous ne l'avez pas tué. C'est son fils qui l'a tué.

— Je vous jure devant Dieu que je ne l'ai jamais touché! s'écria Stephen Farr.

— Pas vous, dit Poirot. Il avait d'autres fils!

Harry dévida un chapelet de jurons.

George écarquilla les yeux.

David se passa la main sur les yeux.

Alfred cilla par deux fois.

— Le tout premier soir de mon arrivée, poursuivit Poirot, le soir du meurtre, j'ai vu un fantôme. *C'était le fantôme du mort.* Quand j'ai fait la connaissance de Harry Lee, j'ai été troublé : j'avais le sentiment de l'avoir déjà vu ailleurs. Puis j'ai étudié attentivement ses traits et constaté à quel point il ressemblait à son père, et je me suis dit que c'était de là que me venait cette impression de déjà-vu.

» Mais hier, un homme assis en face de moi s'est mis à rire en renversant la tête — et j'ai su *à qui me faisait penser Harry Lee*. Et une fois de plus, j'ai revu, sur un autre visage, les traits du mort.

» Pas étonnant que le pauvre vieux Tressilian ait commencé à s'embrouiller après avoir ouvert la porte non pas à deux mais à *trois* hommes qui se ressemblaient étrangement. Pas étonnant qu'il se soit mis à confondre les gens quand il y avait trois hommes dans la maison qui, en n'y regardant pas de trop près, pouvaient passer l'un pour l'autre! Même carrure, mêmes gestes – l'un en particulier, ce geste du doigt sur la mâchoire – même façon de rire la tête en arrière, même nez busqué très caractéristique. Et pourtant, la ressemblance n'était pas toujours facile à voir, *parce que le troisième homme avait une moustache.*

Poirot se pencha en avant :

— On oublie trop souvent que les officiers de police sont des hommes, qu'ils ont des femmes, des enfants, des mères, et aussi… des pères… Rappelez-vous la réputation de Simeon Lee dans la région : un homme dont les aventures galantes ont brisé le cœur de sa femme. Un fils de la main gauche peut hériter de beaucoup de choses. Il peut hériter des traits et des gestes de son père. Il peut hériter de son orgueil, de sa patience et de son esprit de vengeance !

Il éleva la voix :

— Toute votre vie, Sugden, vous en avez voulu à votre père du tort qu'il vous avait fait. Je crois que vous aviez décidé depuis longtemps de le tuer. Vous venez du comté voisin, pas très loin d'ici. Aucun doute que votre mère, avec l'argent que lui a si généreusement donné Simeon Lee, a pu trouver un mari qui servirait de père à son enfant. Il était facile pour vous d'entrer dans la police du Middleshire et d'attendre votre heure. Un superintendant de la police est idéalement placé pour commettre un meurtre sans être inquiété.

Sugden était blanc comme un linge :

— Vous êtes fou ! Je n'étais pas dans la maison à l'heure où il a été tué.

Poirot secoua la tête :

— Non, et pour cause : vous l'aviez tué avant de quitter la maison, la première fois. Après votre départ, personne ne l'a vu vivant. Pour vous, c'était si facile. Simeon Lee vous attendait, c'est exact, *mais il ne vous a jamais demandé de venir* ! C'est vous qui lui aviez téléphoné en évoquant vaguement une tentative de cambriolage. Vous lui aviez dit que vous lui rendriez visite juste avant 8 heures le soir même en prétextant d'une quête pour les œuvres de la police. Simeon Lee n'a rien soupçonné. Il ne savait pas que vous étiez son fils. Vous êtes venu, vous lui avez raconté une histoire de substitution de diamants. Il a ouvert son coffre pour vous prouver que les vrais diamants étaient bien en sa possession. Vous vous êtes excusé, vous êtes revenu près du feu avec lui, et là, sans crier gare, vous lui avez tranché la gorge tout en le bâillonnant d'une main pour l'empêcher de crier. Un jeu d'enfant pour un homme de votre gabarit.

» Et puis vous avez organisé votre mise en scène. Vous avez empoché les diamants. Vous avez empilé les tables et les fauteuils, les lampes et les verres, et les avez entrelacés d'une très fine cordelette que vous portiez enroulée autour de la taille. Vous aviez sur vous une bouteille de sang d'un animal fraîchement tué, additionné d'une bonne dose de citrate de sodium. Vous avez aspergé la pièce de ce mélange et ajouté une rasade de citrate de sodium à la mare de sang qui s'échappait de la blessure de Simeon Lee. Vous avez poussé le feu pour que le corps garde sa température. Puis vous avez passé les deux extrémités de la cordelette par l'étroite ouverture en bas de la fenêtre et les avez laissées pendre le long du mur. Vous avez quitté la pièce et tourné la clé de l'extérieur. Ce dernier point était capital, *puisque personne ne devait, à aucun prix, entrer dans cette chambre.*

» Sur quoi vous êtes sorti et avez caché les diamants dans le jardin miniature. Si on finissait par les découvrir là, cela ne ferait que renforcer les soupçons là où vous le vouliez : c'est-à-dire sur les enfants légitimes de Simeon Lee. Un peu avant 9 heures et quart, vous êtes revenu, vous vous êtes glissé jusqu'au mur situé sous la fenêtre et vous avez tiré sur la corde. Cela a déséquilibré tout votre savant échafaudage. Les meubles et les vases de porcelaine se sont écroulés avec fracas. Vous n'avez plus eu qu'à tirer sur l'une des extrémités de la corde avant de la réenrouler autour de votre taille, sous votre veste et votre gilet.

» Mais vous n'aviez pas encore dit votre dernier mot !

Il se tourna vers les autres :

— Chacun de vous se souvient comment il a décrit le cri d'agonie de Mr Lee ? Ce n'était jamais la même chose. Vous, Mr Lee, vous avez parlé du cri d'un homme à l'agonie. Votre femme et David Lee ont utilisé tous les deux la même expression : une âme en enfer. Mrs David Lee, au contraire, a dit que c'était le cri de quelqu'un qui n'aurait *pas* eu d'âme. Elle l'a décrit comme un cri inhumain, le hurlement d'une bête. C'est Harry Lee qui a approché la vérité de plus près. Il a dit qu'on aurait cru un cochon qu'on égorge.

» Vous connaissez ces longues baudruches roses qu'on vend dans les foires, enluminées de caricatures et qu'on appelle « cochon qu'on égorge » ? Quand on les dégonfle, l'air s'en échappe avec un hurlement inhumain. C'était là, Sugden, votre touche finale. Vous aviez disposé une de ces baudruches dans la chambre. Elle était bouchée avec une cheville de bois, mais cette cheville était reliée à la cordelette. Quand vous avez tiré sur la cordelette, la cheville est partie et la baudruche s'est mise à se dégonfler. Dominant alors le vacarme des meubles renversés, a jailli le fameux cri du « cochon qu'on égorge ».

Il se retourna une fois encore vers les autres :

— Vous comprenez à présent ce qu'avait ramassé Pilar Estravados ? Le superintendant avait espéré arriver à temps pour récupérer ce lambeau de caoutchouc avant que quelqu'un ne le remarque. Néanmoins, il a pu le reprendre à Pilar assez vite et de la manière la plus officielle. Mais, notez bien cela : *il n'a jamais mentionné cet incident à quiconque.* En soi, c'était déjà un fait assez singulier. J'en ai entendu parler par Magdalene Lee et je l'ai asticoté à ce sujet. Il s'était préparé à cette éventualité. Il avait découpé un morceau de la trousse de toilette de Mr Lee et c'est cela qu'il m'a montré, avec une cheville de bois. Superficiellement, cela répondait à la même description — un bout de caoutchouc et un morceau de bois. Et, à première vue, cela n'avait rigoureusement aucun sens ! Mais, comme un imbécile, je ne me suis pas dit aussitôt : « Cela n'a aucun sens, *donc ça n'a pas pu se trouver là, et le superintendant Sugden me mène en bateau… »* Non, j'ai bêtement continué à chercher une explication. Et ce n'est qu'en regardant miss Estravados jouer avec un ballon qui a éclaté — et quand elle s'est écriée que ça devait être un bout de ballon qu'elle avait ramassé dans la chambre de Simeon Lee — que j'ai découvert la vérité.

» Vous voyez à présent comme tout concorde ? Cette bagarre improbable, *qui est nécessaire pour falsifier l'heure de la mort ;* cette porte fermée, pour empêcher quiconque d'entrer trop tôt ; le hurlement d'agonie de la victime. Le crime est à présent logique et raisonnable.

» Mais dès l'instant où Pilar Estravados a crié sur les toits sa découverte à propos du ballon, elle est devenue source de danger pour le meurtrier. Et si, de la maison, celui-ci avait entendu cette remarque – ce qui était des plus vraisemblables car elle a la voix haute et claire et les fenêtres étaient ouvertes –, c'est elle qui, par ricochet, se trouvait à son tour en très grand danger. Une fois, déjà, elle avait donné des sueurs froides au meurtrier. Elle avait dit, en parlant du vieux Mr Lee : « Quand il était jeune, il a dû être très beau. » Et elle avait ajouté, en s'adressant à Sugden : « *Comme vous.* » Elle l'avait dit tout à fait intentionnellement, et Sugden le savait. Inutile de se demander pourquoi il est devenu pourpre et a failli s'étrangler. C'était tellement inattendu, et tellement dangereux pour lui ! Après cela, il a espéré pouvoir rejeter la culpabilité sur elle, mais cela s'est révélé plus difficile que prévu, puisque, en tant que petite-fille sans héritage du vieil homme, elle n'avait évidemment aucun mobile pour ce meurtre. Plus tard, quand il l'a entendue de l'intérieur de la maison faire cette remarque au sujet du ballon, il s'est résolu à prendre des mesures désespérées. Il a disposé ce boulet de pierre pendant que nous déjeunions. Heureusement, par une sorte de miracle, il a cette fois manqué son coup.

Un silence de mort tomba. Puis Sugden s'enquit avec le plus grand calme :

— Quand avez-vous eu une certitude ?

— Je n'ai pas été sûr de moi avant de rapporter ici une fausse moustache et de l'essayer sur le portrait de Simeon Lee. Mais à partir de ce moment-là… le visage qui m'a regardé était le vôtre.

— Qu'il aille rôtir en enfer ! tonna Sugden. Je suis content de l'avoir tué !

SEPTIÈME PARTIE

28 DÉCEMBRE

1

— Pilar, dit Lydia, vous feriez mieux de rester chez nous jusqu'à ce que nous vous trouvions une meilleure solution.

— Vous êtes très bonne, Lydia, répondit Pilar d'une petite voix. Vous êtes gentille. Vous pardonnez facilement, sans en faire une histoire.

Lydia sourit :

— Je continue de vous appeler Pilar, et pourtant vous avez sans doute un autre prénom.

— Oui, je m'appelle Conchita Lopez.

— Conchita est un très joli prénom, lui aussi.

— Vous êtes vraiment trop gentille, Lydia. Mais il ne faut pas vous inquiéter pour moi. Je vais épouser Stephen et nous allons partir pour l'Afrique du Sud.

— Eh bien, en voilà une jolie conclusion !

Pilar se fit toute douceur et timidité :

— Puisque vous avez déjà été si gentille, Lydia, croyez-vous que nous puissions revenir un jour passer Noël avec vous et — qui sait ? — faire partir des quantités de diablotins et de pétards… et manger des tas et des tas de puddings flambés… et accrocher des myriades de boules et de guirlandes dans le sapin… et puis faire des bonshommes de neige?

— Mais bien sûr. Il faut que vous reveniez pour qu'on vous offre un vrai Noël anglais!

— Ce serait merveilleux. Parce que, vraiment, cette année, ça ne correspondait pas du tout à l'idée qu'on peut se faire de Noël.

Le souffle fit un instant défaut à Lydia :

— N-non… ça ne correspondait pas à l'idée qu'on peut se faire de Noël.

— Eh bien, au revoir, Alfred, dit Harry. Je crois que tu n'auras plus l'occasion de souffrir de ma présence. Je pars pour Hawaii. J'ai toujours eu envie de vivre là-bas s'il m'advenait d'avoir trois sous.

— Au revoir, Harry, dit Alfred. J'espère que tu t'y plairas. En tout cas, je te le souhaite.

— Désolé de t'avoir tellement charrié, mon vieux, reprit Harry, mal à l'aise. J'ai un fichu sens de l'humour. Rien à faire pour m'empêcher d'asticoter les gens.

— Je devrais peut-être apprendre à goûter la plaisanterie, répondit Alfred, non sans effort.

— Bon, eh bien, salut ! dit Harry avec soulagement.

— David, dit Alfred, Lydia et moi avons décidé de vendre la maison. J'ai pensé que tu aimerais peut-être garder certains souvenirs de notre mère – sa chaise, et ce tabouret. Tu étais son préféré.

David hésita un moment.

— Merci d'y avoir pensé, Alfred, répondit-il en fin de compte. Mais, tu sais, je ne crois pas que je vais les prendre. Je ne veux rien de cette maison. Je crois préférable de tourner la page une bonne fois pour toutes.

— Oui, je comprends, dit Alfred. Tu as sans doute raison.

4

— Eh bien, au revoir, Alfred, pontifia une dernière fois George. Au revoir, Lydia. Quels terribles moments nous venons de passer. Et il nous reste encore à subir le procès. J'imagine que cette histoire sordide va être rendue publique... je veux dire... le fait que Sugden soit... hum!... le fils de mon père. N'estimez-vous pas que l'on pourrait lui suggérer de plaider le communisme viscéral et la haine de mon père en tant que figure de proue du capitalisme... quelque chose dans ce goût-là?

— Mon cher George, répondit Lydia, vous ne croyez quand même pas qu'un homme comme Sugden va mentir pour *nous* faire plaisir?

— Eh bien... euh... non, peut-être pas, en effet. Je vois ce que vous voulez dire. N'empêche, ce type doit être fou. Eh bien, encore une fois, au revoir!

— Au revoir, dit Magdalene. Et si nous allions tous ensemble passer Noël sur la côte d'Azur ou dans un endroit comme ça, l'année prochaine, histoire de nous amuser un peu!

— Ça dépendra du change, grommela George.

— Chéri, je t'en prie, ne sois pas *mesquin*.

Alfred sortit sur la terrasse. Lydia était penchée sur un bac de pierre. Elle se redressa en le voyant.

— Ouf! soupira-t-il. Ils sont tous partis.

— Oui, quel bonheur!

— Tu l'as dit!

Il lui sourit :

— Tu vas être contente de quitter cette maison, non?

— Pourquoi? Ça te fait de la peine, à toi?

— Non, j'en serai fou de joie. Il y a tant de choses intéressantes que nous pouvons faire ensemble. Continuer à vivre ici, ce serait se rappeler ce cauchemar en permanence. Dieu merci, c'en est fini!

— Grâce à Hercule Poirot, dit Lydia.

— Oui. Tu sais, c'était vraiment stupéfiant de voir comment tout se tenait une fois qu'il l'a eu expliqué.

— Je sais. Comme quand tu termines un puzzle et que toutes les pièces biscornues dont tu aurais juré qu'elles ne se caseraient jamais trouvent tout naturellement leur place.

— Il reste un petit détail qui n'a pas trouvé sa place. Qu'a donc bien pu faire George *après* avoir téléphoné ? Pourquoi ne l'a-t-il pas dit ?

— Comment ! tu n'es pas au courant ? Moi, j'avais deviné tout de suite ! Il a fouillé dans tes papiers sur le bureau.

— Il a… ? Non, Lydia, personne ne ferait une chose pareille !

— George, si. Dès qu'il est question d'argent, on ne peut plus le tenir. Mais bien sûr, il n'aurait jamais avoué ça. Sauf peut-être au pied de l'échafaud !

— Tu fais un autre jardin ?

— Oui, tu vois.

— C'est quoi, cette fois ?

— Une tentative de reconstitution du Paradis terrestre. Mais un paradis terrestre revu et corrigé : il n'y a pas de serpent, et Adam et Eve sont résolument quadragénaires.

— Lydia chérie, dit tendrement Alfred, tu as été si patiente, pendant toutes ces années. Si bonne avec moi.

— Oui, mais vois-tu, Alfred, je t'aime, moi…

6

— Sacrebleu ! dit le colonel Johnson.

Puis il ajouta :

— Ça, par exemple !

Et puis encore :

— Bon sang de bonsoir !

Il se cala au fond de son fauteuil et contempla Poirot. Puis il se prit à geindre :

— Mon meilleur élément ! Mais où va la police !

— Même les policiers ont leur jardin secret ! dit Poirot. Sugden était orgueilleux comme un paon.

Le colonel Johnson secoua la tête. Il envoya un coup de pied dans les bûches du foyer pour passer son humeur.

— Comme je le dis toujours, remarqua-t-il tout à trac, rien ne vaut une bonne flambée !

Hercule Poirot, qui sentait un vent coulis dans son cou, se murmura *in petto :*

— Quant à moi, ce serait plutôt : vive le chauffage central…

*Christmas Pudding
et autres surprises du chef*

TRADUCTION NOUVELLE PAR J.M. ALAMAGNY

Pour Stella et Larry Kirwan

Avant-propos d'Agatha Christie

Ce livre est un festin, un festin de Noël. « La sélection du Chef », en quelque sorte. Et le Chef, c'est moi !

Il y a deux plats de résistance : *Christmas Pudding* et *Le Mystère du bahut espagnol*. Et plusieurs entremets : *Le policeman vous dit l'heure, Le Rêve* et *Le Souffre-douleur*. Un sorbet : *Le mort avait les dents blanches*.

Le Mystère du bahut espagnol peut être considéré comme une spécialité Poirot. C'est une affaire où il estime s'être montré au meilleur de sa forme ! Miss Marple, de même, s'est toujours félicitée de la sagacité qu'elle a su manifester dans *Le policeman vous dit l'heure*.

Dans *Christmas Pudding*, je me suis fait plaisir car cette aventure évoque pour moi le délicieux souvenir des Noëls de mon enfance. Après le décès de mon père, ma mère et moi avons toujours passé nos Noëls dans la famille de mon beau-frère, dans le nord de l'Angleterre — des Noëls magnifiques qui ne pouvaient que marquer la mémoire d'une enfant ! Il y avait tout, à Abney Hall ! Le parc s'enorgueillissait d'une cascade, d'un cours d'eau et d'un tunnel sous la grande allée ! Le déjeuner

du 25 décembre était gargantuesque. Enfant maigre-
lette, d'aspect délicat, j'étais en fait de santé robuste
et j'avais toujours faim ! Les garçons de la famille et
moi jouions à qui, ce jour-là, en ingurgiterait le plus.
Nous avalions la soupe aux huîtres et le turbot sans zèle
excessif, mais alors arrivaient la dinde rôtie, la dinde
bouillie et un énorme aloyau. Les garçons et moi pre-
nions bien deux parts de chacun ! Nous avions ensuite
du plum-pudding, des tartelettes aux fruits confits, du
diplomate et toutes sortes de desserts. L'après-midi,
nous nous bourrions de chocolats. Le tout sans ressentir
jamais, aucun d'entre nous, la moindre lourdeur d'estomac ! C'est beau, d'avoir onze ans et de l'appétit !

Quelle journée merveilleuse, qui commençait par le
rite des « bas de Noël » quand nous étions au lit, se
poursuivait à l'église avec tous les cantiques, le déjeuner de Noël, les cadeaux, l'illumination du sapin !

Je garde la plus profonde gratitude pour l'hôtesse si
gentille et si généreuse qui a dû se donner tant de mal
pour faire de Noël ce merveilleux souvenir qui m'habite
encore dans mes vieux jours.

Qu'il me soit permis de dédier ce livre à la chaleureuse hospitalité d'Abney Hall.

Et Joyeux Noël à tous ceux qui le liront.

Christmas Pudding

(The Adventure of the Christmas Pudding)

— Je regrette infiniment… préluda M. Hercule Poirot.

Il fut interrompu. Pas de façon impolie, non. Avec affabilité et adresse, au contraire, afin de le convaincre plutôt que de le contredire :

— Je vous en prie, ne refusez pas d'emblée, monsieur Poirot. Il s'agit d'une sérieuse affaire d'État. Votre coopération sera appréciée en très haut lieu.

— Trop aimable, se défendit Hercule Poirot avec un geste de la main, mais je ne peux vraiment pas entreprendre ce que vous me demandez. À cette période de l'année…

Mr Jesmond l'interrompit de nouveau.

— Justement, Noël, plaida-t-il. Un Noël à l'ancienne dans la campagne anglaise.

Hercule Poirot frissonna. La pensée de la campagne anglaise en cette saison ne lui disait vraiment rien.

— Un Noël comme au bon vieux temps ! insista encore Mr Jesmond.

— Je ne suis pas anglais, moi, expliqua Poirot. Dans mon pays, Noël, c'est une fête pour les enfants. Nous, c'est le nouvel an que nous célébrons.

— Ah! mais en Angleterre, Noël est une véritable institution, et je puis vous assurer qu'à Kings Lacey, vous la verriez dans toute sa splendeur. C'est une vieille maison merveilleuse, vous savez. Pensez donc, l'une des ailes remonte au XIVe siècle!

Nouveau frisson de Poirot. L'idée même d'un manoir anglais du XIVe l'emplissait d'appréhension. Il avait trop souvent souffert dans les grandes demeures rurales historiques d'Angleterre. Il jeta avec satisfaction un regard circulaire sur son confortable appartement moderne, avec ses radiateurs et ses tout derniers équipements anti-courant d'air.

— L'hiver, décréta-t-il, je ne quitte jamais Londres.

— Je crains que vous ne mesuriez pas très bien la gravité du problème, fit Mr Jesmond en jetant un bref regard à son compagnon avant de revenir à Poirot.

À part un cérémonieux « Très honoré de faire votre connaissance », le second visiteur n'avait pas encore soufflé mot. Assis les yeux baissés sur ses chaussures bien cirées, il affichait le plus profond accablement sur son visage bistré. C'était un jeune homme qui ne devait pas avoir plus de vingt-trois ans et se trouvait de toute évidence dans la plus grande détresse.

— Si, si, répondit Hercule Poirot, je me rends compte. C'est une affaire très ennuyeuse et je compatis de tout cœur avec Votre Altesse.

— La situation est extrêmement délicate, insista Mr Jesmond.

Le regard de Poirot quitta le jeune homme pour revenir à son compagnon plus âgé. S'il avait fallu définir Mr Jesmond en un mot, ce mot aurait été discrétion. Tout en lui était discret. Ses vêtements bien coupés mais peu voyants, sa voix agréable et distinguée qui s'écartait rarement d'un timbre monocorde bien posé, ses cheveux châtain clair à peine dégarnis près des tempes, son visage pâle et sérieux. Il semblait à Hercule Poirot qu'il avait connu non pas un, mais une douzaine de Jesmond, tous utilisant tôt ou tard la même formule : « une situation extrêmement délicate ».

— La police sait être très discrète, vous savez, fit Poirot.

Mr Jesmond secoua énergiquement la tête :

— Non, pas question de la police. Pour récupérer le… euh… ce que nous voulons récupérer, il nous faudrait alors presque inévitablement passer devant des cours de justice. Or nous savons si peu de chose. Nous *soupçonnons*, nous ne *savons* pas.

— Je suis navré pour vous, redit Poirot.

S'il s'imaginait que sa compassion allait suffire à ses deux visiteurs, il se trompait. Ce n'était pas de cela qu'ils avaient besoin, mais d'assistance pratique. Mr Jesmond se mit de nouveau à lui vanter les mérites d'un Noël anglais :

— Les traditions se perdent, vous savez. Les gens préfèrent passer les fêtes dans les hôtels, de nos jours. Alors qu'un Noël anglais, avec toute la famille réunie, les enfants et leurs bas, le sapin, la dinde, le plum-pudding, les diablotins, le bonhomme de neige devant la fenêtre…

Par souci d'exactitude, Hercule Poirot le coupa et fit remarquer, sévère :

— Pour faire un bonhomme de neige, il faut de la neige. Et elle ne vient pas sur commande, même pour un Noël anglais.

— Encore aujourd'hui, je parlais à un ami du service de la météo : d'après lui, il est hautement probable qu'il y aura bel et bien de la neige cette année.

C'était ce qu'il ne fallait pas dire. Hercule Poirot frissonna de plus belle.

— De la neige en pleine campagne ! se récria-t-il. Ça serait le bouquet. Dans un grand manoir en pierre, brrr !

— Pas du tout, dit Mr Jesmond. Les choses ont bien changé, depuis ces dix dernières années. Il y a le chauffage central au mazout.

— Ils ont le chauffage central au mazout à Kings Lacey ? demanda Poirot.

Pour la première fois, il semblait ébranlé. Mr Jesmond saisit la balle au bond :

— Absolument, et un merveilleux circuit d'eau chaude. Des radiateurs dans chaque chambre. Je vous assure, cher monsieur Poirot, Kings Lacey représente le summum du confort en hiver. Vous allez peut-être même avoir *trop* chaud.

— C'est fort improbable.

Avec une habileté chevronnée, Mr Jesmond changea légèrement de cap.

— Vous pouvez imaginer le dilemme terrible dans lequel nous nous trouvons, fit-il sur un ton de confidence.

Hercule Poirot acquiesça de la tête. La situation n'était certes pas rose. Un jeune prince, futur potentat, fils unique du maître d'un riche et puissant État indi-

gène, était arrivé à Londres quelques semaines auparavant. Son pays avait traversé une période de turbulences
et de mécontentement. Bien que fidèle au père dont le
style de vie était resté résolument oriental, l'opinion
publique se montrait passablement méfiante envers le
rejeton. Ses folies de jeunesse étaient de type occiden-
tal, donc unanimement réprouvées.

Récemment, toutefois, on avait annoncé ses fian-
çailles. Il devait épouser une cousine de la branche paternelle, jeune femme qui, bien qu'éduquée à Cambridge,
prenait garde de ne faire montre d'aucune influence euro-
péenne dans son propre pays. Le jour du mariage avait
été fixé et le jeune prince s'était déplacé en Angleterre
avec quelques-unes des fameuses pierres précieuses
de la famille afin de les faire remonter de façon plus
moderne et appropriée par Cartier. Parmi elles se trouvait un rubis très connu auquel, après l'avoir desserti de
son lourd et vieux collier, le célèbre joaillier avait donné
nouvelle allure. Tout, jusque-là, s'était bien passé. Mais
c'est alors que les choses s'étaient gâtées. Un jeune
homme aussi bon vivant que fortuné ne pouvait pas ne
pas s'octroyer quelques fredaines de la meilleure facture.
Nul ne le lui aurait reproché : c'est ainsi que les jeunes
princes sont censés s'amuser. Qu'il eût emmené son flirt
du moment dans Bond Street et lui eût offert un brace-
let d'émeraude ou un clip en diamant pour la remercier
des faveurs accordées aurait paru tout à fait naturel et
approprié en regard des Cadillac dont son père gratifiait
invariablement ses danseuses favorites.

Mais le prince s'était montré beaucoup plus inconsidéré que cela. Flatté de l'intérêt que lui manifestait la
dame, il lui avait montré le fameux rubis dans sa nou-

velle monture, poussant l'imprudence jusqu'à l'autoriser à le porter un soir !

La suite de l'histoire avait été aussi brève que navrante. La belle avait quitté leur table de dîner pour se poudrer le nez. Le temps avait passé. Elle n'avait point reparu. Elle avait quitté l'établissement par une porte dérobée et s'était volatilisée. Le plus affreux est que le rubis serti de neuf s'était volatilisé avec elle.

Tels étaient les faits qui ne pouvaient être rendus publics sans entraîner les plus désastreuses conséquences. Ce rubis n'était pas une pierre ordinaire, il avait une grande signification historique et les circonstances de sa disparition étaient telles que leur divulgation malencontreuse risquait d'avoir de gravissimes répercussions politiques.

Mr Jesmond n'était pas le genre d'homme à évoquer de tels faits en langage direct. Il les enroba, si l'on peut dire, dans une avalanche de mots. Qui il était au juste, Hercule Poirot l'ignorait. Comme les autres Jesmond rencontrés au cours de sa carrière, s'il venait du ministère de l'Intérieur, de celui des Affaires étrangères ou de quelque autre service plus ou moins occulte de l'administration ne fut pas précisé. Il agissait dans l'intérêt du Commonwealth. Le rubis devait être retrouvé.

Et il n'y avait que M. Poirot, insistait Mr Jesmond en toute délicatesse, qui pût le retrouver.

— Oui… peut-être, reconnut Poirot, mais vous avez si peu d'éléments à me donner. Des impressions, des soupçons, tout cela est bien maigre.

— Voyons, monsieur Poirot, cela n'outrepasse sûrement pas vos compétences, qui sont illimitées. Allez, je vous en prie.

— Je ne réussis pas toujours.

Ce n'était que fausse modestie. Il était clair, au ton de voix de Poirot, que pour lui, entreprendre une mission était presque synonyme de la réussir.

— Son Altesse est très jeune, poursuivit Jesmond. Il serait désolant que sa vie fût gâchée pour une simple erreur de jeunesse.

Poirot posa sur le jeune homme accablé un regard indulgent.

— On commet des bêtises à votre âge, c'est sûr, fit-il pour lui redonner courage. Chez un garçon ordinaire, ce n'est pas trop grave. Papa sort son porte-monnaie, l'avocat de la famille répare les dégâts, le freluquet retient la leçon et tout est bien qui finit bien. Dans votre position à vous, il en va autrement. Votre mariage tout proche…

— C'est ça, c'est exactement ça.

Pour la première fois, les mots sortirent à profusion de sa bouche :

— Elle est très, très sérieuse, voyez-vous. Elle ne prend pas la vie à la légère. À Cambridge, elle a acquis des tas de grandes idées. Il faut développer l'éducation dans mon pays. Il faut bâtir des écoles. Il faut faire évoluer des quantités de choses. Tout cela au nom du progrès, de la démocratie. Rien ne sera plus jamais, d'après elle, comme au temps de mon père. Elle sait, bien sûr, que j'irai toujours m'offrir du bon temps à Londres, mais à moi de veiller à ne pas faire scandale. Surtout pas ! C'est le scandale qui est grave. Or ce rubis est très, très célèbre, vous savez. Il a toute une histoire qui remonte incroyablement loin. Il y a eu pour lui beaucoup de sang versé… beaucoup de morts !

— Des morts, murmura Poirot, songeur.

Il jeta un regard à Mr Jesmond :

— J'espère bien que cela n'ira pas jusque-là.

Mr Jesmond émit un gloussement étrange, un peu comme une poule qui aurait décidé de pondre un œuf et se serait ravisée.

— Allons, évidemment pas, dit-il d'un air pincé. Il n'est pas question de quoi que ce soit de ce genre, j'en suis sûr.

— Vous ne pouvez pas en être sûr, le reprit Hercule Poirot. Quelle que soit la personne qui détient maintenant le rubis, d'autres vont peut-être vouloir s'en emparer et n'iront pas par quatre chemins, très cher monsieur.

— Vraiment ! se raidit Mr Jesmond, plus compassé que jamais, je ne crois pas que nous devions nous laisser aller à des spéculations de ce genre. Elles ne sauraient nous être de quelque utilité.

— Eh bien moi, savez-vous, fit Poirot, plus belge que nature, je suis comme les politiciens, j'explore toutes les voies possibles.

Mr Jesmond lui jeta un regard hésitant, puis se ressaisit :

— Alors je peux considérer que c'est entendu, monsieur Poirot ? Vous irez à Kings Lacey ?

— Et comment expliquerai-je ma présence là-bas ? demanda ce dernier.

— Nous pourrons arranger cela très facilement, répondit Jesmond avec un sourire confiant. Je puis vous assurer que tout cela paraîtra tout à fait naturel. Vous trouverez les Lacey absolument charmants. Des gens délicieux.

— Et vous ne me racontez pas d'histoires avec le chauffage central au mazout ?

— Mais non, voyons ! s'offusqua Mr Jesmond. Je vous assure que vous aurez tout le confort.

« *Tout le confort moderne* », se murmura Poirot à lui-même en évoquant des souvenirs.

— Eh bien, décida-t-il, j'accepte.

*

Il régnait une agréable température de vingt degrés dans le salon de réception tout en longueur de Kings Lacey tandis qu'Hercule Poirot, assis à côté d'une des hautes fenêtres à meneaux, conversait avec Mrs Lacey, laquelle s'affairait à ses travaux d'aiguille. Il ne s'agissait en l'occurrence ni de *petit point* ni de broderie de fleurs sur soie, mais de la tâche plus prosaïque consistant à ourler des torchons. Tout en cousant, elle parlait d'une voix douce et réfléchie que Poirot trouvait fort charmante.

— J'espère que notre fête de Noël vous plaira, monsieur Poirot. Nous serons en famille, vous savez. Ma petite-fille, mon petit-fils et un camarade à lui, et puis ma petite-nièce Bridget, Diana, une cousine, et David Welwyn, un vieil ami. Une soirée entre nous, donc. Mais Edwina Morecombe m'a affirmé que c'est cela que vous vouliez voir : un Noël à l'ancienne. Eh bien, chez nous, vous serez servi ! Mon mari vit complètement dans le passé. Il aime que tout soit exactement comme avant, quand il avait douze ans et qu'il venait ici pour les vacances.

Elle se sourit à elle-même :

— Avec les mêmes vieilles coutumes : l'arbre de Noël, les bas pleins de friandises suspendus au lit, la soupe aux huîtres, la dinde – deux dindes, en fait, l'une bouillie et l'autre rôtie – le plum-pudding avec la bague, le bouton du célibataire[1] et toutes les autres babioles dedans. On n'y met plus les pièces de six pence parce qu'elles ne sont plus en argent pur. Ensuite nous avons tous les anciens desserts, les prunes au sirop, les amandes et les raisins secs, les fruits confits et le gingembre. Seigneur, on dirait que je récite le catalogue de chez Fortnum & Mason !

— Vous me mettez les papilles en folie, madame.

— Je crois que ce qui nous guette tous demain soir, c'est une indigestion carabinée, soupira Mrs Lacey. On n'a plus l'habitude de manger autant, de nos jours, n'est-ce pas ?

Elle fut interrompue par de grands cris et des éclats de rire sous la fenêtre. Elle jeta un coup d'œil :

— Je me demande ce qu'ils fabriquent là-dehors. Encore un de leurs jeux, sans doute. Vous savez, j'ai toujours eu très peur que nos Noëls ici assomment les enfants. Eh bien pas du tout, c'est le contraire. Mon fils, ma fille et leurs amis, oui : eux avaient des goûts plus citadins. Ils trouvaient tout ce tralala complètement dépassé et préféraient aller danser dans un palace quelconque je ne sais où. Alors que les plus jeunes paraissent s'amuser comme des fous. Et puis, ajouta-t-elle, prosaïque, nos collégiens et collégiennes ont toujours faim, n'est-il pas vrai ? À mon avis, on ne les

---

1. Bouton de col à bascule, mobile, généralement en os ou en argent et ne nécessitant pas d'être cousu — d'où son nom *(N.d.T.)*.

nourrit pas assez, dans leurs pensionnats. Il est bien connu qu'on mange comme quatre, à cet âge-là.

Poirot en convint et ajouta :

— En tout cas, il est infiniment aimable à votre mari et à vous de m'accueillir ainsi dans votre cercle familial, madame.

— Oh ! il en est aussi ravi que moi, j'en suis sûre, dit Mrs Lacey. Et si vous trouvez Horace un peu ronchon, poursuivit-elle, n'y prêtez pas attention. C'est juste sa façon d'être.

Son mari, le colonel Lacey, avait en effet rouspété :

— Qu'est-ce qui te prend de nous coller dans les pattes un de ces fichus étrangers pour Noël ? C'est bien le moment ! Je ne peux pas les voir en peinture, moi. Je sais, je sais, c'est Edwina Morecombe qui nous l'a refilé. Mais de quoi se mêle-t-elle ? Et que ne l'a-t-elle pris *chez elle*, si elle voulait lui prodiguer l'esprit de Noël ?

— Tu sais bien qu'Edwina va toujours au *Claridge* pour les fêtes, avait expliqué Mrs Lacey.

Son mari lui avait alors adressé un regard perçant :

— Tu ne nous manigancerais pas quelque chose, Em ?

— Manigancer, moi ? répondit-elle en ouvrant de grands yeux bleus. Bien sûr que non, voyons, pourquoi ?

Le vieux colonel Lacey partit d'un profond rire de gorge :

— Avec toi, je me méfie toujours ! Quand tu prends ton petit air innocent, c'est que tu nous mijotes un coup fourré.

Cet intermède encore tout frais dans son esprit, Mrs Lacey poursuivit :

— Edwina m'a garanti que vous pourriez éventuellement nous aider… Je ne vois pas bien comment, c'est sûr, mais il paraît que vous avez une fois ôté une sérieuse épine du pied à des amis à vous dans… dans une affaire un peu semblable à la nôtre. Au fait, euh… peut-être ne savez-vous pas de quoi je vous parle ?

Poirot l'encouragea du regard. Plus très éloignée des soixante-dix printemps mais néanmoins droite comme un cierge, Mrs Lacey avait des cheveux d'un blanc de neige, des yeux bleus, un nez démesuré et un menton volontaire.

— S'il y a quoi que ce soit que je puisse faire, j'en serai ravi, dit Poirot. Il s'agit, si j'ai bien compris, du coup de cœur assez mal venu d'une toute jeune fille.

Mrs Lacey acquiesça de la tête :

— Oui. Il est extraordinaire que je puisse… – comment dire ? – … aborder un sujet pareil avec vous. Car vous m'êtes après tout un parfait étranger…

— Étranger, je le suis en effet pour vous dans tous les sens du terme, fit Poirot d'un air entendu.

— Bien sûr, fit Mrs Lacey, mais il n'est pas impossible que, dans un sens, cela ne facilite pas les choses. De toute façon, Edwina semblait sous-entendre que vous pourriez avoir des renseignements – comment dirai-je ? – utiles, sur ce jeune Desmond Lee-Wortley.

Poirot resta un moment silencieux pour admirer l'ingéniosité de Mr Jesmond et l'aisance avec laquelle il avait utilisé lady Morecombe pour parvenir à ses fins.

— Si je ne me trompe, il n'a pas très bonne réputation, ce jeune homme ? commença-t-il prudemment.

— Ah ! ça non, alors. Il l'a même exécrable ! Seulement, avec Sarah, l'argument ne portera pas. Il n'est

jamais bon de raconter aux jeunes filles que leurs soupirants ont mauvaise réputation. Cela… cela ne fait que
les exalter encore davantage !

— Vous avez mille fois raison, reconnut Poirot.

— Dans ma jeunesse – seigneur, ça ne date pas
d'hier ! –, on nous mettait en garde, vous savez, contre
certains jeunes gens. Mais c'est vrai que cela ne faisait qu'accroître l'intérêt que nous leur portions, et si
on pouvait se débrouiller pour danser avec eux ou les
retrouver seuls dans la pénombre d'une serre…

Elle éclata de rire :

— C'est pour ça que je n'ai pas voulu laisser Horace
faire ce qu'il avait en tête.

— Confiez-moi exactement ce qui vous préoccupe,
dit Poirot.

— Notre fils a été tué pendant la guerre, expliqua
Mrs Lacey. Ma bru est morte en couches en mettant
Sarah au monde, si bien que la petite a toujours vécu
avec nous et que c'est nous qui l'avons élevée. Peut-
être était-ce imprudent, je ne sais pas, mais nous avons
pensé qu'il valait mieux lui laisser le plus de liberté
possible.

— Vous avez eu raison, à mon avis, opina Poirot.
On ne peut aller contre l'esprit de son temps.

— Non, c'est exactement ce que nous nous sommes
dit. Et puis les filles en font toutes autant, de nos jours.

Poirot lui lança un regard interrogateur.

— La façon d'exprimer cela, je pense, fit Mrs Lacey,
c'est de préciser que Sarah donne dans ce qu'on appelle
vulgairement la tendance bistrot. Elle fuit les soirées
dansantes, refuse de faire son entrée dans le monde
ou quoi que ce soit de ce genre. À l'inverse, elle se

cantonne dans un petit deux-pièces plutôt sordide de Chelsea, côté fleuve, porte ces drôles de vêtements qui plaisent aux jeunes, enfile des bas noirs ou vert pomme épais comme tout – ça doit gratter comme ça n'est pas permis ! Et pour couronner le tout, elle sort pas lavée et pas peignée.

— Rien là que de très naturel, commenta Poirot. C'est la mode du moment. Ça leur passe avec l'âge.

— Oui, je sais, et ce n'est pas tellement ce qui me tracasse. Seulement elle s'est entichée de ce Desmond Lee-Wortley qui traîne *vraiment* une sale réputation. Il vit plus ou moins aux crochets de filles riches. Elles ont toutes l'air folles de lui. Il a failli épouser la petite Hope, mais la famille l'a placée au dernier moment sous tutelle judiciaire ou Dieu sait quoi. Bien sûr, c'est ce qu'Horace veut faire. Il dit qu'il le faut, pour son bien. Mais moi, je ne crois pas que ce soit une bonne idée, monsieur Poirot. Ils vont tout bonnement filer en Écosse, en Irlande, en Argentine ou je ne sais où, et soit se marier soit vivre maritalement. Et même s'il y a désobéissance légale et tout ce que vous voudrez, on est bien avancés, n'est-ce pas ? Surtout si un bébé arrive : il ne reste alors plus qu'à baisser pavillon et à les laisser convoler. Pour moi, c'est le divorce garanti dans les deux ans. La fille revient alors chez papa-maman et, au bout de quelque temps, elle épouse un quelconque brave type tellement bien sous tous rapports qu'il en est à tomber d'ennui. Elle fait une fin, comme on dit. Je n'en trouve pas moins ça triste pour l'enfant, parce que ce n'est pas pareil d'être élevé par un beau-père, si brave garçon soit-il. C'était quand même mieux de mon temps, non ? Le premier homme dont on tombait amoureuse était *invariablement* indésirable. Je me rappelle avoir eu un monstrueux coup de foudre pour un jeune homme qui s'appelait… allons bon! comment s'appelait-il, déjà? Voilà que j'ai complètement oublié son prénom! Son nom de famille, c'était Tibbitt. Tibbitt junior, donc. Bien entendu, mon père lui avait plus ou moins interdit la maison, mais il se faisait inviter aux mêmes soirées que moi et nous dansions ensemble. Nous arrivions parfois à nous éclipser et à nous cacher dans les coins, et puis des amis organisaient des piqueniques auxquels nous allions tous les deux. Tout cela avait évidemment l'attrait du fruit défendu et était follement exaltant. Mais on n'aurait jamais imaginé aller jusqu'à… euh… jusqu'aux *extrémités* où vont les filles d'aujourd'hui. Si bien qu'au bout d'un certain temps, les Mr Tibbitt perdaient progressivement de leur intérêt. D'ailleurs quand je l'ai revu quatre ans plus tard, je me suis demandé ce que j'avais bien pu lui trouver! Il me paraissait tellement *fadasse*. Des baudruches que l'on dégonfle, voyez-vous. Aucune conversation.

— On a toujours tendance à embellir le temps de notre jeunesse, proféra Poirot, quelque peu sentencieux.

— Oui, je sais, répondit-elle. Mais je vous lasse avec tout ça, n'est-ce pas, alors j'arrête. Seulement je ne veux *pas* que Sarah, qui est vraiment un ange, tombe dans les griffes de ce Desmond Lee-Wortley. David Welwyn, qui passe les fêtes ici, est son ami d'enfance. Ils se sont toujours si bien entendus que nous espérions, Horace et moi, qu'ils se marieraient plus tard. Mais elle le traite bien évidemment comme une vieille chaussette et n'a plus d'yeux que pour Desmond.

— Je ne saisis pas très bien, madame. Ce Desmond
Lee-Wortley, il est ici, chez vous, en ce moment ?

— Ça, c'est une idée à *moi*, répondit-elle. Horace
voulait absolument empêcher tout contact entre eux.
Bien sûr, à son époque, le père ou le tuteur aurait débarqué chez le garçon et réglé ça à coups de cravache ! En
tout cas il était déterminé à lui interdire la maison et à
défendre à Sarah de le voir. Je lui ai expliqué que c'était
le contraire de la bonne méthode. « Non, lui ai-je dit,
invite-le ici. Qu'il passe Noël avec nous en famille. »
Bien entendu, mon mari m'a traitée de folle ! Mais je
lui ai rétorqué : « Écoute, très cher, pourquoi ne pas
essayer ? Elle le verra dans *notre* ambiance familiale,
sous *notre* toit, soyons infiniment gentils et courtois
avec lui : il lui paraîtra peut-être beaucoup moins intéressant du même coup. »

— Un bon point pour vous, comme on dit, madame.
Je trouve votre attitude très intelligente. Beaucoup plus
avisée que celle de votre mari.

— Espérons, fit Mrs Lacey sur un ton dubitatif. Ma
tactique n'a pas l'air de donner d'excellents résultats
pour l'instant – c'est vrai qu'il n'est ici que depuis
quarante-huit heures.

Une légère fossette se creusa soudain sur sa joue
ridée :

— Il faut que je vous avoue quelque chose, monsieur Poirot. C'est que je ne peux m'empêcher d'éprouver pour lui une certaine attirance. Pas une *véritable*
attirance, bien sûr – si je réfléchis deux secondes,
je sais pertinemment qu'*au fond*, je ne l'aime pas –,
mais je sens le charme agir. Je comprends très bien ce
que Sarah voit en lui, c'est évident ! Mais moi, j'ai suf-

fisamment d'âge et d'expérience pour savoir qu'il ne vaut strictement rien – même si j'apprécie effectivement sa compagnie.

» Pourtant, ajouta-t-elle d'une voix songeuse, il a *quelques* bons aspects. Il a demandé s'il pourrait faire venir sa sœur ici, voyez-vous. Elle vient de se faire opérer et de sortir de l'hôpital, et il trouvait trop triste qu'elle passe Noël dans une maison de convalescence, alors il a demandé si cela ne nous dérangerait pas trop qu'elle l'accompagne, il lui monterait tous ses repas et s'occuperait de tout. Bon, je trouve ça plutôt gentil de sa part, non ?

— Cet altruisme paraît peu en rapport avec le personnage, murmura Poirot, songeur.

— Ma foi, je ne sais pas. On peut très bien aimer sa sœur et en même temps vouloir mettre le grappin sur une jeune fille riche. Sarah sera *très* riche, vous savez. Pas tellement par ce que nous lui laisserons – ça n'ira pas chercher bien loin puisque la maison et la quasi-totalité de l'argent iront à Colin, mon petit-fils. Mais sa mère avait une grosse fortune qui lui reviendra en totalité à vingt et un ans. Elle n'en a que vingt aujourd'hui. Non, je pense vraiment que c'est un beau geste de Desmond de se préoccuper de sa sœur. D'autant qu'il ne l'a pas présentée comme une petite merveille ou quoi que ce soit de ce genre : elle est sténodactylo et fait du secrétariat à Londres. Et il a tenu parole, c'est vrai qu'il lui monte ses plateaux. Pas tout le temps, bien sûr, mais très souvent. Tout n'est donc pas mauvais en lui.

» N'empêche, conclut Mrs Lacey, catégorique, je ne veux pas que Sarah l'épouse.

— D'après tout ce que j'ai pu me laisser dire, ce serait effectivement désastreux.

— Pensez-vous pouvoir nous aider d'une manière quelconque? demanda Mrs Lacey.

— C'est possible, oui, répondit Hercule Poirot, seulement je ne vous promets pas de miracles. Les Desmond Lee-Wortley de ce monde ne sont pas tombés de la dernière pluie, vous savez. Mais ne désespérez pas, on pourra peut-être faire un petit quelque chose. En tout cas, je déploierai tous mes efforts, ne serait-ce que pour vous remercier de m'avoir convié à passer Noël avec vous.

Il regarda autour de lui :

— Ce n'est pas si facile, j'imagine, d'organiser une fête pareille de nos jours.

— Ah! ça non, soupira Mrs Lacey.

Elle se pencha en avant :

— Voulez-vous que je vous dise ce que serait mon rêve, monsieur Poirot?

— Dites, madame.

— Je meurs d'envie d'habiter un petit pavillon moderne. Peut-être pas un pavillon à proprement parler, mais une maisonnette facile à entretenir, construite par ici dans le parc, avec une cuisine ultra-moderne et sans ces interminables couloirs.

— C'est une idée très réalisable.

— Pas pour moi. Mon mari *raffole* de ce manoir. Il *adore* y vivre. Il est prêt, pour ce faire, à passer sur quelques inconvénients, à supporter un certain manque de confort. La petite maison moderne dans le parc, ce serait pour lui l'*horreur*!

— Alors vous vous sacrifiez à sa volonté?

Mrs Lacey se redressa :

— Je ne considère pas cela comme un sacrifice, monsieur Poirot. J'ai épousé mon mari avec la ferme intention de le rendre heureux. Il a été un bon compagnon pour moi et m'a apporté le bonheur pendant toutes ces années, je tiens à le lui rendre.

— Si bien que vous allez continuer à vivre ici.

— Ce n'est quand même pas à ce point inconfortable, sourit Mrs Lacey.

— Non, bien sûr que non, s'empressa d'assurer Poirot. Au contraire. Votre chauffage central et votre système d'eau chaude sont la perfection même.

— Nous avons dépensé beaucoup d'argent pour rendre la maison vivable. Nous avons pu vendre un peu de terrain à bâtir. Des parcelles viabilisées, je crois qu'ils appellent ça, heureusement invisibles de chez nous : c'est de l'autre côté du parc. Une pièce de terre pas belle du tout, en fait, sans jolie vue, mais nous en avons tiré un bon prix. Cela nous a permis de faire toutes les améliorations possibles.

— Mais le service, madame ?

— Oh ! vous savez, ça pose moins de problèmes que vous ne pourriez croire. Bien sûr, on ne peut plus se faire aussi bien servir qu'autrefois. Mais j'ai plusieurs personnes qui viennent du village. Deux femmes le matin, deux autres qui préparent le déjeuner et font la vaisselle, d'autres encore le soir. Beaucoup de gens qui sont prêts à venir travailler quelques heures par jour. Pour Noël, il faut dire que nous avons énormément de chance : nous pouvons toujours compter sur cette brave Mrs Ross. C'est une cuisinière merveilleuse, véritablement hors pair. Elle n'est plus en activité depuis une dizaine d'années, mais elle vient nous donner un coup de main à chaque grande occasion. Et puis il y a notre fidèle Peverell.

— Votre maître majordome?

— Oui. Nous l'avons mis à la retraite et il habite la bicoque à côté du pavillon du gardien, mais il est dévoué à l'extrême et il insiste toujours pour faire le service à Noël. En fait, je suis morte de peur, monsieur Poirot, parce qu'il est si âgé et branlant qu'à chaque fois qu'il porte quelque chose d'un peu lourd, je m'attends à ce qu'il lâche tout. Je préfère d'ailleurs ne pas regarder. En plus, il n'a plus le cœur très solide et je redoute qu'il en fasse trop. Mais il serait affreusement mortifié si je ne le laissais pas venir. Quand il voit l'état de notre argenterie, il toussote, ahane, soupire, émet toutes sortes de bougonnements désapprobateurs et nous la remet à neuf en trois jours. Oui, c'est un adorable vieillard et nous lui sommes très attachés.

Elle sourit à Poirot :

— Alors vous voyez, nous sommes parés pour passer un joyeux Noël. Un Noël blanc, ajouta-t-elle en jetant un coup d'œil par la fenêtre. Regardez, il commence à neiger. Ah! voilà les enfants qui rentrent. Venez faire leur connaissance, monsieur Poirot.

On les lui présenta dans les règles. D'abord Colin et Michael – le petit-fils collégien et son camarade –, deux adolescents de quinze ans fort bien élevés, l'un brun, l'autre blond. Puis leur cousine Bridget, grande cavale aux cheveux noirs, à peu près du même âge et dotée d'une prodigieuse vitalité.

— Et voici ma petite-fille Sarah, fit Mrs Lacey.

Poirot la détailla avec intérêt. C'était une jolie fille à la tignasse d'un roux ardent. Elle lui sembla nerveuse et un rien rebelle, mais elle montrait une réelle affection pour sa grand-mère.

— Mr Lee-Wortley, poursuivit Mrs Lacey.

Celui-ci portait un pull de pêcheur et un jean noir serré. Il avait les cheveux assez longs et il n'était pas évident qu'il se fût rasé ce matin-là. Par contraste, le jeune homme présenté ensuite sous le nom de David Welwyn, solide gaillard calme, posé et au sourire avenant, faisait figure d'adepte forcené de l'eau et du savon. Dernier membre du groupe, une belle et ténébreuse jeune fille, Diana Middleton.

Le thé fut servi : scones, matefaims, sandwiches et trois sortes de gâteaux. Les jeunes semblèrent apprécier alors que le colonel Lacey, le dernier à entrer, lâchait d'une voix évasive :

— Ah ! c'est le thé ? Bon, allons-y.

Il reçut sa tasse des mains de sa femme, prit deux scones, jeta un regard de dégoût en direction de Desmond Lee-Wortley puis s'assit aussi loin de lui qu'il put. C'était un homme de forte stature aux cheveux en broussaille, au visage rougeaud et tanné, qui aurait davantage passé pour un fermier que pour le maître du manoir.

— Il neige, fit-il. On est bons pour un Noël blanc.

Après le thé, tout le monde se dispersa. Mrs Lacey regarda avec attendrissement son petit-fils quitter la pièce.

— Je suppose qu'ils vont monter s'amuser avec leurs magnétophones, confia-t-elle à Poirot comme si elle annonçait : « Les petits vont jouer avec leurs soldats de plomb. » Ils adorent tout ce qui est technique, bien sûr, ajouta-t-elle, et prennent ça très au sérieux.

Bridget et les garçons, pourtant, décidèrent d'aller au lac voir si la glace était assez épaisse pour patiner.

— Et moi qui pensais qu'on aurait pu patiner ce matin, soupira Colin. Mais le vieux Hodgkins a mis son veto. Il a toujours peur de tout.

— Si on allait se promener, David ? proposa doucement Diana Middleton.

David hésita une demi-seconde, le temps de porter un regard vers la chevelure rousse de Sarah. Debout à côté de Desmond Lee-Wortley, la main posée sur son bras, elle le dévorait des yeux.

— D'accord, répondit-il, bonne idée.

Diana s'empressa de passer une main sous son bras et tous deux sortirent par la porte du jardin.

— On y va aussi, Desmond ? fit Sarah. On étouffe, dans cette baraque.

— Se balader ? Tu parles ! répondit-il. Je sors la voiture et on va prendre un pot au *Cochon tacheté*.

Sarah hésita un moment, puis :

— Non, allons plutôt au *Cerf blanc* de Market Ledbury. C'est plus marrant.

Elle ne l'aurait avoué pour rien au monde, mais Sarah, d'instinct, ne se voyait pas aller au pub local avec Desmond. C'était en quelque sorte contraire à la tradition de King's Lacey. Aucune des femmes du domaine n'avait jamais mis les pieds au *Cochon tacheté*. Elle sentait confusément qu'aller là-bas serait mal ressenti par ses grands-parents. Qu'est-ce que ça peut faire ? aurait demandé Desmond. Pensée qui, sur le moment, l'exaspéra. C'était évident, ce que ça pouvait faire. On ne scandalisait pas deux vieilles personnes aussi adorables que le grand-père et la grand-mère Em sans rai-

son. Ils étaient choux comme tout, il faut bien dire, de
la laisser vivre sa vie. Ils ne comprenaient pas ce qui
pouvait la pousser à mener une existence pareille à
Chelsea mais ils l'acceptaient. Cela grâce à Em, bien
sûr. Grand-père, si ça n'avait tenu qu'à lui, aurait fait
un foin de tous les diables.

Sarah ne se faisait aucune illusion sur l'attitude du
colonel. Si Desmond avait été invité à Kings Lacey
pour les fêtes, ce n'était pas à son initiative, mais à
celle d'Em, cet amour de grand-mère qu'elle avait toujours été.

Quand Desmond fut parti chercher sa voiture, elle se
retourna et passa la tête par la porte du salon.

— On va à Market Ledbury prendre un verre au
Cerf blanc, annonça-t-elle.

Il y avait une pointe de provocation dans sa voix,
mais Mrs Lacey sembla ne pas la remarquer :

— Alors amusez-vous bien, ma chérie. David et
Diana sont partis se promener, à ce que je vois. Je suis
bien contente. Je crois vraiment que j'ai eu une idée
lumineuse en invitant Diana ici. Veuve si jeune, à vingt-
deux ans… j'espère qu'elle trouvera *vite* à se remarier.

Sarah leva sur elle un regard aigu :

— Qu'est-ce que vous complotez-là, grand-mère ?

— J'ai mon petit plan, répondit-elle allègrement.
Elle est juste ce qu'il faut pour David. Bien sûr, je sais
qu'il était terriblement amoureux de *toi*, mais ça ne te
faisait ni chaud ni froid et je vois bien qu'il n'est pas
ton type. Seulement je ne veux pas qu'il continue à être
malheureux et je crois que Diana lui conviendra parfaitement.

— Quelle marieuse vous faites, Em !

— Je sais, répondit Mrs Lacey, les vieilles dames sont toujours ainsi. Il me semble que Diana est sous le charme. Tu ne trouves pas qu'ils iraient bien ensemble ?

— Pas vraiment, fit Sarah. Diana est beaucoup trop, euh… trop sérieuse, trop extrême. À mon avis, si David l'épouse, il ne va pas s'amuser.

— C'est à voir. En tout cas *toi*, tu ne veux pas de lui, tu es sûre et certaine ?

— Absolument, se hâta de répondre Sarah – avant d'ajouter, mue par une impulsion soudaine : Et Desmond ? Vous ne le trouvez pas divin, dites ?

— Il est sûrement très gentil.

— Grand-père ne l'aime pas, lui.

— Bah ! c'était prévisible, non ? fit Mrs Lacey, philosophe. Mais il révisera sans doute son jugement quand il se sera habitué à la situation. Il ne faut pas aller plus vite que la musique, ma petite Sarah. On a du mal à se faire aux idées nouvelles quand on est âgé, et en plus, ton grand-père est têtu comme une mule.

— Il peut dire ou penser ce qu'il veut, ça m'est égal. De toute façon, j'épouserai Desmond quand j'en aurai envie !

— Bien sûr, ma chérie, bien sûr. Mais sois un peu réaliste. Ton grand-père peut te mettre des tas de bâtons dans les roues, tu sais. Tu n'es pas encore majeure. Dans un an, tu seras libre de faire ce que tu voudras. J'espère qu'il se sera amadoué d'ici là.

— Vous êtes de mon côté, n'est-ce pas, grand-mère chérie ? demanda Sarah en lui jetant les bras autour du cou et en lui déposant un baiser affectueux sur la joue.

— Je veux surtout que tu sois heureuse. Ah ! voici ton chevalier servant qui revient avec sa voiture. Tu sais, j'aime bien ces pantalons très serrés que portent les jeunes gens, de nos jours. Ils sont très élégants – sauf que ça fait ressortir les genoux cagneux.

« Tiens ! songea Sarah, c'est *vrai* que Desmond a les genoux cagneux, je n'avais jamais remarqué ça avant... »

— Allez va, ma chérie, amuse-toi bien, fit Mrs Lacey.

Elle la suivit des yeux jusqu'à la voiture, puis se souvint de son invité étranger et retourna à la bibliothèque. Elle y trouva Poirot en train de s'octroyer une sieste de bienheureux. Un sourire amusé sur les lèvres, elle traversa le hall et rejoignit la cuisine pour conférer avec Mrs Ross.

— Eh bien, beauté, lança Desmond à Sarah, tu te fais enguirlander parce que tu vas au pub ? On retarde d'un siècle, dans ta famille !

— Il ne manquerait plus que ça, qu'on me fasse des remontrances, répliqua-t-elle, piquée.

— Et cet étranger, là, qu'est-ce qu'il fabrique chez toi ? C'est un flic, hein ? Un détective ? Il y a quelque chose à détecter, ici ?

— Oh ! il n'est pas venu à titre professionnel, expliqua-t-elle. C'est Edwina Morecombe, mon autre grand-mère, qui nous a demandé de l'accueillir. Question police, ça fait des lustres qu'il est rangé des voitures.

— À t'entendre, on dirait un vieux cheval de fiacre, fit Desmond.

— Je crois qu'il voulait voir un Noël anglais à l'ancienne, fit-elle avec un geste vague.

Desmond eut un ricanement de mépris :

— Rien de plus tarte que ce genre de truc. Ce que je me demande même, c'est par quel miracle tu arrives à supporter ça.

Elle rejeta en arrière sa chevelure rousse et pointa un menton agressif.

— Parce que ça me plaît, répondit-elle sur un ton de défi.

— Tu parles ! Allez, ma puce, on arrête les frais : demain, on se tire à Scarborough ou ailleurs.

— Je ne pourrais jamais faire ça.

— Non ? Et pourquoi donc ?

— Ça leur ferait trop de peine.

— Et puis quoi, encore ? Tu n'en es plus à ces mômeries à l'eau de rose !

— Non, bien sûr, mais…

Elle s'interrompit, réalisant avec un sentiment de culpabilité qu'elle attendait toujours le réveillon de Noël avec impatience. Elle adorait ça, en fait, mais avait honte de l'avouer à Desmond. C'était passé de mode, d'aimer Noël et la vie de famille. L'espace d'un instant, elle regretta que Desmond soit venu précisément à ce moment-là. Elle aurait même préféré qu'il ne vienne pas du tout. C'était bien plus amusant de le voir à Londres que chez les grands-parents.

Pendant ce temps, Bridget et les garçons, toujours en pleine discussion sur les problèmes de patinage, revenaient de leur promenade au lac. Quelques flocons avaient fait leur apparition et l'aspect du ciel laissait présager l'imminence d'une forte chute de neige.

— Ça va tomber toute la nuit, prophétisa Colin. Je parie qu'au matin de Noël, il y en aura au moins cinquante centimètres.

Difficile d'envisager plus joyeuse perspective.

— Si on faisait un bonhomme ? proposa Michael.

— Seigneur ! s'émut Colin, je n'en ai plus fait depuis, euh… depuis que j'ai eu mes quatre ans.

— Ça ne doit pas être facile, s'inquiéta Bridget. Il faut la technique.

— On pourrait lui donner la tête de M. Poirot, suggéra Colin. En lui collant une grosse moustache noire. Il y en a une dans le coffre aux déguisements.

— Moi, vous savez, fit Michael d'un air songeur, je me demande comment il peut avoir été détective privé. Ça ne peut pas se déguiser, un gars qui a cette dégaine-là.

— C'est vrai, acquiesça Bridget. Et je ne l'imagine pas non plus en train de chercher des indices avec une grosse loupe ou de mesurer des traces de pas.

— J'ai une idée, reprit Colin. Si on lui montait un bateau ?

— Comment ça, un bateau ? demanda Bridget.

— Eh bien, lui organiser un faux crime.

— Du tonnerre ! Tu veux dire avec un faux mort dans la neige, ce genre de truc ?

— Absolument. Pour qu'il se sente dans son élément.

Bridget gloussa :

— C'est peut-être charrier un peu.

— La neige fera un décor parfait, poursuivit Colin. Le cadavre, les traces de pas… il va falloir étudier tout ça de près, piquer un des poignards de grand-père, fabriquer du sang.

Ils s'arrêtèrent et, sans plus prêter attention à la neige qui s'intensifiait rapidement, se lancèrent dans une discussion animée.

— Il y a une vieille boîte de peinture dans l'ancienne salle d'étude. On pourrait s'en servir pour le sang – avec du carmin, par exemple.

— Moi, je trouve ça trop vif, le carmin, jugea Bridget. Il faut quelque chose d'un peu plus marron.

— Et qui est-ce qui fera le mort? demanda Michael.

— Moi! s'empressa de répondre Bridget.

— Eh! minute, c'est moi qu'ai eu l'idée, protesta Colin.

— Non, non, il faut que ce soit une fille, insista Bridget. C'est plus poignant, une jolie fille étendue dans la neige.

— Jolie fille, ha, ha! s'esclaffa Michael, sarcastique.

— Et puis j'ai les cheveux noirs.

— Qu'est-ce que ça peut faire?

— Ça tranche mieux, sur la neige. Et puis je porterai mon pyjama rouge.

— Si tu portes un pyjama rouge, on ne verra même pas les taches de sang, observa Michael, esprit pratique de la bande.

— Oui, mais ça ferait de l'effet, sur la neige. D'ailleurs il a des parements blancs, on n'aura qu'à mettre les taches dessus. Ça serait chouette, non? Vous croyez qu'il va vraiment se faire avoir?

— Si on se débrouille bien, oui, affirma Michael. Il faudra qu'il n'y ait rien que tes traces de pas, dans la neige, et puis celles de quelqu'un d'autre qui s'approchent et qui s'éloignent du cadavre. Des empreintes d'homme, bien sûr. Comme il ne voudra pas les brouiller avec les siennes, il ne s'apercevra même pas que tu n'es pas vraiment morte.

» Euh, dites… s'interrompit-il, frappé par une pensée soudaine tandis que les autres le regardaient, il va pas prendre ça mal, au moins ?

— Oh ! non, je crois pas, estima Bridget, résolument optimiste. Il comprendra bien qu'on a juste fait ça pour le distraire. Une sorte de jeu de Noël, quoi.

— Moi, je trouve qu'on devrait éviter le jour de Noël. Grand-père risque de ne pas tellement apprécier.

— Le lendemain, alors ?

— Va pour le lendemain, trancha Michael.

— Et puis ça nous laissera plus de temps, poursuivit Bridget. On a des tas de trucs à préparer. Rentrons voir si on trouve tous les accessoires.

Et ils se précipitèrent dans la maison.

*

Ce fut le soir de tous les préparatifs. Du houx et du gui avaient été rapportés en grande quantité, le sapin avait trouvé sa place à une extrémité du salon. Tout le monde donna un coup de main pour le décorer, pour fixer les branches de houx autour des tableaux et pour suspendre le gui à bonne place dans le hall.

— Je ne croyais pas que des coutumes aussi archaïques se pratiquaient encore, ricana Desmond à l'oreille de Sarah.

— On a toujours fait comme ça chez nous, se défendit-elle.

— Tu parles d'une raison !

— Allons, ne sois pas si rabat-joie, Desmond. Je trouve que c'est assez chouette, moi.

— Ma petite chatte, tu ne vas pas me dire que tu aimes *ça*!

— Non, pas vraiment, mais… un petit peu quand même.

— Qui se sent d'attaque pour braver la neige et aller à la messe de minuit? demanda Mrs Lacey à minuit moins 20.

— Pas moi, en tout cas, grommela Desmond. Viens par ici, Sarah.

La main posée sur son bras, il lui fit prendre la direction de la bibliothèque et s'approcha du casier à disques.

— Il y a des limites, chérie, dit-il. La messe de minuit!

— Oui, voulut bien admettre Sarah. Là, vraiment…

Avec force éclats de rire et piétinements, la plupart des autres enfilèrent leur manteau et sortirent. Les deux garçons, Bridget, David et Diana entamèrent sous la neige les dix minutes de marche qui les séparaient de l'église. Les joyeux échos de leurs plaisanteries s'estompèrent au loin.

— La messe de minuit! grogna le colonel Lacey. Jamais mis les pieds là-dedans quand j'étais gamin. Je vous en ficherais, des *messes*! Encore une invention de ces fichus papistes. Oh! je vous demande bien pardon, monsieur Poirot.

— Je vous en prie, fit celui-ci avec un geste de la main. Ne vous mettez pas martel en tête pour moi.

— L'office du matin est bien suffisant pour tout un chacun, à mon avis, continua de ronchonner le colonel. L'office du dimanche dans les règles. Avec « Les anges dans nos campagnes ont entonné l'hymne des cieux » et tous les bons vieux cantiques. Et puis retour à la maison pour le déjeuner de Noël. J'ai raison, pas vrai, Em ?

— Oui, mon ami, répondit Mrs Lacey. C'est ce que *nous*, nous faisons. Mais les jeunes aiment l'office de minuit. D'ailleurs je trouve ça très bien, qu'ils *veuillent* y aller.

— Sarah et ce type ne veulent pas, eux.

— Là, mon cher, je crois que tu fais erreur. Sarah en *mourait* d'envie. Mais elle n'a pas osé le lui dire.

— Qu'elle s'attache à l'opinion d'un gugusse pareil, ça me dépasse.

— Elle est très jeune, tu sais, fit posément Mrs Lacey. Vous allez au lit, monsieur Poirot ? Bonne nuit. J'espère que vous dormirez bien.

— Et vous, madame ? Vous n'allez pas encore vous coucher ?

— Pas tout de suite. J'ai encore les bas de Noël des enfants à remplir. Oh ! je sais, ils commencent à être grands, maintenant, mais ils *adorent* leurs bas de Noël. On ne leur met dedans que des babioles, des bricoles saugrenues. Mais cela amuse tout le monde.

— Vous ne ménagez vraiment pas votre peine pour faire entrer chez vous la joie de Noël, madame, salua Poirot. Honneur à vous.

Il lui prit la main et la monta avec raffinement à ses lèvres.

— Hum ! grogna le colonel Lacey alors que Poirot quittait la pièce. Quel phraseur que ce type ! Mais… j'ai quand même l'impression que tu as fait sa conquête.

Mrs Lacey leva les yeux sur lui. De petites fossettes se creusèrent dans ses joues.

— Tu n'as pas remarqué, Horace, que je suis juste sous le gui? demanda-t-elle avec la candeur d'une ingénue enamourée.

Hercule Poirot pénétra dans sa chambre – vaste pièce amplement pourvue en radiateurs. Il se dirigeait vers le lit à colonnes lorsqu'il remarqua une enveloppe posée sur l'oreiller. Il l'ouvrit, en sortit un morceau de papier poisseux. Dessus, une main peu sûre d'elle avait tracé un message en lettres capitales :

MANGEZ PAS UNE MIETTE DU PLUM-PUDDING.
QUELQU'UN QUI VOUS VEUT DU BIEN.

Hercule Poirot considéra le message, les yeux écarquillés. Et ses sourcils se haussèrent.

— Plutôt sibyllin, murmura-t-il. Et tout à fait inattendu.

*

Le déjeuner de Noël, véritable festin, avait débuté à 2 heures de l'après-midi. De véritables troncs d'arbres brûlaient dans la grande cheminée et leur crépitement n'était recouvert que par le brouhaha des conversations animées. À la soupe aux huîtres avaient succédé deux énormes dindes dont il n'était reparti que les carcasses. À présent, c'était le moment suprême du pudding qu'on apportait en grande pompe. Le vieux Peverell, les mains et les genoux tremblant de la faiblesse de ses quatre-vingts ans, n'avait laissé ce soin à personne. Mrs Lacey était figée sur son siège, les mains crispées d'appréhension. Un Noël ou l'autre, c'était sûr, il tomberait raide mort. Entre deux risques, celui de le voir tomber raide mort ou celui de le vexer à mort, elle avait jusqu'à ce jour toujours choisi le premier. Sur un plat d'argent, le pudding trônait dans toute sa splendeur. Un pudding gros comme un ballon de football, un rameau de houx planté triomphalement en son sommet comme un étendard et entouré de superbes flammes bleues et rouges. Il fut accueilli par des applaudissements, des oh ! et des ah ! d'admiration.

Mrs Lacey avait demandé à Peverell de lui apporter le pudding afin qu'elle puisse le couper, plutôt que de le faire présenter à chacun à tour de rôle autour de la table. Elle poussa un soupir de soulagement quand il arriva en sécurité devant elle. En un rien de temps, les assiettes circulèrent, porteuses de parts encore léchées par les flammes.

— Il faut faire un vœu, monsieur Poirot ! s'écria Bridget. Un vœu avant que ça s'éteigne. Vite, grand-mère chérie, vite.

Mrs Lacey put se détendre sur sa chaise avec un soupir de satisfaction. L'Opération Pudding était réussie. Une portion encore flambante se trouvait devant tous les convives. Un bref silence régna sur la table au moment où chacun formula son vœu.

Personne ne remarqua l'expression un peu étrange que prit M. Poirot lorsqu'il contempla le morceau qu'il avait dans son assiette. *Mangez pas une miette du plum-pudding.* Que diable signifiait ce sinistre avertissement ? Cette part ne pouvait être différente de celle des autres ! Vexé de ne pouvoir percer ce mystère – Hercule Poirot avait horreur qu'un mystère lui résiste –, il s'empara de sa cuiller et de sa fourchette.

— On l'arrose un peu, monsieur Poirot?

Poirot se servit à satiété de l'odorante sauce alcoolisée.

— On m'a encore chapardé mon meilleur brandy, pas vrai, Em? s'écria gaiement le colonel à l'autre bout de la table.

Mrs Lacey lui adressa un petit clin d'œil :

— Mrs Ross est intraitable sur la qualité, très cher. Elle dit que ça fait toute la différence.

— Bon, bon, se résigna le colonel, Noël ne vient qu'une fois dans l'année, et puis Mrs Ross est une femme formidable. Une femme formidable et une formidable cuisinière.

— Ah! ça oui, renchérit Colin. Il est vachement bon, ce plum-pudding. Mmmm.

Et il s'emplit la bouche avec délice.

Doucement, presque précautionneusement, Hercule Poirot s'attaqua à sa part. Il en grignota une bouchée. Délicieux! Puis une autre. Il allait passer à la troisième quand un tintement léger, au fond de son assiette, lui fit suspendre son geste. Il chercha avec sa fourchette. Bridget, qui était à sa gauche, vint à son aide :

— Vous avez trouvé quelque chose, monsieur Poirot?

Ce dernier décolla un petit objet en argent des raisins secs dans lesquels il était pris.

— Oooh! s'écria Bridget, c'est le bouton du célibataire! M. Poirot a récolté le bouton du célibataire!

Hercule Poirot le trempa dans l'eau du rince-doigts qui se trouvait à côté de son assiette et le débarrassa de ses miettes.

— Il est très joli, observa-t-il.

— Ça veut dire que vous allez rester célibataire, monsieur Poirot, expliqua utilement Colin.

— Pour ça, il y a de grandes chances, répondit-il gravement. Je suis célibataire depuis de longues et nombreuses années, et il est peu probable que ma situation de famille change maintenant.

— Il ne faut jamais dire fontaine, je ne boirai pas de ton eau, intervint Michael. J'ai lu l'autre jour dans le journal qu'un homme de 95 ans avait épousé une jeune fille de 22.

— Voilà qui est encourageant, admit Poirot.

Le colonel Lacey poussa soudain un cri. Il devint cramoisi et porta la main à sa bouche.

— Cré nom d'une pipe, Emmeline! fulmina-t-il. Pourquoi diable laisses-tu la cuisinière mettre du verre dans le pudding?

— Du verre! répéta-t-elle, ahurie.

Le colonel extirpa de sa bouche le corps intrus.

— J'aurais pu me casser une dent, ronchonna-t-il, ou avaler cette saleté et me coller une appendicite.

Il trempa le morceau de verre dans le rince-doigts, le nettoya et le leva à hauteur de ses yeux :

— Bon Dieu de bois! C'est une de ces pierres en toc qu'on trouve montées en broche dans les papillotes et les diablotins!

Et il la brandit pour que tous la voient.

— Vous permettez?

Très prestement, Poirot tendit la main par-devant sa voisine, prit l'objet des doigts du colonel et l'examina attentivement. Comme l'avait dit le maître des lieux, c'était une pierre énorme de la couleur d'un rubis. La lumière scintillait sur ses facettes tandis qu'il la retournait dans sa paume. Quelque part à la table, une chaise fut bruyamment reculée puis remise en place.

— Mince alors, s'écria Colin, ça serait rudement chouette si c'était une *vraie* !

— Peut-être qu'elle l'est, fit Bridget avec espoir.

— Ah ! ne sois pas bête, Bridget. Un rubis de cette taille-là, ça vaudrait des milliers et des milliers de livres. Pas vrai, monsieur Poirot ?

— Absolument, confirma ce dernier.

— Ce que je n'arrive pas à comprendre, moi, fit Mrs Lacey, c'est comment elle a fait pour atterrir dans le pudding.

— Oooh ! s'étrangla à son tour Colin, tout à sa dernière bouchée, j'ai récolté le cochon. C'est pas juste.

— C'est Colin qu'a l'cochon ! C'est Colin qu'a l'cochon ! chantonna immédiatement Bridget. Ça lui apprendra à manger comme un cochon !

— Et moi, j'ai la bague ! claironna Diana.

— C'est toi qui te marieras la première, veinarde !

— J'ai le dé à coudre… gémit Bridget.

— Bridget restera vieille fille ! Bridget restera vieille fille ! entonnèrent les garçons.

— Qui est-ce qui a la pièce ? s'enquit David. Il y a une vraie pièce de dix shillings en or dans ce pudding. Je le sais, c'est Mrs Ross qui me l'a dit.

— Je crois avoir cette chance, constata Desmond Lee-Wortley.

— M'étonne pas, grommela le colonel Lacey qui ne fut entendu que par ses deux voisins immédiats.

— Moi aussi, j'ai une bague, annonça David en lorgnant du côté de Diana. Drôle de coïncidence, hein ?

Les rires continuèrent. Personne ne remarqua que Poirot avait négligemment, comme s'il pensait à autre chose, laissé tomber la pierre rouge dans sa poche.

Des tartelettes aux fruits secs et autres desserts traditionnels de Noël suivirent le pudding. Les plus âgés des convives s'étaient retirés pour une sieste réparatrice avant le cérémonial, à l'heure du thé, de l'illumination du sapin. Hercule Poirot ne fit pas la sieste. Au lieu de cela, il se rendit jusqu'à l'immense et antique cuisine.

— M'est-il permis, demanda-t-il en regardant à la ronde avec un large sourire, de féliciter la cuisinière pour ce merveilleux repas que je viens de faire ?

Il y eut un instant de silence, puis Mrs Ross s'avança vers lui d'un pas majestueux. C'était une grande et forte personne au port noble, digne comme une duchesse de théâtre. Deux autres femmes, maigres et grisonnantes, s'activaient à la vaisselle dans la souillarde tandis qu'une fille aux cheveux filasse faisait la navette. Mais celles-là n'étaient de toute évidence que des secondes mains. Mrs Ross régnait en maître sur les cuisines.

— Ravie que vous ayez aimé, monsieur, condescendit-elle à articuler.

— Aimé ! s'écria-t-il avec le geste extravagant et si peu anglais de porter sa main à ses lèvres, d'y déposer un baiser et de l'envoyer voleter vers le plafond. Mais vous êtes un génie, Mrs Ross, un véritable génie ! Je n'ai *jamais* rien mangé d'aussi délicieux. Cette soupe aux huîtres – il émit un petit bruit de gourmet avec sa bouche – et cette farce ! Cette farce aux marrons, dans la dinde, a été pour moi une véritable révélation.

— Ah ! c'est drôle que vous disiez cela, répondit-elle, parce qu'il s'agit justement d'une recette spéciale.

Elle me vient d'un chef autrichien avec qui j'ai travaillé il y a des années. Mais tout le reste, c'est de la bonne cuisine purement anglaise.

— Existe-t-il rien de meilleur ? risqua Hercule Poirot.

— Vous êtes bien aimable, monsieur. Évidemment, étant étranger, vous auriez peut-être préféré un style de plats plus continental. Ce n'est pas que je ne sache pas les préparer, notez.

— Je suis certain que vous savez tout faire, Mrs Ross ! D'ailleurs vous n'ignorez sûrement pas que la cuisine anglaise – la *bonne*, j'entends, pas celle qu'on sert dans les hôtels ou les restaurants de second ordre – est très appréciée des gourmets du continent. Je ne pense pas me tromper en vous signalant qu'au cours d'une mission spéciale effectuée à Londres au début des années 1800, un rapport a été rédigé et envoyé en France sur l'excellence des puddings anglais. « Nous n'avons rien d'équivalent chez nous, était-il écrit. Leur variété et leur excellence valent à elles seules le déplacement. » Et le roi de tous les puddings, poursuivit Poirot à présent lancé dans une sorte de dithyrambe, c'est le plum-pudding de Noël comme celui que nous avons dégusté aujourd'hui – c'est-à-dire fait à la maison, pas acheté dans le commerce. Parce que c'est bien le cas, n'est-ce pas ?

— Ah ! ça oui, monsieur. C'est ma fabrication et ma recette à moi, la même depuis des années. Quand je suis arrivée, Mrs Lacey m'a dit qu'elle en avait commandé un dans un magasin de Londres pour m'épargner la peine de le confectionner. Pas question, madame, que j'ai répondu. C'est gentil à vous, mais les puddings qu'on achète, ça ne vaut jamais ceux qu'on fait soi-même. Remarquez, poursuivit-elle en véritable artiste passionnée par son sujet, il était un peu trop jeune. Un bon plum-pudding devrait être fait plusieurs semaines à l'avance et laissé à reposer. Plus il attend – dans les limites du raisonnable, bien sûr – meilleur il est. Je me rappelle que quand j'étais gamine, on allait à l'église tous les dimanches et on attendait la collecte qui commence par « Lève-toi ô Seigneur, nous t'en supplions » parce que c'était le signal, en quelque sorte, que les puddings devaient être faits dans la semaine. Et ils l'étaient toujours. Le dimanche où venait la fameuse oraison, on pouvait être sûrs de voir ma mère s'attaquer aux puddings de Noël. On aurait dû faire pareil ici cette année, mais celui-ci n'a été préparé qu'il y a trois jours, la veille de votre arrivée. J'ai quand même respecté la tradition : chacun dans la maison a dû passer par la cuisine, donner un tour de cuiller à la pâte et faire un vœu. C'est une vieille coutume, voyez-vous, et je l'ai toujours respectée.

— Très intéressant, fit Poirot, très intéressant. Ainsi, tout le monde est passé par la cuisine ?

— Oui. Les jeunes messieurs, Bridget, le monsieur de Londres qu'est ici en ce moment, sa sœur, Mr David, miss Diana – Mrs Middleton, je devrais dire. Tous ils ont donné leur tour de cuiller, tous.

— Combien de puddings avez-vous faits ? Celui-ci était-il le seul ?

— Non, j'en ai fait quatre. Deux grands et deux plus petits. Le second des grands était prévu pour le Jour de l'An, les deux petits pour le colonel et Mrs Lacey quand ils seront seuls, quoi, quand il y aura moins de monde dans la famille.

— Je vois, je vois, dit Poirot.

— En fait, monsieur, poursuivit Mrs Ross, ce n'est pas le bon pudding que vous avez eu au déjeuner, aujourd'hui.

— Pas le bon pudding ? répéta Poirot en fronçant le sourcil. Comment cela ?

— Voilà. Nous avons un grand moule spécial pour Noël, un moule en porcelaine décoré sur son bord d'une frise de houx et de gui et dans lequel nous mettons le pudding au bain-marie. Or on a eu un petit malheur, ce matin. Annie a voulu le descendre de l'étagère du garde-manger, il lui a échappé, il est tombé et s'est cassé. Évidemment, je ne pouvais plus servir ce pudding, il aurait pu y avoir des éclats dedans. Il a donc fallu prendre l'autre, celui du Jour de l'An qui était dans un moule ordinaire. Il fait une jolie boule mais ne présente pas aussi bien que celui de Noël. Je me demande d'ailleurs si nous pourrons en retrouver un pareil. On n'en fabrique plus d'aussi grands de nos jours – rien que des petits trucs microscopiques. Quand on pense qu'il est déjà impossible de dégoter fût-ce un plat qui contienne huit ou dix œufs et le bacon pour le petit déjeuner, vous imaginez un moule à pudding ! Ah ! les choses ne sont plus ce qu'elles étaient.

— Non, c'est sûr. Sauf aujourd'hui. Aujourd'hui, nous avons eu un vrai Noël comme dans le bon vieux temps.

Mrs Ross poussa un soupir :

— Je suis bien aise que vous disiez ça, monsieur, seulement vous voyez, je ne suis plus secondée comme avant. Je ne parle pas des gens qualifiés. Les domestiques, de nos jours…

Elle baissa quelque peu la voix :

— Elles sont braves comme tout et pleines de bonne volonté, mais on ne les a pas *formées*, si vous voyez ce que je veux dire.

— Les temps changent, oui, convint Hercule Poirot. Moi aussi, cela me désole parfois.

— Cette maison, je vais vous dire, elle est trop grande pour Madame et le colonel. Madame le sait, d'ailleurs. En occuper juste un petit coin comme ils font, ce n'est pas une solution. La maison ne vit, en quelque sorte, qu'au moment de Noël quand toute la famille vient.

— C'est la première fois, si je ne me trompe, que Mr Lee-Wortley et sa sœur sont présents ?

— Oui, monsieur.

Une légère réserve pointa dans sa voix :

— Il est bien gentil, mais… nous, ici, on trouve que ce n'est pas vraiment quelqu'un pour miss Sarah. C'est vrai qu'à Londres, on ne voit pas les choses de la même manière. Et sa sœur, pauvrette, une si petite santé ! Une opération, qu'elle a eue. Elle paraissait bien, le jour qu'elle est arrivée, et puis l'autre fois, juste après avoir tourné les puddings, elle s'est trouvée de nouveau mal et elle n'a plus bougé de son lit depuis. Moi, je crois qu'on a dû la lever trop tôt, à l'hôpital. Ah ! ces docteurs de maintenant, ils vous renvoient chez vous avant même que vous puissiez mettre un pied devant l'autre. Tenez, c'est comme la femme à mon propre neveu…

Sur quoi Mrs Ross se lança dans un long récit plein de verve des traitements hospitaliers subis par des membres de sa famille, sans comparaison avec les soins attentifs qu'on prodiguait dans l'ancien temps.

Poirot lui exprima la compassion de circonstance.

— En tout cas, ajouta-t-il, il me reste à vous remercier pour ce délicieux et somptueux repas. Me permettrez-vous ce petit hommage destiné à exprimer ma reconnaissance ?

Un billet de cinq livres tout craquant de neuf passa de sa main dans celle de Mrs Ross.

— Voyons, il ne faut pas faire de telles folies, monsieur, balbutia-t-elle sans trop de conviction.

— Si, si, j'insiste.

— C'est vraiment très aimable à vous, fit-elle en acceptant la gratification comme rien d'autre que son dû. Je vous souhaite un Joyeux Noël et une excellente Nouvelle Année.

*

Cette journée s'acheva comme doit s'achever tout jour de Noël qui se respecte. L'arbre fut illuminé et, à l'heure du thé, on apporta un magnifique gâteau qui fut ovationné mais ne fut consommé qu'avec modération. Enfin, il y eut un dîner froid.

Poirot, tout comme son hôte et son hôtesse, alla se coucher tôt.

— Bonne nuit, monsieur Poirot, dit Mrs Lacey. J'espère que notre petite fête vous aura plu.

— Une journée merveilleuse, madame. Merveilleuse.

— Vous paraissez bien songeur, observa-t-elle.

— C'est à cause de ce pudding.

— Ah ! vous l'avez trouvé un peu lourd, peut-être ? demanda-t-elle gentiment.

— Oh! non, rien à voir avec la gastronomie. Je réfléchissais à sa signification.

— C'est un mets traditionnel, bien sûr. Allez, dormez bien, monsieur Poirot, et ne rêvez pas trop de pudding et de tartelettes aux fruits secs.

— Pas de doute, se murmura Poirot à lui-même tandis qu'il se déshabillait, c'est un vrai mystère que ce pudding. Il y a là quelque chose à quoi je ne comprends goutte.

Il secoua la tête, contrarié :

— Enfin, nous verrons bien.

Après avoir réglé certains préparatifs, il se mit au lit. Mais pas pour dormir.

Ce fut au bout de deux heures environ que sa patience se trouva récompensée. La porte de sa chambre s'ouvrit très doucement. Il sourit intérieurement. Les choses se déroulaient telles qu'il les avait prévues. Il revit de façon fugace la tasse de café que Desmond Lee-Wortley lui avait si obligeamment tendue après dîner. Un peu plus tard, alors que ce même Desmond lui tournait le dos, il l'avait posée quelques instants sur un guéridon, puis avait fait mine de la reprendre sous les yeux du jeune homme afin de donner à ce dernier la satisfaction – si satisfaction il y avait – de la lui voir boire jusqu'à la dernière goutte. Un petit sourire souleva la moustache de Poirot à la pensée que ce n'était pas lui, mais quelqu'un d'autre qui dormait comme un loir en ce moment.

« Ce brave petit David, songea-t-il, il est tourmenté et malheureux. Une bonne nuit de sommeil ne lui fera pas de mal. Et maintenant, voyons ce qui va se passer. »

Il ne bougea pas d'un cil et maintint une respiration régulière entrecoupée de temps à autre d'un soupçon, à peine exhalé, de ronflement.

Quelqu'un s'approcha du lit et se pencha sur lui. Apparemment rassuré, le visiteur se dirigea vers la table de toilette puis, à la lumière d'une mini-torche, se mit à examiner les affaires de Poirot soigneusement rangées sur le plateau. Des doigts palpèrent le portefeuille, ouvrirent doucement les tiroirs du meuble, puis étendirent la fouille aux poches des vêtements de Poirot. Finalement, il s'approcha de nouveau du lit et, avec les plus grandes précautions, glissa sa main sous l'oreiller. Quand il l'eut retirée, il resta un moment figé sur place comme s'il se demandait où chercher à présent. Il fit le tour de la chambre, inspecta tous les bibelots, puis entra dans la salle de bains dont il ressortit presque aussitôt. Enfin, après une petite exclamation de dépit, il quitta la chambre.

— Tiens donc! murmura Poirot entre ses dents, tu n'es pas content, hein? Pas content du tout? Non mais, t'imaginer un seul instant qu'Hercule Poirot allait cacher quelque chose là où tu pourrais le trouver!

Il se tourna sur l'autre côté et s'endormit paisiblement.

Il fut réveillé le lendemain matin par des coups frappés à sa porte – des coups aussi furtifs que comminatoires.

— Qui est là? Entrez, entrez.

La porte s'ouvrit. Le souffle court, rouge comme une pivoine, Colin se tenait sur le seuil, Michael derrière lui.

— Monsieur Poirot, monsieur Poirot...

— Euh… oui? fit ce dernier en s'asseyant sur son lit. C'est la tasse de thé du matin? Non? Ah! c'est vous, Colin? Il s'est passé quelque chose?

Comme sous le coup d'une émotion trop forte, Colin resta un moment sans voix. En réalité, c'était la vue du bonnet de nuit de Poirot qui avait provoqué chez lui cette paralysie temporaire des cordes vocales. Il parvint bientôt à se reprendre.

— Je crois… Monsieur Poirot, aidez-nous, articula-t-il. Il est arrivé quelque chose d'affreux.

— Quelque chose d'affreux? Quoi donc?

— C'est… Bridget. Elle est là-bas, dans la neige. J'ai l'impression… elle ne bouge pas, ne parle pas et… oh! je crois que vous feriez mieux de venir voir par vous-même. J'ai très peur que… je suis persuadé qu'elle est *morte*.

— Hein? s'écria Poirot en rejetant ses couvertures de côté. Mlle Bridget? Morte?

— On dirait… je crois qu'elle a été tuée. Il… il y a du sang et… oh! venez, je vous en supplie!

— Mais bien sûr, bien sûr. J'arrive tout de suite.

Esprit pratique, Poirot enfila ses bottines de marche et enfila une pèlerine fourrée par-dessus son pyjama :

— Me voilà, je suis prêt. Vous avez réveillé tout le monde dans la maison?

— Non, non, je n'ai pour l'instant prévenu personne que vous. Grand-père et grand-mère ne sont pas encore levés. On prépare le petit déjeuner, en bas, mais je n'ai rien dit à Peverell. Elle… Bridget… se trouve de l'autre côté de la maison, près de la terrasse et de la fenêtre de la bibliothèque.

— Je vois. Ouvrez la marche, je vous suis.

Se détournant pour masquer son sourire ravi, Colin le précéda et descendit les escaliers. Ils sortirent par la porte latérale. La matinée était claire, le soleil encore bas sur l'horizon. La neige avait cessé, mais elle était tombée en abondance pendant la nuit et couvrait tout d'un épais manteau immaculé. Le monde entier ne semblait que pureté, blancheur et beauté.

— Là ! haleta Colin dans un souffle. Je… c'est… là !

Et il pointa l'index en un geste dramatique.

Dramatique, la scène l'était on ne peut plus. À quelques mètres d'eux, Bridget gisait dans la neige, vêtue d'un pyjama rouge et d'un châle de laine blanc jeté autour des épaules. Un châle blanc maculé d'une tache écarlate. Sa tête tournée de côté était cachée par la masse éparse de ses cheveux noirs. Elle avait un bras replié sous le corps, l'autre projeté sur la neige, les doigts crispés. Au milieu de la tache écarlate se dressait le manche incurvé d'un grand couteau kurde que le colonel Lacey avait justement montré à ses invités la veille au soir.

— Mon Dieu ! s'écria Poirot. On se croirait au théâtre !

Michael faillit s'étrangler de rire. Colin intervint aussitôt :

— Je sais. C'est bizarre, ça… ça n'a presque pas l'*air* vrai. Vous voyez ces traces de pas… je suppose qu'il ne faut pas les brouiller ?

— Ah ! oui, les traces. Effectivement, il ne faut pas les brouiller.

— C'est bien ce que je pensais, se rengorgea Colin. Et c'est pour ça que je n'ai laissé personne approcher jusqu'à ce qu'on vous amène sur les lieux. Je me suis dit que vous sauriez quoi faire, vous.

— Quand même, releva Poirot, la première chose, c'est de voir si elle vit encore, vous ne croyez pas ?

— Oui, euh… évidemment, balbutia Michael, pas trop sûr de lui, mais vous savez, on a pensé que… enfin, on ne voulait pas…

— Ah ! prudents, hein ? Vous avez dû lire des romans policiers ! Surtout, ne toucher à rien et laisser le cadavre dans l'état où il est. Seulement on n'est pas encore *sûrs* que ce soit un cadavre, n'est-ce pas ? Alors la prudence, c'est bien beau, mais le simple devoir d'assistance à personne en danger passe avant. Il faut penser médecin avant de penser police, vous n'êtes pas de mon avis ?

— Oh ! si, bien sûr, admit Colin, un peu désarçonné.

— On s'est juste dit… enfin, on a cru qu'il valait mieux aller vous chercher avant de faire quoi que ce soit, s'empressa d'expliquer Michael.

— Bon, restez ici tous les deux, ordonna Poirot. Je vais m'approcher par l'autre côté afin de ne pas effacer les traces. Superbes, ces traces, n'est-ce pas ? Si nettes ! Les pas d'un homme et d'une femme qui sortent côte à côte jusqu'à l'endroit où se trouve le corps, puis celles de l'homme font demi-tour et pas celles de la fille.

— Ça doit être les empreintes de pieds de l'assassin, chuchota presque Colin.

— Absolument, fit Poirot. Les empreintes de l'assassin. Un pied long et étroit avec des chaussures d'un genre bien particulier. Très intéressant. Faciles à reconnaître, je crois. Oui, ces empreintes vont avoir une grande importance.

À ce moment, Desmond Lee-Wortley sortit de la maison en compagnie de Sarah et vint les rejoindre.

— Qu'est-ce que vous fabriquez tous les trois ici? demanda-t-il d'une voix un peu forcée. Je vous ai vus depuis la fenêtre de ma chambre. Il se passe quelque chose? Bon Dieu, qu'est-ce que c'est que ça? On… on dirait…

— Exactement, fit Poirot. On dirait un meurtre, n'est-ce pas?

Sarah eut un haut-le-corps, puis lança un bref regard soupçonneux en direction des deux garçons.

— Vous voulez dire que quelqu'un a tué cette petite – comment s'appelle-t-elle, déjà – Bridget? fit Desmond, ébahi. Qui donc aurait pu faire ça? C'est incroyable!

— Il y a beaucoup de choses incroyables, dit Poirot. Surtout avant le petit déjeuner, n'est-ce pas? C'est ce que prétend l'un de vos classiques, Lewis Carroll, si je ne m'abuse : « Il m'est arrivé, avant d'avoir pris mon petit déjeuner, de croire jusqu'à six choses impossibles. » Attendez ici, vous tous, ajouta-t-il.

Par un détour précautionneux, il s'approcha de Bridget et se pencha un instant sur le corps. Colin et Michael étaient à présent secoués d'un fou rire mal réprimé. Sarah les rejoignit.

— Qu'est-ce que vous avez encore manigancé, vous deux? murmura-t-elle.

— Cette vieille Bridget, chuchota Colin, elle est sensas, non? Elle ne bouge pas d'un poil!

— Je n'ai jamais vu quelqu'un faire aussi bien le mort, chuchota à son tour Michael.

Hercule Poirot se redressa.

— C'est horrible, fit-il d'une voix chargée d'une émotion qu'elle n'avait pas auparavant.

Incapables de contenir leur hilarité, Colin et Michael se détournèrent.

— Bon… qu'est-ce qu'il faut faire? parvint néanmoins à s'enquérir ce dernier d'une voix étranglée.

— Il n'y a pas le choix, répondit Poirot. Il faut appeler la police. L'un d'entre vous veut-il s'en charger ou préférez-vous que ce soit moi?

— Ben, je crois… commença Colin. Qu'est-ce que t'en penses, Michael?

— Oui, répondit l'adolescent. Je crois moi aussi qu'il vaudrait mieux ne pas pousser le bouchon trop loin.

Il se dirigea vers Poirot, son assurance apparemment un peu prise en défaut :

— Nous sommes désolés, j'espère que vous n'allez pas vous fâcher. C'était… euh… juste une de ces farces qu'on fait à Noël, vous savez. On voulait vous… vous faire le coup du meurtre pour rire.

— Du meurtre pour rire? Mais… mais alors… ceci?

— Rien qu'une mise en scène, expliqua Colin. Pour… pour que vous vous sentiez dans votre élément, quoi!

— Ah! fit Poirot, je comprends. Vous vouliez me faire un poisson d'avril? Mais on n'est pas le 1er du mois des fous, on est le 26 décembre.

— Bon, d'accord, on n'aurait pas dû, reconnut Colin. Mais vous n'êtes pas trop fâché, hein, monsieur Poirot? Allons, relève-toi, Bridget, cria-t-il. Tu dois être aux trois quarts morte de froid, maintenant.

Dans la neige, cependant, la silhouette allongée n'esquissa pas le moindre geste.

— C'est curieux, observa Poirot, elle n'a pas l'air de vous entendre.

Il fronça le sourcil :

— C'était une farce, disiez-vous ? Vous en êtes sûrs ?

— Ben, évidemment ! articula Colin, mal à l'aise. Ce n'était pas pour de vrai.

— Alors pourquoi Mlle Bridget ne se relève-t-elle pas ?

— Je comprends pas, fit Colin.

— Allez, Bridget, s'impatienta Sarah, arrête de faire l'andouille là par terre !

— On est désolés, monsieur Poirot, balbutia Colin, plein d'appréhension. On s'excuse vraiment.

— Vous n'avez plus besoin de vous excuser, répondit Poirot sur un ton étrange.

— Comment ça, plus besoin ?

Il écarquilla les yeux, puis se tourna de nouveau :

— Bridget ! Bridget ! Mais qu'est-ce qu'elle a ? Pourquoi est-ce qu'elle ne se lève pas ? Pourquoi est-ce qu'elle reste allongée comme ça ?

Poirot fit un signe à Desmond :

— *Vous*, Mr Lee-Wortley, venez ici…

Desmond s'approcha.

— Prenez son pouls, intima Poirot.

Desmond Lee-Wortley se pencha, saisit le bras, puis le poignet.

— Pas de pouls, répondit-il, les yeux hagards. Le bras est inerte. Mon Dieu, elle est *vraiment* morte !

Poirot hocha la tête :

— Eh oui, vraiment morte. Quelqu'un a transformé la comédie en tragédie.

— Quelqu'un… qui ça ?

— Il y a deux traces de pas parallèles qui font l'aller et le retour. Des traces qui ressemblent diablement à celles que *vous* venez de laisser en venant de l'allée jusqu'ici, Mr Lee-Wortley.

Lequel pivota sur lui-même.

— Eh là… vous m'accusez ? *MOI* ? Vous êtes tombé sur la tête ! Pourquoi diable aurais-je voulu tuer cette gamine ?

— Ah ! pourquoi ? Je me demande… Voyons un peu…

Il s'accroupit et, tout doucement, desserra les doigts crispés de la fille.

Desmond eut une brève inspiration. Il baissa un regard incrédule. Dans la paume de la main de la morte se trouvait ce qui ressemblait à un gros rubis.

— C'est ce truc qu'il y avait dans le pudding ! s'écria-t-il.

— Ah bon ? fit Poirot. Vous êtes sûr ?

— Absolument.

D'un geste vif, Desmond se baissa et saisit la pierre de la main de Bridget.

— Vous n'auriez pas dû faire cela, dit Poirot sur un ton de reproche. Rien n'aurait dû être dérangé.

— Je n'ai pas dérangé le cadavre, pas vrai ? Alors que ce machin pourrait… pourrait se perdre, et c'est une pièce à conviction. Ce qu'il faut, c'est faire venir la police le plus vite possible. Je vais téléphoner tout de suite.

Il pirouetta sur lui-même et partit au pas de course vers la maison. Sarah s'approcha immédiatement de Poirot.

— Je ne comprends pas, fit-elle, le visage livide. Je ne *comprends* pas.

Elle agrippa le bras de Poirot :

— Ces traces de pas… que vouliez-vous dire ?

— Voyez par vous-même, mademoiselle.

Le premier aller et retour d'empreintes jusqu'au corps était identique à celui que venait de laisser Lee-Wortley après avoir accompagné Poirot.

— Mais alors vous… Desmond ? C'est ridicule !

Un bruit de moteur déchira l'air cristallin. Tous se retournèrent. Ils virent distinctement une voiture descendre l'allée à fond de train, et Sarah la reconnut.

— C'est lui, fit-elle. C'est sa voiture. Il… il doit être allé chercher la police au lieu de téléphoner.

Diana se précipita à ce moment hors de la maison et vint les rejoindre.

— Qu'est-ce qui se passe ? haleta-t-elle, tout essouf-flée. Je viens de voir Desmond rentrer en trombe à la maison. Il a bafouillé quelque chose au sujet de Bridget qui se serait fait tuer et il s'est énervé sur le téléphone qui ne marchait pas. Il a dit que les fils avaient dû être coupés et que la seule chose à faire, c'était d'aller cher-cher la police en voiture. Pourquoi la police ?

Poirot lui montra le corps dans la neige.

— Bridget ? fit Diana en le regardant fixement. C'est sûrement une blague, voyons. Hier soir, j'ai entendu quelque chose, et j'ai cru comprendre qu'ils voulaient vous faire une farce, monsieur Poirot.

— Oui, au départ, c'était une farce. Mais rentrons tous à la maison. Nous allons attraper la mort, ici, et nous ne pouvons rien faire avant le retour de Mr Lee-Wortley avec la police.

— Dites, fit Colin, on ne peut pas… laisser Bridget comme ça toute seule.

— Le fait que nous restions là ne l'aidera pas non plus, fit doucement Poirot. Venez. C'est triste, c'est une tragédie, mais il n'y a plus rien à faire pour Mlle Bridget. Rentrons donc au chaud et prenons peut-être une tasse de thé ou de café.

Tous le suivirent docilement jusqu'à la maison. Et ils s'engouffrèrent dans le hall au moment précis où Peverell allait sonner le gong pour le petit déjeuner. Si ce dernier trouva extraordinaire que presque toute la maisonnée vienne du dehors et que Poirot apparaisse en pyjama sous son manteau, il n'en laissa rien paraître. Malgré son grand âge, Peverell était toujours un major-dome stylé. Il ne remarquait jamais ce qu'il n'était pas censé remarquer. Ils entrèrent dans la salle à manger et s'installèrent. Quand chacun eut devant soi une tasse de café à siroter, Poirot prit la parole :

— J'ai une petite histoire à vous raconter. Je ne pourrai pas vous la narrer en détail, mais je vous la donnerai à tout le moins dans ses grandes lignes. C'est celle d'un jeune prince qui est venu dans ce pays. Il a apporté avec lui un joyau très connu qu'il devait faire remonter pour la dame qu'il allait épouser. Entre-temps, hélas ! il a fait la connaissance d'une très jolie jeune personne. Laquelle jeune personne s'intéressait bien davantage à la pierre qu'à l'homme – à tel point qu'un beau jour, elle a filé avec ce bijou chargé d'histoire qui appartenait à la famille depuis des générations. Voilà donc notre jeune homme dans un bel embarras. Avant tout, il ne peut pas se permettre un scandale. Impossible de s'en remettre à la police. Alors il vient me trouver moi,

Hercule Poirot. « Récupérez-moi mon rubis, joyau historique », me demande-t-il. Or la jeune femme en question a un ami, et l'ami a monté plusieurs opérations fort douteuses. Il s'est livré à des affaires de chantage et de trafic de pierres précieuses. Toujours avec beaucoup d'habileté : suspect, oui, mais jamais pris. Et voilà que j'apprends que ce jeune gentleman si malin vient passer Noël dans cette maison. Car il est important que la jolie dame, une fois le joyau en sa possession, disparaisse quelque temps de la circulation afin de se faire oublier et d'éviter les questions. On s'arrange donc pour la cacher à Kings Lacey, en la faisant passer pour la sœur du jeune gentleman si malin…

Sarah prit une brève inspiration.

— Oh! non, non, protesta-t-elle. Pas *ici*! Pas ici avec moi!

— Il en est pourtant allé ainsi, poursuivit Poirot. Sur quoi, grâce à une petite manœuvre, me voilà à mon tour invité ici à Noël. La jeune dame est censée sortir tout juste de l'hôpital. Elle se sent beaucoup mieux quand elle arrive, mais survient la nouvelle que moi aussi, un détective – un détective réputé –, j'arrive. Alors elle a ce que vous appelez la frousse. Elle cache le rubis dans le premier endroit qui lui passe par l'esprit, prétexte immédiatement une rechute et se remet au lit. Elle ne veut pas que je la voie, car elle est sûre que j'ai une photo d'elle et que je vais la reconnaître. Elle s'ennuie ferme, mais elle est bloquée dans sa chambre et son frère lui monte ses plateaux.

— Et le rubis? demanda Michael.

— Je crois, répondit Poirot, qu'au moment où elle a appris mon arrivée, la jeune femme se trouvait dans la cuisine avec vous, tous réunis à rire et plaisanter pour tourner la pâte des puddings. Les puddings sont dans des moules et c'est là que la jeune femme cache le rubis : elle l'enfonce dans un des récipients. Pas celui qui est destiné à la soirée de Noël, oh ! non, elle sait que celui-là se trouve dans un moule spécial. Elle le met dans l'autre, celui qui doit être mangé au Jour de l'An. D'ici là, elle sera prête à partir, et nul doute que le pudding partira avec elle. Mais voilà, la fatalité s'en mêle. Au matin de Noël, un petit malheur se produit : le pudding tombe par terre dans son moule fantaisie, lequel se brise en mille morceaux. La brave Mrs Ross ne fait ni une ni deux, elle prend l'autre pudding et le sert.

— Bon sang ! s'étrangla Colin, vous voulez dire qu'à Noël, quand grand-père mangeait son pudding, c'est sur un *vrai* rubis qu'il a failli se casser une dent ?

— Exactement, sourit Poirot, et vous pouvez imaginer l'émoi de Mr Desmond Lee-Wortley à cette vue. Alors ensuite ? Eh bien le rubis passe de main en main. Je l'examine et parviens mine de rien à le glisser dans ma poche. Négligemment, comme si je ne lui accordais aucun intérêt. Une personne pourtant observe mon manège. Et quand je m'endors, le soir, cette personne vient fouiller ma chambre et me fouiller moi-même. Elle ne trouve pas le rubis. Pourquoi ?

— Parce que, murmura Michael en retenant son souffle, vous l'aviez entre-temps donné à Bridget. C'est ça, hein ? Et c'est pour ça que… mais je ne comprends pas très bien… Allez, dites-nous vite ce qui s'est passé ensuite.

Poirot lui sourit :

— Venez avec moi dans la bibliothèque, et je vous montrerai quelque chose qui expliquera peut-être le mystère.

Il passa devant et tous le suivirent.

— Observez une nouvelle fois les lieux du crime, fit Poirot en montrant la fenêtre.

Il y eut un halètement de stupéfaction général. Il n'y avait plus de cadavre dans la neige, plus trace de la tragédie à l'exception d'une surface de neige piétinée.

— On n'a quand même pas rêvé? fit Colin d'une voix anéantie. Quelqu'un a enlevé le corps?

— Ah! vous voyez? Le Mystère du Cadavre Envolé, fit Poirot avec un hochement de tête et une petite étincelle de malice dans les yeux.

— Mais nom d'une pipe, monsieur Poirot, s'écria Michael, vous êtes… vous n'avez pas… dites, il nous a tous menés en bateau depuis le début!

Les yeux de Poirot pétillèrent plus que jamais:

— C'est vrai, mes enfants, moi aussi je vous ai joué un tour. J'étais au courant de votre petite conspiration, voyez-vous, alors j'ai monté un plan de contre-attaque. Ah! voici Mlle Bridget. Bien remise de votre séjour prolongé dans la neige, j'espère? Je ne me pardonnerais jamais que vous attrapiez une fluxion de poitrine.

Bridget venait d'entrer dans la pièce, chaudement vêtue d'une chemise épaisse et d'un pull de laine. Elle riait.

— J'ai fait monter une tisane dans votre chambre, dit Poirot en fronçant le sourcil. Vous l'avez bien bue, au moins?

— Oh! une seule gorgée a suffi! Je suis en pleine forme, moi! Est-ce que j'ai bien joué mon rôle, monsieur Poirot? Bon sang! j'ai encore mal au bras avec ce garrot que vous m'avez fait mettre!

— Vous avez été magnifique, mon enfant, la félicita Poirot. Magnifique. Mais vous voyez, tous les autres sont dans le brouillard complet. Hier soir, donc j'ai approché Mlle Bridget. Je lui ai expliqué que j'étais au courant de votre petit complot et lui ai demandé si elle accepterait de jouer un rôle pour moi. Elle s'est débrouillée à merveille. Elle a fait les empreintes avec une paire de chaussures de Mr Lee-Wortley.

— Mais à quoi rime tout cela, monsieur Poirot? demanda Sarah d'une voix aigre. Quel est l'intérêt d'envoyer Desmond chercher la police? Ils seront hors d'eux quand ils s'apercevront que ce n'était qu'un coup monté!

Poirot secoua doucement la tête :

— Ma foi, je ne crois pas un seul instant que Mr Lee-Wortley soit allé chercher la police, mademoiselle. Il ne veut surtout pas être mêlé à une histoire de meurtre. Ses nerfs l'ont trahi. Tout ce qu'il a vu, c'est la possibilité de récupérer le rubis. Il s'est jeté dessus, a prétendu que le téléphone était détraqué et s'est précipité dans sa voiture sous prétexte d'aller chercher la police. Je pense pour ma part que vous ne le reverrez pas de sitôt. Il peut, à ce que je sais, quitter l'Angleterre par ses propres moyens. Il a son avion personnel, n'est-ce pas, mademoiselle?

Elle acquiesça de la tête :

— Oui. Nous avions l'intention de…

Elle s'interrompit.

— Il voulait que vous vous enfuyiez avec lui de cette façon, n'est-ce pas? Pardi! C'est un merveilleux

stratagème pour passer en douce un joyau hors du pays.
Quand vous enlevez une jeune fille de bonne famille,
avec tout ce que cela comporte de battage dans les journaux, on ne va pas vous soupçonner une seconde d'en
avoir profité pour sortir en fraude un joyau historique.
Ah! oui, vous auriez constitué une couverture de premier ordre, mademoiselle!

— Ce n'est pas possible, balbutia Sarah. Je ne crois
pas un mot de tout ça.

— Pour en avoir le cœur net, interrogez donc sa
sœur, fit Poirot en désignant du menton, par-dessus son
épaule, quelqu'un derrière elle.

La tête de Sarah pivota instantanément.

Drapée dans un manteau de fourrure, une blonde
platinée se tenait immobile sur le seuil. Elle semblait
d'humeur exécrable.

— Sa sœur, mes fesses! jeta-t-elle avec un ricanement mauvais. Il n'a jamais été mon frère, ce salopard! Si je comprends bien, il s'est fait la malle, et
il me laisse dans le pétrin? Alors que c'est *lui* qui a
monté la combine et qui m'a mouillée jusqu'au cou!
Du tout cuit, d'après lui, ça devait être! Ils ne nous
poursuivraient pas, par frousse du scandale: j'aurais
toujours pu menacer de dire qu'Ali m'en avait bel et
bien fait cadeau, du fameux rubis. Desmond et moi,
on devait se partager le gros lot à Paris et voilà qu'il
se tire sans moi, ce fumier! Ah! ce que j'aimerais le
retrouver histoire de lui faire la peau! Plus vite je file-
rai d'ici...

Elle changea brusquement de ton:

— Est-ce que quelqu'un pourrait avoir la gentillesse
de m'appeler un taxi?

— Une voiture vous attend devant la grande porte pour vous conduire à la gare, mademoiselle, dit Poirot.

— Vous pensez à tout, pas vrai ?

— La plupart du temps, répondit-il, non sans quelque suffisance.

Mais Poirot ne devait pas s'en tirer aussi facilement. Quand il revint au salon après avoir accompagné la fausse miss Lee-Wortley à la voiture, Colin l'attendait de pied ferme, visage renfrogné :

— Dites donc, monsieur Poirot, *et le rubis* ? Vous avez laissé ce type filer avec ?

Le visage de Poirot s'allongea. Il tortilla sa moustache d'un air embarrassé.

— Je peux encore le récupérer, dit-il faiblement. Il y a d'autres moyens. Je vais essayer de…

— C'est inimaginable ! fulmina Michael. Laisser ce saligaud partir avec le rubis !

Bridget fut plus finaude.

— Il nous fait encore marcher ! s'écria-t-elle. Hein que vous nous faites marcher, monsieur Poirot ?

— Je vous propose un dernier tour de passe-passe, mademoiselle. Cherchez dans ma poche gauche.

Bridget plongea la main. Elle la ressortit avec un cri de triomphe et brandit un énorme rubis qui brillait de tous ses feux incarnats.

— Vous comprenez ? expliqua Poirot. Celui que vous teniez dans vos doigts crispés n'était qu'un faux en verre coloré. Je l'ai apporté de Londres pour le cas où il serait possible d'opérer une substitution. Nous ne voulons pas de scandale. M. Desmond va essayer de se débarrasser du rubis à Paris, en Belgique ou en quelque autre endroit où il possède des contacts, et là, on s'apercevra que la pierre est fausse ! C'est l'idéal, pour nous, non ? La fin rêvée. Le scandale est évité, mon jeune prince retrouve son rubis, il rentre dans son pays et fait un mariage raisonnable, et, nous l'espérons, heureux. Tout est bien qui finit bien.

— Sauf pour moi, murmura Sarah entre ses dents.

Elle avait parlé si bas que Poirot fut le seul à l'entendre.

— Vous faites erreur, mademoiselle Sarah, en disant cela. Vous avez acquis de l'expérience. Toute expérience est bonne à prendre. Je peux prédire que devant vous se profile le bonheur.

— C'est vous qui le dites.

— Mais au fait, monsieur Poirot, intervint Colin en fronçant le sourcil, comment avez-vous su que nous vous montions un coup ?

— C'est mon métier que de tout savoir, répondit Hercule Poirot en frisant sa moustache.

— Peut-être bien, mais je ne vois pas ce qui vous a mis la puce à l'oreille. Quelqu'un est venu cafarder… vous trouver pour vous prévenir ?

— Non, non, ce n'est pas ça.

— Quoi, alors ? Dites-nous.

— Oui, dites-nous ! firent-ils tous en chœur.

— Ah ! non, protesta Poirot. Si je vous avoue comment j'ai fait pour y arriver, ça perdra tout son charme. C'est comme un prestidigitateur qui montrerait ses tours !

— Dites-nous la vérité, monsieur Poirot, allez ! Dites-la-nous, dites-la-nous !

— Je ne peux pas. Vous seriez trop déçus.

— S'il vous plaît, monsieur Poirot, expliquez-nous. *Comment avez-vous su ?*

— Bon, alors voilà. Je me reposais dans un fauteuil à côté de la fenêtre de la bibliothèque, l'autre jour après le thé. Le sommeil m'a pris, et quand je me suis réveillé, vous étiez en train de discuter vos petits plans juste sous la fenêtre près de laquelle je me trouvais – et le vantail du haut était ouvert.

— C'est tout ? lâcha Colin d'un air dépité. C'est bête comme chou !

— N'est-ce pas ? fit Poirot tout sourire. Vous voyez que vous êtes déçus !

— Peut-être, fit Michael, n'empêche qu'on sait rigoureusement tout, maintenant.

« Voire, murmura la petite voix intérieure de Poirot. *Moi*, je ne sais pas tout. *Moi*, dont c'est le métier de tout savoir… »

Il sortit dans le hall en dodelinant de la tête. Pour la vingtième fois peut-être, il tira de sa poche un morceau de papier tout poisseux : MANGEZ PAS UNE MIETTE DU PLUM-PUDDING. QUELQU'UN QUI VOUS VEUT DU BIEN.

Hercule Poirot continua à secouer la tête d'un air songeur. Être tenu en échec par ça ! Lui qui pouvait toujours tout expliquer ! Humiliant ! Qui avait écrit ce message ? Et *pourquoi* ? Il ne connaîtrait pas de repos tant qu'il n'arriverait pas à donner la réponse. Il fut soudain tiré de sa rêverie par une sorte de halètement singulier. Intrigué, il baissa les yeux. À quatre pattes au beau milieu du parquet, une jeune créature aux cheveux d'étoupe et vêtue d'une robe-tablier à fleurs s'activait avec une balayette et un ramasse-poussière. Elle regardait fixement, de ses yeux ronds comme des billes, le papier qu'il tenait à la main.

— Oh! m'sieur, fit cette apparition, *m'sieur, s'il vous plaît.*

— Qui êtes-vous donc, mon enfant? demanda Poirot avec affabilité.

— Annie Bates, m'sieur, pour vous servir. J'viens ici aider Mrs Ross. J'voulais pas… faire quéqu'chose de défendu, vous savez. C'était dans une bonne intention. Pour vot'bien à vous, j'veux dire.

— C'est vous qui avez écrit ça, Annie?

— J'pensais pas à mal, m'sieur. J'vous assure.

— J'en suis convaincu.

Il lui sourit:

— Mais expliquez-moi. Pourquoi l'avez-vous écrit?

— À cause de ces gens, Mr Lee-Wortley et sa sœur. Sa sœur moi, ça m'ferait mal! Personne y croyait, aux cuisines. Et puis elle était pas plus malade que moi, c'était clair. Toutes, on se disait qu'il se passait quéqu'chose de bizarroïde. J'vais vous espliquer franchement, m'sieur. Un moment que j'étais dans la salle de bains à changer les serviettes, j'ai écouté à la porte. Il était dans sa chambre à elle et ils causaient. J'ai entendu c'qu'ils se racontaient aussi clair que j'vous entends. « Ce privé, qu'il disait, ce Hercule Poirot qu'arrive ici, va falloir utiliser les grands moyens. En débarrasser le plancher le plus vite possible. » Et puis un peu plus tard, il lui a demandé comme ça d'un ton sinistre: « Dans quoi tu l'as mis? – *Dans le pudding* », qu'elle lui a répondu. Oh! m'sieur, ça a été un tel choc que j'ai cru qu'mon cœur y s'arrêtait d'battre dans ma poitrine. J'me suis dit comme ça qu'ils voulaient vous empoisonner, moi. J'savais pas quoi faire! Mrs Ross, elle aurait pas écouté une souillon comme moi. Alors il m'est venu à l'idée d'vous écrire un mot d'avertissement. J'l'ai fait et j'l'ai mis sur vot'oreiller pour que vous l'trouviez en allant au lit.

Annie s'interrompit pour reprendre son souffle. Poirot la considéra gravement pendant quelques minutes.

— Vous regardez trop de films à sensation, Annie, dit-il enfin. À moins qu'il ne s'agisse de la télévision? Mais ce que je retiens, c'est que vous avez bon cœur et une certaine dose d'ingéniosité. Quand je serai rentré à Londres, je vous enverrai un cadeau.

— Oh! merci, m'sieur, merci beaucoup.

— Voyons, qu'est-ce qui vous ferait plaisir?

— Vrai? J'peux demander c'que je veux?

— Dans les limites du raisonnable, corrigea Poirot, prudent.

— Dites, j'pourrais avoir une trousse de maquillage? Une chouette trousse de maquillage ultra-chic comme celle qu'avait la sœur à Mr Lee-Wortley qu'était pas sa sœur?

— D'accord, acquiesça Poirot, grand seigneur. Je crois que cela devrait pouvoir se faire.

» C'est intéressant, poursuivit-il en un murmure songeur. Dans un musée, l'autre jour, je contemplais des antiquités de Babylone, ou de je ne sais plus quel site plusieurs fois millénaire de ce genre. Parmi elles, se trouvaient des coffrets à cosmétiques. Le cœur de la femme ne change donc jamais.

— J'vous demande pardon? fit Annie.

— Rien, répondit Poirot, je réfléchissais tout haut. Vous aurez votre trousse de maquillage, mon enfant.

— Oh! merci beaucoup, m'sieur. Oh! merci infiniment.

Elle s'en fut comme sur un nuage, extasiée. Poirot la regarda s'éloigner et afficha une mine d'absolue satisfaction.

« Bon, se dit-il. Partons, maintenant. Je n'ai plus rien à faire ici. »

Au moment où il s'y attendait le moins, deux bras lui entourèrent les épaules.

— Vous voulez bien rester sous le gui un instant ? demanda Bridget.

Et elle lui déposa un baiser sur la joue.

Hercule Poirot ne le regretta pas. Pas du tout. Et se dit qu'il avait réellement passé un bon, un très bon Noël.

Le Mystère du bahut espagnol

(The Mystery of the Spanish Chest)

Ponctuel à la seconde près comme toujours, Hercule Poirot entra dans la petite pièce où miss Lemon, sa très efficace secrétaire, attendait ses instructions de la journée.

À première vue, miss Lemon paraissait tout en angles, ce qui satisfaisait le goût de Poirot pour la symétrie.

Non pas qu'il étendît son amour de la précision géométrique au domaine féminin. Hercule Poirot n'allait pas jusque-là. Il était au contraire de la vieille école. Il avait une préférence bien continentale pour les rondeurs – les rondeurs voluptueuses, pourrait-on dire. Il aimait que les femmes *soient* des femmes, luxuriantes, hautes en couleur, exotiques. Il y avait eu, ainsi, certaine comtesse russe qui… allons, c'était loin, tout cela. Une folie de jeunesse.

Mais il n'avait jamais considéré miss Lemon comme une femme. C'était une machine humaine, un instrument de précision d'une terrifiante efficacité. Elle avait quarante-huit ans, et la chance de ne posséder aucune imagination.

— Bonjour, miss Lemon.

— Bonjour, monsieur Poirot.

Ce dernier s'installa et miss Lemon déposa devant lui le courrier du matin soigneusement sérié par catégories. Puis elle retourna à son siège et s'assit, crayon et bloc prêts à l'action.

Ce matin-là, pourtant, il allait y avoir un léger changement dans la routine. Poirot avait apporté le journal du matin et ses yeux le parcouraient avec intérêt. Un titre s'étalait en caractères gros et gras :

LE MYSTÈRE DU BAHUT ESPAGNOL.
DERNIERS DÉVELOPPEMENTS.

— Vous avez lu le journal, je présume, miss Lemon ?

— Oui, monsieur Poirot. Les nouvelles de Genève ne sont pas très bonnes.

D'un revers significatif du bras, Poirot envoya promener les nouvelles de Genève.

— Un bahut espagnol, fit-il d'un air songeur. Pourriez-vous m'expliquer ce qu'est au juste un bahut espagnol, miss Lemon ?

— Un bahut qui vient d'Espagne, je suppose, monsieur.

— Supposition logique. Vous n'avez pas de description plus précise ?

— Ils datent en général de l'époque élisabéthaine, je crois. Ce sont des coffres avec beaucoup d'ornements en cuivre. Ils sont très beaux, une fois entretenus et astiqués. Ma sœur en a acheté un lors d'une vente. Elle y range du linge de maison. Ça fait très chic.

— Je ne doute pas que, chez quelqu'un qui est votre sœur, tout le mobilier soit bien entretenu, fit Poirot en inclinant courtoisement la tête.

Miss Lemon répondit avec nostalgie que les domestiques d'aujourd'hui ne paraissaient pas savoir ce qu'était l'huile de coude. Poirot sembla un peu déconcerté mais décida de ne pas s'informer plus avant sur le sens profond de cette mystérieuse expression.

Il baissa de nouveau les yeux sur son journal et éplucha les noms : le major Rich, Mr et Mrs Clayton, le commandant McLaren, Mr et Mrs Spence. Des noms, rien que des noms, pour lui. Tous pourvus d'une personnalité humaine, cependant, avec ses haines, ses amours, ses peurs. Affaire dramatique que celle-là, dans laquelle Poirot ne jouait aucun rôle. Il le regrettait bien, d'ailleurs ! Six personnes présentes à une soirée dans une pièce où se trouve un grand bahut espagnol adossé au mur. Six personnes. Cinq qui discutent, se restaurent au buffet, mettent des disques sur le phono, dansent. La sixième *morte dans le coffre...*

Ah ! songea Poirot, que mon cher Hastings aurait aimé cela ! Les envolées romantiques auxquelles son imagination se serait livrée ! Les inepties qu'il aurait émises ! Ce cher Hastings... aujourd'hui, là tout de suite, il me manque... Et à sa place...

Il poussa un soupir et regarda du côté de miss Lemon. Laquelle, sentant intelligemment que Poirot n'était pas d'humeur à dicter du courrier, avait ôté la housse de sa machine à écrire pour rattraper certains travaux en retard. Rien n'aurait pu moins l'intéresser que de sinistres histoires de bahuts espagnols contenant des cadavres.

Après un nouveau soupir, Poirot baissa les yeux sur la photographie d'un visage. Les clichés d'un journal ne donnaient jamais rien de très bon, et celui-ci était particulièrement mauvais, mais quel visage ! *Mrs Clayton, l'épouse de la victime…*

D'un geste soudain, il lança le journal en direction de miss Lemon.

— Regardez, ordonna-t-il. Regardez ce visage.

Elle obéit sans montrer d'émotion.

— Qu'en pensez-vous, miss Lemon ? C'est Mrs Clayton.

Elle approcha le journal et jeta dessus un œil désinvolte.

— On dirait la femme de notre banquier quand nous habitions à Croyden Heath, observa-t-elle.

— Intéressant, fit Poirot. Racontez-moi l'histoire de la femme de votre banquier.

— Elle n'a rien de très gai, monsieur Poirot.

— Je ne m'attendais guère à ce qu'elle le soit. Allez-y.

— On a beaucoup jasé au sujet de Mrs Adams et d'un jeune peintre. Et puis Mr Adams s'est tiré une balle dans la tête. Mais Mrs Adams n'a pas voulu épouser son peintre, qui a avalé une sorte de poison. On a quand même réussi à le sauver. Finalement, Mrs Adams a convolé avec un jeune avoué. Je crois que les problèmes ne se sont pas arrêtés là, mais comme c'est le moment où nous avons quitté Croyden Heath, j'ai un peu perdu le fil.

Hercule Poirot hocha la tête d'un air pénétré :

— C'était une belle femme ?

— Eh bien… pas vraiment ce qu'on appelle belle, mais… il semblait y avoir quelque chose en elle qui…

— Exactement. Quel est ce quelque chose que possèdent les sirènes de ce monde – les Hélène de Troie, les Cléopâtre… ?

Miss Lemon glissa vigoureusement une feuille dans le rouleau de sa machine à écrire :

— Vraiment, monsieur Poirot, je ne me suis jamais posé la question. Tout cela me paraît tellement dérisoire. Si les gens s'occupaient de leur travail au lieu de penser à ce genre de futilités, tout irait beaucoup mieux.

Ayant ainsi rivé leur clou aux faiblesses et aux passions humaines, miss Lemon positionna ses doigts au-dessus du clavier, attendant ardemment l'autorisation de commencer son travail.

— C'est votre opinion, fit Poirot. Et en ce moment, vous piaffez d'impatience que je vous permette de continuer *votre* travail. Mais votre travail, miss Lemon, ne consiste pas seulement à prendre mon courrier, classer mes papiers, répondre au téléphone ou taper mes lettres – toutes choses que vous faites d'ailleurs admirablement bien. Moi, voyez-vous, en plus des paperasses, j'ai affaire à des êtres humains. Et dans ce domaine aussi, j'ai besoin d'aide.

— Certainement, monsieur Poirot, fit patiemment miss Lemon. Que voulez-vous que je fasse ?

— Cette affaire m'intéresse. J'aimerais que vous examiniez le compte rendu qu'en fait la presse du matin, ainsi que tout complément d'information des journaux du soir. Établissez-moi un résumé des faits.

— Très bien, monsieur Poirot.

Celui-ci se retira dans son salon, un sourire triste sur les lèvres.

« C'est vraiment une ironie du sort, songeait-il, qu'après mon cher Hastings, j'aie hérité miss Lemon. Qui pourrait imaginer plus grand contraste entre les deux ? *Ce cher Hastings…* comme il se serait amusé ! Il aurait fait les cent pas, échafaudé les plus folles hypothèses pour expliquer chaque péripétie, pris tout ce que disaient les journaux pour parole d'Évangile. Alors que ma pauvre miss Lemon ne va pas tirer le moindre plaisir de la tâche que je lui ai confiée ! »

Laquelle miss Lemon, le moment venu, lui apporta une feuille dactylographiée :

— J'ai rassemblé les renseignements que vous désiriez, monsieur Poirot. Je crains pourtant qu'on ne puisse trop se fier à tout cela tant les journaux diffèrent dans leurs récits. Je ne garantirais pas à plus de soixante pour cent l'exactitude de leur relation des faits.

— Et encore, murmura Poirot. Merci, miss Lemon, de la peine que vous avez prise.

Les faits étaient extraordinaires mais bien établis. Le major Charles Rich, célibataire fortuné, avait donné chez lui une soirée pour un groupe d'amis. Ce groupe se composait de Mr et Mrs Clayton, Mr et Mrs Spence et un certain commandant McLaren. Le commandant McLaren était un très vieil ami à la fois de Rich et des Clayton, alors que Mr et Mrs Spence, un couple plus jeune, étaient des relations assez récentes. Arnold Clayton travaillait au ministère des Finances, Jeremy Spence dans l'administration. Le major Rich avait 48 ans, Arnold Clayton 55, le commandant McLaren 46, Jeremy Spence 37. De Mrs Clayton, on disait qu'elle était « de quelques années plus jeune que son mari ». L'un d'entre eux avait dû se décommander : au dernier moment, Mr Clayton avait été appelé en Écosse pour une affaire urgente et était censé avoir quitté King's Cross par le train de 20 h 15.

La soirée s'était déroulée de façon tout à fait habituelle pour ce genre de réunion. Chacun avait semblé passer un bon moment. Il n'y avait eu ni excentricités ni beuverie. Elle s'était terminée vers 23 h 45. Les quatre invités étaient partis ensemble et avaient partagé un taxi. Le commandant McLaren avait été déposé en premier à son club, puis Margharita Clayton à Cardigan Gardens juste à hauteur de Sloane Street, et les Spence avaient poursuivi seuls jusqu'à leur maison de Chelsea.

La macabre découverte avait été faite le lendemain matin par le valet de chambre du major Rich, William Burgess. Ce dernier ne logeait pas sur place. Il était arrivé tôt afin de remettre le salon en ordre avant de réveiller son maître et de lui apporter son thé du matin. C'est pendant qu'il effectuait ce rangement que Burgess avait été intrigué par une grosse tache qui décolorait le tapis clair sur lequel était posé le bahut espagnol. Quelque chose semblait avoir suinté de l'intérieur et le valet avait immédiatement soulevé le couvercle pour regarder à l'intérieur. Il avait été horrifié d'y trouver le corps de Mr Clayton, le cou lardé de coups de couteau.

Obéissant à son premier réflexe, Burgess s'était précipité dans la rue et avait couru chercher le policier le plus proche.

Tels étaient les faits bruts. Mais il y avait d'autres détails. La police avait tout de suite prévenu Mrs Clayton qui en était restée « complètement anéantie ». Elle avait

vu son mari pour la dernière fois un peu après 6 heures
la veille au soir. Il était rentré fâché d'être obligé de
monter en Écosse pour des affaires urgentes concernant
une propriété qu'il possédait là-haut. Il avait insisté
pour que sa femme aille à la soirée sans lui, puis s'était
rendu à son club, le même que celui du commandant
McLaren, et avait pris un verre avec ce dernier pour lui
exposer la situation. Il avait alors consulté sa montre
et dit qu'il lui restait juste le temps, sur le chemin de
King's Cross, de s'arrêter chez le major Rich et de la lui
expliquer également. Il avait déjà essayé de lui téléphoner, mais la ligne paraissait en dérangement.

Aux dires de William Burgess, Mr Clayton était arrivé
à l'appartement vers 19 h 55. Le major était sorti mais
devait revenir d'une minute à l'autre, aussi Burgess
avait-il proposé à Mr Clayton d'entrer l'attendre. Celui-
ci avait répondu qu'il n'en avait pas le temps car il avait
un train à prendre, mais qu'il laisserait volontiers un
petit mot. Le valet l'avait alors accompagné au salon
puis avait réintégré sa cuisine où il était occupé à préparer des canapés pour la soirée. Il n'avait pas entendu son
maître rentrer, mais, une dizaine de minutes plus tard, le
major était passé par la cuisine pour demander à Burgess
de se hâter d'aller chercher les cigarettes turques que
Mrs Spence aimait tant. Le valet avait obéi et les avait
apportées à son maître dans le salon. Mr Clayton ne s'y
trouvait pas, mais Burgess avait tout bonnement pensé
qu'il était déjà parti prendre son train.

Le récit du major Rich avait été bref et net. Mr Clayton
n'était pas dans l'appartement quand lui-même y était
arrivé, et il ignorait totalement qu'il y fût passé. Aucun
message ne lui avait été laissé et il n'avait appris le

déplacement de Mr Clayton en Écosse que lorsque sa femme et les autres étaient arrivés.

Deux nouvelles étaient données par les journaux du soir. Mrs Clayton, « terrassée par le choc », avait quitté son appartement de Cardigan Gardens pour, estimait-on, se réfugier chez des amis.

Le second communiqué était une dernière minute. Le major Charles Rich était inculpé du meurtre d'Arnold Clayton et placé en garde à vue.

— Et voilà, fit Poirot en levant les yeux sur miss Lemon. L'arrestation du major Rich était à prévoir. Mais cette affaire est extraordinaire, *tout à fait* extraordinaire. Vous ne trouvez pas ?

— Je suppose que ce sont là des choses qui arrivent, monsieur Poirot, répondit miss Lemon sans montrer le moindre intérêt.

— Oh ! cela va de soi ! Il s'en produit tous les jours. Ou presque. Mais d'habitude – et si affligeantes soient-elles – on parvient à les comprendre.

— C'est en tout cas une bien fâcheuse histoire.

— Se faire poignarder et tasser dans un bahut espagnol est certainement très fâcheux pour la victime – suprêmement, même. Mais quand je dis que c'est une affaire extraordinaire, c'est du comportement du major Rich que je parle.

— On semble avoir imaginé, fit-elle avec un soupçon de dégoût, que le major Rich et Mrs Clayton pouvaient être… intimes. Mais comme cela ne reposait sur aucun fait concret, je ne l'ai pas marqué.

— Vous avez fort bien fait. Mais c'est une hypothèse qui saute tout de suite à l'esprit. Vous n'avez rien d'autre à ajouter ?

Devant l'expression vide de miss Lemon, Poirot poussa un soupir et regretta l'imagination pittoresque de son ami Hastings. Discuter d'une affaire avec miss Lemon n'était pas une sinécure.

— Considérez un instant ce major Rich. Il est amoureux de Mrs Clayton – d'accord… Il veut se débarrasser du mari d'icelle – d'accord là aussi, encore que si Mrs Clayton était amoureuse de lui et qu'ils aient effectivement une liaison, quelle urgence y avait-il ? Peut-être que Mr Clayton refusait le divorce à sa femme ? Mais ce n'est pas de cela que je veux parler. Le major Rich est un militaire à la retraite et je sais qu'on dit parfois que les soldats n'ont pas inventé la poudre. Tout de même, ce major est-il, peut-il être, un complet imbécile ?

Miss Lemon ne répondit pas. Elle crut à une question de pure rhétorique.

— Eh bien, fit Poirot. Que pensez-vous de tout cela ?

— Ce que j'en pense, *moi* ?

— Oui, vous !

Miss Lemon ajusta son esprit à l'effort auquel on le soumettait. Elle n'était pas naturellement portée aux exercices mentaux de quelque ordre que ce soit à moins qu'on ne le lui demande. Dans le temps libre dont elle disposait, son cerveau ne s'intéressait qu'aux mille détails d'une méthode de classement d'une perfection absolue. C'était sa seule récréation intellectuelle.

— Ma foi… commença-t-elle pour s'arrêter aussitôt.

— Dites-moi juste ce qui s'est passé – enfin, ce que vous pensez qui s'est passé ce soir-là. Mr Clayton est dans le salon en train d'écrire un mot, le major Rich arrive... et puis quoi, ensuite?

— Il trouve Mr Clayton. Ils... j'imagine qu'ils se disputent. Le major Rich le poignarde. Alors quand il se rend compte de ce qu'il a fait, il... il met le cadavre dans le bahut. Parce que les invités, je suppose, peuvent arriver d'une minute à l'autre.

— Oui, oui. Les invités arrivent! Le cadavre est dans le bahut. La soirée se passe comme si de rien n'était. Les invités repartent. Et alors...

— Eh bien alors le major va se coucher et... Oh!

— Exactement, triompha Poirot. Vous comprenez, maintenant. Vous venez de tuer un homme. Vous avez caché son cadavre dans un coffre. Et puis... vous allez vous coucher bien tranquillement, pas le moins du monde perturbé par le fait que votre valet de chambre va découvrir le crime le lendemain matin.

— Le valet de chambre aurait aussi bien pu ne jamais soulever le couvercle...

— Avec une énorme mare de sang sur le tapis en dessous?

— Peut-être le major ne s'est-il pas rendu compte que le sang coulait?

— Grosse négligence de sa part de ne pas s'en assurer, vous ne trouvez pas?

— Sans doute parce qu'il était sous le coup de l'émotion, dit-elle.

De désespoir, Poirot leva les mains au ciel.

Miss Lemon en profita pour filer.

*

Le mystère du bahut espagnol ne faisait pas partie,
à strictement parler, des affaires de Poirot. Il se trouvait à ce moment précis engagé dans une délicate mission pour une grande compagnie pétrolière dont l'un
des gros bonnets était peut-être impliqué dans un tri-
patouillage pas trop clair. Une mission ultra-secrète,
importante et extrêmement lucrative. Suffisamment
complexe pour réclamer l'attention de Poirot, avec cet
avantage qu'elle n'impliquait qu'un minimum d'activité physique. Hautement intellectuelle et sans effusion
de sang. La criminalité à son plus haut niveau.

Le mystère du bahut espagnol avait des dimensions
dramatiques et émotionnelles, deux caractéristiques
auxquelles on accordait facilement trop d'importance – Poirot l'avait maintes fois affirmé à Hastings
dont c'était souvent la manie. Il avait été sévère avec
ce cher Hastings sur ce point, et voilà que lui-même,
aujourd'hui, se comportait comme son ami aurait pu le
faire, l'esprit obsédé par tout ce qui – jolies femmes,
passion, jalousie, haine – constituait les causes roma-
nesques du crime ! Il voulait ne plus rien ignorer sur le
sujet, savoir à quoi ressemblaient le major Rich et son
valet de chambre Burgess, comment était Margharita
Clayton – même si là, il pensait avoir sa petite idée –,
comment le défunt Arnold Clayton avait été puisqu'il
tenait pour essentielle la personnalité de la victime dans
une affaire de meurtre, et même quelle tête pouvait bien
avoir le commandant McLaren, l'ami fidèle, ainsi que
Mr et Mrs Spence, les nouvelles relations.

Seulement il ne voyait pas très bien comment il allait
pouvoir satisfaire sa curiosité !

Il y songea plus tard dans la journée.

Pourquoi cette affaire l'intéressait-elle tant? Sans doute, décida-t-il après mûre réflexion, parce que, tels que les faits étaient rapportés, leur déroulement lui paraissait plus ou moins impossible. Oui, il y avait là un petit côté euclidien.

Partant de ce qui était plausible, il y avait eu une querelle entre deux hommes. Cause probable, une femme. L'un des deux hommes, au comble de la fureur, tue l'autre – encore qu'il eût été plus logique que ce soit le mari qui tue l'amant. Bref, c'est l'amant qui tue le mari à coups de poignard, arme quelque peu inattendue. Peut-être le major Rich avait-il eu une mère italienne? Il devait sûrement y avoir quelque part une explication à ce choix du poignard comme arme. En tout cas, poignard il y avait eu – certains journaux parlaient d'un stylet! Il se trouvait à portée de main et avait été utilisé. Que le corps soit caché dans le bahut tombait sous le sens et était inévitable. Le crime n'avait pas été prémédité. Comme le valet de chambre pouvait revenir d'un instant à l'autre et que l'arrivée des quatre invités était imminente, cela semblait la seule issue possible.

La soirée se passe, les invités s'en vont, le domestique est déjà parti, et… le major Rich se met benoîtement au lit!

Pour comprendre pareille attitude, il convenait de voir le major Rich et de déterminer quel genre d'homme peut agir de la sorte.

Se pouvait-il que, terrassé par l'horreur de ce qu'il avait fait et par le long effort de toute une soirée à essayer de se montrer normal, il ait pris un somnifère ou un tranquillisant quelconque qui l'aurait plongé dans une profonde léthargie et l'aurait fait se réveiller

bien plus tard qu'à l'accoutumée? Possible. Ou alors
– et le cas intéresserait un psychologue – un sentiment
inconscient de culpabilité aurait-il fait *vouloir* au major
Rich que le crime soit découvert? Pour pouvoir se
déterminer sur ce point, il fallait voir le major Rich. On
en revenait toujours à…

Le téléphone sonna. Poirot laissa faire jusqu'à ce
qu'il réalise, au bout de quelques instants, que miss Lemon était rentrée chez elle après lui avoir apporté son
courrier à signer et que George était sans doute sorti.

Il décrocha.

— Monsieur Poirot?

— Lui-même.

— Ah! divin!

Poirot cligna légèrement des paupières devant
l'enthousiasme de cette charmante voix féminine.

— Abbie Chatterton à l'appareil.

— Bonsoir, lady Chatterton. En quoi puis-je vous
être utile?

— En venant séance tenante, aussi vite que possible, à un cocktail tout bonnement affreux que je suis
en train de donner. Pas seulement pour le cocktail, il
s'agit de bien autre chose, en fait. J'ai *besoin* de vous.
C'est absolument *vital*. Je vous en prie, *je vous en supplie, je vous en conjure*, ne me faites pas défaut! Ne me
dites surtout pas que vous n'êtes pas libre.

Poirot n'avait aucune intention de formuler une telle
réponse. Lord Chatterton, outre le fait d'être pair du
royaume et de prononcer de temps à autre un discours
fort ennuyeux à la Chambre des Lords, n'avait rien que
de très ordinaire. Lady Chatterton, en revanche, était

l'une des plus belles pierres précieuses de cet écrin que Poirot appelait *le beau monde*. Tout ce qu'elle faisait ou disait passait dans la presse. Elle possédait esprit, beauté, originalité et suffisamment d'énergie pour expédier une fusée sur la lune.

— J'ai *besoin* de vous, répéta-t-elle. Imprimez juste une arabesque conquérante à votre sublissime moustache et *accourez* !

Ce ne fut pas tout à fait aussi rapide. Poirot devait d'abord se livrer à une toilette complète. L'arabesque à la moustache paracheva dignement l'ensemble, et il partit.

La porte de la délicieuse résidence de lady Chatterton était entrouverte et il en sortait un bruit d'animaux en révolte dans un zoo. Lady Chatterton, qui tenait en haleine deux ambassadeurs, un international de rugby et un évangéliste américain, les laissa proprement choir pour se retrouver en moins de temps qu'il ne faut pour le dire au côté de Poirot :

— Monsieur Poirot, quelle extase de vous voir ! Non, non, ne prenez pas ce mauvais cocktail au vermouth. J'ai quelque chose de spécial pour vous, une sorte de sirop que boivent les cheiks au Maroc. C'est dans ma petite chambre sous les toits.

Elle lui montra le chemin et Poirot suivit. Elle s'arrêta un instant pour lui glisser par-dessus son épaule :

— Je n'ai pas décommandé tous ces gens parce qu'il est absolument essentiel que personne ne sache qu'il se passe ici quelque chose d'anormal, et j'ai promis de grosses primes aux domestiques s'ils tenaient leur langue. On n'a pas envie de voir sa maison assiégée par les journalistes, n'est-ce pas ? Et puis la pauvre chérie, elle a déjà suffisamment « dégusté » comme ça.

Lady Chatterton ne s'arrêta pas au palier du premier. Elle fila au contraire jusqu'à l'étage du dessus.

Essoufflé et quelque peu ahuri, Hercule Poirot suivit.

Lady Chatterton fit halte, jeta un rapide coup d'œil en contrebas par-dessus les balustres puis ouvrit une porte à la volée en s'écriant :

— Je l'ai, Margharita ! Je l'ai amené ! Le voilà !

Elle s'effaça de côté d'un air triomphant pour laisser entrer Poirot, puis fit de rapides présentations :

— Voici Margharita Clayton. C'est une très, très chère amie à moi. Vous allez l'aider, n'est-ce pas ? Margharita, voici le merveilleux Hercule Poirot. Il fera tout ce que tu voudras. Vous êtes d'accord, n'est-ce pas, monsieur Poirot ?

Et sans attendre la réponse qu'elle tenait de toute évidence pour acquise – lady Chatterton n'avait pas pour rien été toute sa vie une beauté trop gâtée – elle s'élança hors de la pièce et redescendit l'escalier en se retournant pour lâcher, sans se soucier de discrétion :

— Il faut que je retourne m'occuper de tous ces enquiquineurs…

La femme qui était installée dans un fauteuil à côté de la fenêtre se leva et s'approcha. Il l'aurait reconnue même si lady Chatterton n'avait pas prononcé son nom. Ce front large, très large, ces cheveux noirs qui s'en échappaient comme deux ailes, ces yeux gris écartés ne pouvaient appartenir à personne d'autre. Elle portait une robe ajustée à col montant et d'un noir mat qui faisait ressortir la pureté de ses lignes et la blancheur de magnolia de sa peau. C'était un visage plus surprenant que beau, un de ces visages aux proportions insolites qu'on trouve parfois chez les primitifs italiens. Il émanait d'elle une sorte de simplicité médiévale, une étrange innocence qui pouvait se montrer plus dévastatrice, aux yeux de Poirot, que tous les raffinements de la volupté. Quand elle se mit à parler, ce fut avec une forme de candeur enfantine :

— Abbie m'a dit que vous alliez m'aider…

Elle levait sur lui des yeux graves et interrogateurs.

Il resta un moment immobile à la détailler d'un regard pénétrant. Sans inconvenance aucune : de la même manière qu'un spécialiste réputé examine un nouveau patient.

— Êtes-vous sûre, madame, interrogea-t-il enfin, que je *puisse* vous aider ?

Un peu de rouge monta aux joues de Mrs Clayton :

— Je ne saisis pas très bien.

— Que voulez-vous que je fasse, madame ?

Elle parut étonnée :

— Oh ! mais… je croyais que… que vous saviez qui j'étais ?

— Je sais qui vous êtes. Votre mari a été tué – poignardé – et un certain major Rich arrêté et accusé du meurtre.

Le rouge de ses joues s'accentua :

— Le major Rich n'a *pas* tué mon mari.

Vif comme l'éclair, Poirot demanda :

— Qu'est-ce qui vous fait dire ça ?

Elle écarquilla les yeux, ahurie :

— Je… euh… je vous demande pardon ?

— Ah ! ce qui vous déroute, c'est… que je n'ai pas posé la question que tout le monde – la police, la justice – pose : « Pourquoi le major Rich aurait-il tué Arnold Clayton ? » Tandis que moi, je demande le contraire : « Comment pouvez-vous être sûre, madame, qu'il ne l'a *pas* tué ? »

— Pour la simple raison que…

Elle marqua un temps, puis :

— Pour la simple raison que je connais très bien le major Rich.

— Vous connaissez très bien le major Rich, répéta Poirot d'une voix neutre.

Il s'interrompit puis demanda brusquement :

— Je vous demande pardon, mais « très bien » cela veut dire quoi, au juste ?

Qu'elle ait ou non compris le sens de sa question, il ne sut le déceler. « Cette femme est soit d'une grande simplicité, soit d'une grande habileté… songea Poirot. Beaucoup de gens ont dû hésiter, au sujet de Margharita Clayton… »

— Ce que cela veut dire ?

Elle le regardait d'un air indécis :

— Bah ! Cinq ans… non, presque six.

— Ce n'est pas précisément ce que je vous demandais… Vous devez comprendre, madame, que je serai amené à vous poser des questions indiscrètes. Peut-être me direz-vous la vérité, peut-être mentirez-vous. Les femmes sont parfois confrontées à l'impérieuse nécessité de mentir. Lorsqu'elles doivent se défendre, le mensonge peut se révéler leur arme la plus efficace. Mais il est trois personnes auxquelles une femme se devrait de toujours dire la vérité : son confesseur, son coiffeur et son détective privé – à condition qu'elle lui fasse confiance. Me faites-vous confiance, madame ?

Margharita Clayton prit une profonde inspiration.

— Oui, dit-elle. Je vous fais confiance.

Et elle ajouta, un ton plus bas :

— Il le faut bien.

— Parfait. Qu'attendez-vous de moi? Que je découvre qui a tué votre mari?

— Euh, sans doute… oui.

— Mais ce n'est pas essentiel? Souhaiteriez-vous plutôt que je disculpe le major Rich?

Elle fit vivement oui de la tête – avec gratitude.

— Cela – et seulement cela?

La question, il le comprit, était inutile. Margharita Clayton était une femme qui ne voyait qu'une chose à la fois.

— Et maintenant, fit-il, les indiscrétions. Le major Rich et vous êtes amants, n'est-ce pas?

— Vous demandez si nous avions une liaison? Non.

— Mais il était amoureux de vous?

— Oui.

— Et vous… l'étiez-vous de lui?

— Je crois.

— Vous ne semblez pas absolument sûre?

— Je le *suis*… maintenant.

— Ah! Vous n'aimiez donc pas votre mari?

— Non.

— Vous répondez avec une admirable simplicité. La plupart des femmes se croiraient obligées d'expliquer en long et en large la nature exacte de leurs sentiments. Depuis combien de temps étiez-vous mariés?

— Onze ans.

— Pouvez-vous me parler un peu de votre mari? Quel genre d'homme était-ce?

Elle fronça le sourcil :

— C'est difficile. Je ne sais pas vraiment quel genre d'homme était Arnold. Très discret, très réservé. On ne savait pas ce qu'il pensait. Il était intelligent, bien sûr. Tout le monde le trouvait brillant… dans son travail, veux-je dire… Dans la vie quotidienne, il ne – comment exprimer cela ? – il ne se dévoilait jamais…

— Il vous aimait ?

— Oh ! oui, certainement. Sinon il ne se serait pas autant rongé les sangs…

Elle s'interrompit net.

— À propos des autres hommes ? fit Poirot. C'est cela que vous voulez dire ? Il était jaloux ?

Une fois encore, elle répondit :

— Certainement.

Puis, comme si elle sentait que la réponse avait besoin d'une explication, elle poursuivit :

— Parfois, pendant des jours, il n'ouvrait pas la bouche…

Poirot hocha la tête, songeur :

— Cette violence… que vous venez de connaître, est-ce la première qui ait marqué votre vie ?

— De la violence ?

Elle fronça le sourcil, puis rougit :

— C'est… vous voulez dire… ce pauvre garçon qui s'est tiré une balle dans la tête ?

— Par exemple, oui.

— J'étais à mille lieues d'imaginer qu'il éprouvait ce genre de sentiment… Il me faisait pitié, avec ses airs de chien battu. Il devait être complètement névrosé, à mon avis. Et puis il y a eu ces deux Italiens… Un duel… Quelle idiotie ! Enfin, Dieu merci, personne

n'a été tué… Je vous assure pourtant qu'ils me laissaient *l'un comme l'autre* complètement indifférente !
Et que mon comportement envers eux n'a jamais rien
eu d'ambigu.

— Non, vous vous êtes juste… trouvée là ! Et là où
vous vous trouvez, il se passe des choses ! J'ai déjà vu
cela dans ma vie. C'est *précisément* votre indifférence
qui rend les hommes fous. Le major Rich, en revanche,
lui ne vous laisse pas indifférente. Nous allons donc
voir ce que nous pouvons faire…

Il resta quelques instants silencieux.

Elle le considérait gravement, dans l'expectative.

— Passons des caractères, qui ont souvent une
importance capitale, aux faits purs et simples, reprit-il
enfin. Je n'en sais que ce qui a paru dans les journaux.
De cela, je retire que seules deux personnes ont été en
mesure de tuer votre mari, *matériellement* en mesure :
le major Rich, et son valet de chambre.

— Je *sais* que Charles ne l'a pas tué, répéta-t-elle
avec obstination.

— Ce sera forcément son valet de chambre, alors ?
Vous êtes bien d'accord ?

— Je comprends, oui… fit-elle d'un ton hésitant.

— Mais vous n'êtes pas convaincue ?

— Ça paraît tellement… extravagant !

— La *possibilité* existe pourtant. Votre mari est sans
conteste venu à l'appartement puisque son corps y a été
retrouvé. Si la version du valet de chambre est exacte,
c'est le major Rich l'assassin. Si elle est fausse, c'est
le domestique qui l'a tué et qui a caché le cadavre dans
le bahut avant le retour de son maître. Une excellente
façon de se débarrasser du corps, de son point de vue :

il n'a qu'à « remarquer la tache de sang », le lendemain matin, et « découvrir » le mort. Les soupçons retomberont immédiatement sur Rich.

— Mais pourquoi aurait-il tué Arnold?

— Ah! la voilà, la question. Le mobile ne peut qu'être obscur, sinon la police aurait déjà suivi cette piste. Il est possible que votre mari ait su quelque chose de compromettant sur son compte et ait été sur le point de prévenir le major. Mr Clayton vous a-t-il jamais raconté quoi que ce soit au sujet de ce Burgess?

Elle secoua la tête.

— Croyez-vous qu'il l'aurait fait… s'il avait effectivement su quelque chose?

Elle réfléchit, puis :

— Difficile de répondre. Peut-être pas. Arnold ne parlait jamais beaucoup des gens. Je vous ai dit qu'il était réservé. Bavarder n'a jamais été son genre.

— Pas un homme à confidences, donc… Bon. Maintenant, quelle est votre opinion personnelle sur Burgess?

— Ce n'est pas le type d'homme qu'on remarque beaucoup. Un très bon domestique. Compétent mais pas stylé.

— Quel âge?

— Trente-sept, trente-huit ans, à vue de nez. Il a été ordonnance dans l'armée pendant la guerre, mais n'a jamais servi dans l'active.

— Depuis combien de temps est-il au service du major?

— Depuis peu. Un an et demi, peut-être.

— Vous n'avez rien remarqué d'étrange dans son comportement envers votre mari?

— Nous n'allions quand même pas là-bas si souvent. Non, je n'ai rien remarqué du tout.

— Parlez-moi de cette fameuse soirée, à présent. À quelle heure étiez-vous conviés ?

— À 8 heures et quart pour 8 heures et demie.

— Quel genre de soirée était-ce censé être, au juste ?

— Ma foi, comme d'habitude : bar et buffet dînatoire – c'était toujours excellent. Foie gras et toasts chauds, saumon fumé… Il arrivait qu'il y ait un plat épicé accompagné de riz – une recette spéciale que Charles avait rapportée du Proche-Orient – mais cela, c'était plutôt l'hiver. Et puis on avait de la musique : Charles a un très bon tourne-disque stéréo. Mon mari et Jock McLaren étaient tous deux grands amateurs de disques classiques. Nous dansions, aussi – la spécialité des Spence. Voilà le genre de soirée, tranquille et sans cérémonie. Charles savait fort bien recevoir.

— Et elle s'est déroulée comme toutes les autres que vous avez passées là-bas ? Vous n'avez rien remarqué d'inhabituel, rien qui aurait été changé de place ?

— Changé de place ?

Elle réfléchit un instant :

— Quand vous avez dit ça, je… non, c'est reparti. Et pourtant…

Elle secoua de nouveau la tête :

— Non. Pour répondre à votre question, il n'y a rien eu d'inhabituel lors de cette soirée. Nous avons passé un bon moment. Tout le monde paraissait détendu, heureux.

Elle frissonna :

— Dire que pendant tout ce temps, dans le coffre…

Poirot leva vivement la main :

— Ne pensez pas à ça. Cette affaire, qui a appelé votre mari en Écosse, qu'en savez-vous au juste ?

— Pas grand-chose. Il y avait un litige au sujet des conditions de vente d'une parcelle de terrain qui appartenait à mon mari. La vente, apparemment, avait été conclue, mais un pépin de dernière minute aurait surgi.

— Que votre mari vous a-t-il dit exactement ?

— Il est arrivé un télégramme à la main. Si je me souviens bien, ses paroles ont été : « Quelle barbe, il va falloir que je file par le train de nuit pour Édimbourg et que je voie Johnston à la première heure demain matin… C'est assommant, juste au moment où on croyait que tout était enfin réglé. » Et puis il a ajouté : « Veux-tu que j'appelle Jock pour lui demander de venir te chercher ? » « C'est idiot, ai-je répondu, je n'ai qu'à prendre un taxi », à quoi il a rétorqué que soit Jock, soit les Spence me ramèneraient à la maison. Je lui ai demandé s'il voulait que je lui prépare une valise et il a dit qu'il allait juste jeter quelques affaires dans un sac de voyage et manger sur le pouce au club avant de prendre le train. Et puis il est parti… et c'est la dernière fois que je l'ai vu.

Sa voix se brisa un peu sur ces dernières paroles.

Poirot lui lança un regard dur :

— Vous a-t-il fait lire le télégramme ?

— Non.

— Dommage.

— Pourquoi dites-vous cela ?

Il ne répondit pas à cette question et poursuivit sur un ton brusque :

— Passons à la partie affaires, à présent. Qui sont les avocats du major Rich?

Elle le lui dit et il nota leur adresse.

— Pourriez-vous m'écrire un petit mot d'introduction? Il faut que j'arrive à voir le major.

— Il… il est en préventive pour huit jours.

— Naturellement. C'est la procédure normale. Me ferez-vous également un mot pour le commandant McLaren et pour vos amis Spence? J'aurai besoin de les voir tous et il est essentiel qu'ils ne me claquent pas la porte au nez.

Quand elle se leva de son secrétaire, il ajouta :

— Encore une chose. Je vais me faire mes propres impressions du commandant McLaren et de Mr et Mrs Spence, mais je veux aussi les vôtres.

— Jock est l'un de nos plus vieux amis. Je le connais depuis ma plus tendre enfance. Il paraît un peu ours au premier abord, mais il a le cœur sur la main. Toujours égal, toujours présent. Pas spécialement gai ni drôle, mais solide comme un roc. Arnold et moi nous en remettions souvent à son jugement.

— Lui aussi sans doute amoureux de vous? hasarda Poirot avec un petit regard malicieux.

— Oh! bien sûr, fit Margharita avec un rire. Depuis toujours – mais maintenant, c'est devenu une sorte d'habitude.

— Et les Spence?

— Ils sont amusants et de très bonne compagnie. Linda est une fille vraiment pleine d'esprit. Arnold adorait discuter avec elle. Et jolie, avec ça.

— Vous êtes amies?

— Elle et moi? En un sens. Mais je ne crois pas l'aimer *vraiment*. Elle est trop caustique.

— Son mari?

— Ah! Jeremy, lui, c'est une crème. Très tourné vers la musique. Connaisseur en peinture, aussi. Lui et moi allons souvent à des expositions ensemble…

— Bon, je vais voir tout cela.

Il prit sa main dans les siennes :

— J'espère, madame, que vous ne regretterez pas d'avoir sollicité mon aide.

— Pourquoi le regretterais-je? demanda-t-elle en ouvrant de grands yeux.

— On ne sait jamais, répondit Poirot, sibyllin.

« On ne sait jamais, et moi, je ne sais rien de rien », songea-t-il tout en redescendant l'escalier. Le cocktail battait toujours son plein, mais il évita de se faire harponner et atteignit la rue.

« Non, se répéta-t-il, je ne sais rigoureusement rien. »

C'est à Margharita qu'il pensait. Cette apparente candeur enfantine, cette franche innocence – n'étaient-elles réellement que cela? Ou masquaient-elles au contraire autre chose? Il y avait eu des femmes de ce genre dans les temps médiévaux, des femmes sur lesquelles l'histoire n'avait jamais pu se prononcer. Ainsi Mary Stuart, la reine d'Écosse. Avait-elle eu vent, en cette fameuse nuit de Kirk o'Fields, du forfait qui allait s'accomplir? Ou bien était-elle totalement innocente? Les conspirateurs ne lui avaient-ils rien dévoilé? Était-elle de ces simples femmes-enfants qui peuvent se dire à elles-mêmes « je ne suis pas au courant » et s'en convaincre? Il était conscient du charme qui éma-

nait de Margharita Clayton. Mais il n'était pas absolument sûr, à son sujet…

De telles femmes, théoriquement innocentes, pouvaient être la cause de bien des crimes.

De telles femmes pouvaient tuer, sinon par action, à
tout le moins par calcul et intention.

Ce n'était jamais leur main qui tenait le fer…

Quant à Margharita Clayton… non… il ne pouvait
jurer de rien !

*

Hercule Poirot ne trouva pas les avocats du major
Rich très coopératifs. Il ne s'y était d'ailleurs pas
attendu.

Ils s'ingénièrent à lui faire comprendre, à mots cou-
verts, qu'il serait de l'intérêt supérieur de leur client
que Mrs Clayton n'entreprenne rien en sa faveur.

Poirot était venu les voir « par correction ». Il avait le
bras assez long au ministère de l'Intérieur et à Scotland
Yard pour obtenir une entrevue avec le prisonnier.

L'inspecteur Miller, chargé de l'enquête, ne figurait
pas parmi ses préférés. Il ne se montra cependant pas
hostile, cette fois, juste dédaigneux.

— Je n'ai pas vraiment de temps à perdre avec ce
vieux schnoque, avait-il confié à son assistant avant
que Poirot n'entre. Mais bon, je vais rester poli.

Il adopta toutefois son ton le plus enjoué :

— Il vous faudra vraiment jouer les prestidigitateurs
pour le tirer de là, monsieur Poirot. *Personne d'autre*
que Rich ne peut l'avoir zigouillé, ce type.

— Sauf le valet de chambre.

— Bon, le valet aussi, je vous l'accorde. Mais pure hypothèse, hein? Parce que vous ne trouverez rien de son côté. Pas l'ombre d'un mobile.

— Vous vous avancez bien. Les mobiles, c'est parfois très curieux, vous savez.

— Mais enfin, il n'avait aucun lien d'aucune sorte avec Clayton. Il a un passé irréprochable et semble tout à fait sain d'esprit. Qu'est-ce que vous voulez de plus?

— Je veux prouver que Rich n'a pas commis ce crime.

— Pour faire plaisir à la petite dame, hein? fit l'inspecteur Miller avec un sourire railleur. Elle a dû vous embobiner. Sacré numéro, vous ne trouvez pas? Dès qu'il est question de vengeance, *cherchez la femme*. Si elle en avait eu la possibilité, je vous fiche mon billet qu'elle aurait été capable de le faire elle-même.

— Ça, *non*!

— Vous seriez surpris. J'ai déjà eu affaire un jour à une bonne femme comme ça. Elle s'était débarrassée d'une collection de maris sans un battement de cils sur ses grands yeux bleus innocents. Le cœur brisé à chaque fois, comme de bien entendu. Les jurés l'auraient acquittée s'ils en avaient eu l'ombre d'une possibilité – manque de chance, ils n'en avaient pas, les preuves étaient en béton.

— Bien, mon bon ami, n'allons pas nous disputer là-dessus. Ce que j'ai pris la liberté de venir vous demander, c'est tout au plus quelques détails dignes de foi sur le déroulement des faits. Les journaux publient du sensationnel – mais pas toujours la vérité!

— Il faut bien qu'ils s'amusent un peu! Qu'est-ce que vous voulez savoir?

— L'heure de la mort, avec autant de précision que possible.

— De précision, pas tellement, parce que le corps n'a pu être examiné avant le lendemain matin. Mais on estime que la mort est survenue de dix à treize heures plus tôt, c'est-à-dire entre 19 et 22 heures la veille au soir… Il a été poignardé en pleine jugulaire – ç'a été l'affaire de quelques instants.

— Et l'arme ?

— Une sorte de stylet italien, tout petit, effilé comme un rasoir. Personne ne l'a jamais vu ni ne sait d'où il provient. Mais, tôt ou tard, nous saurons… Simple question de temps et de patience.

— Il ne peut donc pas avoir été empoigné fortuitement au cours d'une éventuelle bagarre.

— Non. Le valet de chambre affirme qu'il n'y avait rien de ce genre dans l'appartement.

— Ce qui m'intéresse aussi, c'est le télégramme, signala Poirot. Le télégramme qui appelait Arnold Clayton en Écosse… Était-il authentique ?

— Non. Il n'y a pas eu la moindre anicroche, là-haut. La cession de terrain, ou quoi que ç'ait été, s'est faite normalement.

— Qui a envoyé ce télégramme, alors ? Parce qu'il y a bien eu télégramme, n'est-ce pas ?

— Certainement… Non pas qu'il faille forcément croire ce que raconte Mrs Clayton, mais Arnold Clayton lui-même a dit au valet de chambre qu'il avait été appelé par câble en Écosse. Et au commandant McLaren, également.

— À quelle heure a-t-il vu le commandant McLaren ?

— Ils ont cassé la croûtc ensemble à leur club – l'Inter-armes – vers 7 heures et quart. Puis Clayton a pris un taxi jusqu'à l'appartement de Rich où il est arrivé juste avant 8 heures. Après cela…

De ses mains ouvertes, Miller fit un geste évasif.

— Quelqu'un a-t-il remarqué quoi que ce soit d'étrange dans le comportement de Rich ce soir-là ?

— Bah ! vous connaissez les gens : une fois qu'un événement s'est produit, ils s'imaginent toujours avoir remarqué des tas de trucs et de machins qu'ils n'ont en fait jamais vus. Mrs Spence affirme maintenant l'avoir trouvé distrait toute la soirée : il répondait parfois à côté de la question, comme si « quelque chose le tarabustait ». Pas étonnant, s'il avait un cadavre dans son bahut ! Il devait quand même bien se demander comment s'en débarrasser !

— Et pourquoi ne s'en est-il pas débarrassé ?

— Ça, ça me dépasse. Il a perdu les pédales, peut-être. En tout cas, c'était cinglé de le laisser là jusqu'au lendemain. Il avait pourtant une chance unique, ce soir-là. Il n'y a pas de veilleur de nuit : il aurait pu aller chercher sa voiture, charger le corps dans le coffre arrière – il a un grand coffre arrière –, filer dans la campagne et l'abandonner n'importe où. Bien sûr, on aurait pu le voir mettre le cadavre dans la voiture, mais son immeuble donne sur une rue peu passante et il y a une cour dans laquelle entrer sa voiture. À 3 heures du matin, mettons, il avait une chance raisonnable. Au lieu de cela, qu'est-ce qu'il fait ? Il va se coucher, fait la grasse matinée le lendemain matin et ne se réveille que pour trouver la police dans l'appartement !

— Il est allé se coucher et a dormi comme quelqu'un qui avait la conscience tranquille.

— Interprétez ça comme ça si ça vous chante. Mais est-ce que vous y croyez vraiment ?

— Je laisserai cette question en suspens jusqu'à ce que j'aie rencontré ce garçon moi-même.

— Vous imaginez reconnaître un innocent à sa tête ? Ce n'est pas aussi facile que ça.

— Je sais que ce n'est pas facile – et loin de moi l'idée de m'en prétendre capable. Ce que je veux déterminer, c'est si le gaillard est aussi stupide qu'il le paraît.

*

Poirot n'avait pas l'intention de rencontrer Charles Rich avant d'avoir vu tous les autres.

Il commença par le commandant McLaren. C'était un homme grand, au teint basané, peu communicatif. Son visage rude n'était pas désagréable. Sa timidité rendait la conversation difficile, mais Poirot persévéra.

Tripotant entre ses doigts le billet de Margharita, McLaren parla presque à regret :

— Bon, puisqu'elle me demande de coopérer au mieux avec vous, je le ferai, bien entendu. Je ne vois pas trop quoi dire, remarquez. Vous savez déjà tout. Mais ce que Margharita veut… Depuis ses seize ans, je me suis toujours plié à ses quatre volontés et continuerai à le faire. Elle a l'art et la manière, allez.

— Je sais, fit Poirot. D'entrée de jeu, je souhaiterais que vous répondiez très franchement à une question : croyez-vous le major Rich coupable ?

— Oui. Je n'irais pas le clamer devant Margharita si elle tient à le croire innocent, mais je ne vois simplement pas d'autre solution. Sacré bon Dieu ! c'est *obligé* que ce soit lui.

— Y avait-il de l'animosité entre Mr Clayton et le major ?

— Pas le moins du monde. Arnold et Charles étaient les meilleurs amis du monde. C'est ça qui rend cette histoire si extraordinaire.

— Peut-être le penchant du major pour Mrs Clayton…

Il fut interrompu :

— Pouah ! Toutes ces horreurs ! Tous ces journaux qui glissent sournoisement leurs satanées insinuations ! Mrs Clayton et Rich étaient bons amis, un point c'est tout ! Margharita en a plein, des soupirants. À commencer par *moi*. Ça fait des années. Sans qu'on ait quoi que ce soit à cacher. Même chose entre Margharita et Charles.

— Vous ne concevez donc pas qu'ils aient pu avoir une liaison ?

— Certainement PAS ! s'emporta McLaren. N'allez pas écouter cette harpie de Mrs Spence, elle raconte n'importe quoi.

— Mais peut-être Mr Clayton *croyait-il* qu'il se passait quelque chose entre le major et sa femme ?

— Jamais de la vie, je vous le garantis ! Je l'aurais su. Arnold et moi étions intimes.

— Quelle sorte d'homme était-il ? Vous êtes mieux placé que quiconque pour en parler.

— Ma foi, un garçon discret. Mais intelligent – brillant même, je crois. Ce qu'on appelle un grand cerveau de la finance. Il était en haut de l'échelle au ministère, vous savez.

— C'est ce que j'ai entendu dire.

— Il lisait beaucoup. Collectionnait les timbres. Adorait la musique. Ne dansait pas et ne sortait guère.

— À votre avis, leur mariage était-il heureux ?

La réponse du commandant McLaren mit un certain temps à venir. Il semblait peser le pour et le contre :

— Ce genre de chose est très difficile à dire. Heureux, oui, je crois. Il était très amoureux de sa femme – avec sa discrétion habituelle bien entendu –, et je suis sûr qu'elle lui était très attachée. Pas du genre à se séparer, si c'est à ça que vous pensez. Peut-être manquaient-ils tout au plus de points communs.

Poirot hocha la tête. Il n'en saurait guère plus sur le sujet.

— Parlez-moi maintenant de cette dernière soirée. Mr Clayton a dîné avec vous au club. Que vous a-t-il dit ?

— Qu'il devait monter en Écosse. Ça le faisait rouspéter, apparemment. On n'a pas dîné, d'ailleurs. Pas le temps. Juste des sandwiches et un verre. Les sandwiches pour lui, moi j'ai seulement pris un verre : un buffet dînatoire m'attendait, n'oubliez pas.

— Mr Clayton a-t-il mentionné un télégramme ?

— Oui.

— Il ne vous l'a pas montré ?

— Non.

— Vous a-t-il dit qu'il allait passer chez Rich ?

— Pas catégoriquement. En fait, il doutait d'en avoir le temps. Il a dit : « Margharita pourra lui expliquer. Ou vous. » Et il a ajouté : « Assurez-vous qu'elle n'ait pas de problème pour rentrer, voulez-vous ? » Ensuite, il est parti. Tout s'est passé normalement et sans heurt.

— Il ne s'est pas posé de question sur l'authenticité du télégramme ?

— C'était un faux ? fit le commandant McLaren, ébahi.

— Il semble que oui.

— C'est bizarre, ça…

Le commandant entra dans une sorte de coma méditatif dont il émergea soudain pour renchérir :

— *Vraiment* bizarre. Parce qu'enfin, à quoi ça rime ? Qui pouvait bien avoir intérêt à l'envoyer en Écosse ?

— C'est une question qui demande manifestement réponse.

Hercule Poirot s'en alla, laissant le commandant plongé dans un abîme de réflexion.

*

Les Spence habitaient une minuscule maison à Chelsea.

Linda se montra absolument ravie d'accueillir Poirot :

— Ah ! ne me faites pas languir. Dites-moi *tout* sur Margharita. Où est-elle ?

— Il ne m'appartient pas de le révéler, madame.

— Elle a bien su se cacher, hein ! Margharita est très douée pour ce genre de chose. Mais il faudra bien qu'elle vienne témoigner au procès : là, elle ne pourra pas se défiler.

Poirot la considéra d'un regard appréciateur. Force lui fut de reconnaître qu'elle était séduisante selon les canons modernes – qui tenaient à ce moment-là de l'orpheline sous-alimentée. Ce n'était pas un genre qu'il prisait beaucoup. Le flou artistique de ses cheveux dessinait un halo autour de sa tête. Deux yeux rusés étaient fixés sur lui au milieu d'un visage à la propreté douteuse et dépourvu de tout maquillage à l'exception de la bouche rouge cerise. Elle portait un immense tricot jaune pâle qui lui descendait presque aux genoux et un pantalon noir serré.

— Quel est votre rôle, dans tout ça ? demanda-t-elle brusquement. Tirer d'affaire l'amant de cœur ?

Bon courage !

— Vous le pensez donc coupable ?

— Bien sûr. Qui voulez-vous que ce soit ?

Bonne question, songea Poirot. Il répondit par une autre :

— Comment vous est apparu le major Rich, ce soir-là ? Comme d'habitude ? Ou pas comme d'habitude ?

Linda Spence plissa les paupières :

— Non, il n'était pas lui-même. Il était… différent.

— Différent de quelle manière ?

— Quand on vient de poignarder un homme de sang-froid, il va de soi que…

— Mais vous ne le saviez pas, à ce moment-là, qu'il venait de poignarder un homme de sang-froid.

— Non, bien sûr que non.

— Alors à quoi avez-vous attribué sa « différence » ? Comment vous est-il apparu ?

— Euh… distrait. Oh ! et puis je ne sais pas. Mais en y repensant après, je me suis dit qu'il y avait effectivement *quelque chose*.

Poirot soupira.

— Qui est arrivé en premier ?

— Jim et moi. Puis Jock. Et enfin Margharita.

— À quel moment a-t-on parlé du déplacement de Mr Clayton en Écosse?

— Quand Margharita est arrivée. Elle a dit à Charles : « Arnold est absolument désolé. Il a dû partir d'urgence pour Édimbourg par le train de nuit. » Charles a répondu : « Ah! quel dommage. » Jock a ajouté : « Désolé, je vous croyais au courant. » Et on est passés au bar.

— Le major Rich n'a pas fait état de la visite de Mr Clayton, sur le chemin de la gare?

— Pas que j'aie entendu.

— C'est quand même curieux, vous ne trouvez pas, fit Poirot, cette histoire de télégramme?

— Qu'est-ce qui est curieux?

— C'était un faux. Personne, à Édimbourg, n'est au courant.

— Alors c'était bien ça. Je me l'étais demandé, sur le moment.

— Vous savez quelque chose sur ce télégramme?

— Ça saute aux yeux, il me semble?

— Que voulez-vous dire au juste?

— Cher monsieur, fit Linda, ne jouez pas les innocents. Un mystificateur inconnu escamote le mari. Pour cette nuit-là, quoi qu'il puisse arriver, la voie est libre!

— Vous voulez dire que le major Rich et Mrs Clayton avaient prévu de passer la nuit ensemble?

— Ce sont des choses qui se font, non? fit Linda d'un air amusé.

— Et que le télégramme aurait été envoyé par l'un des deux?

— Je n'en serais pas autrement surprise.

— Le major et Mrs Clayton avaient donc une liaison, à votre avis ?

— Mettons que ça ne m'étonnerait pas le moins du monde. Mais je n'en ai aucune preuve concrète.

— Mr Clayton avait-il des soupçons ?

— Arnold était un personnage extraordinaire. Complètement renfermé, si vous voyez ce que je veux dire. Je pense qu'il savait, oui. Mais c'était le genre d'homme qui n'aurait jamais pipé mot. Tout le monde le voyait comme un cœur sec sans émotions, or je suis sûre qu'il n'était pas comme ça au fond. Le plus extraordinaire est que j'aurais été beaucoup moins surprise si c'était Arnold qui avait poignardé Charles que le contraire. J'ai dans l'idée qu'Arnold était maladivement jaloux.

— Voilà qui est intéressant.

— Encore qu'il aurait été plus probable qu'il zigouille Margharita. Genre Othello, quoi. Margharita, vous le savez, a toujours eu un effet dévastateur sur les hommes.

— C'est une fort jolie femme, convint Poirot en un judicieux euphémisme.

— Plus que cela. Elle a toujours eu un je ne sais quoi. Elle a toujours mis les hommes dans tous leurs états, et une fois qu'ils étaient fous d'elle, elle tombait des nues en les regardant avec de grands yeux qui les rendaient complètement mabouls.

— *Une femme fatale.*

— C'est sans doute comme ça qu'on dit en France.

— Vous la connaissez bien ?

— Mon cher, c'est une de mes meilleures amies – et je ne lui ferais pas confiance pour deux sous.

— Ah ! bon, fit Poirot qui orienta la conversation sur le commandant McLaren.

— Jock ? C'est comme s'il était né pour être le brave toutou fidèle, l'ami de la famille. Arnold et lui étaient vraiment très proches. Je crois qu'Arnold s'est plus confié à lui qu'à quiconque. Et bien sûr, c'était le chevalier servant de Margharita. Il est son souffre-douleur depuis des années.

— Mr Clayton était-il jaloux de lui aussi ?

— Jaloux de Jock ? Quelle idée ! Margharita l'adore sincèrement, mais elle ne lui a jamais donné d'idées de ce genre. En fait, je crois que personne n'imaginerait… je ne sais pas pourquoi… c'est dommage. Il est tellement gentil.

Poirot en vint au valet de chambre. Mais à part une vague mention de son habileté à préparer les cocktails, Linda Spence ne paraissait rien avoir à dire sur Burgess. À se demander si elle l'avait jamais remarqué.

Elle fut néanmoins rapide à saisir :

— Je suppose que vous vous dites qu'il aurait pu tuer Arnold aussi facilement que Charles, n'est-ce pas ? Pour moi, ça ne tient pas debout.

— Navré de l'entendre, madame, mais il me semble – et vous ne serez sans doute pas d'accord avec moi – que ce qui ne tient pas debout, ce n'est pas que le major Rich ait tué Arnold Clayton mais qu'il l'ait fait de cette façon.

— Au stylet ? C'est vrai, ça ne cadre pas du tout avec le personnage. Il aurait plutôt utilisé un objet contondant. Ou il l'aurait étranglé, peut-être ?

Poirot soupira :

— Et nous voilà revenus à Othello. Othello, tiens!… vous m'avez donné une petite idée…

— Moi? Qu'est-ce que…

Il y eut un bruit de clefs et de porte qui s'ouvre dans le hall :

— Ah! voilà Jeremy. Vous voulez lui parler à lui aussi?

Jeremy était un homme d'une trentaine d'années, agréable à voir, bien mis et d'une discrétion presque affectée. Mrs Spence prétexta un ragoût à surveiller pour s'éclipser dans la cuisine et laisser les deux hommes ensemble.

Jeremy Spence fut loin de montrer la sémillante spontanéité de sa femme. Il était manifestement fort contrarié d'être mêlé à cette histoire et fit les réponses les plus vagues possibles. Ils connaissaient les Clayton depuis quelque temps. Rich, très peu. Le major était plutôt sympathique. Autant qu'il s'en souvienne, il lui avait semblé absolument normal le soir en question. Clayton et Rich avaient toujours paru en bons termes. Cette histoire était totalement inexplicable.

Tout au long de la conversation, Jeremy Spence manifesta clairement son désir de voir Poirot prendre congé. Il fut poli, mais tout juste.

— Je suis désolé de vous importuner avec mes questions, fit Poirot.

— Je vous avoue que nous avons déjà subi un interrogatoire en règle de la police et que je trouve vraiment que la mesure est pleine. Nous avons déclaré tout ce que nous savions, tout ce que nous avions vu. À présent… j'aimerais m'ôter cela de l'esprit.

— Je vous comprends. Il est extrêmement déplaisant d'être mêlé à une affaire comme celle-ci. D'avoir à dire non seulement ce que vous en avez vu ou entendu, mais peut-être aussi ce que vous en pensez.

— Je préfère ne pas penser.

— Peut-on l'éviter ? Croyez-vous, par exemple, que Mrs Clayton soit impliquée également ? A-t-elle prémédité avec Rich la mort de son mari ?

— Grands dieux non ! s'écria Spence, bouleversé. Comment peut-on aller jusqu'à imaginer une chose pareille ?

— Votre épouse n'a pas évoqué cette hypothèse devant vous ?

— Oh ! Linda…. Vous savez comment sont les femmes entre elles : toujours à se tirer dans les pattes. Margharita ne s'est jamais attiré les bonnes grâces féminines – elle est sacrément trop séduisante pour ça. Mais toute cette théorie d'un complot ourdi par Rich et Margharita, c'est grotesque !

— Ce genre de machination n'est pourtant pas inédit. Et puis songez à l'arme du crime, par exemple : c'est un objet qu'une femme pourrait fort bien posséder, davantage sans doute qu'un homme.

— Vous voulez dire que la police serait remontée jusqu'à elle… Ce n'est pas possible ! Parce que, enfin…

— Je ne sais rien du tout, coupa en toute bonne foi Poirot avant de filer dare-dare vers la sortie.

Au visage consterné de Spence, il comprit qu'il avait laissé à ce monsieur matière à réflexion !

*

— Pardonnez-moi, monsieur Poirot, si je vous dis que je ne vois pas du tout en quoi vous pourriez m'aider.

Poirot ne répondit pas. Il regardait d'un air pensif l'homme qui avait été accusé du meurtre de son ami Arnold Clayton.

Un homme à la mâchoire volontaire, au visage étroit. Brun, mince, musclé et nerveux, qui avait quelque chose du lévrier en lui. Un homme impénétrable qui recevait son visiteur avec un visible manque de cordialité.

— Je suis persuadé que c'est dans les meilleures intentions que Mrs Clayton vous a envoyé me rencontrer. Mais très franchement, je crois que c'était tout à fait inconsidéré de sa part. Et pour elle, et pour moi.

— Comment cela?

Rich jeta un coup d'œil inquiet par-dessus son épaule. Mais le gardien était à distance réglementaire. Il n'en baissa pas moins la voix :

— Il faut qu'ils trouvent un mobile pour étayer cette ridicule accusation dont je suis l'objet. Ils vont essayer d'établir qu'il y avait complicité entre Mrs Clayton et moi. Ce qui, comme je suis sûr que Mrs Clayton vous l'aura dit, est totalement faux. Nous sommes amis, rien de plus. Ne serait-il donc pas plus judicieux qu'elle n'entreprenne rien en ma faveur?

Hercule Poirot ne répondit pas à la question, préférant revenir sur un mot du major Rich :

— Vous avez qualifié cette accusation de « ridicule ». Or elle est loin de l'être, et vous le savez fort bien.

— Je n'ai *pas* tué Arnold Clayton.

— Dites fausse accusation, alors. Qualifiez-la de mensongère, pas de *ridicule.* Car elle est éminemment plausible, au contraire. Vous ne l'ignorez pas.

— Tout ce que je peux vous dire, c'est que je la trouve complètement aberrante.

— Avec ce genre d'argument, vous n'irez pas loin. Nous allons devoir trouver mieux.

— J'ai d'excellents avocats qui défendent mes intérêts et qui sont parfaitement au courant du dossier. Je ne puis accepter que vous disiez « nous ».

Contre toute attente, Poirot sourit.

— Autrement dit, fit-il avec son plus bel accent étranger, vous m'envoyez promener ? Très bien, je m'en vais. Je voulais vous rencontrer, c'est fait. Je me suis déjà renseigné sur votre carrière. Vous êtes sorti brillamment de Sandhurst, avez fait l'École supérieure de guerre, et ainsi de suite. J'ai pu vous juger aujourd'hui. Vous êtes loin d'être un sot.

— Qu'est-ce que ça change ?

— Tout ! Il est impossible qu'un homme ayant vos capacités commette un meurtre de la façon dont celui-ci l'a été. Parfait. Vous êtes innocent. Parlez-moi donc de votre valet de chambre Burgess, à présent.

— Burgess ?

— Oui. Si ce n'est pas vous qui avez tué Clayton, ce ne peut être que Burgess. La conclusion semble inéluctable. Mais pourquoi l'aurait-il fait ? Il y a *forcément* un « pourquoi ». Vous êtes la seule personne qui connaisse suffisamment Burgess pour tenter de l'expliquer. Pourquoi, major Rich, pourquoi ?

— Je ne vois pas. Il ne me vient vraiment aucune explication. Oh ! j'ai suivi le même raisonnement, moi aussi. Oui, Burgess en a eu la possibilité – il est le seul à l'avoir eue à part moi. Le problème, c'est que je n'arrive pas à y croire. Burgess est la dernière personne que vous pourriez imaginer en train de tuer quelqu'un.

— Qu'en pensent vos avocats ?

Les lèvres de Rich prirent un pli amer :

— Mes avocats passent leur temps à me presser de leur confier si je n'aurais pas souffert toute ma vie d'absences au cours desquelles je ne sais pas exactement ce que je fais !

— Rien que ça ! grommela Poirot. Après tout, nous trouverons peut-être que c'est Burgess qui est sujet à ces absences. C'est toujours une idée. L'arme du crime, à présent. On vous l'a montrée en vous demandant si elle était à vous ?

— Elle n'est pas à moi. Je ne l'avais jamais vue auparavant.

— Elle n'est pas à vous, soit. Mais êtes-vous sûr de ne l'avoir jamais vue auparavant ?

— Oui…

Y avait-il eu légère hésitation ?

— C'est une sorte de bibelot ornemental, en fait, poursuivit-il. On en voit des tas du même genre traîner chez les gens.

— Dans le salon d'une dame, par exemple ? Dans celui de Mrs Clayton ?

— Certainement PAS !

Ce dernier mot claqua si fort que le gardien leva les yeux.

— Très bien. Certainement pas – inutile de crier. Mais quelque part, une fois, vous avez bel et bien vu un objet très semblable. N'est-ce pas ? Je ne me trompe pas ?

— Je ne crois pas… Dans une boutique de curiosi-
tés… peut-être…

— Ah ! tout à fait possible.

Poirot se leva :

— Bon, sur ce, je vous laisse.

*

— Et maintenant, décréta Poirot, direction Burgess.
Oui, Burgess. Enfin.

Il avait pu glaner des renseignements sur les prota-
gonistes de l'affaire. Sur eux-mêmes et sur les autres.
Mais personne ne lui avait dit quoi que ce soit sur
Burgess. Pas le moindre indice, la moindre indication,
lui permettant de le cerner.

Quand il le vit, Poirot comprit pourquoi.

Prévenu de son arrivée par un coup de téléphone du
commandant McLaren, le valet de chambre l'attendait
dans l'appartement du major Rich.

— Je suis Hercule Poirot.

— Oui, monsieur, vous étiez annoncé.

Burgess lui tint la porte d'une main déférente et Poirot
entra. Un petit hall carré, une porte ouverte sur la gauche
qui donnait sur le salon. Burgess le débarrassa de son
chapeau et de son manteau, puis le suivit dans le salon.

— Ah ! fit Poirot en jetant un regard circulaire, c'est
donc ici que ça s'est passé ?

— Oui, monsieur.

Pas bavard, ce lascar. Plutôt chétif. La tête rentrée
dans les épaules et le visage tout pâle. Une voix atone
avec un accent provincial que Poirot ne parvenait pas à
situer. De la côte est, peut-être. Et une certaine nervo-

sité. Mais à part cela, aucun trait marquant. Difficile de l'imaginer en train de se livrer activement à quoi que ce soit. Peut-on concevoir un tueur passif?

Il avait ces yeux bleu pâle légèrement fuyants que l'on a vite fait d'associer à la malhonnêteté. Un menteur peut pourtant fort bien vous regarder en face et vous inspirer assurance et confiance.

— Qu'advient-il de l'appartement? s'enquit Poirot.

— Je m'en occupe, monsieur. Le major m'a versé des gages pour le tenir en ordre jusqu'à… jusqu'à…

Embarrassé, il détourna le regard.

— Oui, jusqu'à… acquiesça Poirot. Je pense que le major sera très certainement traduit en justice, ajouta-t-il sur un ton tout à fait neutre. L'affaire devrait passer d'ici trois mois.

Burgess secoua la tête. Non dans un esprit de dénégation, mais par incrédulité :

— Ça semble vraiment impossible, monsieur.

— Que le major Rich soit un assassin?

— Tout. Ce bahut…

Son regard traversa la pièce.

— Ah! le voilà donc, ce fameux bahut?

C'était un coffre monumental en bois ciré très sombre, avec clous, fermoir et cadenas à l'ancienne en cuivre.

— Sacré morceau, apprécia Poirot en s'approchant.

Le bahut était adossé au mur, près de la fenêtre et d'une armoire à disques moderne. De l'autre côté, une porte entrouverte, laquelle était à demi masquée par un grand paravent de cuir peint.

— L'entrée de la chambre du major Rich, expliqua Burgess.

Poirot enregistra. Son regard se porta à l'autre extrémité du salon. Il y avait un tourne-disque et ses deux haut-parleurs, chacun sur une table basse, avec leurs fils qui serpentaient à terre, des bergères, une grande table. Au mur, une série d'estampes japonaises. Une pièce agréable, confortable mais non luxueuse.

Il revint à William Burgess.

— Cette découverte doit vous avoir causé un grand choc, fit-il avec douceur.

— Oh ! oui, monsieur. Je ne pourrai jamais oublier.

Le valet de chambre se lança dans un long récit. Un flot de paroles sortit de sa bouche. Il se disait peut-être qu'en racontant suffisamment souvent son histoire, il parviendrait à l'extirper de son esprit :

— Je venais de ranger la pièce, monsieur. Les verres, tout. Et en me baissant pour ramasser deux olives, qu'est-ce que je vois ? Sur le tapis, une tache brun rouge. Non, il n'est plus là, le tapis, on l'a donné à nettoyer quand la police en a eu fini avec. Je me suis demandé ce que c'était et j'ai presque pris ça en plaisantant : « Tu vas voir que c'est du sang ! Mais d'où ça vient ? Qu'est-ce qu'ils m'ont renversé là ? » Et je me suis alors aperçu que ça coulait du bahut – par le côté, ici, où il y a cette fente. Toujours à mille lieues de me douter, j'ai soulevé le couvercle comme ça (il joignit le geste à la parole) et je me suis retrouvé devant le corps d'un homme couché en chien de fusil, comme s'il dormait. Et ce vilain couteau, ou cette espèce de poignard, qui lui sortait du cou… Je n'oublierai jamais ça ! Jamais ! Jusqu'à ma mort ! Ça vous secoue, comprenez-vous, quand on ne s'y attend pas…

Il reprit son souffle, puis :

— J'ai laissé retomber le couvercle et j'ai couru jusque dans la rue pour chercher un policier. Par chance, il y en avait un juste à l'angle de la maison.

Poirot le considéra d'un air songeur. La comédie, si comédie il y avait, était excellente. Il commençait même à craindre que ce n'en soit pas une, que les choses se soient effectivement déroulées ainsi.

— Vous n'avez pas pensé à réveiller d'abord le major Rich ? demanda-t-il.

— Ça ne m'est pas venu à l'idée. Le choc, comme je vous ai dit… Je n'avais qu'une hâte, filer d'ici…

Il déglutit :

— Filer d'ici et… trouver de l'aide.

Poirot hocha la tête :

— Vous êtes-vous tout de suite rendu compte qu'il s'agissait de Mr Clayton ?

— J'aurais dû, monsieur, j'aurais dû. Mais je ne crois pas, non. Bien sûr, dès que je suis revenu avec l'agent de police, je me suis écrié : « Mais c'est Mr Clayton ! » Alors il m'a demandé : « Qui est ce Mr Clayton ? » et je lui ai répondu : « Quelqu'un qu'est venu ici hier soir. »

— À ce propos, fit Poirot, vous rappelez-vous l'heure exacte à laquelle il était arrivé ici ?

— À la minute près, non. Mais pas loin de 8 heures moins le quart, il me semble…

— Vous le connaissiez bien ?

— Mrs Clayton et lui sont venus assez fréquemment pendant les dix-huit mois où j'ai été employé ici.

— Avait-il l'air comme d'habitude ?

— Oui, j'ai l'impression. Juste un peu essoufflé, mais j'ai pensé qu'il s'était dépêché. Il avait un train à prendre, d'après ce que j'ai compris.

— Il avait un sac de voyage avec lui, je suppose, puisqu'il partait pour l'Écosse?

— Non, monsieur. J'imagine qu'un taxi devait l'attendre en bas.

— S'est-il montré déçu que le major soit sorti?

— Pas que j'aie remarqué. Il a juste dit qu'il allait lui laisser un mot. Il est entré ici, a été vers le secrétaire, et moi, je suis retourné dans ma cuisine – j'avais des œufs aux anchois en train. La cuisine se trouve au fond du couloir et on est un peu loin de tout, là-bas. Je ne l'ai pas entendu sortir – pas plus que je n'ai entendu Monsieur rentrer, d'ailleurs. Mais je n'écoutais pas non plus.

— Et ensuite?

— Le major m'a appelé. Il se tenait juste à la porte, ici, et il m'a dit qu'il avait oublié les cigarettes turques de Mrs Spence, que je sorte vite en chercher. Ce que j'ai fait. Je les ai rapportées et posées sur cette table-ci. Moi, bien sûr, j'ai cru que Mr Clayton était déjà reparti pour attraper son train.

— Personne d'autre n'est venu dans l'appartement pendant que le major était sorti et que vous vous trouviez à la cuisine?

— Non. Personne.

— Vous êtes sûr?

— Qui aurait pu? Il faut sonner à la porte.

Poirot secoua la tête. Qui, en effet? Les Spence, McLaren, Mrs Clayton pouvaient, il le savait déjà, justifier de la moindre minute de leur emploi du temps. McLaren était avec des connaissances à lui, à son club. Les Spence avaient reçu quelques intimes chez eux juste avant de sortir. Margharita Clayton était au téléphone avec une amie à ce moment précis. Non pas qu'il songeât à aucun d'entre eux comme coupable possible : ils auraient eu de meilleures occasions de tuer Arnold Clayton que de le suivre dans un appartement où se trouvait le valet de chambre et où le maître des lieux pouvait rentrer à tout moment. Non, il avait eu l'espoir d'un « mystérieux inconnu » ! Quelqu'un resurgi du passé apparemment sans tache de Clayton, qui l'aurait reconnu dans la rue et suivi jusqu'ici puis, l'ayant attaqué au stylet, aurait dissimulé le cadavre dans le bahut avant de prendre ses jambes à son cou. Du pur mélodrame, dénué de toute raison et de toute vraisemblance ! Relevant d'un goût pour la fiction historico-romanesque bien en accord avec le style du bahut espagnol.

Il traversa de nouveau la pièce pour s'approcher du meuble. Il en souleva le couvercle qui s'ouvrit aisément, sans bruit.

— Il a été tout nettoyé, monsieur, fit Burgess d'une voix blanche. J'y ai veillé personnellement.

Poirot se pencha. Poussa une légère exclamation, se pencha davantage, passa ses doigts sur l'intérieur :

— Ces petits trous, là sur l'arrière et un côté, on dirait qu'ils ont été faits il n'y a pas longtemps.

— Des petits trous ?

Le valet de chambre se pencha à son tour :

— Ma foi, je ne saurais dire. Je ne les avais jamais remarqués.

— Ils ne sont pas très visibles mais ils sont là. Qui les a faits, à votre avis ?

— Je n'en ai pas la moindre idée, monsieur. Une bête, un parasite quelconque, peut-être ?

— Une bête ? Hum ! je me demande…

Poirot s'éloigna.

— Quand vous êtes revenu ici avec les cigarettes, avez-vous remarqué quoi que ce soit de changé dans cette pièce ? Un détail, des fauteuils ou une table déplacés, par exemple ?

— C'est drôle que vous parliez de ça, monsieur… parce que, maintenant que vous le dites, oui, j'ai remarqué quelque chose. Ce paravent qui protège l'entrée de la chambre des courants d'air, il avait été un peu bougé sur la gauche.

— Comme ça ? demanda Poirot en joignant le geste à la parole.

— Encore un peu… voilà.

Le paravent, qui masquait déjà la moitié du bahut, en dissimulait maintenant la quasi-totalité.

— Qu'avez-vous pensé, quand vous l'avez constaté ?

— Rien, monsieur.

(Une autre miss Lemon !)

Puis Burgess ajouta, d'un ton hésitant :

— C'était peut-être pour dégager l'entrée de la chambre, que les dames puissent y déposer leurs manteaux.

— Peut-être. Mais il pouvait y avoir une autre raison.

Burgess leva sur lui un regard interrogateur.

— Le paravent maintenant cache le bahut, lui expliqua Poirot, de même que le tapis qui est devant. Si le major Rich avait poignardé Mr Clayton, le sang n'allait pas tarder à couler par les interstices de la base du meuble et quelqu'un aurait pu le voir – comme vous le lendemain matin. Alors on a déplacé le paravent.

— Je n'ai jamais pensé à ça, monsieur.

— Comment est l'éclairage, ici ? Fort ou tamisé ?

— Je vais vous montrer.

Le valet de chambre tira rapidement les rideaux et alluma quelques lampes. Elles diffusèrent une lumière douce et moelleuse, à peine suffisante pour lire, même juste à côté. Poirot leva les yeux vers un lustre, au plafond.

— Il n'était pas allumé, monsieur. On ne s'en sert presque jamais.

Poirot regarda alors autour de lui dans cet éclairage velouté.

— Je ne crois pas qu'on pourrait voir des taches de sang, dit le domestique. Il fait trop sombre.

— Vous avez probablement raison. Alors pourquoi ce paravent a-t-il été bougé ?

Burgess frissonna :

— C'est affreux de penser que… qu'un monsieur aussi bien que le major Rich ait pu faire une chose pareille.

— Vous ne doutez donc plus que ce soit lui qui ait fait le coup ? Pourquoi aurait-il commis ce crime, à votre avis ?

— Vous savez, il a fait la guerre, alors une blessure à la tête, peut-être ? Il paraît que ça peut vous reprendre sans crier gare des années après. Les gens perdent la boule tout d'un coup et ils ne savent plus ce qu'ils font. Et en général, c'est à leurs plus proches et à leurs plus chers qu'ils s'en prennent. Vous croyez que ça pourrait être quelque chose comme ça ?

Poirot le regarda. Soupira. Se détourna.

— Non, fit-il. Ce n'était pas quelque chose comme ça.

Et, avec des airs de conspirateur, il glissa un petit morceau de papier tout craquant dans la main de Burgess.

— Oh! merci, monsieur. Mais vraiment, il ne…

— Vous m'avez aidé, fit Poirot, en me montrant ce salon, en me montrant ce qu'il y a dedans, en me montrant ce qui s'est passé ce soir-là. L'impossible n'est jamais impossible! Rappelez-vous bien cela. J'ai dit qu'il n'y avait que deux possibilités : j'avais tort. Il y en a une troisième.

Il regarda autour de lui en réprimant un léger frisson :

— Ouvrez les rideaux. Laissez entrer l'air et la lumière. Cette pièce en a besoin. Elle a besoin d'être purifiée. Purifiée – il faudra du temps, je crois – de la tenace atmosphère de haine qui la hante.

Bouche bée, Burgess tendit à Poirot son manteau et son chapeau. Il semblait abasourdi. Poirot, qui adorait les déclarations impénétrables, gagna la rue d'un pas alerte.

*

Quand il arriva chez lui, il appela l'inspecteur Miller :

— Qu'est devenu le sac de voyage de Clayton, au fait? Sa femme m'a dit qu'il en avait préparé un.

— Il était au club. Il l'a confié au concierge. Il a dû l'oublier et partir sans.

— Qu'y avait-il dedans?

— Les affaires habituelles : un pyjama, une chemise de rechange, des trucs de toilette.

— Tout, quoi.

— Que vous attendiez-vous à y trouver ?

Poirot ignora la question :

— Parlons du stylet. Je vous suggère de trouver la femme de ménage qui travaille chez Mrs Spence. Tâchez de savoir si elle a jamais vu un objet de ce genre là-bas.

— Chez Mrs Spence ? répéta Miller avec un petit sifflement. C'est par là que vous vous orientez ? On a montré le stylet aux Spence. Ils ne l'ont pas reconnu.

— Demandez-leur encore.

— Vous voulez dire que…

— Et faites-moi connaître leur réponse.

— Je n'arrive pas à voir ce que vous avez en tête !

— Lisez *Othello*, Miller. Intéressez-vous bien aux personnages. Je crois que nous en avons laissé un de côté.

Il raccrocha. Puis il appela lady Chatterton. La ligne était occupée.

Il essaya de nouveau un peu plus tard. Toujours sans succès. Il appela alors George, son valet de chambre, et lui donna pour instruction de suivre le numéro jusqu'à ce qu'il obtienne une réponse. Lady Chatterton, il le savait, était une incorrigible bavarde au téléphone.

Il s'installa dans un fauteuil, ôta à grand soin ses bottines vernies, se dégourdit les orteils et se laissa aller contre le dossier de son siège.

— Je vieillis, soliloqua-t-il, je me fatigue très vite…

Son visage se ralluma soudain :

— Mais mes petites cellules grises, elles fonctionnent encore lentement, mais elles fonctionnent… *Othello*, oui. Qui est-ce qui m'en parlait ? Ah ! Mrs Spence. Le sac de voyage… le paravent… le corps en chien de fusil comme s'il dormait… Un crime ingénieux. Prémédité, bien préparé… et, je pense, *savouré* !…

George lui annonça qu'il avait lady Chatterton en ligne :

— Ici, Hercule Poirot, madame. Puis-je parler à votre invitée ?

— Certainement ! Auriez-vous accompli des miracles, monsieur Poirot ?

— Pas encore. Mais peut-être les choses avancent-elles.

L'instant d'après, la voix de Margharita – calme, douce – s'éleva à l'autre bout du fil.

— Madame, quand je vous ai demandé si vous aviez remarqué quelque chose qui aurait été changé de place lors de cette soirée, vous avez semblé vous rappeler quelque chose, et puis cela vous a échappé. Ce ne serait pas la position du paravent, par hasard ?

— Le paravent ? Mais si, bien sûr. Il n'était pas exactement comme d'habitude.

— Avez-vous dansé, cette nuit-là ?

— Par moments.

— Avec qui, le plus souvent ?

— Jeremy Spence. C'est un danseur merveilleux. Charles est bon, lui aussi, mais moins spectaculaire. Il dansait avec Linda, et nous avons parfois changé de partenaire. Jock McLaren ne danse pas. Il a sorti les disques et sélectionné nos morceaux.

— Il a mis de la grande musique, plus tard dans la soirée ?

— Oui.

Il y eut un silence. Puis Margharita reprit :

— Monsieur Poirot, pourquoi ces questions ? Avez-vous… y a-t-il… de l'*espoir* ?

— Êtes-vous jamais consciente, madame, des sentiments des gens qui vous entourent ?

— Je… je pense, oui, fit-elle d'une voix légèrement surprise.

— Eh bien je ne pense pas, moi. Je crois que cela vous échappe complètement. C'est la tragédie de votre vie. Seulement cette tragédie, c'est sur les autres qu'elle rejaillit, pas sur vous.

» Quelqu'un, aujourd'hui, m'a parlé d'Othello. Je vous ai demandé si votre mari était jaloux et vous avez répondu que oui, sans doute. Vous l'avez dit sur un ton léger, comme Desdémone aurait pu le faire, sans s'apercevoir du danger. Elle aussi savait ce qu'était la jalousie, mais sans comprendre puisqu'elle-même n'avait jamais pu et ne pourrait jamais en éprouver. Elle ne se rendait absolument pas compte de la violence d'une passion physique aiguë. Elle aimait son mari avec la ferveur romantique que l'on voue à un héros, et elle portait innocemment à son ami Cassio l'amour qui sied à un proche compagnon… Or je crois que c'est cette inaccessibilité à la passion qui rendait les hommes fous… Me suivez-vous, madame ?

Il y eut un silence. Puis la voix de Margharita répondit. Avec son imperturbable douceur. Juste un peu étonnée :

— Je… pas vraiment, monsieur Poirot.

Il soupira.

— Bon, fit-il sur un ton pragmatique. Ce soir, je vous rendrai une petite visite.

*

L'inspecteur Miller n'était pas un homme facile à convaincre. Pas plus qu'il n'était facile d'empêcher Poirot d'aller jusqu'au bout de ses idées. L'inspecteur grogna, bougonna, mais capitula :

— D'abord, qu'est-ce qu'elle a à voir là-dedans, lady Chatterton ?

— Personnellement, rien. Elle a donné asile à une amie, c'est tout.

— À propos des Spence, comment avez-vous su ?

— Que le stylet venait de chez eux ? Simple présomption. C'est une réaction de Jeremy Spence qui m'a mis la puce à l'oreille. Quand j'ai émis l'hypothèse que le poignard ait pu appartenir à Margharita Clayton, il m'a clairement montré qu'il *savait* que non.

Il s'interrompit un instant.

— Qu'est-ce qu'ils vous ont dit, au fait ? demanda-t-il sitôt après avec une évidente curiosité.

— Ils ont reconnu qu'il ressemblait comme un frère à un poignard miniature qu'ils possédaient auparavant. Mais il avait été égaré quelques semaines plus tôt et leur était complètement sorti de l'esprit. Je suppose que c'est là que Rich l'a fauché.

— Il n'aime pas se mouiller, ce Jeremy Spence, fit Poirot. Quelques semaines… se murmura-t-il à lui-même. Elle en a mis du temps, la préparation.

— Hein ? Quoi ?

— Nous arrivons, fit Poirot.

Le taxi s'arrêta devant la maison de lady Chatterton, à Cheriton Street. Poirot régla la course.

Margharita Clayton les attendait dans la chambre du haut. Son visage se durcit lorsqu'elle vit Miller :

— J'ignorais…

— Vous ignoriez qui était l'ami que je comptais amener ?

— L'inspecteur Miller n'est pas de mes amis.

— Tout dépend de savoir si vous voulez que justice soit faite ou non, Mrs Clayton, dit ce dernier. Votre mari a été assassiné…

— Et maintenant, il nous reste à parler de l'assassin, le coupa vivement Poirot. Pouvons-nous nous asseoir ?

Margharita s'installa lentement en face d'eux dans un fauteuil à haut dossier.

— Je vous demande, déclara Poirot à ses deux interlocuteurs, de m'écouter patiemment. Je pense savoir aujourd'hui ce qui s'est passé dans l'appartement du major Rich lors de cette soirée fatale… Nous sommes tous partis d'un postulat qui était faux : que seules deux personnes avaient eu la possibilité de mettre le corps dans le bahut, à savoir le major Rich et William Burgess. Nous avions tort. Il y en avait une troisième, ce soir-là, qui pouvait aussi bien le faire.

— Et qui donc ? demanda Miller, sceptique. Le garçon d'ascenseur ?

— Non. *Arnold Clayton.*

— Quoi ? Il aurait caché son propre cadavre ? Vous êtes fou !

— Pas son cadavre, bien sûr : son corps tout court. En termes clairs, il s'est caché dans le bahut. Cela s'est vu maintes fois au cours des âges. La mariée morte dans *Le Rameau de gui*, Iachimo qui avait des vues sur la vertu d'Imogène, et ainsi de suite. J'y ai songé dès que j'ai vu que des trous avaient été fraîchement pratiqués dans les parois du coffre. Pourquoi? Pour laisser passer suffisamment d'air respirable. Et pourquoi le paravent a-t-il été décalé de sa position habituelle ce soir-là? Pour cacher le bahut à la vue des occupants du salon. Et permettre à celui qui était dissimulé à l'intérieur de soulever de temps en temps le couvercle, de soulager les crampes qu'il avait dans les jambes et d'entendre un peu mieux ce qui se disait.

— Mais pourquoi? fit Margharita, au comble de l'étonnement. Pourquoi Arnold se serait-il caché là-dedans?

— C'est vous qui posez la question, madame? Votre mari était un homme jaloux. Mais qui ne s'exprimait pas facilement non plus. « Complètement renfermé », pour reprendre l'expression de votre amie Mrs Spence. Sa jalousie a monté, monté. Elle l'a torturé! Étiez-vous ou n'étiez-vous pas la maîtresse de Rich? Il n'arrivait pas à savoir! Il *fallait* qu'il sache! D'où le « télégramme d'Écosse », ce fameux télégramme qui n'est jamais parti et que personne n'a jamais vu! Le sac de voyage est préparé et fort commodément oublié au club. Il se rend à l'appartement à une heure où il est presque certain que Rich sera sorti. Il explique au valet de chambre qu'il va laisser un petit mot. Dès qu'il est seul, il déplace le paravent, perce les trous dans le bahut et s'installe à l'intérieur. Ce soir, il connaîtra la vérité. Peut-être sa femme restera-t-elle après le départ des autres invités, peut-être partira-t-elle avec eux pour revenir ensuite. Cette nuit, cet homme désespéré, tourmenté par la jalousie, *saura*…

— Vous n'allez pas dire qu'il s'est poignardé tout seul, quand même ! refusa de croire Miller. Ce serait grotesque !

— Oh ! non, quelqu'un d'autre s'en est chargé. Quelqu'un qui savait qu'il se trouvait là. Il s'agit bien d'un meurtre. Soigneusement préparé, prémédité de longue date. Pensez aux autres personnages d'*Othello*. C'est à Iago que nous aurions dû songer. Cette subtile instillation de poison dans l'esprit d'Arnold Clayton, les allusions, les soupçons. L'honnête Iago, l'ami fidèle, l'homme que l'on croit toujours ! Arnold Clayton avait foi en lui. Arnold Clayton l'a laissé pincer la corde de sa jalousie, la tendre jusqu'au point de rupture. L'idée de se cacher dans le bahut était-elle la sienne ? Il a pu le croire – sans doute le croyait-il ! Ainsi, le décor est planté. Le stylet, adroitement subtilisé quelques semaines auparavant, est prêt. Le grand soir arrive. Les lumières sont tamisées, le tourne-disque joue, deux couples dansent, le cinquième personnage s'affaire dans l'armoire à disques, juste à côté du bahut espagnol protégé des regards derrière son paravent. Se glisser derrière ledit paravent, soulever le couvercle et frapper réclame certes de l'audace, mais ne présente pas de difficultés d'exécution.

— Mais, voyons, Clayton aurait crié !

— Pas s'il était drogué, rétorqua Poirot. D'après le valet de chambre, le corps reposait comme s'il dormait. Clayton dormait, drogué par le seul homme qui *pouvait* l'avoir drogué, celui avec lequel il avait bu au club.

— Jock ? fit Margharita d'une voix que la surprise fit monter dans les aigus comme celle d'une enfant.

Pas ce cher vieux Jock ! Je le connais depuis toujours !
Pourquoi diable aurait-il…

Poirot se tourna vers elle :

— Pourquoi les deux Italiens se sont-ils battus en
duel ? Pourquoi un jeune homme s'est-il envoyé une
balle dans la tête ? Jock ne sait pas s'exprimer. Il s'est
résigné, peut-être, à être votre ami fidèle, à vous et à
votre mari, mais quand survient le major Rich, alors
là, c'en est trop ! Dans les ténébreux méandres de la
haine et du désir, il mijote ce qui est tout proche du
crime parfait – un double crime, car il est pratiquement
certain que Rich sera accusé. Rich et votre mari tous
deux hors circuit, il se dit qu'*enfin* vous allez peut-être
vous tourner vers *lui*. Et peut-être, madame, l'auriez-
vous fait… Hein ?

Elle le regardait fixement, les yeux écarquillés d'horreur…

Presque mécaniquement, elle répondit dans un
souffle :

— Peut-être… Je – je ne sais pas…

L'inspecteur Miller prit la parole avec un soudain
regain d'autorité :

— Tout cela est très joli, Poirot, mais ça reste théo-
rique, il n'y a pas l'ombre d'une preuve. Ça pourrait
être faux de bout en bout.

— Mais il se trouve que c'est rigoureusement
exact.

— Oui, seulement il n'y a aucune *preuve*. Rien de
solide sur quoi nous puissions nous fonder.

— Vous avez tort. Si on lui expose les faits, si on
lui donne à comprendre que Margharita Clayton *est au*

courant, je suis convaincu que McLaren reconnaîtra sa culpabilité…

Poirot s'interrompit un bref instant avant d'ajouter :

— Parce qu'une fois qu'il saura *cela*, il saura du même coup qu'il a perdu. Que le crime parfait aura été commis en vain.

Le Souffre-douleur

(The Under Dog)

Lily Margrave lissa ses gants sur ses genoux d'un geste nerveux et darda son regard sur l'occupant du grand fauteuil qui lui faisait face.

Elle avait entendu parler d'Hercule Poirot, le détective bien connu, mais c'était la première fois qu'elle le voyait en chair et en os.

Son aspect comique, à la limite du ridicule, dérangeait la conception qu'elle s'en était faite. Avec sa tête en forme d'œuf et son énorme moustache tarabiscotée, ce drôle de petit bonhomme pouvait-il réellement effectuer les merveilles dont on le disait capable ? Son occupation du moment lui paraissait particulièrement puérile. Il empilait des petits cubes de bois colorés les uns sur les autres et semblait bien plus intéressé par ce qui en résultait que par ce qu'elle lui racontait.

Devant le silence soudain de la jeune fille, il lui lança cependant un regard aigu :

— Poursuivez, mademoiselle, je vous en conjure. Ne croyez pas que je ne fasse pas attention à ce que vous dites. Je suis tout ouïe, au contraire.

Sur quoi il recommença à empiler ses petits cubes tandis qu'elle reprenait son histoire. Une histoire épouvantable, une histoire de violence et de mort brutale, mais narrée d'une voix tellement calme, tellement dépourvue d'émotion et de façon tellement concise et ramassée que toute trace d'humanité semblait en avoir été bannie.

Elle s'arrêta enfin.

— J'espère avoir été bien claire, s'inquiéta-t-elle.

Poirot se répandit en acquiescements et hochements de tête emphatiques. Puis, d'un revers de main, il éparpilla les cubes sur la table, se rejeta en arrière contre le dossier de son fauteuil, joignit l'extrémité de ses doigts et, les yeux au plafond, entreprit de récapituler :

— Sir Reuben Astwell a été assassiné il y a dix jours. Avant-hier mercredi, son neveu, Charles Leverson, a été arrêté par la police. Les faits qui l'incriminent sont, à votre connaissance – reprenez-moi si je fais erreur, mademoiselle –, les suivants : sir Reuben a veillé pour écrire dans son cabinet privé, la salle de la tour. Mr Leverson, qui possède la clé de la maison, est rentré tard. Le majordome, dont la chambre se trouve juste en dessous de la salle de la tour, l'entend se quereller avec son oncle. La dispute se termine par un bruit soudain, comme si une chaise était renversée, et par un cri à demi étouffé.

» Inquiet, le majordome s'apprête à se lever pour voir ce qui a bien pu se passer mais il entend presque aussitôt Mr Leverson quitter la pièce en sifflotant un petit air guilleret. Aussi ne prête-t-il plus attention à l'incident. Le lendemain matin, cependant, une femme de chambre découvre sir Reuben mort à côté de son

bureau. Il avait été assommé par un objet pesant.
Je suppose que le majordome n'a pas tout de suite
raconté son histoire à la police. Rien d'ailleurs là que
de très naturel, ne trouvez-vous pas, mademoiselle ?

Cette brusque question fit sursauter Lily Margrave :

— Je vous demande pardon ?

— C'est le facteur humain auquel on est avant tout
amené à s'attacher dans ce genre d'affaire, n'est-ce
pas ? répliqua le petit homme. Votre façon – remarquablement concise – de me raconter cette histoire,
fait paraître les acteurs du drame comme des machines,
des marionnettes. Or, moi, c'est la nature humaine qui
m'intéresse toujours. Ainsi je me dis que ce majordome… comment s'appelle-t-il, déjà ?

— Parsons.

— … Que ce Parsons, puisque Parsons il y a, va
être doté de la mentalité commune aux gens de sa
condition : avoir une sainte horreur de la police et de
ses sbires, et se faire un malin plaisir de leur en dire
le moins possible. Surtout, ne rien révéler qui puisse
sembler incriminer l'un quelconque des membres de
la maisonnée. Il s'accrochera avec la dernière énergie
à l'idée de l'intrusion d'un étranger, d'un cambrioleur.
Ah ! oui, la caste des gens de service et leur loyauté
sont certes intéressantes à étudier…

Il se carra dans son fauteuil avec un grand sourire
satisfait :

— Dans le même temps, continua-t-il, chacun dans
la maison a donné sa version des faits, Mr Leverson
comme les autres, la sienne étant qu'il est rentré tard
et qu'il est monté directement se coucher sans voir son
oncle.

— C'est exactement ce qu'il a affirmé.

— Et personne n'a la moindre raison de mettre sa parole en doute, fit Poirot d'un air songeur, à l'exception bien sûr de Parsons. C'est alors que se présente un inspecteur de Scotland Yard – l'inspecteur Miller, m'avez-vous dit ? Je le connais, j'ai eu affaire à lui une ou deux fois dans le passé. C'est un malin, un furet, un fouineur, comme on dit.

» Oh ! oui, je le connais… Et l'astucieux inspecteur Miller remarque ce que son collègue local n'a pas vu, que Parsons est gêné, mal à l'aise, qu'il sait quelque chose qu'il n'a pas dit. Miller en fait vite son affaire, de Parsons. Il devient alors clairement établi qu'aucun étranger n'est entré par effraction cette nuit-là, que c'est dans la maison qu'il faut chercher l'assassin et non à l'extérieur. Parsons, atterré, écrasé par le poids de son secret, éprouve un profond soulagement qu'on l'en ait déchargé.

» Il a fait de son mieux pour éviter le scandale, mais il y a des limites. L'inspecteur Miller écoute donc le récit de Parsons, lui pose une ou deux questions puis procède à ses propres investigations. Il se constitue alors un dossier d'accusation très solide… un dossier à toute épreuve.

» Des empreintes sanglantes de doigts sont relevées sur l'angle du coffre, dans la salle de la tour, et ces empreintes sont celles de Charles Leverson. La femme de chambre révèle qu'elle a vidé une cuvette d'eau rougie dans le cabinet de toilette de Mr Leverson le lendemain matin. Il lui a expliqué qu'il s'était fait une entaille au doigt. Il montre effectivement une petite coupure, c'est vrai, mais tellement minuscule ! La manche de sa chemise du soir a été lavée, mais on retrouve des taches de sang sur celle de son pardessus. Il avait de gros problèmes d'argent et devait hériter une forte somme à la mort de sir Reuben. Oh! oui, les charges sont accablantes, mademoiselle.

Il marqua un temps, puis :

— Malgré cela, vous venez me trouver aujourd'hui.

Lily Margrave haussa ses fines épaules :

— Je vous l'ai dit, monsieur Poirot, c'est lady Astwell qui m'envoie.

— De votre propre initiative, vous ne seriez pas venue, c'est cela?

Le petit homme la considéra d'un regard acéré. La jeune fille ne releva pas.

— Vous ne répondez pas à ma question.

Lily Margrave recommença à lisser ses gants :

— C'est assez délicat pour moi, vous savez. J'ai un devoir de loyauté envers lady Astwell. Je ne suis à proprement parler qu'une demoiselle de compagnie rétribuée, mais elle me traite davantage comme une fille ou une nièce. Elle est extrêmement gentille, et quelles que soient ses extravagances, je ne voudrais pas avoir l'air de critiquer ce qu'elle fait ou de… enfin, de paraître vous dissuader de vous occuper de l'affaire.

— Hercule Poirot ne se laisse pas dissuader comme ça! lança-t-il gaiement. Si je comprends bien, vous trouvez que lady Astwell a un petit grain. N'est-ce pas?

— Ma foi, euh…

— Parlez, mademoiselle.

— Toute cette histoire ne tient pas debout.

— C'est là votre opinion sur la question?

— Je ne veux rien dire contre lady Astwell, mais…

— Je comprends, murmura Poirot avec douceur. Je comprends très bien.

Ses yeux l'invitèrent à poursuivre.

— Elle a le cœur sur la main, elle est d'une gentillesse comme on en rencontre peu, mais il lui manque… comment dire? Elle n'a reçu ni instruction ni culture. Vous savez qu'elle était actrice quand sir Reuben l'a épousée. Elle est bourrée de préjugés et de superstitions. Quand elle décrète quelque chose, c'est comme ça et pas autrement, elle n'en démord pas. L'inspecteur n'a pas fait preuve de beaucoup de tact à son égard, alors elle s'est braquée. Elle clame à tous les échos que soupçonner Mr Leverson est une ânerie, une ânerie typique de ces abrutis de la police, et qu'il va de soi que ce n'est pas ce cher petit Charles qui a fait le coup!

— Et elle le proclame sans raison aucune?

— Pas la moindre.

— Vraiment? Allons, allons!

— Je lui ai précisé qu'il ne servirait à rien de venir vous trouver avec des affirmations de ce genre sans rien pour les étayer.

— Vous lui avez précisé cela? Voilà qui est intéressant.

Il couva un instant Lily Margrave du regard pour en avoir une rapide vision d'ensemble, remarqua les détails de son coquet tailleur noir, la touche blanche du col, le mignon petit chapeau noir. Il vit son élégance, la joliesse de son visage au menton légèrement pointu, le bleu profond de ses yeux, ses cils interminables. Insensiblement, il changea d'attitude. Ce n'était plus tant l'affaire qui l'intéressait, que la jeune personne assise en face de lui :

— Si je vous comprends bien, mademoiselle, lady Astwell serait un tantinet dérangée, voire hystérique ?

Lily Margrave acquiesça de la tête avec véhémence :

— C'est exactement ça. Elle est, je vous l'ai dit, très gentille mais il est impossible d'avoir avec elle une discussion logique.

— Peut-être nourrit-elle des soupçons de son côté, suggéra Poirot. Quitte à ce que lesdits soupçons soient complètement extravagants.

— Tout à fait ! s'écria Lily. Elle a pris le secrétaire de sir Reuben en grippe, le malheureux. Elle répète à qui veut l'entendre qu'elle *sait* que c'est lui l'assassin, alors qu'il a été démontré de façon concluante que cet infortuné Owen Trefusis ne pouvait matériellement pas avoir commis le crime.

— Et elle ne possède aucun élément concret ?

— Bien sûr que non. Mais, pour elle, seule compte l'intuition.

La voix de Lily Margrave s'était nuancée de mépris.

— On dirait que vous ne croyez guère à l'intuition, remarqua Poirot en souriant.

— J'estime que c'est de la blague, renchérit-elle.

— Ah ! les femmes, marmonna Poirot en se réadossant à son fauteuil. Elles se plaisent à penser que l'intuition est une arme spéciale dont le bon Dieu les a dotées et qui leur fait découvrir à tout coup la vérité, mais hélas, neuf fois sur dix, elle les fait tomber à côté.

— Je sais, convint Lily, mais je vous ai expliqué comment était lady Astwell. On ne peut tout bonnement pas discuter avec elle.

— Alors vous, demoiselle sensée et obéissante, vous êtes venue me chercher comme on vous l'avait demandé et en avez profité pour me mettre au courant de la situation.

Quelque chose dans le ton de Poirot incita miss Margrave à relever vivement les yeux.

— Bien sûr, s'excusa-t-elle, je n'ignore pas combien votre temps est précieux.

— Vous me flattez, mais c'est un fait qu'en ce moment, j'ai un tas d'affaires sur les bras.

— C'est ce que je craignais, dit-elle en se levant. Je vais expliquer à lady Astwell…

Poirot ne l'imita pas. Le regard fixé sur la jeune fille, il s'enfonça au contraire encore plus profondément dans son fauteuil :

— Vous êtes pressée de partir ? Attendez encore un petit moment, s'il vous plaît.

Il vit le rouge lui monter au visage, puis refluer. Elle se rassit lentement, à contrecœur.

— Vous êtes vive et pleine de décision, mademoiselle, mais soyez indulgente envers un vieil homme comme moi dont l'esprit réagit avec plus de lenteur. Vous m'avez mal compris. Je n'ai jamais prétendu que je ne voulais pas aller chez lady Astwell.

— Alors vous viendrez ?

Elle avait prononcé ces paroles d'une voix atone, sans regarder Poirot, les yeux baissés, et ne s'aperçut pas du minutieux examen visuel dont elle était l'objet.

— Dites à lady Astwell que je suis entièrement à son service. Je me rendrai à Mon Repos – c'est bien le nom de la propriété ? – dans l'après-midi.

Il se leva. La jeune fille l'imita :

— Je... je lui transmettrai le message. C'est très aimable à vous de vous déranger, monsieur Poirot. Je crains cependant bien que vous ne découvriez vite qu'on vous a fait courir après un leurre.

— C'est infiniment vraisemblable, mais... qui sait ?

Il la raccompagna à la porte avec une scrupuleuse courtoisie puis retourna au salon, le sourcil froncé, plongé dans ses pensées. Il hocha une ou deux fois la tête, ouvrit la porte et appela son valet de chambre :

— Mon bon George, voudriez-vous me préparer une valise, je vous prie ? Je pars cet après-midi pour la campagne.

— Très bien, monsieur, acquiesça George.

Grand, invariablement impassible et le teint cadavérique, il était l'image même de l'Anglais.

— Une jeune fille est toujours un phénomène fascinant, George, philosopha Poirot en se laissant choir une fois de plus dans son fauteuil et en allumant une minuscule cigarette. Surtout, notez-le bien, quand elle est intelligente. Demander à quelqu'un de faire quelque chose tout en l'en dissuadant est une opération délicate qui nécessite un certain doigté. Elle s'est montrée adroite – oh ! oui, très adroite – mais on ne rivalise pas avec Hercule Poirot dans ce domaine, mon bon George.

— Je l'ai déjà entendu dire à Monsieur.

— Ce n'est pas le secrétaire qui occupe ses pensées, rumina tout haut Poirot, puisqu'elle tourne en dérision l'accusation de lady Astwell contre lui. En même temps, elle ne tient manifestement pas à ce qu'on vienne réveiller le chat qui dort. Eh bien je vais le réveiller, moi, mon bon George, et il va montrer les griffes ! Il se déroule un drame à Mon Repos. Un drame humain, et c'est justement ce qui me stimule. Elle est futée, la petite masque, mais pas assez. Je me demande… je me demande bien ce que je vais trouver là-bas.

Un lourd silence suivit ces paroles – un silence dramatique que George hésita presque à troubler :

— Faut-il vous mettre des habits de soirée, monsieur ?

Poirot le considéra d'un air méditatif :

— Toujours concentré, toujours l'œil sur votre travail, hein ? Vous m'êtes infiniment précieux, George.

*

Quand le 16 h 55 fit halte à la gare d'Abbots Cross, M. Hercule Poirot en descendit, tiré à quatre épingles, élégant à l'excès, la pointe des moustaches durcie à la cire. Il donna son billet, franchit le portillon et fut accosté par un chauffeur de haute stature :

— Monsieur Poirot ?

Le petit homme s'épanouit :

— C'est bien mon nom, en effet.

— Par ici, monsieur, je vous prie.

Il lui tint ouverte la portière d'une imposante Rolls-Royce.

La propriété ne se trouvait guère à plus de trois minutes de la gare. Le chauffeur fit de nouveau le tour de la voiture pour lui tenir la portière et Poirot en descendit. Le majordome avait déjà ouvert la porte d'entrée.

Poirot jeta un bref coup d'œil appréciateur à la façade de la demeure avant d'en franchir le seuil. C'était un grand manoir de brique rouge, solidement bâti, sans prétentions esthétiques mais qui dégageait une impression de robustesse et de confort.

Poirot s'avança dans le hall. Le majordome le débarrassa prestement de son chapeau et de son pardessus puis murmura, sur ce ton plein de déférente retenue que seuls les meilleurs domestiques savent trouver :

— Madame vous attend, monsieur.

Poirot grimpa à la suite du majordome les marches recouvertes d'un tapis moelleux. Ce domestique parfaitement stylé et flegmatique comme il se doit ne pouvait être que Parsons. En haut de l'escalier, il prit un couloir à main droite, franchit une porte pour pénétrer dans une petite antichambre d'où partaient deux autres portes. Il ouvrit celle de gauche et annonça :

— M. Poirot, madame.

La pièce dans laquelle il entra n'était pas très vaste. Elle regorgeait de meubles et de bibelots. Une femme, tout de noir vêtue, assise sur un sofa, se leva pour se précipiter à sa rencontre.

— Monsieur Poirot, l'accueillit-elle en tendant la main et en détaillant sa silhouette de dandy.

Elle resta un moment sans rien dire puis, ignorant les lèvres qui lui effleuraient les doigts en murmurant « Très chère madame… », lui écrasa les siens d'une poigne vigoureuse en s'exclamant :

— Je n'ai jamais aimé que les hommes petits ! Ce sont les plus intelligents !

— L'inspecteur Miller, susurra Poirot, est je crois de taille élevée ?

— C'est par-dessus le marché un prétentieux imbécile ! jeta lady Astwell. Venez vous asseoir ici à côté de moi, voulez-vous ?

Elle lui désigna le sofa et poursuivit :

— Lily a tout fait pour me dissuader de vous envoyer chercher, mais je ne suis pas arrivée à l'âge que j'ai sans savoir également ce que j'ai en tête.

— Ce qui n'est certes pas donné à tout le monde, la complimenta Poirot en la suivant jusqu'au canapé.

Lady Astwell s'installa confortablement parmi les coussins puis se tourna de côté afin de lui faire face.

— Lily est une très brave fille, expliqua-t-elle, mais elle s'imagine tout savoir, et mon expérience me dit qu'une fois sur deux, ce genre de personne se trompe. Je ne suis pas intelligente, moi, et ne l'ai jamais été, mais j'ai raison là où beaucoup de gens encore moins intelligents que moi ont tort. Je crois que nous sommes quelque part *guidés*. Cela posé, voulez-vous que je vous dise qui est l'assassin ou préférez-vous que je m'abstienne ? Une femme *sait* toujours, monsieur Poirot.

— Miss Margrave le sait-elle ?

Lady Astwell s'empressa de lui renvoyer sa question :

— Que vous a-t-elle dit au juste ?

— Elle m'a relaté les faits.

— Les faits ? Oh ! bien évidemment, les apparences sont toutes contre Charles. Mais je vais vous rétorquer, monsieur Poirot, que ce n'est pas lui qui a fait le coup. Je *sais* que ce n'est pas lui.

Elle avait prononcé ces paroles avec une assurance presque troublante.

— Vous êtes très catégorique, lady Astwell.

— C'est Trefusis qui a tué mon mari, monsieur Poirot. J'en suis sûre.

— Pourquoi?

— Pourquoi il l'a tué, vous voulez dire, ou pourquoi j'en suis sûre? Je vous répète que je *sais* qu'il l'a fait! Je suis spéciale pour ce genre de choses, vous savez. Je me fais une idée tout de suite et puis je n'en démords plus.

— Mr Trefusis a-t-il en quoi que ce soit tiré avantage de la mort de sir Reuben?

— Mon mari ne lui a pas laissé un sou, lui répondit du tac au tac lady Astwell. Ce qui prouve bien que ce cher Reuben ne le portait pas dans son cœur.

— Travaillait-il depuis longtemps pour sir Reuben?

— Près de neuf ans.

— Ce qui représente une longue, très longue période au service de la même personne. Mr Trefusis devait connaître son patron par cœur.

Lady Astwell écarquilla les yeux:

— Où voulez-vous en venir? Je ne vois pas le rapport.

— Une idée à moi, éluda Poirot. Juste une petite idée, sans intérêt peut-être, mais originale, sur les effets du service de longue durée.

Lady Astwell paraissait toujours ébahie.

— Vous êtes très intelligent, je crois bien? fit-elle sur un ton plutôt dubitatif. C'est en tout cas ce que tout le monde prétend.

Hercule Poirot se mit à rire:

— Peut-être vous aussi me ferez-vous ce compliment un jour, madame. Mais revenons-en au mobile.

Parlez-moi de la maisonnée, des gens qui se trouvaient là le jour de la tragédie.

— Il y avait Charles, bien sûr.

— C'est le neveu de votre mari, si j'ai bien compris, pas le vôtre.

— Charles est le fils unique de la sœur de Reuben. Elle avait épousé un homme relativement riche, mais il a un beau jour eu un très gros pépin – ça se produit parfois, dans le monde des affaires. Bref, il est mort, sa femme aussi. Et Charles est venu vivre avec nous. Il avait vingt-trois ans à l'époque et devait devenir avocat. Quand ces malheurs sont arrivés, Reuben l'a fait entrer dans son entreprise.

— Il travaillait bien, ce jeune M. Charles ?

— J'aime les gens qui saisissent vite, s'épanouit lady Astwell avec un hochement de tête approbateur. Non, et c'est ça le problème. Charles ne travaillait *pas* bien. Il avait toujours des histoires avec son oncle à cause de ses bêtises. Il faut avouer aussi que ce pauvre Reuben n'était pas, loin s'en faut, du genre commode. Combien de fois n'ai-je pas été amenée à lui signaler qu'il avait oublié ce que c'était que d'être jeune. Dieu sait qu'il était bien différent en ce temps-là, je vous assure.

Lady Astwell poussa un soupir nostalgique.

— De tels changements sont inéluctables, madame. C'est la loi de la vie.

— Remarquez, il ne s'est jamais vraiment emporté ni montré grossier avec *moi*. Ou s'il s'est parfois laissé aller à le faire, il s'en est toujours montré bourrelé de remords après coup. Pauvre cher Reuben !

— Il avait somme toute sale caractère ?

— J'arrivais toujours à le tenir, précisa lady Astwell de l'air de celle qui a dompté plus d'un grand fauve, mais c'est quand il enguirlandait les domestiques que ça devenait gênant. Il y faut la manière, et celle de Reuben n'était certainement pas la bonne.

— Quelles dispositions exactes sir Reuben avait-il prises pour ses biens, madame ?

— Moitié à moi, moitié à Charles, répondit-elle tout de suite. Les hommes de loi ne le formulent pas aussi simplement, mais ça revient à ça.

— Je vois… je vois, marmonna Poirot en hochant la tête. À présent, madame, parlons des gens qui vivent sous votre toit. Outre vous-même, il y a donc le neveu de sir Reuben, Mr Charles Leverson, et puis le secrétaire, Mr Owen Trefusis, et enfin miss Lily Margrave. Que pouvez-vous me dire sur le compte de cette jeune personne ?

— Vous voulez que je vous renseigne sur Lily ?

— Oui. Est-elle à votre service depuis longtemps ?

— Environ un an. J'ai eu beaucoup de secrétaires-dames de compagnie, voyez-vous, mais elles finis-saient toujours pour une raison ou une autre par me taper sur le système. Avec Lily, ç'a été différent. Elle a du tact, beaucoup de bon sens, et puis elle est tellement ravissante ! J'adore avoir un joli visage auprès de moi, monsieur Poirot. Je suis une drôle de personne, vous savez. Chez moi, les « je raffole » ou « j'exècre », c'est immédiat. Dès que j'ai vu cette fille, je me suis dit : « Elle fera l'affaire. »

— Vous a-t-elle été présentée par des amis ?

— Elle a répondu à une annonce, je crois bien… Oui, c'est ça.

— Savez-vous quelque chose sur sa famille, sur ses antécédents ?

— Il semble que son père et sa mère se trouvent aux Indes. Je ne sais pas grand-chose sur leur compte, mais on voit tout de suite qu'elle est de bonne famille, vous ne trouvez pas ?

— Si, si, certainement.

— Ce qui n'est pas mon cas, poursuivit lady Astwell. Je ne suis pas ce qu'il est convenu d'appeler une « dame ». Je le sais, les domestiques le savent. Mais je n'en fais pas de complexes et ne suis pas jalouse. J'apprécie les gens bien quand j'en vois, et personne n'aurait pu se montrer plus gentil qu'elle avec moi. Je la considère presque comme ma fille, je vous assure.

Poirot tendit la main droite pour rectifier la position de deux ou trois objets sur le guéridon à sa portée.

— Sir Reuben partageait-il ce sentiment ? demanda-t-il.

Son regard était toujours posé sur les bibelots, mais il n'en remarqua pas moins la légère hésitation de lady Astwell :

— Avec un homme, c'est différent. Enfin, oui, ils… ils s'entendaient très bien.

— Je vous remercie, madame, fit Poirot avec un petit sourire intérieur. Il n'y avait donc que ces seules personnes chez vous cette nuit-là ? Sans parler, bien entendu, des domestiques.

— Ah ! il y avait aussi Victor.

— Victor ?

— Oui, le frère de mon mari. Et son associé.

— Il vivait avec vous ?

— Non, il venait d'arriver pour nous rendre visite. Il rentrait d'un séjour de plusieurs années en Afrique occidentale.

— En Afrique occidentale… murmura Poirot.

Lady Astwell, il s'en était aperçu, démontrait une évidente propension à discourir toute seule sur le premier sujet venu pour peu qu'on lui en laisse le loisir :

— Il paraît que c'est un pays merveilleux, mais je crois qu'il a un effet particulièrement néfaste sur les hommes. Ils y boivent trop, deviennent incontrôlables. Aucun des Astwell n'a bon caractère, mais celui de Victor, depuis qu'il est rentré, est tout simplement impossible. Une ou deux fois, il m'a même fait peur à *moi*.

— Lui est-il jamais arrivé de faire peur à miss Margrave, voilà la question que je me pose, articula doucement Poirot.

— À Lily ? Oh ! je ne crois pas qu'il ait eu beaucoup d'occasions de la voir.

Poirot prit une ou deux notes sur un minuscule calepin, remit le crayon dans son fourreau puis le tout dans sa poche :

— Je vous remercie, lady Astwell. Je vais maintenant, si vous le permettez, m'entretenir avec Parsons.

— Vous voulez que je le fasse monter ici ?

La main de lady Astwell se tendit vers le cordon. Poirot l'arrêta net :

— Non, non, surtout pas. C'est moi qui vais descendre.

— Si vous trouvez que c'est mieux…

Lady Astwell était manifestement déçue de ne pouvoir assister à la scène qui allait suivre. Poirot prit son air le plus mystérieux.

— C'est absolument essentiel, fit-il d'une voix sibylline.

Et il laissa une lady Astwell dûment impressionnée.

Poirot trouva Parsons à l'office en train d'astiquer l'argenterie. Il ouvrit les débats par une de ses drôles de petites courbettes :

— Que je vous explique d'entrée de jeu : je suis détective privé.

— Oui, monsieur, acquiesça Parsons. C'est ce que nous avions cru comprendre.

Son ton était respectueux mais distant.

— C'est lady Astwell qui m'a envoyé quérir. Elle se pose des questions. Beaucoup de questions.

— J'ai entendu Madame le souligner en plusieurs occasions.

— Je ne vous apprends rien, n'est-ce pas ? Bon, en ce cas ne perdons pas de temps en palabres inutiles. Conduisez-moi à votre chambre, voulez-vous, et racontez-moi exactement ce que vous y avez entendu la nuit du meurtre.

La chambre du majordome était au rez-de-chaussée et jouxtait la salle commune des domestiques. Il y avait des barreaux aux fenêtres et, dans l'un des coins, se dressait l'armoire à argenterie. Parsons montra le lit étroit :

— Je suis allé me coucher à 11 heures, monsieur. Miss Margrave était au lit et lady Astwell en compagnie de sir Reuben dans la salle de la tour.

— Lady Astwell se trouvait avec sir Reuben ? Ah ! continuez.

— La salle en question, monsieur, est située juste au-dessus de celle-ci. Si des gens y parlent, on entend le murmure des voix, mais bien sûr on ne peut saisir le détail de ce qui se dit. J'ai dû m'endormir vers 11 heures et demie. Il était juste minuit quand j'ai été réveillé par le claquement de la porte d'entrée : j'ai compris que Mr Leverson était de retour. Presque tout de suite, j'ai entendu des bruits de pas au-dessus de ma tête et, quelques secondes plus tard, la voix de Mr Leverson qui parlait à son oncle.

» L'impression que j'ai eue sur le moment, c'est que Mr Leverson était… je ne voudrais pas vraiment dire ivre, mais un peu bruyant et agité. Il criait contre son oncle à s'en égosiller. J'ai pu capter un mot ou deux, mais pas assez pour comprendre ce qui se passait. Puis il y a eu un cri aigu et un lourd bruit de chute.

Il s'interrompit un moment, puis répéta ses derniers mots.

— Un lourd bruit de chute, proféra-t-il, mélodramatique.

— Si je ne m'abuse, dans la majorité des romans, on dit plutôt *sourd* ou *mat* pour un bruit de chute, observa doucement Poirot.

— Peut-être, répliqua Parsons avec sévérité, mais moi, c'est un bruit *lourd* que j'ai entendu.

— Mille excuses.

— Je vous en prie, monsieur. Après ce bruit, j'ai entendu la voix de Mr Leverson aussi clairement que je vous entends. « Mon Dieu ! » a-t-il crié, « mon Dieu ! » Juste comme ça, monsieur.

D'abord réticent à raconter son histoire, Parsons semblait à présent se piquer au jeu. Il se découvrait des talents de narrateur. Poirot le poussa dans cette voie :

— Doux Jésus ! L'émotion que vous avez dû ressentir !

— Monsieur peut le dire ! Sur le moment, je n'y ai pas attaché grande importance. Mais après, je me suis quand même dit qu'il vaudrait peut-être mieux monter voir, au cas où il se serait produit du vilain. Je me suis levé pour allumer et j'ai commencé par me prendre les pieds dans une chaise.

» J'ai ouvert la porte, traversé la salle des domestiques et ouvert la porte du fond qui donne sur le couloir. L'escalier de service part de là et, tandis que j'attendais sur la première marche sans trop savoir quoi faire, la voix de Mr Leverson m'est parvenue d'en haut, enjouée, presque guillerette : « Il n'y a pas de mal, Dieu merci. Bonne nuit. » Voilà ce qu'il a dit, et puis il est sorti dans le couloir et a pris la direction de sa chambre en sifflotant.

» Bien sûr, moi, je suis retourné me coucher tout de suite. Un meuble quelconque avait été renversé, sans plus, voilà ce que je me suis dit. Comment vouliez-vous que je m'imagine un seul instant que sir Reuben avait été assassiné, alors que Mr Leverson venait de sortir de chez lui en disant bonsoir et tout ?

— Vous êtes bien certain que c'est la voix de Mr Leverson que vous aviez entendue ?

Parsons regarda le petit Belge d'un air compatissant et Poirot comprit qu'à tort ou à raison, le majordome n'avait pas le moindre doute à ce sujet.

— Y a-t-il autre chose que vous désiriez me demander, monsieur ?

— Juste ceci, fit Poirot. Vous l'aimez bien, Mr Leverson ?

— Je… je vous demande pardon ?

— C'est une question toute simple : aimez-vous bien Mr Leverson ?

La surprise initiale de Parsons se mua en embarras :

— L'opinion générale, parmi le personnel de service…

Il laissa sa phrase en suspens.

— D'accord, convint Poirot, formulez cela ainsi si vous préférez.

— Eh bien nous trouvons que Mr Leverson est un jeune monsieur très généreux, mais qu'il n'est pas, si j'ose dire, particulièrement intelligent.

— Tiens donc ! Savez-vous, Parsons, que sans même l'avoir vu, c'est exactement ce que je pense de lui ?

— J'en suis flatté, monsieur.

— Et quelle est votre opinion – pardon, l'opinion du personnel de service – sur le secrétaire de sir Reuben ?

— C'est un monsieur très calme, très patient. Très attentif à ne créer de problèmes à personne.

— Vraiment ? fit Poirot.

Le majordome toussota :

— Madame a parfois tendance à se montrer un peu hâtive dans ses jugements.

— Si bien que pour vous autres, c'est Mr Leverson qui aurait commis le crime ?

— Aucun d'entre nous ne voudrait croire ça, monsieur. Nous, euh… personne ici ne l'en aurait jamais estimé capable.

— Il a pourtant un caractère assez emporté, non ? demanda Poirot.

Parsons s'approcha de lui :

— Si vous me demandez qui a le caractère le plus emporté dans la maison…

Poirot leva vivement la main :

— Ah! Loin de moi l'idée de vous poser pareille question. Si je vous en posais une de cet ordre, elle aurait plutôt trait à celui ou à celle qui a ici le *meilleur* caractère.

Parsons en resta bouche bée.

*

Poirot ne perdit plus de temps avec lui. Sur une courbette des plus courtoises – il savait se montrer toujours courtois –, il quitta la pièce et gagna le grand hall de Mon Repos. Il y demeura une minute ou deux, absorbé dans ses réflexions. Un léger bruit lui parvint alors. Sa tête pivota de côté comme celle d'un oiseau impertinent et il résolut tout aussitôt de se diriger à pas feutrés vers une des portes qui donnaient sur le hall.

Il s'immobilisa sur le seuil et regarda à l'intérieur : c'était une pièce meublée en bibliothèque. Au fond, assis à un grand bureau, un jeune homme mince et pâle était affairé à ses écritures. Il avait le menton rentré et portait un pince-nez.

Poirot resta quelques instants à l'observer avant de rompre le silence par un toussotement aussi artificiel que théâtral :

— Hum!

Le jeune homme s'arrêta d'écrire et leva la tête. Il ne sembla pas surpris outre mesure mais prit un air perplexe en voyant Poirot.

Ce dernier s'avança en se fendant d'une de ses éternelles courbettes :

— C'est bien à Mr Trefusis que j'ai l'honneur de parler? Oui? Ah! très bien… Je m'appelle Poirot,

Hercule Poirot. Peut-être avez-vous entendu parler de moi.

— Oh! euh… oui, certainement, balbutia le jeune homme.

Poirot le fixa attentivement du regard.

Owen Trefusis devait avoir environ trente-trois ans, et le détective comprit instantanément pourquoi personne ne paraissait prendre l'accusation de lady Astwell au sérieux. C'était un garçon très guindé, éminemment convenable, doux comme un agneau, du genre à se faire systématiquement persécuter. Et à ne jamais afficher le moindre ressentiment.

— C'est lady Astwell qui vous a fait appeler, je sais, déclara-t-il. Elle en avait manifesté l'intention. Puis-je vous aider en quoi que ce soit?

Il était poli, mais sans exubérance. Poirot accepta le fauteuil qu'il lui désignait et s'enquit avec ménagement :

— Lady Astwell vous a-t-elle fait part de ce qu'elle croyait? De ses soupçons?

Owen Trefusis esquissa un sourire :

— Il est manifeste que c'est moi qu'elle vise. C'est absurde mais c'est ainsi. Elle ne m'a plus adressé la parole depuis la mort de sir Reuben et, quand elle me voit d'un côté, elle file de l'autre.

Il s'exprimait de façon tout à fait détendue, et il y avait plus d'amusement que de rancune dans sa voix. Poirot hocha la tête avec une bonhomie engageante.

— Entre nous, confia-t-il, elle m'a dit la même chose. Je n'ai pas voulu discuter – j'ai pour règle de ne jamais discuter avec les femmes qui croient avoir raison. C'est une perte de temps, comprenez-vous.

— Ah! tout à fait.

— Je lui ai répondu : « Mais bien entendu, madame… parfaitement, madame… pré-ci-sé-ment, madame. » De ces mots qui ne signifient rien mais possèdent des vertus lénifiantes. Quoi qu'il en soit, je mène mon enquête, car même s'il semble impossible qu'un autre que Mr Leverson ait commis le crime, sait-on jamais?… Ce ne serait pas la première fois que l'impossible se réalise.

— Je comprends tout à fait votre position, convint le secrétaire. Veuillez me considérer à votre entière disposition.

— Parfait, se dérida Poirot. Nous nous comprenons. Pourriez-vous me raconter ce qui s'est passé ce soir-là? Commençons peut-être par le dîner.

— Leverson n'y assistait pas, comme vous le savez sans doute, préluda le secrétaire. Il avait eu une sérieuse altercation avec son oncle et était sorti dîner au club de golf. Par voie de conséquence, sir Reuben était pour sa part d'une humeur massacrante.

— Pas très aimable, ce monsieur, hein? lança insidieusement Poirot.

Trefusis se mit à rire :

— Oh! une véritable terreur! Je n'ai pas travaillé avec lui pendant neuf ans sans le connaître comme ma poche. C'était un homme extrêmement difficile, monsieur Poirot. Il se mettait dans des rages de gamin et déversait sa bile sur le premier qui passait par là.

» Moi, j'avais fini par m'y faire. J'avais pris l'habitude de ne plus prêter aucune attention à ce qu'il disait. Ce n'était pas foncièrement un mauvais homme, mais avec les comportements les plus ineptes et les plus insupportables. Ce qu'il fallait surtout, c'était ne pas répondre.

— Les autres étaient-ils aussi avisés que vous pour cela ?

Owen Trefusis haussa les épaules :

— Lady Astwell ne détestait pas une bonne prise de bec de temps en temps. Il ne l'impressionnait pas le moins du monde. Elle ne s'en laissait pas compter et elle lui rendait systématiquement la monnaie de sa pièce. Ils finissaient toujours par se raccommoder ensuite. Sir Reuben lui était très profondément attaché.

— Se sont-ils querellés cette nuit-là ?

Le secrétaire lui jeta un regard oblique et hésita un instant avant de répondre :

— J'imagine. Qu'est-ce qui vous fait poser cette question ?

— Juste une idée à moi.

— Je ne peux bien évidemment pas en avoir le cœur net, mais la dispute me semblait en effet couver.

Poirot ne poursuivit pas sur ce sujet.

— Qui y avait-il d'autre au dîner ?

— Miss Margrave, Mr Victor Astwell et moi.

— Et après ?

— Nous sommes passés au salon. Sir Reuben ne nous y a pas accompagnés. Une dizaine de minutes plus tard, il est revenu et m'a fait un esclandre pour une vétille au sujet d'une lettre. Je suis monté dans la salle de la tour et j'ai corrigé la faute. À ce moment-là, Mr Victor Astwell est entré et a dit qu'il avait à discuter avec son frère, ce qui fait que je suis redescendu auprès des deux dames.

» Un quart d'heure plus tard environ, j'ai entendu sir Reuben sonner violemment, et Parsons est venu me dire qu'il fallait que je monte le rejoindre tout de suite. Comme j'entrais dans la pièce, Mr Victor Astwell

en est sorti et a failli me culbuter. Il s'était manifestement produit un incident qui l'avait mis hors de lui. Il
a un caractère très violent lui aussi. Je suis sûr qu'il ne
m'avait même pas vu.

— Sir Reuben a-t-il fait un commentaire quelconque ?

— Il m'a dit : « Victor est fou à lier. Il serait bien
capable de tuer quelqu'un, s'il se remet jamais dans un
état pareil. »

— Tiens ! s'exclama Poirot. Avez-vous une idée
quelconque quant à l'objet de la dispute ?

— Pas la moindre.

Poirot tourna très lentement la tête et fixa le secrétaire. Ces dernières paroles avaient été prononcées avec
trop de hâte. La conviction se forma dans son esprit que
Trefusis aurait pu en dire davantage s'il l'avait voulu.
Mais une fois encore, Poirot n'enfonça pas le clou.

— Et ensuite ? Poursuivez, je vous prie.

— J'ai travaillé avec sir Reuben pendant une heure
et demie environ. À 11 heures, lady Astwell est venue
et sir Reuben m'a dit que je pouvais aller au lit.

— Vous y êtes allé ?

— Oui.

— Avez-vous une notion du temps qu'elle est restée
avec lui ?

— Absolument pas. Sa chambre est au premier
étage, la mienne au second, si bien que je ne pouvais
pas l'entendre se retirer.

— Je vois.

Poirot hocha une ou deux fois la tête puis se leva
soudain :

— Et maintenant, monsieur, menez-moi à la salle de la tour.

À la suite du secrétaire, il monta le grand escalier jusqu'au premier palier. Là, Trefusis le fit obliquer dans un corridor au bout duquel un battant capitonné donnait sur l'escalier de service, puis sur un court passage qui aboutissait à une porte. Ils l'ouvrirent et débouchèrent sur la scène du crime.

C'était une salle majestueuse, deux fois plus haute de plafond, sans doute, que toutes celles du reste de la maison, et qui devait mesurer une bonne trentaine de mètres carrés. Des épées et des sagaies ornaient les murs, et de nombreux bibelots indigènes étaient disposés sur des guéridons. Tout au fond, dans l'embrasure de la fenêtre, se trouvait un grand bureau. Poirot s'y dirigea immédiatement :

— C'est ici qu'on a trouvé sir Reuben ?

Trefusis fit un signe affirmatif de la tête.

— Il avait été frappé par-derrière, si j'ai bien compris ?

Nouveau signe de tête du secrétaire.

— Le crime a été commis avec une de ces massues indigènes, expliqua-t-il. Elles sont incroyablement lourdes. La mort a dû être pratiquement instantanée.

— Ce qui renforce la thèse du crime non prémédité. Une vive querelle et une arme saisie presque inconsciemment.

— Oui. Ça n'arrange pas les affaires de ce pauvre Leverson.

— Le corps a été découvert affalé en avant sur le bureau ?

— Non, il avait glissé à terre sur le côté.

— Tiens ! fit Poirot. C'est curieux.

— Pourquoi, curieux ? demanda le secrétaire.

— À cause de ceci.

Poirot montra une tache irrégulière sur la surface du bureau.

— Ceci est du sang, mon bon ami.

— Il a pu gicler jusqu'ici, suggéra Trefusis. Ou s'être déposé plus tard, quand on a transporté le cadavre.

— Possible, possible, marmonna le petit détective. Il n'y a que cette issue pour accéder jusqu'ici ?

— Il y a un escalier, là.

Trefusis écarta un rideau de velours dans le coin le plus rapproché de la porte, dévoilant ainsi un petit escalier qui s'élevait en spirale :

— Cet endroit a été érigé à l'origine par un astronome. Cet escalier mène à la tourelle où le télescope était installé. Sir Reuben l'a fait aménager en chambre à coucher, et il y dormait parfois quand il lui arrivait de travailler très tard.

Poirot gravit lestement les marches. La pièce circulaire où il parvint était sobrement meublée d'un lit de camp, d'une chaise et d'une table de toilette. Poirot s'assura qu'il n'y avait pas d'autre sortie, puis redescendit dans la salle où Trefusis l'attendait.

— Avez-vous entendu Mr Leverson rentrer ? l'interrogea-t-il.

Le secrétaire fit un signe de dénégation :

— À cette heure-là, je dormais déjà profondément.

Poirot acquiesça lentement de la tête. Il jeta un regard attentif tout autour de la pièce.

— Eh bien! conclut-il enfin, je ne crois pas pouvoir apprendre grand-chose de plus ici. À moins que… voudriez-vous être assez aimable pour tirer les rideaux?

Docilement, Trefusis tira les lourds rideaux noirs de la fenêtre du fond de la pièce. Poirot alluma la lumière – diffusée par une grande coupe d'albâtre suspendue au plafond.

— Le bureau était éclairé? s'enquit-il encore.

Pour toute réponse, le secrétaire alluma une puissante lampe à abat-jour vert qui se trouvait sur la table de travail. Poirot éteignit l'autre lumière, la ralluma puis l'éteignit de nouveau :

— C'est bien. J'en ai terminé, ici.

— Le dîner est à 7 heures et demie, monsieur, murmura le secrétaire.

— Je vous remercie, monsieur Trefusis, pour votre amabilité.

— Je vous en prie.

Poirot parcourut pensivement le corridor jusqu'à la chambre qui lui avait été réservée. L'impénétrable George s'y trouvait déjà, en train de ranger les affaires de son maître.

— Mon bon George, lui confia bientôt Poirot, je vais, je l'espère, rencontrer au dîner certain individu qui commence sérieusement à m'intriguer. Un homme qui rentre des tropiques et serait, paraît-il, d'un sang aussi chaud que l'est là-bas le climat. Un homme dont Parsons a essayé de me parler mais que Lily Margrave passe sous silence. Feu sir Reuben avait un caractère impossible. Alors imaginez-le au contact de quelqu'un pire encore que lui. Comment dit-on, déjà, dans votre belle langue? Cela lancerait des étincelles?

— « Ferait » des étincelles, monsieur, serait la formulation adéquate. Mais pour ce qui est de la chose en soi, ça n'est pas obligé, monsieur, tant s'en faut.

— Non ?

— Non, monsieur. Prenez ma tante Jemina, monsieur, une véritable harpie. Elle n'arrêtait pas de houspiller sa malheureuse sœur qui vivait avec elle – au point que c'en était même parfois choquant ! Tout juste si elle ne l'a pas fait mourir à force de tracasseries. Mais quand on ne se laissait pas faire, elle changeait du tout au tout. C'était qu'on rampe devant elle qu'elle ne pouvait pas supporter.

— Tiens ! tiens ! très intéressant, ce que vous me racontez là.

George toussota comme pour s'excuser :

— Est-il quoi que ce soit que je puisse faire pour… euh… pour aider Monsieur ?

— Oui, George, répondit immédiatement Poirot. Cherchez à savoir quelle était la couleur de la robe que portait miss Margrave à ce fameux dîner, et quelle est la domestique qui s'occupe d'elle.

George reçut ces instructions avec son flegme habituel :

— Très bien, monsieur. Je vous aurai ces renseignements demain matin.

Poirot se leva de son siège et resta debout à contempler le feu.

— Vous m'êtes décidément très utile, George, marmonna-t-il. Vous savez, je n'oublierai pas votre tante Jemina.

*

Finalement, Poirot ne vit pas Victor Astwell ce soir-là. Un message téléphonique signala en effet qu'il était retenu à Londres.

— Il s'occupe des affaires de votre défunt mari, n'est-ce pas ? demanda Poirot à lady Astwell.

— Victor et lui étaient associés, expliqua-t-elle. Il était allé en Afrique prospecter des concessions minières pour la société. Je ne dis pas de bêtises, Lily, il s'agissait bien de mines ?

— Oui, lady Astwell.

— Des mines d'or, je crois – ou bien était-ce de cuivre, ou encore d'étain ? Vous devriez le savoir, Lily, vous n'arrêtiez pas de poser des questions à sir Reuben sur le sujet. Oh ! faites attention, mon petit, vous allez renverser ce vase !

— Il fait vraiment très chaud, ici, avec ce feu, répondit la jeune fille. Je… je ne pourrais pas ouvrir un peu la fenêtre ?

— Si vous voulez, ma chérie, répondit tranquillement lady Astwell.

Poirot regarda la jeune fille aller à la fenêtre et l'ouvrir. Elle y resta quelques instants à respirer l'air frais de la nuit. Quand elle revint s'asseoir, Poirot lui demanda aimablement :

— Ainsi, vous vous intéressez aux mines, mademoiselle ?

— Non, pas vraiment, tenta-t-elle d'éluder. J'ai écouté ce que disait sir Reuben, mais je n'y connais rien.

— Vous avez bien fait semblant, alors, intervint lady Astwell. Ce pauvre Reuben était persuadé que vous aviez une raison cachée de poser toutes ces questions.

Les yeux du petit détective étaient toujours fixés sur le feu, mais le léger rosissement de confusion qui monta aux joues de Lily Margrave ne lui échappa pas. Avec tact, il changea de conversation.

Quand vint l'heure de se souhaiter bonne nuit, Poirot s'adressa à son hôtesse :

— Pourrions-nous échanger deux mots en particulier, madame ?

Discrète, Lily Margrave s'éclipsa. Quant à lady Astwell, elle regarda le détective d'un air interrogateur.

— Vous êtes la dernière personne à avoir vu sir Reuben vivant, cette nuit-là ? s'enquit Poirot.

Elle hocha la tête. Les larmes perlèrent à ses paupières et elle y porta précipitamment un mouchoir bordé de noir.

— Non, ne vous laissez pas gagner par l'affliction, madame. Je vous en prie, il ne faut pas.

— C'est bien joli, monsieur Poirot, mais c'est plus fort que moi.

— Je suis une triple buse de vous tourmenter ainsi.

— Non, non, poursuivez. Qu'alliez-vous dire ?

— Il était environ 11 heures, c'est bien cela, quand vous êtes arrivée dans la salle de la tour et que sir Reuben a renvoyé Mr Trefusis ?

— Environ, oui.

— Combien de temps êtes-vous restée avec lui ?

— Je suis repartie exactement à minuit moins le quart. Je me souviens d'avoir regardé la pendule.

— Lady Astwell, pourriez-vous me dire de quoi vous avez parlé avec votre mari ?

Lady Astwell se laissa choir parmi ses coussins et s'effondra complètement, le corps tout entier secoué de sanglots.

— Nous... n-nous s-sommes d-disputés, hoqueta-
t-elle.

— À quel sujet? demanda Poirot d'une voix cares-
sante, presque tendre.

— D-de p-plein de choses. Ç-ça a commencé avec
L-Lily. Reuben ne pouvait plus la voir en pein-peinture
– sans raison, soi-disant parce qu'il l'avait trouvée en
train de fouiller dans ses papiers. Il voulait la mettre à
la porte, et moi je soutenais que c'était un ange, une
fille parfaite, et que je comptais bien la garder. Alors
il a commencé à me traiter de tous les noms, je ne l'ai
pas supporté et je lui ai sorti ses quatre vérités.

» Tout y est passé. Des choses que je ne pensais
même pas, monsieur Poirot. Il a hurlé qu'il m'avait
tirée du ruisseau pour m'épouser, et moi je lui ai lancé à
la figure que... – bah! mais qu'est-ce que ça peut faire,
maintenant? Je ne me le pardonnerai jamais. Mais vous
savez ce que c'est, n'est-ce pas? J'ai toujours professé
qu'un bon orage vous clarifiait l'atmosphère. Je ne pouvais pas savoir que quelqu'un allait l'assassiner cette
nuit-là. Pauvre vieux Reuben.

Poirot l'avait, non sans commisération, écoutée
s'épancher.

— J'ai ravivé la plaie, s'excusa-t-il. Je vous en
demande pardon. Tenons-nous-en aux faits pratiques et
précis, maintenant. Vous persistez dans votre conviction que c'est Mr Trefusis qui a tué votre mari?

Lady Astwell se redressa.

— Monsieur Poirot, fit-elle avec solennité, l'instinct
d'une femme ne ment jamais.

— Certes, certes. Mais quand l'aurait-il fait?

— Quand? Après que je suis partie, bien sûr.

— Vous avez quitté sir Reuben à minuit moins le quart. À minuit moins 5, votre neveu, Mr Charles Leverson, est rentré. C'est, d'après vous, dans cet intervalle de dix minutes que le secrétaire serait monté de sa chambre pour le tuer ?

— C'est tout à fait possible.

— Tant de choses sont possibles, souligna Poirot. Il pouvait le faire en dix minutes. Oh ! oui, bien sûr. Mais l'a-t-il fait ?

— Naturellement, lui, il affirme qu'il était au fond de son lit et qu'il dormait comme un loir. Mais comment savoir s'il y était ou pas ?

— Personne ne l'a vu dans la maison à cette heure-là, lui rappela Poirot.

— Pas étonnant, pardi ! clama lady Astwell d'un air de triomphe. Tout le monde était au lit et dormait à poing fermé !

« Je me le demande », songea Poirot.

Puis, après un temps de réflexion :

— Eh bien, madame, il ne me reste plus qu'à vous souhaiter une bonne nuit.

*

George déposa le plateau du café matinal à côté du lit de son maître :

— Miss Margrave, monsieur, portait une robe en mousseline de soie vert clair, le soir en question.

— Merci, George, vous êtes très efficace.

— Et c'est la troisième femme de chambre qui s'occupe de miss Margrave.

— Merci, George. Vous êtes inappréciable.

— Tout à votre service, monsieur.

— Il fait beau, ce matin, commenta Poirot en regardant par la fenêtre, et personne ne va sans doute se réveiller très tôt. Alors je crois, mon bon George, que la voie est libre pour que nous nous livrions à une petite expérience dans la salle de la tour.

— Monsieur aura besoin de moi ?

— Oh ! rien de bien méchant, rassurez-vous.

Les rideaux étaient encore tirés dans la salle quand ils y parvinrent. George s'apprêtait à les ouvrir mais Poirot l'arrêta :

— Laissons la pièce comme elle est. Allumez seulement la lampe du bureau.

Le valet de chambre obtempéra.

— Et maintenant, mon bon George, installez-vous dans ce fauteuil. Disposez-vous comme si vous écriviez. Très bien. Moi, je vais prendre une massue, me glisser en douce derrière vous, comme ça, et vous taper sur l'arrière du crâne.

— Comme Monsieur voudra.

— Ah ! mais arrêtez d'écrire quand je vous frappe, protesta Poirot. Je suis obligé de faire semblant, je ne peux pas vous taper dessus aussi fort que l'a fait l'assassin avec sir Reuben. À partir de ce moment-là, donc, il faut mimer. Je vous tape sur la tête et vous vous effondrez. Comme ça. Les bras bien lâches, le corps affaissé. Permettez-moi de vous arranger comme il faut. Relâchez vos muscles, voyons !

Il poussa un soupir d'exaspération :

— Pour repasser les pantalons, vous êtes remarquable, George, mais pour l'imagination, ce n'est pas ça. Levez-vous, je vais prendre votre place.

Poirot s'assit à son tour au bureau.

— Voilà, expliqua-t-il. J'écris. Je suis très occupé. Vous vous glissez en catimini derrière moi, vous me tapez sur la tête avec la massue. Boum! Je lâche le stylo, je m'effondre en avant – pas trop en avant, car le siège est bas par rapport au bureau et, en plus, mes bras me soutiennent. Soyez gentil de retourner à la porte, George, et de me dire ce que vous voyez.

— Je… hum…

— Oui? fit Poirot pour l'encourager.

— Je vous vois assis au bureau, monsieur.

— *Assis* au bureau?

— C'est un peu difficile de bien y voir, d'aussi loin et avec un abat-jour aussi opaque. En mettant cette lumière, peut-être?

Et il avança la main vers le commutateur.

— Non, non, arrêtez! tempêta Poirot. On se débrouillera très bien comme ça. Moi ici, penché sur le bureau; vous, là-bas à la porte. Avancez, George, venez et posez votre main sur mon épaule.

Le valet de chambre fit ce qu'on attendait de lui.

— Bon, maintenant, appuyez-vous un peu sur moi comme pour vous raffermir sur vos pieds, en quelque sorte. Ah! voilà…

Et le corps flasque de Poirot glissa artistiquement sur le côté.

— Je m'écroule… comme cela! observa-t-il. Oui, tout ceci est fort bien imaginé. Et maintenant, mon bon, il me reste une chose très importante à accomplir.

— Oui, monsieur? s'inquiéta le valet de chambre.

— Il est essentiel que je petit-déjeune solidement.

Poirot rit de bon cœur à sa propre plaisanterie :

— L'estomac, George, ne jamais négliger son estomac.

George garda un silence réprobateur. Poirot redescendit l'escalier en riant toujours intérieurement. Il était ravi de la façon dont les choses prenaient tournure. Après le petit déjeuner, il fit la connaissance de Gladys, la troisième femme de chambre. Ce qu'elle put lui dire sur le crime l'intéressa au plus haut point. Bien qu'elle ne doutât pas de la culpabilité de Charles, elle se montra pleine de compassion pour lui :

— Ce pauvre jeune homme, m'sieur, c'est quand même dur, vu qu'il devait pas avoir toute sa tête quand c'est qu'il a fait ça.

— Étant les deux seuls jeunes gens de la maison, miss Margrave et lui devaient s'entendre comme larrons en foire, j'imagine ?

Gladys secoua la tête :

— Oh ! que non. Même qu'elle le tenait à distance, m'sieur, je vous le garantis. Elle ne voulait pas de flirt et lui avait mis les points sur les i.

— Il avait le béguin pour elle, non ?

— Oh ! comme ci comme ça, m'sieur. Ça n'allait pas chercher bien loin. Mr Victor Astwell, par contre, lui, il en est complètement toqué, gloussa-t-elle.

— Ah ! vraiment ?

Nouveau gloussement :

— Il en a été emballé sitôt qu'il l'a vue. Faut dire que miss Lily a tout pour plaire, vous ne trouvez pas, m'sieur ? Si grande, et avec ses cheveux si blonds qu'on dirait des blés d'or.

— Je la verrais bien en robe du soir verte, fit Poirot d'un air rêveur. De cette nuance de vert bien particulière qui…

— Elle en a une, m'sieur, s'épanouit Gladys. Bien sûr, elle ne peut pas la porter en cette période de deuil, mais elle l'avait mise le soir où sir Reuben a été assassiné.

— Il faudrait que ce soit un vert clair… surtout pas du vert foncé, marmotta Poirot.

— Elle est vert clair, m'sieur. Si vous avez un instant, m'sieur, je vais vous la montrer. Miss Lily vient de sortir avec les chiens.

Poirot fit signe que oui. Que Lily soit sortie, il le savait aussi bien que Gladys puisque ce n'est que lorsqu'il l'avait vue quitter la maison qu'il s'était mis en quête de la femme de chambre. Gladys s'éclipsa à petits pas rapides et revint quelques minutes plus tard avec une robe du soir verte sur un cintre.

— Exquis ! apprécia Poirot en levant les mains d'un geste admiratif. Permettez que je l'approche un instant de la lumière.

Il prit la robe des mains de Gladys, à qui il tourna le dos pour s'approcher de la fenêtre. Il se pencha et tint le vêtement à bout de bras.

— Elle est parfaite, affirma-t-il. Tout à fait ravissante. Merci mille fois de me l'avoir montrée.

— Il n'y a pas de quoi, m'sieur. Tout le monde sait que les Français apprécient les robes des dames.

— Vous êtes trop gentille.

Il la regarda se dépêcher de remporter la robe, puis baissa les yeux vers ses mains avec un petit sourire : dans sa paume droite se trouvait une minuscule paire de ciseaux à ongles, dans la gauche un petit morceau de mousseline de soie nettement découpé.

— Et maintenant, s'exhorta-t-il, soyons héroïque ! Il retourna à ses appartements et appela George :

— Sur la table de toilette, mon bon George, vous trouverez une épingle de cravate en or.

— Oui, monsieur.

— Et sur le bord du lavabo une solution de phénol. Trempez, je vous prie, la pointe de l'épingle dans le phénol.

George s'exécuta. Il avait depuis longtemps cessé de se poser des questions sur les lubies de son maître.

— C'est fait, monsieur.

— Très bien ! Approchez, maintenant. Je vous tends mon index, enfoncez-y la pointe de l'épingle.

— Que Monsieur me pardonne… Monsieur exige de moi que je le pique ?

— Vous avez bien compris. Tirez-moi quelques gouttes de sang, mais point trop n'en faut.

George attrapa le doigt de son maître. Poirot ferma les yeux et tourna la tête. Quand la pointe entra dans sa chair, il poussa un couinement aigu :

— Ouille !… Merci, George. Vous y êtes allé de bon cœur.

Extirpant alors le petit morceau de mousseline verte de sa poche, il en tamponna délicatement son doigt.

— L'opération a réussi au-delà de toute espérance, fit-il en examinant le résultat. Vous ne posez pas de questions, George ? Vous êtes vraiment admirable !

Le valet de chambre venait juste de jeter un coup d'œil discret par la fenêtre.

— Excusez-moi, chuchota-t-il tout bas, mais un monsieur vient d'arriver dans une grande voiture.

— Ah! tiens donc! s'exclama Poirot en se levant d'un air décidé. Voilà l'insaisissable Victor Astwell. Je descends de ce pas faire sa connaissance.

Il devait en fait l'entendre avant de le voir. Une voix tonna dans le hall d'entrée :

— Faites attention à ce que vous faites, bougre d'abruti! Il y a du verre, là-dedans! Quant à vous, Parsons, dégagez le passage! Posez ça, espèce d'andouille!

Poirot dévala prestement les marches. Victor Astwell était un homme qui en imposait. Poirot plongea dans une courbette grand style.

— Qui diable êtes-vous? tonitrua le géant.

Poirot s'inclina de nouveau :

— Je me nomme Hercule Poirot.

— Allons bon! s'écria Victor Astwell. Il a quand même fallu que Nancy aille vous dénicher, hein?

Il posa une main sur l'épaule de Poirot et le propulsa vers la bibliothèque.

— Alors c'est vous le type dont on fait tout un plat? jeta-t-il en l'examinant de la tête aux pieds. Excusez mon langage de tout à l'heure, mais mon chauffeur est un débile mental et cette vieille ganache de Parsons me tape sur le système. Je ne supporte pas les imbéciles, enchaîna-t-il comme pour s'excuser. Heureusement, d'après ce qu'on raconte, vous n'êtes pas le dernier des crétins, monsieur Poirot!

Il éclata d'un rire bruyant.

— Ceux qui l'ont cru s'en sont mordu les doigts, répondit le détective, placide.

— Ah bon? Enfin, Nancy est arrivée à vous trans-
bahuter jusqu'ici, hein? C'est vraiment une idée fixe,
chez elle, ce secrétaire. Ça ne tient pas debout. Trefusis
est doux comme un agneau à la mamelle – d'ailleurs
il ne boit que ça, du lait, je crois bien, c'est un abstinent
total. Vous voyez, vous perdez votre temps.

— Quand l'occasion vous est offerte d'observer
l'être humain et sa nature profonde, vous ne perdez jamais votre temps, répondit sentencieusement
Poirot.

— L'être humain et sa nature profonde?

Victor Astwell le regarda fixement puis se jeta dans
un fauteuil :

— Je peux faire quelque chose pour vous?

— Oui, me dire l'objet de votre querelle, l'autre
soir, avec votre frère.

Victor Astwell secoua la tête :

— Rien à voir avec l'affaire, trancha-t-il, péremp-
toire.

— On ne peut jamais être sûr à cent pour cent, rétorqua Poirot.

— En tout cas, ça n'avait rien à voir avec Charles
Leverson.

— Et lady Astwell pense que Charles Leverson n'a
rien à voir avec le crime.

— Bof! Nancy…

— Parsons est persuadé que c'est Charles Lever
son qui est venu cette nuit-là, mais il ne l'a pas vu.
D'ailleurs personne ne l'a vu, n'oubliez pas.

— C'est très simple. Reuben avait passé un savon
à ce cornichon de Charles – non sans raison, je dois le

reconnaître. Après quoi, il a essayé de s'en prendre à moi. Je lui ai sorti quelques vérités bien senties et, rien que pour l'embêter, j'ai décidé de prendre le parti de mon cher neveu. Je comptais donc lui parler plus tard dans la nuit, au neveu, et le mettre au parfum, comme dit l'autre. Quand je suis monté dans ma chambre, je ne me suis pas couché. J'ai laissé ma porte entrebâillée et me suis installé dans un fauteuil avec mon tabac. Ma chambre est au second, monsieur Poirot, celle de Charles juste à côté.

— Pardonnez-moi de vous couper : Mr Trefusis dort-il à cet étage, lui aussi ?

Astwell confirma :

— Oui, sa chambre est après la mienne.

— Plus près de l'escalier ?

— Non, de l'autre côté.

Une lueur étrange passa sur le visage de Poirot, mais l'autre ne la remarqua pas et poursuivit :

— Donc, je veillais pour attendre Charles. Il m'a semblé entendre la porte d'entrée claquer vers minuit moins 5 mais aucun signe de sa présence pendant une dizaine de minutes. Quand il est enfin arrivé en haut des escaliers, j'ai vu que toute discussion serait impossible cette nuit-là.

Il leva le coude de façon significative.

— Je vois, murmura Poirot.

— Le pauvre diable n'arrivait même pas à marcher droit. Il avait le visage complètement défait ! Sur le moment j'ai attribué ça à son état, mais je comprends maintenant qu'il venait juste de commettre le crime.

Poirot l'interrompit pour une rapide question :

— Aucun bruit ne vous est parvenu de la salle de la tour ?

— Non, mais rappelez-vous que je me trouvais à l'autre bout de la maison. Les murs sont épais et je ne crois même pas qu'on entendrait de ma chambre une détonation tirée là-bas.

Poirot opina du bonnet.

— Je lui ai demandé s'il voulait que je l'aide à se mettre au lit, poursuivit Astwell. Mais il a dit que ça allait et il est entré dans sa chambre en claquant la porte. Je me suis alors déshabillé et couché.

Poirot contemplait le tapis d'un air songeur.

— Mesurez-vous, monsieur Astwell, l'extraordinaire importance de votre témoignage? fit-il enfin.

— Oui, sans doute, j'imagine… Mais qu'entendez-vous au juste par là?

— Vous faites état d'un intervalle de dix minutes entre le moment où la porte a claqué et celui où Leverson est effectivement apparu en haut de l'escalier. Lui-même affirme, si je ne m'abuse, qu'il est allé directement se coucher dès qu'il est rentré. Et il y a plus. Les accusations de lady Astwell à l'encontre du secrétaire semblent extravagantes, je le reconnais, mais rien jusqu'à présent n'était venu démontrer leur inanité. Or votre témoignage lui apporte un alibi.

— Comment ça?

— Lady Astwell dit avoir quitté son mari à minuit moins le quart, alors que le secrétaire est allé se coucher à 11 heures. Le seul moment où il aurait pu commettre le crime se situe entre minuit moins le quart et le retour de Charles Leverson. Si maintenant vous affirmez avoir attendu derrière votre porte ouverte, il n'aurait pas pu sortir de sa chambre sans que vous le voyiez.

— C'est juste, admit Victor.

— Il n'y a pas d'autre escalier?

— Non, pour descendre à la salle de la tour il doit passer devant ma porte et il ne l'a pas fait, je suis formel. Et puis, de toute façon, comme je l'ai dit, il ne ferait pas de mal à une mouche, monsieur Poirot, je vous assure.

— Sans doute, sans doute, convint Poirot, apaisant. Je comprends tout à fait.

Il s'interrompit un instant, puis :

— Mais n'allez-vous pas enfin me dire le sujet de votre dispute avec sir Reuben?

Le visage de son interlocuteur vira au cramoisi :

— Vous ne tirerez rien de moi.

Poirot leva les yeux au plafond.

— Je sais toujours me montrer discret, susurra-t-il, dès lors qu'il s'agit d'une dame.

Victor Astwell bondit sur ses pieds :

— Bon sang de... Comment avez-vous... Que voulez-vous dire?

— Je songeais, murmura Poirot, à miss Lily Margrave.

Victor Astwell demeura hésitant une seconde ou deux, puis il reprit sa couleur normale et se rassit :

— Vous êtes trop roublard pour moi, monsieur Poirot. Oui, c'est au sujet de Lily que nous nous sommes disputés. Reuben lui en voulait à mort pour je ne sais quelle sombre machination... une histoire de fausses références, quelque chose dans ce goût-là. Je n'en crois d'ailleurs personnellement pas un mot.

» Et puis il est allé plus loin qu'il n'en avait le droit en l'accusant d'escapades nocturnes pour retrouver un quelconque galant. Alors là, je lui en ai sorti de toutes les couleurs. Je lui ai dit que de plus costauds que lui s'étaient retrouvés au cimetière pour moins que ça. Ça lui a cloué le bec. Reuben a toujours eu tendance à avoir un peu peur de moi quand je voyais rouge.

— Le contraire m'eût étonné, fit poliment Poirot.

— Je pense le plus grand bien de Lily Margrave, poursuivit Victor sur un autre ton. Une fille sensationnelle à tous points de vue.

Poirot ne releva pas. Il regardait droit devant lui comme s'il était en pleine méditation. Il sortit de sa rêverie avec un sursaut.

— J'éprouve comme un soudain besoin de me dégourdir les jambes, décréta-t-il. Il doit bien y avoir un hôtel, dans les environs immédiats ?

— Deux, répondit Victor Astwell. L'*Hôtel du golf*, à deux pas des parcours, et le *Mitre*, près de la gare.

— Je vous remercie, fit Poirot. Oui, j'ai vraiment besoin de me dégourdir les jambes.

L'*Hôtel du golf*, comme l'indiquait son nom, se trouvait sur le terrain de golf, presque à toucher le pavillon du club. C'est dans cet établissement que Poirot se rendit tout d'abord au cours de la promenade annoncée. Le petit Belge avait sa manière à lui de faire les choses. Trois minutes après avoir poussé la porte de l'*Hôtel du golf*, il était en tête à tête avec miss Langdon, la directrice de l'établissement :

— Je m'en voudrais, mademoiselle, de vous importuner le moins du monde, mais je suis détective…

Le parler simple avait toujours sa préférence. La méthode se montra en l'occurrence tout de suite efficace.

— Détective ! s'écria miss Langdon en le regardant d'un air dubitatif.

— Je n'appartiens pas à Scotland Yard, la rassura-t-il. D'ailleurs – sans doute l'avez-vous remarqué à mon accent et ma triste élocution –, je ne suis pas anglais. Non, c'est à titre privé que j'enquête sur la mort de sir Reuben Astwell.

— Vous m'en direz tant ! s'ébaubit-elle en roulant des yeux comme des billes de loto.

— Hé oui, répondit Poirot avec un large sourire. Et ce n'est qu'à une personne discrète comme vous que je me risque à le révéler. Je crois, mademoiselle, que vous êtes en mesure de m'aider. Pourriez-vous me dire si, la nuit du meurtre, un de vos clients serait sorti toute la soirée pour ne rentrer que vers minuit et demi ?

Les yeux de miss Langdon s'arrondirent encore davantage.

— Vous ne pensez pas que… murmura-t-elle dans un souffle.

— Que vous aviez l'assassin sous votre toit ? Non. Mais j'ai de bonnes raisons de croire qu'un de vos clients s'est promené ce soir-là en direction de Mon Repos, et qu'il pourrait avoir remarqué quelque chose d'anodin pour lui, mais de très utile pour moi.

La directrice hocha la tête d'un air entendu, comme si les mécanismes de la logique policière n'avaient pas de secret pour elle :

— Je comprends parfaitement. Voyons un peu… Qui résidait donc chez nous à ce moment-là ?

Elle fronça le sourcil, égrenant de toute évidence dans sa mémoire les noms qu'elle comptait sur ses doigts :

— Le capitaine Swann, Mr Elkins, le major Blyunt, le vieux Mr Benson… Non vraiment, monsieur, je ne crois pas qu'aucun d'entre eux soit sorti ce soir-là.

— Vous l'auriez forcément remarqué, sinon ?

— Oh ! oui, parce que ce n'est pas très habituel, voyez-vous. C'est sûr que les messieurs sortent dîner, et tout ça, mais après, ils rentrent – où voudriez-vous qu'ils aillent ?

Les distractions, à Abbots Cross, se limitaient au golf, rien qu'au golf.

— C'est juste, reconnut Poirot. Donc, pour autant que vous vous en souveniez, mademoiselle, personne de chez vous n'était dehors cette nuit-là ?

— Le capitaine England et sa femme sont allés dîner au restaurant.

Poirot secoua la tête :

— Non, ce n'est pas le genre de sortie dont je parle. Je vais tenter ma chance à l'autre hôtel – le *Mitre*, c'est bien cela ?

— Oh ! le *Mitre*, renifla miss Langdon. Quelle autre ressource qu'en sortir au plus vite, fût-ce pour un tour à pied ?

Le dédain qui perçait dans sa voix était suffisamment manifeste pour que Poirot s'éclipse avec tact.

*

Dix minutes après, il répétait le même scénario auprès de miss Cole, la peu amène patronne du *Mitre*, établissement situé à deux pas de la gare et qui affichait moins de prétention dans son aspect et dans ses prix.

— Il y a un client qui est sorti tard, ce soir-là, si je me souviens bien, et qui est rentré vers minuit et demi. Une habitude qu'il avait, de se promener comme ça à point d'heure. Il l'avait déjà fait précédemment une ou deux fois. Comment s'appelait-il, déjà? Je l'ai pourtant sur le bout de la langue.

Elle feuilleta les pages d'un énorme registre :

— Voyons voir… le 19, le 20, le 21, le 22. Voilà, j'y suis. Naylor, le capitaine Humphrey Naylor.

— Il était déjà descendu chez vous? Vous le connaissez bien?

— Une seule fois, répondit miss Cole, environ quinze jours plus tôt. Là aussi, il était sorti le soir, je me souviens.

— Il était venu pour jouer au golf?

— Je suppose. C'est ce qui attire la plupart des messieurs ici.

— Tout à fait, dit Poirot. Eh bien, mademoiselle, je vous remercie infiniment et vous souhaite une bonne journée.

Perdu dans ses pensées, il reprit le chemin de Mon Repos. Une ou deux fois, il tira de sa poche quelque chose qu'il regarda.

— Il faut s'y résoudre, se murmura-t-il à lui-même. Et le faire sitôt que l'occasion s'en présentera.

Son premier soin, quand il réintégra la maison, fut de demander à Parsons où il pouvait trouver miss Margrave. Dans le petit bureau, lui fut-il répondu, en train de mettre à jour la correspondance de lady Astwell – information qui sembla le satisfaire pleinement.

Il trouva le petit bureau sans difficulté. Occupée à écrire, Lily Margrave était assise à sa table de travail près de la fenêtre. À part elle, la pièce était vide. Poirot referma soigneusement la porte derrière lui :

— Puis-je avoir une minute de votre temps, mademoiselle, je vous prie ?

— Bien entendu.

Lily Margrave mit de côté les papiers qu'elle avait devant elle et se tourna vers lui :

— En quoi puis-je vous être utile ?

— Le soir du drame, mademoiselle, je crois avoir compris que quand lady Astwell est allée rejoindre son mari, vous êtes montée vous coucher tout de suite. Est-ce bien exact ?

Lily Margrave confirma de la tête.

— Vous ne seriez pas redescendue, par hasard ?

Signe négatif.

— Vous avez affirmé n'avoir pas mis les pieds dans la salle de la tour de toute la soirée, je crois ?

— Je ne me rappelle pas l'avoir dit, mais c'est tout à fait exact. Je ne suis pas allée dans la salle de la tour ce soir-là.

Poirot arqua les sourcils.

— C'est curieux, murmura-t-il.

— Qu'entendez-vous par là ?

— Vraiment curieux. Comment, en ce cas, expliquez-vous ceci ?

Il sortit de sa poche le petit morceau de mousseline verte maculée de sang et le montra à la jeune fille.

Elle ne changea pas d'expression, mais il sentit, plutôt qu'il n'entendit, sa respiration devenir plus saccadée :

— Je ne comprends pas, monsieur Poirot.

— Si je ne m'abuse, vous portiez une robe de mousseline verte au moment des faits, mademoiselle. Et ceci…

Il tapota du doigt le petit morceau d'étoffe :

— Ceci en a été déchiré.

— Vous l'avez trouvé dans la salle de la tour ? s'étrangla la fille. Je me demande bien où.

Poirot leva les yeux vers le plafond :

— Pour l'instant, nous dirons seulement… dans la salle de la tour, si vous n'y voyez pas d'inconvénient.

Pour la première fois, une lueur d'effroi passa dans les yeux de Lily Margrave. Elle faillit parler mais se retint. Poirot vit les petites mains blanches agripper nerveusement le rebord du bureau.

— Je me demande quand même si je n'y serais pas allée au cours de la soirée, réfléchit-elle. Avant dîner, veux-je dire. Mais je ne crois pas. Je suis pratiquement sûre que non. Et si ce morceau de tissu est resté là-bas tout ce temps, je trouve extraordinaire que la police ne l'ait pas découvert plus tôt.

— La police, fit le petit homme, n'est pas aussi perspicace qu'Hercule Poirot.

— Il est possible que j'y sois passée une minute en coup de vent avant dîner, continua-t-elle à songer. Ou la veille au soir, peut-être ? Oui, je portais la même robe la veille au soir. Ça doit être ça, j'en suis presque certaine.

— Eh bien pas moi, annonça imperturbablement Poirot.

— Ah ! Pourquoi ?

Il ne répondit qu'en secouant lentement la tête.

— Que voulez-vous dire? demanda la jeune fille dans un souffle.

Elle était penchée en avant, les yeux rivés sur lui, livide.

— Ne remarquez-vous pas, mademoiselle, que ce morceau de tissu est taché? Taché de ce qui est à n'en pas douter du sang humain?

— Vous insinuez que…

— J'insinue simplement que vous êtes allée dans la salle de la tour *après* que le crime a été commis, pas avant. Je crois que vous feriez mieux de me dire toute la vérité si vous ne voulez pas aggraver votre cas.

Il se dressa du haut de sa petite taille, un index accusateur pointé sur la jeune fille.

— Comment avez-vous deviné? demanda Lily d'une voix haletante.

— Peu importe, mademoiselle. Dites-vous simplement qu'Hercule Poirot *sait.* Je sais que vous êtes descendue retrouver le capitaine Humphrey Naylor cette nuit-là.

Lily enfouit soudain sa tête dans ses bras repliés et éclata en sanglots. Poirot abandonna aussitôt toute sévérité accusatrice.

— Allons, allons, mon petit, fit-il en lui tapotant l'épaule, ne vous désolez pas. Il est impossible de tromper Hercule Poirot. Mettez-vous bien cela dans la tête, et ce sera la fin de vos soucis. Alors maintenant, vous allez me raconter toute l'histoire, n'est-ce pas? Vous allez la raconter à ce bon vieux papa Poirot?

— Ce n'est pas ce que vous pensez, absolument pas. Humphrey – mon frère – n'a pas touché un seul cheveu de sa tête.

— Votre frère? Alors c'était donc ça? Eh bien, si vous voulez éviter que de graves soupçons pèsent sur lui, racontez-moi maintenant toute l'histoire, et sans restriction.

Lily se redressa sur son siège et chassa les cheveux de son front. Au bout d'une ou deux minutes, elle prit la parole d'une voix profonde et claire :

— Je vais vous dire la vérité, monsieur Poirot. Je comprends bien qu'il serait absurde de ne pas le faire à présent. Mon vrai nom est Lily Naylor, et Humphrey mon unique frère. Il y a quelques années, alors qu'il se trouvait en Afrique, il a découvert une mine d'or – ou plutôt, devrais-je dire, il a détecté la présence d'or sur un terrain. Je ne peux pas vraiment m'étendre sur le sujet parce que les détails techniques m'échappent, mais voici en gros de quoi il s'agissait.

» L'exploitation allait sans doute représenter une énorme entreprise, et Humphrey est rentré avec des documents à soumettre à sir Reuben Astwell dans l'espoir de l'y intéresser. Tout ça reste un peu flou, mais je crois que sir Reuben a envoyé sur place un expert chargé de lui établir un rapport à la suite duquel il a informé mon frère que l'expert était défavorable au projet et que Humphrey s'était trompé du tout au tout. Mon frère est retourné en Afrique avec une expédition qui devait s'enfoncer vers l'intérieur des terres et n'a pas tardé à être porté disparu. On a supposé que l'expédition s'était perdue corps et biens.

» Ce fut peu de temps après ces événements que se constitua la société d'exploitation des champs aurifères de Mpala. Quand mon frère a fini par réapparaître et par rentrer en Angleterre, il a été immédiatement convaincu que les champs en question étaient ceux-là mêmes qu'il avait personnellement découverts. Sir Reuben n'avait apparemment rien à voir avec la société en question, laquelle avait, apparemment là aussi, découvert ses propres gisements. Mon frère n'en croyait pas un mot. Il était convaincu d'avoir été froidement escroqué par sir Reuben.

» Cette affaire l'a mis hors de lui, monsieur Poirot, et comme nous sommes tous les deux seuls au monde et que je devais gagner ma vie, j'ai conçu l'idée de me faire engager dans cette maison et d'essayer de voir s'il existait ou non un lien entre sir Reuben et les mines d'or de Mpala. Pour des raisons évidentes, j'ai caché mon véritable nom et je reconnais volontiers avoir produit de fausses références.

» Il y avait de nombreuses candidates pour ce poste, la plupart avec de meilleures qualifications que moi. Alors… bon, j'ai rédigé de ma main une belle lettre de la duchesse du Perthshire qui, je le savais, était partie pour l'Amérique. Je m'étais dit que la référence d'une duchesse ferait bien aux yeux de lady Astwell et j'avais raison : elle m'a engagée sur-le-champ.

» Depuis lors, j'ai rempli la détestable fonction d'espionne, et jusqu'à tout récemment sans résultat. Sir Reuben n'était pas homme à dévoiler ses secrets d'affaires. Mais avec Victor Astwell, quand il est rentré d'Afrique, ç'a été une autre paire de manches. Il savait moins tenir sa langue et j'ai commencé à me dire qu'après tout, Humphrey ne s'était pas trompé. Mon frère est descendu dans un hôtel des environs une quinzaine de jours avant le crime et je suis sortie un soir en catimini pour le rencontrer sans témoin. Je lui ai rapporté les propos de Victor Astwell, et il a sauté au plafond et m'a assuré que j'étais sur la bonne piste.

» C'est là que la situation a commencé à se gâter. Quelqu'un a dû me voir sortir en cachette de la maison et le rapporter à sir Reuben. Lequel, pris de soupçon, s'est mis à éplucher mes références et a vite compris qu'elles étaient fausses. La crise a éclaté le jour du meurtre. Il a dû s'imaginer que je visais les bijoux de sa femme. Bref, quoi qu'il ait pensé et bien qu'il ait accepté de ne pas engager de poursuites pour l'histoire des fausses références, il n'avait pas l'intention de me garder plus longtemps à Mon Repos. Lady Astwell est tout le temps restée de mon côté et a tenu bravement tête à sir Reuben.

Elle s'interrompit. Le visage de Poirot était très grave :

— Et maintenant, mademoiselle, venons-en à la nuit du meurtre.

Lily déglutit avec difficulté et hocha la tête :

— Pour commencer, monsieur Poirot, sachez que mon frère était revenu et que j'avais une fois encore prévu de sortir en secret pour le rencontrer. Je suis montée à ma chambre comme je l'ai dit, mais au lieu de me mettre au lit, j'ai attendu que tout le monde soit couché, je suis redescendue tout doucement et suis sortie par la petite porte latérale. J'ai retrouvé Humphrey et l'ai en quelques mots rapides mis au courant de ce qui s'était passé. Je lui ai dit que les papiers qu'il voulait devaient à mon avis se trouver dans le coffre de sir Reuben, dans la salle de la tour. Nous avons décidé de tenter une dernière manœuvre désespérée et de nous en emparer cette nuit même.

» Je devais rentrer en éclaireur et m'assurer que la voie était libre. Les douze coups de minuit sonnaient au clocher quand j'ai de nouveau franchi le seuil de la petite porte. J'étais à mi-chemin dans les escaliers qui mènent à la salle de la tour lorsque j'ai entendu un bruit de chute et une voix s'écrier « Mon Dieu ! » Un instant plus tard, la porte de la salle de la tour s'est ouverte et Charles Leverson en est sorti. Je pouvais très bien distinguer ses traits au clair de lune, mais je m'étais tapie dans un coin sombre de l'escalier, en dessous de lui, et il ne m'a absolument pas vue.

» Il est resté là un moment à vaciller sur ses jambes, la mine décomposée. Il paraissait tendre l'oreille. Puis comme s'il faisait effort pour se ressaisir, il a rouvert la porte de la salle de la tour et a annoncé à l'intérieur qu'il n'y avait pas de mal, ou quelque chose d'approchant, sur un ton désinvolte que démentait totalement l'expression de son visage. Il est resté là encore une minute, puis il a monté lentement les marches et a disparu à ma vue.

» J'ai moi-même attendu quelques instants, puis je me suis approchée tout doucement de la porte. J'avais le pressentiment qu'il s'était passé un événement tragique. La lumière du plafonnier était éteinte mais la lampe de travail allumée, et c'est à sa lumière que j'ai vu sir Reuben gisant par terre à côté du bureau. Je ne sais pas comment j'ai pu trouver en moi la force de le faire, mais je suis parvenue à aller m'agenouiller à côté de lui. J'ai vu tout de suite qu'il était mort, assommé par-derrière, et que cela venait certainement de se produire. Je lui ai touché la main : elle était encore chaude. C'était horrible, monsieur Poirot. Horrible !

Elle frissonna à ce souvenir.

— Et ensuite ? fit Poirot sans la quitter des yeux.

— Oui, murmura Lily Margrave en hochant la tête, je sais ce que vous pensez. Pourquoi n'ai-je pas donné l'alarme et réveillé la maison ? Je sais, j'aurais dû, mais j'ai réalisé en un éclair, alors que j'étais agenouillée à côté de lui, que mon différend avec sir Reuben, mes escapades nocturnes pour retrouver Humphrey, ma mise à pied le lendemain matin, constituaient un faisceau de circonstances accablant. On prétendrait que j'avais introduit mon frère dans la place et qu'il avait tué sir Reuben pour se venger. J'aurais beau affirmer avoir vu Charles Leverson quitter la pièce, personne ne me croirait.

» C'était affreux, monsieur Poirot ! À genoux à côté du mort, je réfléchissais, je réfléchissais, et plus je réfléchissais, plus je perdais courage. J'ai alors remarqué que, dans sa chute, les clés de sir Reuben étaient sorties de sa poche. Parmi elles se trouvait celle du coffre, dont je connaissais la combinaison car lady Astwell l'avait dite une fois en ma présence. Je me suis approchée, j'ai ouvert et j'ai fouillé dans les papiers qu'il contenait.

» J'ai fini par trouver ce que je cherchais. Humphrey avait vu tout à fait juste. Sir Reuben était bien derrière la Mpala Gold, et il avait délibérément escroqué mon frère. Ce qui n'arrangeait pas nos affaires, car cela donnait à Humphrey une raison tout à fait valable d'avoir commis le crime. J'ai remis les papiers dans le coffre, j'ai laissé la clé dans la serrure et je suis montée directement dans ma chambre. Le lendemain matin, j'ai fait semblant d'être abasourdie et horrifiée comme les autres quand la femme de chambre a découvert le corps.

Elle s'arrêta et regarda Poirot d'un air pitoyable :

— Vous me croyez, n'est-ce pas ? Oh ! je vous en supplie, dites que vous me croyez !

— Je vous crois, mademoiselle. Vous m'avez éclairé sur beaucoup de détails qui me turlupinaient. Votre absolue certitude de la culpabilité de Charles Leverson, par exemple, et aussi tous les efforts que vous avez déployés pour m'empêcher de venir ici.

Lily acquiesça de la tête.

— J'avais peur de vous, reconnut-elle franchement. Lady Astwell ne savait pas, comme moi je le savais, que Charles était coupable, mais je ne pouvais rien dire. J'espérais sans trop y croire que vous ne prendriez pas l'affaire en main.

— Si je ne vous avais vue aussi pressée de m'en détourner, peut-être me serais-je abstenu, ironisa Poirot.

Lily lui lança un bref regard. Ses lèvres tremblaient légèrement :

— Et maintenant, monsieur Poirot, que… qu'allez-vous faire ?

— En ce qui vous concerne, mademoiselle, rien. Je crois votre histoire, je l'accepte. L'étape suivante, pour moi, consiste à aller à Londres pour y rencontrer l'inspecteur Miller.

— Et ensuite ?

— Ensuite, nous verrons bien.

Quand il fut ressorti du bureau, il contempla une fois encore le petit carré de mousseline verte qu'il tenait au creux de sa main.

— Étonnante, se murmura-t-il avec complaisance, l'habileté d'Hercule Poirot !

*

L'inspecteur Miller ne portait pas outre mesure M. Hercule Poirot dans son cœur. Il ne faisait pas partie de ce noyau d'inspecteurs qui, au Yard, se félicitaient de la coopération du petit Belge, et ne se privait pas au contraire d'affirmer qu'on le surestimait beaucoup. Dans l'affaire présente, Miller était sûr de son fait. Il accueillit par conséquent Poirot avec beaucoup de décontraction :

— Ah ! vous travaillez pour le compte de lady Astwell ? J'ai comme qui dirait l'impression que vous avez, cette fois, enfourché le mauvais cheval.

— Il n'y aurait donc aucune place pour le doute, dans cette affaire ?

Miller lui adressa un clin d'œil appuyé :

— À ce détail près que nous n'avons pas pris l'assassin en train de commettre son crime, il ne pourrait y avoir culpabilité plus manifeste.

— Mr Leverson a fait une déposition, à ce que je crois ?

— Il ferait mieux de la boucler, rétorqua l'inspecteur. Il n'arrête pas de répéter, à jet continu, qu'il est monté directement à sa chambre et qu'il ne s'est pas approché de son oncle. Sa version de l'histoire ne tient pas debout.

— Les apparences sont certes contre lui, marmonna Poirot. Quelle impression vous a-t-il faite, ce Charles Leverson ?

— D'un jeune écervelé.

— Aucun caractère, n'est-ce pas ?

L'inspecteur confirma de la tête.

— Qui aurait jamais pu imaginer, poursuivit Poirot, qu'une chiffe molle de son espèce puisse avoir assez de… – comment dit-on ça ? – de cœur au ventre pour commettre un tel crime ?

— *A priori*, personne, je vous le concède, reconnut l'inspecteur. Mais je vous prie de croire que, des garçons dans son genre, j'en ai déjà croisé des tas. Prenez à part un être veule et sans grand bagage psychologique, faites-lui boire un verre de trop et pendant un bref moment, vous pourrez le transformer en parfait va-t-en-guerre. Dos au mur, une demi-portion peut se révéler beaucoup plus dangereuse qu'une force de la nature.

— Il y a beaucoup de vrai, dans ce que vous me dites là.

Miller poussa un peu plus loin :

— Bien sûr, c'est facile pour vous, monsieur Poirot. Vous touchez de toute façon votre chèque, alors vous essayez naturellement de voir les choses de façon à satisfaire votre employeuse. Je comprends ça très bien, remarquez.

— Vous comprenez toujours tout, marmonna encore Poirot en prenant congé.

Sa visite suivante fut pour l'avoué de Charles Leverson. Mr Mahew était un homme maigre, sec et précautionneux. Il reçut avec circonspection Poirot – lequel, cependant, n'avait pas son pareil pour inspirer confiance : dix minutes plus tard, tous deux devisaient comme de vieux amis.

— Comprenez bien, fit Poirot, que j'interviens dans cette affaire au bénéfice exclusif de Mr Leverson. Car tel est le désir de lady Astwell. Elle est convaincue qu'il n'est pas coupable.

— Oui, oui, très bien, acquiesça Mr Mahew sans enthousiasme.

Les yeux de Poirot pétillèrent :

— Vous n'attachez peut-être pas beaucoup d'importance aux opinions de lady Astwell ?

— Elle pourrait dire exactement le contraire demain, se défendit l'homme de loi.

— Ses intuitions ne sont certes pas parole d'Évangile, reconnut bien volontiers Poirot. Et, de vous à moi, cette affaire s'annonce sous les plus sombres auspices pour cet infortuné jeune homme.

— Il est regrettable qu'il ait fait ces déclarations à la police, grinça l'avoué. Il ne démord pas de son histoire, et cela ne lui apportera rien de bon.

— Il n'en démord pas avec vous non plus ?

— Il n'a pas varié d'un iota. Jamais. Il la répète comme un perroquet.

— Et cela altère votre confiance en lui, fit Poirot d'un air songeur. Ah ! ne dites pas le contraire, l'empêcha-t-il de répondre d'un geste impérieux de la main. Pour moi, c'est flagrant : en votre for intérieur, vous le croyez coupable. Alors écoutez comment moi, Hercule Poirot, je peux vous présenter l'affaire.

» Ce jeune homme rentre à la maison, il a bu cocktail sur cocktail, et aussi sans doute éclusé pas mal de whisky. Il se sent habité de – comment appeler ça ? –

du courage des ivrognes, et c'est dans cet état d'esprit qu'il arrive, ouvre avec sa clé et monte en titubant jusqu'à la salle de la tour. Il jette au passage un coup d'œil à l'intérieur et voit, dans la lumière restreinte de la pièce, son oncle apparemment penché sur son bureau.

» Mr Leverson est, nous l'avons dit, habité du courage des ivrognes. Il ne se retient pas, déballe à son oncle tout ce qu'il a sur le cœur, le défie, l'insulte, et moins son oncle répond, plus il se sent de force pour continuer. Il se répète, rabâche jusqu'à plus soif les mêmes griefs, chaque fois un ton plus haut. Mais il finit par trouver anormal ce silence obstiné de son oncle. Il s'approche, lui pose la main sur l'épaule et ce simple contact fait basculer le corps qui s'effondre sur le sol comme une poupée de chiffon.

» Cela le dégrise tout de suite, notre Mr Leverson. Le fauteuil est tombé à son tour à grand fracas. Il se penche sur sir Reuben. Il voit sa main couverte d'une substance rouge et tiède, poisseuse. Et il comprend ce qui s'est passé. Pris de panique, il donnerait tout au monde pour rattraper le cri qui vient de s'échapper de sa gorge et s'est répercuté dans la maison. Machinalement, il redresse le fauteuil, se précipite hors de la pièce, tend l'oreille. Il lui semble entendre un bruit, alors immédiatement, par réflexe, il fait semblant de parler à son oncle par la porte ouverte.

» Le bruit ne se répète pas. Il se dit qu'il a dû rêver, qu'il n'a rien entendu. Un silence total règne dans la maison, il monte à sa chambre. Et là, il lui apparaît tout d'un coup que sa situation serait bien meilleure s'il jurait ses grands dieux ne pas s'être approché de son oncle de la nuit. Alors c'est ainsi qu'il raconte son histoire.

D'ailleurs au début, souvenez-vous, Parsons n'a rien dit de ce qu'il avait entendu. Quand il le fait, Mr Leverson ne peut plus revenir sur ses déclarations, il est trop tard. Il n'est pas malin, il est obstiné, il s'entête. Dites-moi, cher monsieur, ne trouvez-vous pas cette version plausible ?

— Si, répondit l'homme de loi. De la façon dont vous présentez les choses, c'est plausible.

Poirot se leva :

— Vous qui avez la possibilité de voir Mr Leverson, racontez-lui l'histoire comme je vous l'ai dite et demandez-lui si elle n'est pas exacte.

Sorti de l'étude de l'avoué, Poirot héla un taxi.

— 348, Harley Street ! lança-t-il au chauffeur.

*

Le départ de Poirot pour Londres avait pris lady Astwell au dépourvu, car le petit détective ne lui avait rien dit de ses projets. À son retour après vingt-quatre heures d'absence, il fut informé par Parsons que Madame désirait le voir aussi vite que possible. Poirot la retrouva dans son boudoir particulier. Allongée sur un divan, la tête soutenue par des coussins, elle paraissait particulièrement hagarde et mal en point. Bien plus encore que le jour où Poirot était arrivé.

— Ah ! vous voilà revenu, monsieur Poirot.

— Eh oui ! madame.

— Vous êtes allé à Londres ?

Poirot acquiesça.

— Vous ne m'aviez pas prévenue, fit-elle d'un air pincé.

— Mille excuses, madame. J'ai mal fait. J'aurais dû vous en parler. La prochaine fois…

— Ce sera exactement pareil, l'interrompit-elle avec une pointe d'humour. Faire d'abord et dire ensuite, telle me semble être votre devise.

— N'a-t-elle pas été la vôtre aussi ? répondit-il, l'œil pétillant de malice.

— Peut-être de temps à autre, reconnut-elle. Pourquoi êtes-vous allé à Londres, monsieur Poirot ? Vous pouvez me le dire maintenant, je suppose ?

— J'ai eu un entretien avec ce bon inspecteur Miller, et puis un autre avec l'excellent Mr Mahew, votre avoué.

Lady Astwell le scruta du regard.

— Et vous êtes maintenant parvenu à la conclusion que… articula-t-elle lentement.

Poirot garda les yeux fixés sur elle.

— Qu'il existe une possibilité que Charles Leverson soit innocent, fit-il avec solennité.

— Ah ! s'écria lady Astwell qui sauta presque sur place, envoyant deux coussins rouler à terre. J'avais raison, alors, j'avais raison !

— J'ai évoqué une possibilité, madame, rien de plus.

Une nuance dans le ton de sa voix parut avoir sur elle l'effet d'un déclic. Elle se souleva sur un coude.

— Y a-t-il quoi que ce soit que je puisse faire ? demanda-t-elle, le regard perçant.

— Oui, répondit-il avec un hochement de tête. Vous pouvez me confier pourquoi vous soupçonnez Owen Trefusis.

— Je vous ai dit que je le *savais* coupable. C'est tout.

— Malheureusement, ce n'est pas assez, rétorqua sèchement Poirot. Remémorez-vous cette soirée fatale, madame. Le moindre détail, les faits les plus anodins. Qu'avez-vous noté de particulier dans le comportement du secrétaire ? Moi, Hercule Poirot, je vous dis qu'il *doit* y avoir eu quelque chose.

Lady Astwell secoua la tête :

— Je n'ai absolument pas fait attention à lui ce soir-là. J'avais bien d'autres préoccupations en tête.

— L'animosité de votre mari contre Lily Margrave, par exemple ?

— Exactement. Vous paraissez en savoir long, monsieur Poirot.

— Moi ? Je sais tout, déclara le petit homme en se rengorgeant avec une emphase qui chez tout autre eût frisé le grotesque.

— J'aime infiniment Lily, monsieur Poirot, vous avez dû vous en rendre compte par vous-même. Reuben a commencé à faire un foin de tous les diables à propos d'une histoire de références et de recommandations. Remarquez, je ne prétends pas un instant qu'elle n'avait pas triché. Elle ne s'en était pas privée. Mais, ma parole ! j'en ai fait bien d'autres dans mon jeune temps. Pour approcher les directeurs de théâtre, il faut avoir du répondant et ignorer le froid aux yeux. Il n'est rien, à l'époque, que je n'aurais fait, dit ou écrit.

» Lily voulait la place, et elle a employé tous les moyens, même ceux qui n'étaient pas les plus… orthodoxes, j'en conviens. Les hommes sont vraiment stupides dans ce genre de domaine. Lily aurait été employée de banque et aurait détourné des millions qu'il n'aurait pas fait plus de tintouin. Et cela m'a préoccupée toute la soirée parce que, même si je parvenais presque toujours à le convaincre, il pouvait se montrer têtu comme un âne, le pauvre chéri. Alors vous pensez que j'avais autre chose à faire que de me soucier d'un secrétaire. Et de Mr Trefusis, par-dessus le marché : quand il est là, il est là, et c'est bien tout ce qu'on peut trouver à en dire.

— Je m'en suis aperçu, convint Poirot. La personnalité de Mr Trefusis n'est en rien fulgurante ni même marquante. Il n'est pas du genre à vous éblouir ou à vous frapper – crac-boum !

— Non. Ce n'est pas comme Victor.

— Lui, il serait d'un tempérament plus… explosif ?

— C'est le mot qui convient, sourit lady Astwell. Il explose aux quatre coins de la maison, comme ces pétards de feux d'artifice à têtes multiples.

— Un personnage éminemment soupe au lait, en somme ? résuma Poirot.

— Oh ! quand il s'y met, il est infernal. Mais je n'ai pas peur de lui, c'est moi qui vous le dis. Victor aboie plus qu'il ne mord.

— Vous ne pouvez donc rien me dire sur le secrétaire, ce soir-là ? insista doucement Poirot, les yeux levés au plafond.

— Je vous le répète, monsieur Poirot, je *sais*. L'intuition, comprenez-vous, l'intuition féminine…

— … ne suffira pas à envoyer un homme à la potence, dit Poirot, ni, plus exactement en l'occurrence, à en sauver un de la potence. Lady Astwell, si vous êtes sincèrement convaincue de l'innocence de Mr Leverson et du bien-fondé de vos soupçons sur le secrétaire, consentiriez-vous à une petite expérience ?

— Quelle sorte d'expérience ? demanda-t-elle, méfiante.

— Accepteriez-vous d'être mise en état d'hypnose ?

— Pourquoi diable ?

Poirot se pencha en avant :

— Si je vous expliquais, madame, que votre intuition se fonde sur certains faits enregistrés par votre subconscient, vous resteriez probablement sceptique. Tout ce que je peux donc vous préciser, c'est que l'expérience que je propose peut se révéler d'une importance capitale pour cet infortuné Charles Leverson. Vous n'allez pas refuser ?

— Et qui va me faire entrer en transe ? s'enquit-elle, pas rassurée. Vous ?

— Un ami à moi, madame, qui arrive en ce moment même, si je ne me trompe : j'entends une voiture, là-dehors.

— Qui est-ce ?

— Le Dr Cazalet, de Harley Street.

— Il est… fiable ? fit-elle avec appréhension.

— Ce n'est pas un charlatan, madame, si c'est ce que vous craignez. Vous pouvez vous en remettre à lui en toute confiance.

— Bon, fit lady Astwell avec un soupir résigné. Tout cela est à mon avis de la blague, mais vous pouvez essayer si cela vous chante. On ne pourra au moins pas me reprocher de vous avoir mis les bâtons dans les roues.

— Je vous en remercie infiniment, madame.

Poirot se précipita hors de la pièce. Quelques minutes plus tard, il était de retour, accompagné d'un petit homme jovial au visage rond, portant lunettes, qui bouleversait totalement l'image que lady Astwell se faisait d'un hypnotiseur. Poirot fit les présentations.

— Bien, fit lady Astwell sur un ton enjoué, comment s'insinue-t-on dans cette bouffonnerie?

— C'est très simple, madame, très simple, dit le petit docteur. Allongez-vous bien et laissez-vous aller… là… comme ça. N'ayez aucune crainte.

— Je n'en ai aucune, rétorqua-t-elle. Il ferait beau voir qu'on m'hypnotise contre mon gré.

— Justement, renchérit le praticien avec un vaste sourire, puisque vous êtes consentante, ce ne sera pas contre votre gré. Parfait. Éteignez cette autre lumière, voulez-vous, monsieur Poirot? Laissez-vous aller, madame.

Il changea légèrement de position. Puis:

— Il se fait tard, maintenant. Vous avez sommeil… très sommeil. Vos paupières sont lourdes, elles se ferment… se ferment… se ferment. Vous vous endormez…

Sa voix s'était faite traînante, basse, douce, monocorde. Au bout d'un instant, il se pencha en avant et souleva légèrement la paupière droite de lady Astwell. Puis il se tourna vers Poirot avec un hochement de tête satisfait.

— C'est bon, chuchota-t-il. J'y vais?

— S'il vous plaît.

L'hypnotiseur articula sur un ton net et autoritaire:

— Vous dormez, lady Astwell, mais vous m'entendez quand même et vous pouvez répondre à mes questions.

Sur son sofa, sans un geste, sans même ouvrir un œil, la forme inerte répondit d'une voix pâteuse et monocorde :

— Je vous entends. Je peux répondre à vos questions.

— Lady Astwell, je veux que vous reveniez à cette soirée du meurtre de votre mari. Vous vous la rappelez ?

— Oui.

— Vous êtes à la table du dîner. Dites-moi ce que voyez, ce que vous ressentez.

Le corps étendu eut un frémissement nerveux :

— Je suis catastrophée. Pour Lily.

— Nous savons cela. Décrivez-nous ce que vous voyez.

— Victor engloutit toutes les amandes salées. C'est un goinfre. Demain, je dirai à Parsons de ne pas mettre la soucoupe de ce côté-là de la table.

— Poursuivez, madame.

— Reuben est de mauvaise humeur, ce soir. Pas seulement à cause de Lily, je crois. Une question d'affaires. Victor le regarde d'un drôle d'air.

— Parlez-nous de Mr Trefusis, lady Astwell.

— La manche gauche de sa chemise s'effiloche. Il se met trop de gomina dans les cheveux. J'ai horreur de cette manie qu'ont les hommes : après ça, les housses de fauteuil sont toutes grasses, dans le salon.

Cazalet regarda Poirot, lequel, de la tête, lui fit signe de continuer :

— Le dîner est fini, maintenant, lady Astwell. Vous prenez le café. Que se passe-t-il ?

— Le café est bon, ce soir. Ce n'est pas toujours le cas, la cuisinière est totalement imprévisible pour ça. Lily n'arrête pas de regarder par la fenêtre, je ne comprends pas pourquoi. Voilà Reuben qui vient dans le salon. Il est d'une humeur massacrante, ce soir, et déverse un torrent d'injures sur le pauvre Mr Trefusis. Lequel a la main crispée sur le manche du coupe-papier, le gros, celui dont la lame est aiguisée comme celle d'un couteau. Il le serre au point d'en avoir les phalanges toutes blanches, le plante si fort dans la table que la pointe casse. Il l'avait saisi comme un poignard dont on s'apprêterait à frapper quelqu'un. Bon, ils quittent la pièce ensemble, maintenant. Lily a mis sa robe du soir verte. Elle est ravissante, en vert, on jure-rait une fleur sur sa tige. Et mes housses sont bonnes pour le nettoyage, la semaine prochaine.

— Un instant, lady Astwell.

Le docteur se pencha vers Poirot.

— Nous y voilà, je crois, murmura-t-il. Cette mani-pulation du coupe-papier, c'est ça qui l'a convaincue de la culpabilité du secrétaire.

— Passons à la salle de la tour, maintenant.

Le praticien acquiesça de la tête et recommença à questionner lady Astwell de sa voix haute et impéra-tive :

— Il est plus tard dans la soirée. Vous êtes dans la salle de la tour avec votre mari. Il y a eu une scène ter-rible entre vous deux, n'est-ce pas ?

De nouveau, la forme allongée s'agita, comme en proie à un certain malaise :

— Oui… terrible… terrible. On s'est jeté des choses affreuses à la tête… l'un comme l'autre.

— Peu importe la querelle. Vous la voyez bien, cette pièce. Les rideaux sont tirés, les lumières allumées.

— Pas le plafonnier, celle du bureau, seulement.

— Vous quittez votre mari, à présent. Vous lui dites bonne nuit.

— Non. J'étais trop en colère.

— C'est la dernière fois que vous le voyez. Très bientôt, il sera assassiné. Savez-vous qui l'a tué, madame ?

— Oui, Mr Trefusis.

— Pourquoi dites-vous cela ?

— À cause du renflement dans le rideau.

— Un renflement dans le rideau ?

— Oui.

— Vous l'avez vu ?

— Oui. Je l'ai presque touché.

— Il y avait un homme caché là ? Mr Trefusis ?

— Oui.

— Comment savez-vous que c'était lui ?

Pour la première fois, la voix monotone sembla hésiter et perdre confiance :

— Je... euh... à cause du coupe-papier.

Poirot et le médecin hypnotiseur échangèrent de nouveau un rapide regard.

— Je ne vous comprends pas, lady Astwell. Il y avait un renflement dans le rideau, dites-vous ? Quelqu'un était caché là ? Vous n'avez pas vu la personne ?

— Non.

— Vous avez pensé que c'était Mr Trefusis à cause de la façon dont il avait empoigné le coupe-papier un peu plus tôt ?

— Oui.

— Mais Mr Trefusis était allé se coucher, il me semble.

— Oui… Oui, c'est exact. Il s'était retiré dans sa chambre.

— Alors il ne pouvait pas se trouver en même temps caché entre le rideau et la fenêtre.

— Non… non, bien sûr, il n'y était pas.

— Il avait dit bonsoir à votre mari un peu plus tôt, je crois ?

— Oui.

— Et vous ne l'avez pas revu ensuite ?

— Non.

Elle commençait à s'agiter et à se démener, à geindre faiblement.

— Elle revient à elle, dit le médecin. Je crois que nous avons obtenu tout ce que nous pouvions désirer, non ?

Poirot fit signe que si. Le Dr Cazalet se pencha sur lady Astwell.

— Vous vous réveillez, murmura-t-il doucement. Vous vous réveillez. Dans une minute, vous ouvrirez les yeux.

Les deux hommes attendirent. Quelques instants plus tard, lady Astwell était de nouveau assise et les regardait tour à tour d'un air inquisiteur :

— Je m'étais endormie ?

— Exactement, lady Astwell. Vous avez fait un petit somme, répondit le docteur.

Elle le foudroya du regard :

— Un de vos tours de passe-passe, hein ?

— Vous n'en ressentez nul dommage, j'espère ?

Lady Astwell bâilla :

— Je me sens vidée, lessivée.

Le Dr Cazalet se leva :

— Je vais vous faire monter du café, et nous allons vous laisser, pour l'instant.

— Est-ce que… j'ai dit quelque chose ? demanda-t-elle au moment où ils allaient franchir le seuil.

Poirot se retourna vers elle avec un sourire :

— Rien de bien essentiel, madame. Mais vous nous avez à tout le moins appris que les housses de fauteuil du salon avaient besoin d'être nettoyées.

— C'est on ne peut plus exact. Mais ce n'était pas la peine de m'endormir pour me faire décréter ça.

Elle rit de bon cœur :

— Et quoi encore ?

— Revoyez-vous Mr Trefusis saisir un coupe-papier dans le salon, ce soir-là ? demanda Poirot.

— Là, vraiment, je ne peux pas dire, répondit-elle. C'est possible.

— Et un renflement dans le rideau, ça ne vous rappelle rien ?

Elle fronça les sourcils :

— Il me semble me souvenir… Non, je ne vois plus. Et pourtant…

— Ne vous tourmentez pas, fit Poirot. Ça n'a vraiment aucune espèce d'importance. Aucune.

Le médecin accompagna Poirot dans la chambre de ce dernier.

— Bon, fit Cazalet, j'estime que tout ceci nous apporte pas mal d'éclaircissements. Il ne fait pas de doute que quand sir Reuben a passé un savon au secrétaire, celui-ci a empoigné le coupe-papier et l'a serré à s'en blanchir les phalanges dans l'effort inouï qu'il faisait sur lui-même pour ne pas riposter. La partie consciente de l'esprit de lady Astwell était tout entière absorbée par le problème de Lily Margrave, mais son subconscient a enregistré l'acte tout en se livrant à une interprétation erronée.

» Cela a ancré en elle la conviction inébranlable que Trefusis avait tué sir Reuben. Nous en arrivons maintenant à ce renflement dans le rideau. Voilà qui est intéressant. D'après votre description de la salle de la tour, le bureau se trouverait juste devant la fenêtre. Et il y a des rideaux à cette fenêtre, bien sûr ?

— Oui, mon bon ami. Des rideaux de velours noir.

— Avec suffisamment de place dans l'embrasure pour dissimuler quelqu'un ?

— Tout juste, je crois, oui.

— La possibilité existe donc que quelqu'un s'y soit caché, fit lentement le médecin. Mais si tel est bien le cas, il ne pouvait s'agir du secrétaire puisque sir Reuben et lady Astwell l'avaient tous deux vu quitter la pièce. De Victor Astwell non plus puisque Trefusis l'avait vu sortir. Et ce n'était pas Lily Margrave. Quelle que soit la personne qui s'est éventuellement cachée là, elle aura dû le faire *avant* l'arrivée de sir Reuben dans cette pièce. Vous m'avez dressé un excellent schéma de la situation. *Quid* du capitaine Naylor ? Est-ce qu'il ne pourrait pas s'agir de lui ?

— Rien n'est jamais à exclure, reconnut Poirot. Il est certain qu'il a dîné à l'hôtel, mais le moment exact où il est sorti ensuite est difficile à fixer avec précision. Il y est rentré vers minuit et demi.

— Alors ce pourrait être lui, fit le docteur. Et si oui, c'est lui qui a commis le crime. Il possédait un mobile et avait une arme à portée de la main. Vous ne paraissez cependant pas séduit par cette hypothèse ?

— Parce que j'en ai d'autres en tête, avoua Poirot. Dites-moi, docteur : imaginons un seul instant que ce soit lady Astwell elle-même qui ait commis le crime, se serait-elle obligatoirement trahie en état d'hypnose ?

Cazalet émit un petit sifflement :

— Tiens donc ! c'est là que vous voulez en venir, hein ? Lady Astwell serait l'assassin ? Bien sûr… c'est toujours envisageable. Je n'y avais pas songé jusqu'à maintenant. Elle a été la dernière à rester auprès de lui et personne ne l'a revu vivant après. Quant à votre question, je serais tenté de répondre… non. Lady Astwell serait entrée en hypnose avec un verrou mental sur son propre rôle dans le crime. Elle aurait répondu à mes questions en toute sincérité mais serait restée muette sur le rôle en question. Tout au plus est-il quasiment certain qu'elle n'aurait pas, dans cette éventualité, insisté à ce point sur la culpabilité de Mr Trefusis.

— Je comprends, commenta Poirot. Ceci posé, je n'ai jamais cru un instant que lady Astwell pouvait être coupable. Simple idée en l'air, voilà tout.

— C'est une affaire intéressante que celle-ci, réfléchit tout haut l'hypnotiseur. En partant de l'innocence supposée de Charles Leverson, il reste tant de possibilités : Humphrey Naylor, lady Astwell, et même Lily Margrave.

— Il y en a un autre que vous n'avez pas mentionné, signala Poirot d'un ton égal. Et il s'agit de Victor Astwell. Selon lui, il serait resté dans sa chambre, porte grande ouverte, à attendre le retour de Charles Leverson. Mais nous n'avons que sa parole pour le croire.

— C'est celui qui a si mauvais caractère, n'est-ce pas ? demanda le médecin. Celui dont vous m'avez tant parlé ?

— Exactement, fit Poirot.

Le Dr Cazalet se leva :

— Allons, il est grand temps que je rentre à Londres. Vous me tiendrez au courant, bien sûr ?

Après le départ du médecin, Poirot sonna George :

— Concoctez-moi une tisane, George. J'ai les nerfs en capilotade.

— Certainement, monsieur. Je vous la prépare tout de suite.

Dix minutes plus tard, il apportait à son maître une tasse bouillante. Poirot en inhala avec délice les vapeurs délétères. Tout en la sirotant, il soliloqua tout haut :

— Il est de par le monde différentes façons de traquer le gibier. Pour attraper un renard, vous le forcez à cheval, précédé de vos chiens. Vous hurlez, vous galopez, c'est une question de vitesse. Je n'ai pour ma part jamais chassé le cerf, mais je crois que pour l'acculer, il faut ramper des heures et des heures à plat ventre. Mon ami Hastings m'a décrit le processus en détail. Notre méthode ici, mon bon George, ne doit s'inspirer ni de l'une ni de l'autre. Imprégnons-nous plutôt de la tactique du chat. Pendant de longues, d'interminables heures de guet, il surveille le trou de la souris. Il ne bouge pas d'un muscle, ne manifeste pas le moindre signe de vie — mais rien ne le ferait lever le siège.

Avec un soupir, il reposa sa tasse vide sur la soucoupe :

— Je vous avais demandé de préparer des bagages pour quelques jours. Demain, mon inestimable George, vous ferez un saut à Londres et rapporterez le nécessaire pour une quinzaine.

— Très bien, monsieur, acquiesça George.

Fidèle à son habitude, le valet modèle n'avait pas manifesté la moindre émotion.

*

La présence apparemment permanente d'Hercule Poirot à Mon Repos n'était pas du goût de tout le monde. Victor Astwell en fit la remontrance à sa belle-sœur :

— Tout ça c'est bien gentil, Nancy, mais vous ne les connaissez pas, ces gaillards. Celui-ci a trouvé le bon petit nid douillet, il va s'y installer confortablement pour un mois et vous facturer plusieurs guinées d'honoraires par jour.

Ce à quoi lady Astwell rétorqua qu'elle était assez grande pour savoir ce qu'elle avait à faire.

Lily Margrave fit de son mieux pour masquer son malaise. Au début, elle avait été convaincue que Poirot croyait son histoire. Elle n'en était plus aussi sûre à présent.

Poirot ne restait pas aussi totalement inactif qu'il y paraissait. Au soir de son cinquième jour de villégiature, il descendit au dîner un petit album-souvenir d'empreintes digitales émanant d'horizons divers. Façon sans doute mal déguisée d'obtenir un relevé des empreintes de chacun, mais peut-être moins maladroite qu'il y paraissait car il était difficile de refuser. Ce ne fut qu'une fois le petit bonhomme retiré dans sa chambre que Victor Astwell dit sa façon de penser.

— Vous comprenez ce que ça signifie, hein, Nancy ? Il est après l'un d'entre nous.

— Allons, ne dites pas de bêtises, Victor.

— Quelle autre raison aurait-il eue de descendre ce maudit album ?

— M. Poirot sait ce qu'il fait, trancha lady Astwell en jetant un regard significatif en direction d'Owen Trefusis.

En une autre occasion, Poirot proposa le jeu de la plus belle trace de semelle laissée sur une feuille de papier. Le lendemain matin, il entra de son habituel pas feutré dans la bibliothèque et fit bondir Owen Trefusis sur son siège comme s'il avait reçu une décharge.

— Ah ! excusez-moi, monsieur Poirot, fit le secrétaire de son air compassé, mais nous avons tous les nerfs à cran, avec vous.

— Tiens ! Pourquoi donc ? s'enquit innocemment le petit détective.

— Je vous avoue que je croyais accablantes les preuves rassemblées contre Charles Leverson. Tel n'est pas votre avis, apparemment.

Debout face à la fenêtre, Poirot regardait dehors. Il se tourna soudain vers son interlocuteur :

— Puis-je vous dire quelque chose, monsieur Trefusis ? Vous dire quelque chose en confidence ?

— Oui ?

Poirot ne semblait pas pressé de commencer. Il lanterna un moment, comme s'il pesait le pour et le contre. Lorsqu'il ouvrit la bouche, ses premiers mots coïncidèrent avec le bruit de la porte d'entrée qui s'ouvrait et se refermait. Pour un homme qui voulait faire une confidence, il parla plutôt fort et sa voix couvrit le bruit des pas qui s'avançaient dans le hall :

— Je vous fais seul dépositaire de ce secret, Mr Trefusis. De nouveaux éléments de preuve ont été portés à notre connaissance. Et tous tendent à prouver que quand Charles Leverson est entré dans la salle de la tour cette nuit-là, sir Reuben était déjà mort.

Le secrétaire écarquilla les yeux :

— Des éléments de preuve ? Quels éléments ? Quelle preuve ? Pourquoi tout le monde n'a-t-il pas été tenu au courant ?

— Oh ! tout le monde le *sera*, fit le petit homme d'un air mystérieux. En attendant, seuls vous et moi partageons ce secret.

Il s'esquiva prestement hors de la pièce et se cogna presque dans Victor Astwell qui remontait le hall :

— Oh ! pardon… Vous rentriez tout juste, cher monsieur ?

Astwell acquiesça de la tête.

— Quel sale temps ! haleta-t-il. Le vent est glacial.

— Ah ! s'exclama Poirot, dans ce cas, je n'irai pas me promener aujourd'hui. Je suis comme les chats, moi, je préfère me tenir bien au chaud à côté du feu.

— *Ça marche*, George ! annonça-t-il le même soir à son fidèle valet de chambre en se frottant les mains. Ils sont sur le gril — sur des charbons ardents ! C'est harassant, George, de jouer au jeu du chat et de la souris, de miser sur la défaillance de leurs nerfs, mais cela remplit son office, oui, cela remplit merveilleusement son office. Demain, nous franchirons une étape supplémentaire.

Le lendemain, Trefusis devait aller en ville. Il partit par le même train que Victor Astwell. À peine eurent-ils tous deux quitté la maison que Poirot entra dans une activité fébrile :

— Venez, George, attelons-nous vite à la tâche ! Si la femme de chambre faisait mine de se diriger par ici, retardez-la au maximum. Débitez-lui toutes les fadaises que vous voudrez, mon tout bon, mais de grâce retenez-la dans le corridor.

Il se rendit d'abord dans la chambre du secrétaire et entreprit une fouille minutieuse. Pas un tiroir ou une étagère qui ne fût inspecté. Puis il remit tout précipitamment en place et déclara ses recherches terminées. George, qui était resté à la porte pour faire le guet, toussota avec déférence :

— Si Monsieur veut bien m'excuser…

— Oui, mon bon George ?

— Les chaussures, monsieur. Les deux paires marron se trouvaient sur la deuxième étagère, et les vernies sur celle du dessous. En les replaçant, vous les avez inversées.

— Vous êtes prodigieux ! s'écria Poirot en levant les deux mains. Mais ne nous laissons pas distraire par des détails de ce genre. Ils n'ont aucune importance, je vous l'assure, George. Mr Trefusis ne s'avisera jamais de pareille vétille.

— Si vous le dites, monsieur…

— Il faut un œil professionnel comme le vôtre pour le remarquer, le félicita Poirot en le gratifiant d'une tape sur l'épaule. C'est tout à votre honneur.

Le valet de chambre ne répondit pas, et quand, plus tard dans la journée, la même opération se répéta dans la chambre de Victor Astwell, il s'abstint de tout commentaire sur le fait que les sous-vêtements de Mr Astwell n'avaient pas été remis à leur place exacte dans le bon tiroir. Et en cette deuxième occasion au moins, les événements donnèrent raison à George et tort à Poirot : le soir même, Victor Astwell entrait comme un fou dans le salon.

— Dites donc, espèce de freluquet de Belge, vous vous permettez de fouiller ma chambre ? Qu'est-ce que vous croyez y trouver, d'abord ? Je ne vous permets pas, vous entendez ? Voilà ce que c'est, de laisser un sale petit espion fureter chez soi !

Les mains tendues en un éloquent geste de contrition, Poirot bafouilla cent, mille, un million d'excuses. Il était confus de sa maladresse, de son excès de zèle, de s'être arrogé des libertés indues. À tel point que la colère de son interlocuteur, bon gré mal gré, finit par retomber.

À maintes reprises tandis qu'il sirotait sa tisane, ce soir-là, Poirot murmura à son valet de chambre :

— Cela fait son petit bonhomme de chemin, mon bon George. Oui, cela fait son petit bonhomme de chemin.

*

— Le vendredi, fit Hercule Poirot d'un air songeur, est mon jour de chance.

— Je le souhaite à Monsieur.

— Peut-être n'êtes-vous pas superstitieux, mon bon George ?

— Je préfère qu'on ne soit pas treize à table, monsieur, et je m'interdis de passer sous les échelles. Mais le vendredi, monsieur, ne me porte à tout le moins pas malheur.

— Je m'en félicite, commenta Poirot. Celui-ci, en tout cas, sera notre jour de gloire.

— Je m'en réjouis, monsieur.

— Votre enthousiasme fait plaisir à voir, mon bon George. Mais vous ne me demandez même pas ce que je vais faire ?

— Qu'allez-vous faire, monsieur ?

— Aujourd'hui, George, je m'en vais me livrer à une fouille déterminante de la salle de la tour.

Et de fait, après le petit déjeuner et avec la permission de lady Astwell, Poirot se rendit sur les lieux du crime. Là, à différents moments de la matinée, des membres de la maison le virent à quatre pattes en train d'examiner le plancher, le nez collé contre les rideaux de velours noir pour mieux les passer au peigne fin, perché sur des chaises hautes comme pour examiner de plus près les encadrements des tableaux accrochés au mur. Pour la première fois, lady Astwell montra quelque nervosité.

— Je dois reconnaître, soupira-t-elle, qu'il commence à me taper un peu sur les nerfs. Il a une idée derrière la tête et je n'arrive pas à savoir ce que c'est. Le voir tournicoter là-haut comme un chien qui flairerait sous les meubles me donne le frisson. Qu'est-ce qu'il cherche, je me le demande. Lily, ma chérie, montez un peu voir ce qu'il fabrique maintenant. Et puis non, tout compte fait, j'aime autant que vous restiez avec moi.

— Voulez-vous que ce soit moi qui y aille, madame ? proposa le secrétaire en se levant de son bureau.

— S'il vous plaît, Mr Trefusis.

Owen Trefusis s'en fut gravir les marches qui menaient à la salle de la tour. Il crut de prime abord que la pièce était vide. Pas trace d'Hercule Poirot. Il se préparait à redescendre lorsqu'il entendit un bruit qui le fit se retourner : le petit détective se trouvait à mi-hauteur dans l'escalier en colimaçon qui menait à la chambre du dessus. À croupetons, une petite loupe dans la main gauche, il examinait de près quelque chose sur le bois d'une marche, à côté du tapis.

Alors que le secrétaire l'observait, il émit un grognement soudain, remit la loupe dans sa poche et se redressa en tenant un objet minuscule entre le pouce et l'index. C'est alors qu'il s'aperçut qu'il n'était pas seul :

— Ah! Euh… Hum! Monsieur Trefusis! Je ne vous avais pas entendu entrer.

Il était transfiguré. Un air de triomphe et de jubilation inondait son visage.

— Que se passe-t-il, monsieur Poirot? Vous paraissez tout heureux.

Le petit homme bomba le torse :

— Effectivement. Voyez-vous, j'ai enfin trouvé ce que je cherchais depuis le début. Je tiens ici, entre mon pouce et mon index, la preuve nécessaire et suffisante pour confondre le criminel.

— Alors, fit le secrétaire en arquant les sourcils, ce n'était pas Charles Leverson?

— Ce n'était pas Charles Leverson. Jusqu'au moment présent, bien que je connaisse le criminel, je n'étais pas sûr de son nom. Mais à la fin des fins, tout est clair.

Il rejoignit le secrétaire au bas des marches et lui donna une petite tape sur l'épaule :

— Je me vois contraint de me rendre immédiatement à Londres. Pourriez-vous être mon interprète auprès de lady Astwell afin que tout le monde soit rassemblé dans la salle de la tour ce soir à 9 heures ? Je serai alors rentré et je vous révélerai à tous la vérité. Ah ! ma parole, vous me voyez fort aise.

Et il quitta la pièce en esquissant quelques extravagants pas de danse sous les yeux ébahis de Trefusis.

Quelques minutes plus tard, Poirot faisait son apparition dans la bibliothèque et demandait si quelqu'un n'aurait pas une petite boîte en carton à lui prêter.

— Je n'en ai malheureusement pas avec moi, expliqua-t-il, et j'ai un objet d'incalculable valeur à y mettre à l'abri.

Trefusis en sortit une d'un des tiroirs du bureau, et Poirot lui manifesta tous les signes de la plus vive satisfaction.

Il monta quatre à quatre dans sa chambre avec sa trouvaille. Rencontrant George sur le palier, il lui tendit la boîte :

— Il y a quelque chose de très important à l'intérieur. Mettez-la, mon bon George, dans le deuxième tiroir de ma table de toilette, à côté de la boîte de mes boutons de chemise en nacre.

— Très bien, monsieur.

— Ne la cassez pas, surtout, recommanda Poirot. Faites-y bien attention. Ce qu'il y a là-dedans enverra un criminel à la potence.

— Mon Dieu, monsieur !

Poirot redescendit l'escalier aussi vite qu'il était monté, attrapa son chapeau et quitta la maison de toute la force de ses petites jambes.

*

Son retour fut beaucoup plus discret. Le fidèle George, conformément aux instructions, le fit entrer par la porte de service.

— Ils sont tous dans la salle de la tour ? s'enquit Poirot.

— Oui, monsieur.

Ils s'échangèrent quelques mots à voix basse, puis Poirot gagna du pas triomphant du vainqueur la pièce où le meurtre avait été commis moins d'un mois auparavant. D'un regard circulaire, il vit que tout le monde était là : lady Astwell, Victor Astwell, Lily Margrave, le secrétaire et Parsons, le majordome. Ce dernier se tenait près de la porte, hésitant.

— George m'a dit qu'il fallait que je sois présent aussi, monsieur, expliqua-t-il dès que Poirot fit son apparition. Je ne sais pas si c'est bien convenable.

— Ça l'est on ne peut davantage, lui affirma Poirot. Restez, c'est moi qui vous en prie.

Et il s'avança au centre de la pièce.

— Cette affaire s'est révélée intéressante à plus d'un titre, préluda-t-il d'une voix lente et réfléchie. Intéressante parce que n'importe qui aurait pu assassiner sir Reuben. Qui hérite de sa fortune ? Charles Leverson et lady Astwell. Quelle est la dernière personne à être restée en sa présence cette nuit-là ? Lady Astwell. Qui s'est violemment disputé avec lui ? Encore lady Astwell.

— Qu'est-ce que vous racontez là ? glapit cette dernière. Je ne comprends pas, je…

— Mais quelqu'un d'autre s'était querellé avec sir Reuben, continua Poirot de sa voix pensive. Quelqu'un d'autre l'avait quitté vert de rage. À supposer que son mari ait été encore vivant quand lady Astwell est partie vers minuit moins le quart, une dizaine de minutes se seraient écoulées avant le retour de Mr Charles Leverson. Une dizaine de minutes pendant lesquelles il aurait été possible à un occupant du second étage de descendre sans bruit, d'accomplir son forfait et de remonter dans sa chambre.

Victor Astwell bondit sur ses pieds avec un hurlement :

— Non mais qu'est-ce que…

Il s'étrangla de fureur.

— Dans un accès de colère, Mr Astwell, vous avez un jour tué un homme en Afrique occidentale.

— Je ne vous crois pas ! s'écria Lily Margrave.

Elle se précipita, poings serrés, joues empourprées.

— Je ne vous crois pas, répéta-t-elle en venant se camper au côté de Victor.

— Si, c'est bien exact, Lily, articula ce dernier, mais il y a des éléments que cet individu ne connaît pas. Le monstre que j'ai tué était un sorcier qui venait d'exterminer quinze enfants. Je considère que mon acte était justifié.

Lily se retourna vers Poirot. Elle s'exprimait maintenant avec le calme qui naît de la conviction :

— Vous vous trompez, monsieur. Ce n'est pas parce qu'un homme a le sang chaud, parce qu'il explose de temps à autre et se laisse aller à des excès verbaux que vous pouvez vous arroger le droit de voir en lui un assassin. Je sais – je *sais*, vous dis-je – qu'il est incapable d'un tel acte.

Poirot la dévisagea, un étrange sourire aux lèvres. Puis il lui prit la main et la tapota doucement :

— Vous voyez, mademoiselle, vous aussi vous avez des intuitions. Ainsi donc vous faites confiance à Mr Astwell ?

— Mr Astwell est un homme de bien, répondit-elle d'un voix sereine. Un homme merveilleux. Il n'avait rien à voir avec les agissements de la Mpala Gold. Il est bon et généreux, et… je lui ai promis de l'épouser.

Victor Astwell s'approcha d'elle et lui prit l'autre main.

— Devant Dieu, monsieur Poirot, déclara-t-il, je jure que je n'ai pas tué mon frère.

— Je le sais bien, que vous ne l'avez pas tué.

Le regard de Poirot parcourut la pièce :

— Écoutez-moi, mes amis. Sous sommeil hypnotique, lady Astwell nous a dit avoir remarqué un renflement dans le rideau, cette nuit-là.

Tous les yeux se tournèrent vers la fenêtre.

— Vous suggérez qu'un cambrioleur se serait caché derrière ? s'exclama Victor Astwell. Ce serait la solution idéale !

— Eh oui ! soupira Poirot. Seulement il ne s'agissait pas de ce rideau-*là*.

Il pivota sur lui-même et montra la tenture qui masquait le petit escalier :

— La nuit qui a précédé le crime, sir Reuben avait dormi dans la chambre du dessus. Il avait pris son petit déjeuner au lit et fait monter Mr Trefusis pour lui donner ses instructions. J'ignore ce que Mr Trefusis a oublié à ce moment-là dans cette chambre, mais il y avait laissé quelque chose. Le soir, quand il a souhaité bonne nuit à sir Reuben et à lady Astwell, il s'en est souvenu et il est monté rechercher l'objet en question. Engagés qu'ils étaient déjà dans une violente altercation, ni le mari ni sa femme n'ont dû lui prêter attention. La querelle battait son plein lorsque Mr Trefusis est redescendu.

» Le linge sale que le couple lavait en commun était de nature tellement intime et personnelle qu'il s'est trouvé bien embarrassé. Il était clair qu'ils le croyaient parti depuis un moment déjà. Craignant de voir la colère de sir Reuben se retourner contre lui, il a décidé de ne pas bouger et de s'esquiver plus tard. Il est donc resté derrière son rideau, et c'est en sortant que lady Astwell a inconsciemment remarqué le renflement du tissu qu'il provoquait.

» Dès qu'elle eut quitté la pièce, Trefusis a essayé de filer en douce, mais sir Reuben a tourné la tête au même moment et s'est avisé de la présence du secrétaire. Déjà passablement énervé, il l'a couvert d'injures, accusé d'écouter aux portes et traité d'espion.

» J'attache le plus grand prix, mesdames et messieurs, à la psychologie. Tout au long de cette affaire, ce n'est pas sur l'homme ou la femme à mauvais caractère que j'ai fait porter mon effort, car le mauvais caractère constitue souvent sa propre soupape de sûreté. Chien qui aboie ne mord pas. Non, je me suis intéressé au personnage doux, patient, maître de lui, à celui qui pendant neuf ans avait joué le rôle de souffre-douleur. Il n'est pire oppression que celle qu'on supporte pendant des années, pire rancune que celle qui s'accumule lentement.

» Pendant neuf ans, sir Reuben a rudoyé, a mortifié son secrétaire, et, pendant ces neuf longues années, ce garçon a courbé l'échine en silence. Mais vient forcément un jour où le point de rupture est atteint. *Le bou-*

chon doit sauter ! C'est ce qui s'est passé, cette nuit-là. Sir Reuben est retourné s'asseoir à son bureau mais le secrétaire, au lieu de prendre humblement, docilement, la direction de la porte, a saisi la lourde massue de bois et l'a abattue sur celui qui l'avait humilié une fois de trop.

Il se tourna vers Trefusis qui le regardait, pétrifié, les yeux écarquillés :

— Votre alibi était tellement simple ! Mr Astwell pensait que vous étiez dans votre chambre, *mais personne ne vous avait vu la regagner*. Après avoir frappé sir Reuben, vous vous prépariez à filer lorsque vous avez entendu du bruit, vous êtes alors reparti dare-dare vous cacher derrière le rideau. Vous y étiez encore lorsque Charles Leverson est entré dans la pièce, vous y étiez aussi quand Lily Margrave est venue à son tour. Ce n'est que longtemps après, quand plus rien ne bougeait dans la maison, que vous vous êtes glissé hors de votre cachette pour rejoindre votre chambre. Niez-vous tout cela ?

— Je... je n'ai jamais... commença à bégayer le secrétaire.

— Ah ! finissons-en. Voilà quinze jours que je joue la comédie. Je vous ai fait voir les mailles du filet qui se resserrait lentement autour de vous. Les empreintes digitales, les traces de semelles, la fouille dans votre chambre et vos affaires remises dans un ordre qui n'était pas le vôtre. Par tous ces artifices j'ai instillé en vous la terreur. Vous avez passé des nuits d'insomnie à vous poser des questions et à trembler. N'aviez-vous pas laissé une empreinte dans la salle de la tour, une trace de pas quelque part ?

» Sans trêve ni repos, vous avez ressassé les événements de cette fameuse nuit en vous demandant ce que vous aviez bien pu faire ou omettre de faire. Je vous ai amené ainsi dans un état de nerfs tel que vous ne pouviez plus ne pas commettre une erreur. Aujourd'hui, lorsque vous m'avez vu ramasser quelque chose dans l'escalier où vous étiez caché le soir du meurtre, j'ai lu la terreur dans vos yeux. J'ai alors fait monter encore la tension et vous ai mené là où je voulais vous conduire : j'ai frénétiquement cherché une petite boîte, je l'ai confiée à George avec moult recommandations et j'ai ostensiblement clamé que je m'absentais.

Poirot se tourna vers la porte :

— George ?

— Oui, monsieur ?

Le valet de chambre s'avança.

— Pourriez-vous dire à ces messieurs-dames ce qu'ont été mes instructions ?

— Je devais rester caché dans le placard de votre chambre après avoir placé la boîte où vous aviez dit. À 3 heures et demie cet après-midi, Mr Trefusis est entré dans votre chambre, il est allé vers le tiroir en question et… il est reparti avec la boîte.

— Boîte dans laquelle se trouvait une simple épingle, poursuivit Poirot. Je dis toujours la vérité, moi. J'avais effectivement ramassé quelque chose dans l'escalier, ce matin. Il est, je crois, un adage anglais qui dit : « Épingle ramassée, chance pour la journée. » Eh bien, ma chance à moi a été d'épingler le meurtrier.

Il se tourna vers le secrétaire.

— Vous voyez ? fit-il avec douceur. *Vous vous êtes trahi vous-même.*

Brusquement, Trefusis s'effondra. Il s'enfonça dans son fauteuil en sanglotant, le visage enfoui dans ses mains.

— Un coup de folie, gémit-il, un coup de folie ! Mais, oh ! mon Dieu, il n'arrêtait pas de me persécuter, de m'humilier au-delà du supportable. Cela fait des années que je le détestais, que je le haïssais.

— Je l'avais bien dit ! jubila lady Astwell.

Elle se dressa d'un bond, le visage éclairé d'une joie sauvage :

— Je *savais* que cet homme était coupable.

— Et vous aviez raison, acquiesça Poirot. On peut bien après tout donner à n'importe quoi le nom que l'on voudra. Le fait demeure, lady Astwell, que votre « intuition » ne vous avait pas trompée. Permettez-moi de vous en congratuler.

Le mort avait les dents blanches

(Four-and-Twenty Blackbirds)

Hercule Poirot dînait avec son ami Henry Bonnington au *Gallant Endeavour*, sur King's Road, à Chelsea.

Mr Bonnington adorait le *Gallant Endeavour*, son atmosphère détendue, sa cuisine « simple, tradition-nelle et sans tralala ». Il aimait montrer aux gens qui dînaient avec lui la place exacte où Augustus John avait l'habitude de s'asseoir, ainsi que les noms des artistes connus qui avaient signé le livre d'or. Mr Bonnington était lui-même le moins doué des hommes sur le cha-pitre des beaux-arts, mais il tirait une certaine fierté des activités artistiques d'autrui.

Molly, l'accorte serveuse, salua Mr Bonnington comme un vieil ami. Elle mettait un point d'honneur à se rappeler les goûts et dégoûts de ses clients en matière culinaire.

— Bonsoir, monsieur, sourit-elle tandis que les deux hommes s'installaient à une table de coin. Vous avez de la chance, aujourd'hui : dinde fourrée aux marrons – votre plat préféré, n'est-ce pas ? Comme fromage, nous avons un Stilton dont vous me direz des nouvelles ! Vous commencerez par quoi ? Potage ou poisson ?

Mr Bonnington délibéra. Il prévint Poirot, qui consultait le menu :

— Pas de vos chichis à la française, ici. De la bonne cuisine anglaise bien de chez nous.

— Mais, mon cher et bon ami, fit Poirot avec un geste de la main, je ne demande que ça ! Je m'en remets à vous corps et âme.

— Ah !... hryup... euh... hum... répondit Mr Bonnington en se penchant sérieusement sur le problème.

Ces importantes questions, et celle du vin, réglées, il se renversa en arrière avec un soupir de béatitude et déplia sa serviette cependant que Molly s'éloignait d'un pas alerte.

— Brave fille, dit-il sur un ton appréciateur. Une beauté, dans le temps jadis : les peintres la prenaient comme modèle. De surcroît, elle en connaît un rayon en cuisine, ce qui est autrement plus important. Les femmes sont en général complètement désaxées, de ce côté-là. Quand elles sortent avec un bellâtre qui leur a tapé dans l'œil, elles ne font même plus attention à ce qu'elles mangent. Elles commandent la première chose qui leur tombe sous les yeux.

— C'est effroyable, convint Poirot en opinant du bonnet.

— Les hommes ne sont pas comme ça, Dieu merci ! se rengorgea Mr Bonnington.

— Jamais ? demanda Poirot, une lueur de malice dans le regard.

— Bon, peut-être quand ils sont très jeunes, concéda l'autre. Des chiens fous ! Les jeunes d'aujourd'hui sont tous pareils, rien dans le ventre, des mollusques. Je ne peux pas les voir – et ils me le rendent d'ailleurs fort bien, ajouta-t-il en toute impartialité. Bon, c'est leur droit, mais à entendre s'exprimer quelques-uns de ces blancs-becs, on croirait que personne n'a plus le droit d'être encore *vivant* passé la soixantaine ! Et si l'on en juge par leur comportement, c'est à se demander si la plupart d'entre eux ne poussent pas leurs vieux parents vers la sortie.

— Qui vous dit qu'ils ne le font pas ?

— Jolie mentalité, Poirot ! Vos enquêtes policières vous ont fait perdre tout sens de la moralité.

Un sourire vint éclairer le visage d'Hercule Poirot :

— Tout de même, il serait intéressant de dresser une statistique des morts par accident après soixante ans. Je vous assure qu'il y aurait de quoi se poser d'intéressantes questions.

— Le problème, avec vous, c'est qu'au lieu d'attendre d'avoir un crime sous le nez pour agir, vous avez désormais la manie de voir le crime partout.

— Je vous demande mille pardons, s'excusa Poirot, je me laissais aller à « parler boutique », comme dit le vulgaire. Indiquez-moi plutôt comment vont vos propres affaires. Comment va la vie de par le vaste monde ?

— C'est la pagaille ! fulmina Mr Bonnington. Le voilà, le problème du monde d'aujourd'hui. Trop de pagaille. Et trop de belles paroles pour masquer la pagaille. Comme une sauce corsée qui vous fait oublier que le poisson qu'elle recouvre n'est plus de toute première fraîcheur ! Qu'on m'apporte plutôt un bon filet de sole sans rien qui vienne le gâcher.

Ce à quoi Molly s'activait présentement. Il poussa un grognement de satisfaction :

— Vous au moins, vous savez ce que j'aime, mon petit, hein ?

— Quand même, monsieur, vous venez ici assez souvent pour que je m'en souvienne.

— Les gens prennent toujours les mêmes plats ? s'étonna Poirot. Ils ne cherchent pas à varier de temps en temps les plaisirs ?

— Pas les messieurs, répondit-elle. Les dames, oui, elles changent. Les messieurs prennent toujours la même chose.

— Qu'est-ce que je vous disais ? maugréa Bonnington. Les femmes sont complètement désaxées, question nourriture.

Il balaya la salle du regard :

— On vit quand même dans un drôle de monde. Vous voyez ce bizarre bonhomme barbu, là-bas au coin ? Molly peut vous dire qu'il est toujours là le mardi et le jeudi soir. Voilà près de dix ans qu'il vient, il fait quasiment partie des meubles. Et pourtant, personne ne connaît son nom et ne sait où il habite ni ce qu'il fait dans la vie. C'est curieux, quand on y pense.

Quand la serveuse apporta les plantureuses portions de dinde, il l'interpella :

— Je vois que vous avez toujours Mathusalem, là-bas ?

— Absolument, monsieur. Le mardi et le jeudi, ce sont ses jours. Sauf que, la semaine dernière, il est venu un *lundi* ! J'ai failli en tomber à la renverse ! Ça m'a perturbée à tel point que j'ai cru que c'était moi qui me trompais de jour et qu'on était mardi ! Mais il est venu le lendemain soir aussi – ce qui fait que son lundi, c'était comme qui dirait un extra.

— Intéressante rupture d'habitude, souligna Poirot, songeur. Je me demande ce qui a bien pu la provoquer.

— Si vous voulez mon avis, monsieur, je crois qu'il avait dû avoir un souci ou un ennui.

— À quoi l'avez-vous vu ? À son comportement ?

— Son comportement… ce n'est pas vraiment ça. Il était bien tranquille, comme toujours — il ne dit pratiquement jamais rien, sauf bonjour-bonsoir. Non, c'est sa *commande*.

— Sa commande ?

— Vous allez vous moquer de moi, rougit-elle, mais quand un client vient depuis dix ans, on finit par savoir ce qu'il aime et ce qu'il n'aime pas. Il a toujours eu horreur du pudding à la graisse de bœuf, horreur aussi des mûres, et je ne l'avais jamais vu prendre un velouté. Eh bien pourtant, lundi soir, il a demandé un velouté de tomate, un pudding à la graisse de rognons de bœuf et une tarte aux mûres ! Comme s'il ne savait même pas ce qu'il commandait !

— Savez-vous, s'exalta Hercule Poirot, que c'est passionnant, ce que vous dites là ?

Molly parut flattée et repartit vers les cuisines.

— Eh bien, Poirot ? gloussa Bonnington tout joyeux. Qu'attendez-vous pour nous gratifier de quelques-unes de vos déductions élucubratoires ? J'attends de vous des prodiges !

— En fait de déductions, je préférerais entendre d'abord les vôtres.

— Que je joue les Watson, hein ? Bon : le doux vieillard est allé chez le médecin, qui lui a donné un nouveau régime.

— À base de velouté de tomate, de pudding à la graisse de rognons de bœuf et de tarte aux mûres ? Jamais vu ça.

— Détrompez-vous, mon vieux. Nos toubibs actuels sont capables de tout.

— C'est la seule explication qui vous vienne à l'esprit ?

— Sérieusement, répondit Henry Bonnington, je n'en vois qu'une plausible. Notre ami inconnu se trouvait sous l'emprise d'une forte émotion. Il était tellement perturbé qu'il n'a pas fait attention à ce qu'il commandait… ni ensuite à ce qu'il mangeait.

Il s'interrompit une minute, puis enchaîna :

— Vous allez sans doute décréter maintenant que vous savez ce qui se passait dans sa tête ? Qu'il était en train de mijoter un crime, peut-être ?

Il s'amusa beaucoup de sa propre suggestion.

Poirot ne partagea pas son hilarité.

Il devait avouer plus tard qu'il s'était, à ce moment-là, senti très inquiet. Et soutenir qu'il aurait dû se douter de ce qui allait arriver.

Ses amis lui ont toujours assuré que c'était là une idée absurde.

*

Trois semaines environ s'écoulèrent avant qu'Hercule Poirot et Bonnington ne se revoient. La rencontre eut lieu cette fois dans le métro.

Accrochés à des poignées d'appui contiguës, bousculés, ballottés en tous sens, ils s'adressèrent un signe de tête. À Piccadilly Circus, un exode général leur permit de trouver deux places à l'avant de la voiture – endroit tranquille, car personne ne passait par là pour monter ou descendre.

— Ouf! ça va mieux, soupira Mr Bonnington. Piètre engeance que le genre humain! On a beau demander aux gens de s'avancer dans le couloir, pour rien au monde ils ne bougeraient d'un pouce!

Hercule Poirot haussa les épaules :

— Que voulez-vous, la vie est tellement aléatoire.

— Exactement. Ici aujourd'hui, plus là demain, philosopha Mr Bonnington avec une sorte de noire délectation. À ce propos, vous vous rappelez le vieux bonhomme que nous avions remarqué au *Gallant Endeavour*? Je me demande justement si *lui* n'est pas parti pour un monde meilleur. On ne l'a pas revu là-bas de toute une semaine. Molly s'en fait un sang d'encre.

Poirot se redressa d'un coup. Un éclair passa dans ses yeux verts :

— Vraiment? s'écria-t-il. Vraiment?

— Vous vous souvenez de mon hypothèse selon laquelle il serait allé voir un charlatan qui l'avait mis au régime? Le régime, ça ne tenait pas debout, évidemment, mais je ne serais pas surpris qu'il ait consulté pour un problème de santé et que le diagnostic du toubib lui ait causé un choc. Ce qui expliquerait qu'il ait commandé n'importe quoi sur le menu sans réaliser ce qu'il faisait. Et ce choc a sûrement contribué à l'expédier dans l'autre monde plus vite qu'il n'y serait allé autrement. Les médecins devraient quand même prendre des gants pour dire certaines choses à leurs malades.

— Ils le font généralement.

— Ah ! voilà ma station, s'exclama Mr Bonnington. Au revoir. Je crains qu'on ne sache jamais qui était ce vieux. Ni même son nom. Drôle de monde que ce monde dans lequel nous vivons !

Sur quoi il descendit en coup de vent.

Hercule Poirot resta assis, sourcil froncé, comme s'il ne voyait rien de drôle là-dedans.

Il rentra chez lui et donna ses instructions à George, son fidèle valet de chambre.

*

Hercule Poirot faisait courir son index le long d'une liste de noms. C'était le registre des décès dans une circonscription bien déterminée.

Le doigt de Poirot s'arrêta :

— Henry Gascoigne. Soixante-neuf ans. Je vais essayer celui-là en premier.

Plus tard dans la journée, Hercule Poirot était dans le cabinet du Dr MacAndrew, juste à côté de King's Road. MacAndrew était un grand Écossais rouquin au visage intelligent.

— Gascoigne ? s'exclama-t-il. Oui, c'est exact. Un vieil excentrique. Il vivait seul dans l'une de ces bicoques en ruine qu'on est en train de raser pour construire un immeuble moderne. Je ne l'avais jamais soigné auparavant, mais je l'avais croisé dans le coin et je savais qui c'était. C'est le laitier qui a commencé à s'inquiéter : les bouteilles s'entassaient devant sa porte. À la fin, ses voisins ont prévenu la police qui est venue, a enfoncé la porte et l'a trouvé. Il avait dégringolé l'escalier et s'était rompu le cou. Il portait une vieille robe de chambre avec un cordon tout effiloché. Il a fort bien pu se prendre les pieds dedans.

— Je vois, acquiesça Hercule Poirot. C'est tout bête, un simple accident.

— Ma foi, oui.

— Il avait de la famille?

— Un neveu, qui venait le voir une fois par mois environ. Il s'appelle George Lorrimer. C'est un confrère. Il est toubib lui aussi et vit à Wimbledon.

— Il a dû être bouleversé par la mort du vieil homme?

— Bouleversé, c'est peut-être un bien grand mot. Il avait de l'affection pour lui, mais il ne le connaissait pas tellement.

— Depuis combien de temps Mr Gascoigne était-il décédé quand vous avez été amené à voir sa dépouille?

— Ah! fit le Dr MacAndrew, nous passons là au domaine officiel. Pas moins de quarante-huit heures et pas plus de soixante-douze. On l'a trouvé le matin du 6. En fait, nous avons pu affiner encore. Dans la poche de sa robe de chambre, il avait une lettre écrite le 3, postée l'après-midi du même jour à Wimbledon, et qui a dû être distribuée vers 21 h 20. Ce qui place la mort après 21 h 20, le soir du 3, et correspond à l'avancement du processus de digestion du contenu de son estomac. Il avait pris un repas deux heures avant. Je l'ai examiné le matin du 6, et son état pouvait fort bien être celui d'un homme décédé depuis une soixantaine d'heures, donc vers 10 heures du soir, le 3.

— Tout cela paraît très cohérent. Dites-moi, quand a-t-il été vu bien en vie pour la dernière fois ?

— Le même jeudi 3, vers 7 heures du soir, sur King's Road. Il a ensuite dîné au *Gallant Endeavour* à 7 heures et demie pile. Comme tous les jeudis, à ce qu'il paraît. C'était une sorte d'artiste, vous savez – exécrable, d'ailleurs.

— Il n'avait pas d'autre famille que son neveu ?

— Si, un frère jumeau. L'histoire est assez curieuse. Cela faisait des années qu'ils ne se voyaient plus. Le frère, Anthony Gascoigne, aurait, dit-on, épousé une femme très riche et laissé tomber l'art, d'où la brouille entre les deux. Ils ne se sont d'ailleurs jamais revus, mais, fait étrange, *ils sont morts le même jour*, le premier jumeau à 3 heures l'après-midi du 3. Une fois déjà, j'ai entendu une histoire de jumeaux décédant le même jour, et en des endroits différents du globe ! Ce n'est probablement qu'une coïncidence, mais le fait est là.

— La femme du frère est-elle toujours en vie ?

— Non, elle est morte il y a quelques années.

— Où Anthony Gascoigne habitait-il ?

— Il avait une maison sur Kingston Hill. Il vivait complètement reclus, d'après le Dr Lorrimer.

Poirot hocha la tête d'un air songeur.

L'Écossais leva sur lui un regard aigu.

— Où diable voulez-vous en venir, monsieur Poirot ? demanda-t-il sans détour. J'ai répondu à vos questions comme mon devoir était de le faire au vu de vos papiers. Mais je suis dans le noir total sur ce qui se passe.

— Simple mort accidentelle, disiez-vous? Simple poussée dans le dos, rétorquerai-je, voilà où je veux en venir.

Le Dr MacAndrew en resta comme deux ronds de flan :

— En d'autres termes, un meurtre! Et vous vous basez sur du solide, pour affirmer ça?

— Non. C'est juste une supposition.

— Vous ne dites pourtant pas ça en l'air, insista l'autre.

Poirot ne répondit pas.

— Si c'est le neveu Lorrimer que vous soupçonnez, poursuivit MacAndrew, autant vous dire tout de suite que vous vous mettez le doigt dans l'œil. Lorrimer a joué au bridge à Wimbledon de 8 heures du soir à minuit. C'est l'alibi qu'il a présenté à l'enquête.

— Et qui a sûrement été vérifié. La police ne néglige rien de ce genre.

— Peut-être avez-vous des éléments contre lui? fit le médecin.

— J'ignorais jusqu'à son existence avant que vous ne m'en parliez.

— Alors vous soupçonnez quelqu'un d'autre?

— Non, non. Pas du tout. Il s'agit des habitudes routinières de l'animal humain. C'est très important. Or feu Mr Gascoigne sort de leur cadre. Tout cloche, voyez-vous.

— Je ne comprends vraiment pas.

— Le problème, c'est qu'il y a trop de sauce sur le poisson avarié.

— Je vous demande pardon?

Hercule Poirot sourit :

— Vous n'allez pas tarder à m'envoyer à l'asile, docteur. Pourtant j'ai toute ma raison, je ne suis guère qu'un individu épris d'ordre et de logique qui déteste voir des faits *échapper à la règle*. Excusez-moi, je vous en prie, de toute la peine que je vous ai donnée.

Il se leva, imité par le médecin.

— Honnêtement, fit MacAndrew, je ne vois rien d'anormal ni de suspect dans la mort d'Henry Gascoigne. Pour moi, il est tombé, pour vous on l'a poussé. Tout cela est question de… d'appréciation.

Hercule Poirot exhala un soupir.

— Oui, dit-il, c'est du travail bien fait. Par quelqu'un d'habile.

— Vous persistez à croire que…

Le petit détective écarta les mains :

— Je suis un homme tenace. Avec une petite idée en tête qui ne repose sur rien de précis. Au fait, Henry Gascoigne portait-il un dentier ?

— Non, il avait toutes ses dents, et remarquablement saines pour son âge.

— Il les soignait bien ? Elles étaient bien blanches et bien brossées ?

— Oui, je l'avais remarqué. Les dents jaunissent bien sûr un peu avec l'âge, mais elles étaient en parfait état.

— Nullement ternies, donc ?

— Non. Il ne devait pas fumer, si c'est ce que vous voulez dire.

— Pas particulièrement. Simple élucubration de ma part – qui ne mènera probablement à rien ! Au revoir, docteur, et merci de votre obligeance.

Il serra la main du médecin et prit congé.

— Et maintenant, s'exhorta-t-il, voyons cette élucubration d'un peu plus près !

*

Au *Gallant Endeavour*, il reprit la même table que la première fois avec Bonnington. La fille qui le servit n'était pas Molly. Partie en congé, lui dit-elle.

Il n'était que 7 heures et Poirot n'eut aucune peine à engager la conversation avec la remplaçante sur le vieux Mr Gascoigne.

— Oui, fit cette dernière, il venait ici depuis des années. Mais aucune d'entre nous n'a jamais connu son nom. On a lu le compte rendu de l'enquête sur le journal et il y avait sa photo. « Regarde un peu ça, que j'ai fait à Molly, si c'est pas notre Mathusalem », comme on l'appelait entre nous.

— Il a dîné ici le soir de sa mort, n'est-ce pas ?

— Oui, le jeudi 3. Il venait toujours, le jeudi. Le jeudi et le mardi, avec une régularité d'horloge.

— Vous ne vous rappelez sans doute pas ce qu'il a pris pour dîner ?

— Si attendez… du potage au curry, c'est ça, et puis du pudding au bœuf – ou alors le plat de mouton ? Non, pudding au bœuf, fromage, tarte aux mûres et aux pommes. Dire que c'est en rentrant chez lui, le soir même, qu'il est tombé dans l'escalier ! En se prenant les pieds dans un vieux cordon de robe de chambre, à ce qu'il paraîtrait ! C'est vrai qu'il était toujours fichu comme l'as de pique, dans ses vêtements loqueteux et d'un autre âge, mais il avait quand même une certaine allure, comme s'il était *quelqu'un* ! Ah ! on en voit de toutes sortes : ce n'est pas les clients intéressants qui manquent, ici.

Elle s'éloigna.

Hercule Poirot dégusta son filet de sole. Ses yeux luisaient d'un éclat particulier.

« C'est drôle, songea-t-il, comme les gens les plus intelligents peuvent se fourvoyer sur des détails. Je crois que cela va intéresser Bonnington. »

Mais l'heure n'était pas encore aux conversations tranquilles avec son ami.

*

Nanti d'introductions adéquates émanant de certain milieu influent, Poirot n'eut aucune peine à approcher le coroner du district.

— Étrange personnage que feu Mr Gascoigne, remarqua ce dernier. Un vieux solitaire excentrique. Mais son décès semble susciter un intérêt peu ordinaire.

Il levait, tout en parlant, un regard intrigué sur son visiteur.

Hercule Poirot répondit en pesant bien ses paroles :

— Les circonstances dans lesquelles il s'est produit semblent rendre souhaitable un complément d'enquête.

— Très bien. Comment puis-je vous aider ?

— Il entre, je crois, dans vos attributions de décider le dépôt au greffe ou la destruction des documents produits dans votre cour. Une lettre a été découverte dans la poche de la robe de chambre d'Henry Gascoigne, n'est-ce pas ?

— C'est exact.

— Une lettre de son neveu, le Dr George Lorrimer ?

— En effet. Cette lettre a été produite à l'enquête pour aider à fixer l'heure de la mort.

— Qui a été corroborée par l'analyse médico-légale ?

— Absolument.

— Cette lettre est-elle toujours disponible ?

Poirot attendit la réponse avec une certaine fébrilité.

Quand il sut que le document pourrait être examiné, il poussa un soupir de soulagement.

Il vit enfin la fameuse lettre et l'étudia attentivement. Elle avait été rédigée au stylo, d'une écriture un peu étriquée :

Cher oncle Henry,

Désolé de te dire que je n'ai guère eu de succès auprès d'oncle Anthony. Il n'a montré aucun désir que tu lui rendes visite et n'a pas répondu à ta demande de tirer un trait sur le passé. Il est, c'est sûr, très malade et n'a plus les idées bien en place. Je crains que la fin ne soit imminente. Tout juste s'il se rappelait qui tu étais.

Je regrette de n'avoir pas réussi, mais j'ai fait de mon mieux.

Affectueusement. Ton neveu,

George Lorrimer

La lettre était datée du 3 novembre. Poirot regarda le cachet de la poste : 3 novembre 16 h 30.

— Tout cela est réglé comme papier à musique, n'est-ce pas ? murmura-t-il.

*

Kingston Hill était son objectif suivant. Venu à bout des réticences d'Amelia Hill, la gouvernante-cuisinière de feu Anthony Gascoigne, il avait en effet arraché à cette dernière la promesse d'un entretien.

Plutôt raide et méfiante au début, Mrs Hill succomba à la jovialité de ce drôle d'étranger dont le charme aurait fait fondre une pierre. La digne personne ne tarda pas à se détendre.

Et à se détendre si bien qu'elle finit par se retrouver, comme tant de ses congénères avant elle, en train de conter ses malheurs à un auditeur plein de compassion :

Quatorze ans durant, qu'elle s'était échinée à tenir la maison de Mr Gascoigne – même que ça n'avait *pas* été une sinécure, oh ! que non. Elle en connaissait plus d'une qui auraient rendu vingt fois leur tablier plutôt que de subir tout ce qu'elle avait subi ! Excentrique, il l'était comme pas deux, le pauvre vieux, et c'était rien de le dire ! Et avec ça près de ses sous comme c'est pas Dieu permis – une véritable obsession, chez lui – alors qu'il roulait sur l'or ! Mrs Hill l'avait cependant servi fidèlement, s'était pliée à ses manies, et il allait de soi qu'elle s'était attendue, au pire, à un petit legs de remerciement. Mais je t'en fiche ! Pas ça ! Il n'y avait qu'un vieux testament qui laissait tout l'argent à sa femme ou alors, si elle décédait avant lui, à son frère Henry. Un testament qui remontait à des lustres ! C'était-y juste, une pingrerie pareille ?

Peu à peu, Poirot éloigna Mrs Hill de son cheval de bataille favori, la convoitise insatisfaite. Certes oui, quelle ingratitude… On ne pouvait la blâmer de se sentir blessée. La ladrerie de Mr Gascoigne était proverbiale, on disait même qu'il avait refusé d'aider son propre frère. Mrs Hill devait d'ailleurs être bien placée pour le savoir.

— C'est pour ça que le Dr Lorrimer était venu le voir? s'émut-elle. Je savais que c'était de la part d'Henry mais je croyais qu'il voulait se réconcilier. Ils étaient brouillés depuis des années.

— Et Mr Gascoigne a refusé catégoriquement, je crois?

— Ah! ça, oui, répondit Mrs Hill avec un hochement de tête. « *Henry?* qu'il a fait de sa voix toute faible. *Qu'est-ce qu'il veut, celui-là? Ça fait des années que je ne le vois plus et ce n'est pas maintenant que ça va changer. Il cherche toujours la bagarre, Henry.* » Voilà comment qu'il a dit ça.

La conversation en revint alors aux doléances personnelles de Mrs Hill et à ce sans-cœur de notaire de Mr Gascoigne.

Poirot eut toutes les peines du monde à prendre congé sans couper court trop brutalement à la conversation.

Il parvint malgré tout à Elmcrest, Dorset Road, Wimbledon, la résidence du Dr George Lorrimer, juste après l'heure du dîner.

Le médecin était chez lui. Poirot fut introduit dans son cabinet où Lorrimer, qui de toute évidence se levait juste de table, le rejoignit bientôt.

— Je ne suis pas un patient, docteur, prévint d'entrée de jeu Hercule Poirot. Et il vous paraîtra peut-être impertinent de ma part d'être venu jusqu'ici, mais je suis un vieil homme qui croit davantage aux contacts directs qu'aux hommes de loi et à leurs atermoiements.

Il avait manifestement éveillé l'intérêt de Lorrimer. De taille moyenne, le visage rasé, le médecin avait le cheveu châtain mais des cils presque blancs qui conféraient à ses yeux un aspect pâle et délavé. Il semblait vif et non dénué d'humour.

— Les hommes de loi ? fit-il en arquant les sourcils. Je ne peux pas les voir non plus. Mais vous piquez ma curiosité, cher monsieur. Veuillez vous asseoir, je vous prie.

Poirot prit place, sortit une de ses cartes professionnelles et la tendit au médecin.

Les cils blancs de Lorrimer battirent légèrement.

Poirot se pencha vers lui et lui dit, sur le ton de la confidence :

— Une grande partie de ma clientèle est constituée de femmes.

— Ça leur ressemble bien, fit le médecin avec une légère lueur dans le regard.

— Comme vous dites, cela leur ressemble bien. Les personnes du sexe se défient de la police officielle. Elles préfèrent les investigations privées. Elles n'aiment pas voir leurs problèmes étalés sur la place publique. Une vieille dame est venue me consulter il y a quelques jours. Elle avait un différend avec un mari dont elle s'était séparée de nombreuses années auparavant. Ce mari, c'était votre oncle, le défunt Mr Gascoigne.

George Lorrimer devint écarlate :

— Mon oncle ? C'est ridicule, sa femme est morte il y a belle lurette.

— Pas votre oncle *Anthony*, votre oncle *Henry*.

— L'oncle Henry ? Il n'était pas marié, lui !

— Oh! si, il l'était, mentit Poirot sans vergogne. Cela ne fait aucun doute, la dame a même apporté l'acte de mariage.

— C'est un mensonge! s'écria George Lorrimer, à présent rouge comme une pivoine. Je n'en crois pas un mot. Vous n'êtes qu'un fieffé menteur!

— Pas de chance, hein? sourit Poirot. Vous avez commis un meurtre pour rien.

— Un meurtre?

La voix de Lorrimer se fit balbutiante. Ses yeux pâles étaient exorbités de terreur.

— Au fait, dit Poirot, je vois que vous vous êtes remis à la tarte aux mûres. Est-ce bien raisonnable? Les mûres sont paraît-il bourrées de vitamines, mais elles peuvent aussi être mortelles. En l'occurrence, j'ai nettement l'impression qu'elles auront surtout servi à passer une corde autour du cou d'un homme – le vôtre, Dr Lorrimer.

*

— Vous voyez, mon bon ami, c'est dans votre postulat de base que vous vous étiez trompé.

Souriant à son vis-à-vis à travers la table, Poirot ponctua son explication d'un geste de la main :

— Un homme ne choisira jamais le moment où il est dans un grand état d'agitation pour modifier sa façon d'agir. Ses réflexes obéissent à la loi du moindre effort. Un individu bouleversé peut fort bien descendre dîner en pyjama, mais ce sera *son* pyjama, pas celui de quelqu'un d'autre.

» Un quidam qui a horreur du velouté, du pudding à la graisse de bœuf et des mûres commande soudain tout cela dans un restaurant. Pour *vous*, c'est parce qu'il a l'esprit ailleurs. Pour *moi*, au contraire, *un homme qui a l'esprit préoccupé commandera automatiquement ce qu'il prend le plus souvent d'habitude.*

» Quelle autre explication pouvait-il donc y avoir ? Je n'arrivais pas à en trouver une qui me semblât plausible. Et ce n'était pas faute de me triturer les méninges ! Quelque chose me chiffonnait dans tout ça, quelque chose qui ne cadrait pas ! J'ai l'esprit ordonné et je n'aime pas ce qui apparaît sans rime ni raison. Cette commande de Mr Gascoigne pour son dîner me tracassait.

» Après cela, vous m'avez appris sa disparition. Pour la première fois depuis des années, il avait manqué un mardi et un jeudi. Cela m'a encore moins plu. Et puis une hypothèse bizarroïde m'est venue à l'esprit. Si elle se vérifiait, *alors l'homme était mort.* Je me suis renseigné. Il était effectivement mort. Du travail propre et net. En d'autres termes, le poisson avarié avait été recouvert de belle sauce !

» On l'avait vu sur King's Road à 7 heures. Il avait dîné ici à 7 et demie – deux heures avant de mourir. Tout concordait – l'analyse du contenu de l'estomac, la lettre. Beaucoup trop de sauce ! On en avait noyé le poisson !

» Ce cher neveu avait écrit la lettre, ce cher neveu disposait d'un splendide alibi pour l'heure de la mort. Une mort toute bête : une chute dans l'escalier. Simple accident ? Simple meurtre ? Tout le monde penchait pour l'accident.

» Ce cher neveu est le seul parent survivant. Ce cher neveu héritera donc – mais héritera *quoi* ? L'oncle est notoirement pauvre.

» Seulement voilà, il y a un frère. Un frère qui avait jadis fait un riche mariage. Un frère qui habite une belle maison cossue à Kingston Hill, ce qui laisserait supposer que la riche épouse lui a laissé tout son argent. Vous voyez le ricochet : la riche épouse laisse l'argent à Anthony, Anthony laisse l'argent à Henry, l'argent d'Henry va à George. La boucle est bouclée.

— Tout cela est bien beau en théorie, reconnut Bonnington. Mais qu'avez-vous fait ?

— Quand on *sait* qu'on tient le bon bout, vous savez, on arrive en général à trouver ce qu'on cherche. Henry était mort deux heures après un repas. C'est tout ce que l'enquête a retenu. Alors imaginez que le repas en question ne soit pas un dîner, mais un *déjeuner* ? Mettez-vous à la place de George. Il a un gros, très gros, besoin d'argent. Anthony Gascoigne est en train de mourir, mais sa mort ne sert à rien pour George puisque la fortune passe à Henry et qu'Henry en a peut-être encore pour des années à vivre. Henry doit donc mourir aussi, et le plus tôt sera le mieux – mais sa mort doit intervenir *après* celle d'Anthony, et puis George doit se forger un alibi. Une idée lui est fournie par l'habitude qu'a son oncle de dîner régulièrement deux soirs par semaine dans un restaurant. Deux précautions valant mieux qu'une, il met d'abord son plan à l'essai. *Le lundi soir, il se fait passer pour son oncle au restaurant en question.* Et ça marche comme sur des roulettes. Tout le monde le prend pour Henry. Excellent. Il n'a plus qu'à attendre que l'oncle Anthony soit sur le point de passer l'arme à gauche. Le moment arrive. Il écrit une lettre à son oncle Henry dans l'après-midi du 2 novembre mais la date du 3. Il va chez son oncle le 3 dans l'après-midi et passe à l'action. Une bonne poussée dans le dos et le tonton dégringole. George cherche la lettre qu'il avait envoyée et la fourre dans la poche de la robe de chambre d'Henry. À 7 heures et demie, il est au *Gallant Endeavour* avec barbe, sourcils en bataille, complètement grimé. À 7 heures et demie, donc, Henry Gascoigne est selon toute apparence encore de ce monde. Après une rapide métamorphose dans des toilettes publiques quelconques, il reprend sa voiture et s'en retourne pleins gaz à Wimbledon pour une soirée de bridge. Le parfait alibi.

Mr Bonnington regarda Poirot :

— Mais le cachet de la poste ?

— Bah ! c'est simple. Il était un peu barbouillé. Pourquoi ? Parce qu'on avait changé au noir de fumée, devant novembre, le 2 en 3. Semblable détail, on ne le remarque *que si on le cherche*. Et puis il était mûr pour se faire prendre.

— Mûr pour se faire prendre ?

— Mûr à cause des mûres ! Il a manqué quelque chose à George pour être un acteur parfait. Vous vous rappelez le comédien qui s'était passé au noir de la tête aux pieds pour jouer Othello ? Eh bien c'est ce genre d'acteur qu'il faut être pour un crime. George ressemblait à son oncle, marchait comme son oncle, parlait comme son oncle, s'était fait la tête de son oncle, mais il avait oublié de *manger* comme lui. Il a commandé les plats que lui-même aimait. Les mûres colorent les dents, or celles du mort ne l'étaient pas et

Henry Gascoigne était censé avoir mangé des mûres au *Gallant Endeavour* ce soir-là. Il n'y avait d'ailleurs pas de mûres dans son estomac, j'ai demandé ce matin. Et puis George a eu la bêtise de conserver la fausse barbe et le reste du maquillage. Oh ! les preuves ne manquent pas quand on sait ce qu'on cherche. Je suis allé voir George et je lui ai fichu la frousse. Ça l'a achevé ! Il avait encore mangé des mûres, au fait. Un incorrigible gourmand ce garçon. D'où ma conclusion : ou je me trompe fort, ou sa gourmandise l'enverra à la corde.

La serveuse apporta deux parts de tarte aux mûres et aux pommes.

— Euh… non merci, refusa Mr Bonnington. On ne sait jamais. Apportez-moi plutôt une jolie portion de crème caramel.

Le Rêve

(The Dream)

Hercule Poirot observa longuement la maison, puis ses yeux errèrent un moment sur ses environs immédiats, les boutiques, le gros bâtiment de l'usine sur la droite, les immeubles d'appartements à bon marché en face.

Son regard se porta ensuite une fois de plus sur Northway House, vestige d'une époque révolue – une époque d'espace et de loisirs où des champs verdoyants entouraient sa noble arrogance. Elle était maintenant anachronique, oubliée, perdue dans l'océan chaotique du Londres moderne, et, sur cinquante personnes, pas une n'aurait pu vous indiquer où elle se trouvait.

Très peu également auraient su vous dire à qui elle appartenait, bien que le nom de son propriétaire fût associé à l'une des plus grosses fortunes du globe. Mais l'argent peut aussi bien vous assurer discrétion que publicité. Benedict Farley, le milliardaire excentrique, avait choisi de ne pas révéler son lieu de résidence. Lui-même se montrait peu, ses apparitions publiques étaient rares. De temps à autre, il apparaissait aux conseils d'administration, et sa silhouette maigre, son nez crochu et sa voix grinçante dominaient de haut les autres administrateurs. Outre cela, c'était une figure de légende. Ses étonnantes mesquineries et ses incroyables gestes de générosité, en même temps que certains détails plus personnels – la fameuse robe de chambre en patchwork qu'il portait depuis vingt ans, son immuable régime de soupe aux choux et de caviar, sa haine des chats – étaient de notoriété publique.

Hercule Poirot connaissait cela aussi. Mais c'était tout ce qu'il savait de l'homme auquel il allait rendre visite. La lettre qu'il avait dans la poche de son manteau ne lui en apprenait guère plus.

Après avoir silencieusement contemplé ce mélancolique symbole d'un autre âge, il gravit le perron de la porte d'entrée et pressa le bouton de sonnette. Ce faisant, il jeta un coup d'œil sur l'élégante montre-bracelet qui était finalement venue remplacer le cher vieil oignon de ses jeunes années. Oui, il était pile 9 heures et demie du soir. Comme toujours, Hercule Poirot était ponctuel à la seconde près.

La porte s'ouvrit après le bref délai de rigueur. Une silhouette de majordome, parfait spécimen du genre, se découpa dans l'encadrement de la porte sur le fond éclairé du hall.

— Mr Benedict Farley ? demanda Hercule Poirot.

Le regard impersonnel le parcourut de la tête aux pieds. Un regard sobre mais efficace.

« En gros et en détail », songea Poirot qui apprécia le professionnalisme de l'examen.

— Monsieur a rendez-vous ? demanda la voix suave.

— Oui.

— À quel nom, je vous prie ?

— Hercule Poirot.

Le majordome s'inclina et s'effaça. Hercule Poirot entra. Le domestique referma la porte derrière lui.

Mais une formalité restait à accomplir avant que les mains exercées ne débarrassent le visiteur de sa canne et de son chapeau.

— Que Monsieur me pardonne, mais je dois lui demander une lettre.

Sans hâte, Poirot l'extirpa de sa poche et la tendit au majordome. Celui-ci y jeta un bref coup d'œil puis la rendit avec une courbette à Poirot qui la remit dans son manteau. Sa teneur était des plus simples :

Northway House, W. 8
À M. Hercule Poirot
Cher Monsieur,
Mr Benedict Farley serait désireux de bénéficier de vos conseils. Si cela vous convient, il vous accueillera à l'adresse ci-dessus demain jeudi à 21 h 30.
Veuillez agréer…
                              Hugo Cornworthy
                         (Secrétaire particulier)
P.S. : Ayez l'obligeance de vous munir de cette lettre.

Prestement, le majordome le débarrassa de son chapeau, de sa canne et de son manteau :

— Monsieur veut-il me suivre jusqu'au bureau de Mr Cornworthy ?

Il le précéda dans le grand escalier. Poirot suivit, non sans apprécier les objets d'art au style opulent et tarabiscoté. Il avait toujours été quelque peu bourgeois dans ses goûts artistiques.

Arrivé à l'étage, le majordome frappa à une porte.

Poirot haussa quelque peu les sourcils. C'était la première fausse note. Un majordome stylé ne frappe pas aux portes – et pourtant celui-ci était indubitablement de grande classe !

Cela correspondait sans nul doute à des instructions bien précises, et c'était là, en quelque sorte, le premier signe d'une bizarrerie de milliardaire.

De l'intérieur, une voix répondit quelque chose. Le majordome ouvrit en grand. Il annonça – et Poirot vit de nouveau là une entorse délibérée à l'orthodoxie :

— La personne que vous attendez, monsieur.

Poirot entra dans une pièce de vastes dimensions au mobilier simple mais fonctionnel : armoires à dossier, étagères d'ouvrages de référence, deux bergères, ainsi qu'un imposant bureau couvert de papiers soigneusement disposés. Les coins de la pièce étaient plongés dans la pénombre car l'unique source de lumière était une lampe de lecture à abat-jour vert installée sur un guéridon à côté d'un des fauteuils. Elle était positionnée de façon à éclairer en plein quiconque venait de la porte. Il cligna un peu des yeux – l'ampoule devait bien faire 150 watts. Dans le fauteuil se tenait une maigre silhouette enveloppée dans une robe de chambre en patchwork : c'était Benedict Farley, la tête projetée en avant, attitude caractéristique, son nez crochu pointé comme le bec d'un oiseau de proie. Une touffe de cheveux blancs en huppe de cacatoès se dressait sur son front. Ses yeux luisaient derrière les verres épais de ses lunettes tandis qu'il dardait un regard soupçonneux sur son visiteur.

— Alors comme ça, fit-il d'une voix stridente et aigre, grinçante presque, vous êtes Hercule Poirot ?

— Pour vous servir, répondit courtoisement ce dernier en inclinant la tête, une main sur le dossier du fauteuil.

— Asseyez-vous, asseyez-vous, couina Farley avec humeur.

Poirot s'assit, en plein dans le faisceau de la lampe. Dans la pénombre, le vieil homme semblait l'étudier attentivement.

— Qu'est-ce qui me le prouve, que vous êtes bien Hercule Poirot, hein ? demanda-t-il sur un ton maussade. Vous pouvez me le dire, hein ?

Une fois de plus, Poirot tira la lettre de sa poche et la tendit à Farley.

— C'est bon, reconnut du bout des lèvres le milliardaire. C'est la lettre que j'avais demandé à Cornworthy d'écrire.

Il la replia et la jeta sur la table en direction de Poirot :

— Vous êtes donc bien l'individu en question ?

— Je vous assure qu'il n'y a rien là de truqué, fit Poirot avec un petit geste de la main.

Benedict Farley émit un soudain gloussement joyeux :

— C'est ce qu'affirme le prestidigitateur avant de sortir le lapin du chapeau ! Prétendre qu'il n'y a pas de truc fait justement partie du tour de passe-passe !

Poirot s'abstint de répliquer.

— Vous pensez que je suis un vieux bonhomme bien méfiant, hein ? reprit brusquement Farley. Eh oui, c'est ainsi. Je ne fais confiance à personne ! C'est ma devise. Quand on est riche, on ne peut faire confiance à personne. Oh! non, surtout pas.

— Vous vouliez me consulter? rappela doucement le détective.

Le vieil homme hocha la tête :

— Mieux vaut toujours s'adresser à l'expert et ne pas regarder à la dépense. Vous remarquerez, monsieur Poirot, que je ne vous ai pas demandé le montant de vos honoraires. Et je ne le ferai pas! Vous m'enverrez la note plus tard – et vous verrez que je ne suis pas du genre à négocier avec vous un rabais! Il va de soi que je n'aime pas me faire avoir, comme par ces fichus imbéciles de la crémerie qui voulaient me faire payer 2 shillings 9 une douzaine d'œufs qui ne vaut que 2 shillings 7 sur le marché – bande de voleurs! Mais quand on a affaire à un homme qui est en haut de l'échelle, c'est différent. Lui, il vaut son prix. Je le sais, j'y suis moi-même.

Hercule Poirot ne répondit pas. La tête légèrement penchée de côté, il était tout ouïe.

Il restait de marbre mais, sans pouvoir au juste l'expliciter, éprouvait intérieurement un sentiment de déception. Jusque-là, Benedict Farley s'était montré fidèle à son image – c'est-à-dire conforme à l'idée qu'un vain peuple s'en faisait. Et pourtant, Poirot était déçu.

« Cet homme, se disait-il avec dégoût, n'est qu'un charlatan… rien d'autre qu'un charlatan. »

Il avait connu d'autres milliardaires – des excentriques, eux aussi –, mais, dans pratiquement tous les cas, il avait senti en face de lui une certaine force, une énergie intérieure qui avaient forcé son respect. S'ils avaient porté une robe de chambre en patchwork, c'est parce qu'ils en auraient eu envie. Celle de Benedict Farley, du moins Poirot le pensait-il, n'était qu'un costume de théâtre. L'homme lui-même était un histrion. Chaque parole qu'il prononçait, Poirot en était sûr, n'était destinée qu'à faire de l'effet.

Toujours impassible, il répéta :

— Vous vouliez me consulter, Mr Farley ?

L'attitude du milliardaire changea d'un coup.

Il se pencha en avant. Sa voix s'abaissa en un murmure rauque :

— Oui. Oui… Je veux savoir ce que vous pouvez dire… ce que vous pensez… Soyez à votre maximum ! C'est ce que je fais toujours ! Le meilleur médecin… le meilleur détective… à eux de jouer.

— Pour l'instant, monsieur, je ne comprends pas.

— Naturellement, jeta Farley. Je n'ai encore rien dit.

Il se pencha en avant une fois de plus et posa brutalement la question :

— Que savez-vous des rêves, monsieur Poirot ?

Les sourcils du petit détective se haussèrent. Il s'attendait à tout sauf à ça :

— Sur ce sujet, Mr Farley, je vous recommanderais l'ouvrage de Napoléon, *Le Livre des rêves*… ou le dernier en date des psychanalystes de Harley Street.

— J'ai essayé les deux, rétorqua sobrement Farley.

Il y eut un silence jusqu'à ce que le milliardaire reprenne la parole. Presque un chuchotement au départ, puis de plus en plus haut :

— C'est le même rêve… toutes les nuits. Et j'ai peur, je peux bien vous l'avouer, très peur… Je vois toujours la même chose. Moi, assis à mon bureau, dans la pièce à côté de celle-ci, en train d'écrire. Il y a une pendule, j'y jette un coup d'œil et je vois l'heure : 3 h 28 très exactement. Toujours 3 h 28, comprenez-vous ?

» *Et quand je vois l'heure, monsieur Poirot, je sais qu'il faut que je le fasse.* Je ne veux pas le faire, c'est horrible, mais il le faut…

Sa voix s'était muée en cri strident.

— Et qu'est-ce donc que vous devez faire ? s'enquit Poirot, imperturbable.

— À 3 h 28 du matin, répondit Benedict Farley d'une voix rauque, j'ouvre le deuxième tiroir à droite de mon bureau, je sors le revolver que je garde ici, je le charge, je vais vers la fenêtre, et là… et là…

— Oui ?

— *Je me tue…* fit le vieil homme dans un souffle.

Nouveau silence.

— C'est ça, votre rêve ? demanda Poirot.

— Oui.

— Le même chaque nuit ?

— Oui.

— Que se passe-t-il après que vous vous êtes tué ?

— Je me réveille.

Poirot hocha lentement la tête, songeur :

— Juste pour savoir, vous avez vraiment un revolver dans ce tiroir du bureau ?

— Oui.

— Pourquoi ?

— J'ai toujours fait ainsi. Autant être prêt.

— Prêt à quoi ?

— Un homme dans ma position, dit Farley avec agacement, doit rester sur ses gardes. Tous les hommes riches ont des ennemis.

Poirot n'insista pas. Il resta silencieux un instant puis demanda :

— Pourquoi au juste m'avez-vous fait venir ?

— Je vais vous expliquer. J'ai commencé par consulter un médecin… trois médecins, pour être exact.

— Oui ?

— Le premier y a vu une question de régime alimentaire. C'était un homme d'un certain âge. Le deuxième était un garçon de la nouvelle école. Il m'a assuré que tout cela était en relation avec un événement bien précis de mon enfance qui se serait déroulé à cette heure bien précise elle aussi : 3 h 28 du matin. Un événement que je suis, d'après lui, tellement déterminé à occulter que je le symbolise par ma destruction. C'est son explication.

— Et le troisième ? voulut savoir Poirot.

De colère, Benedict Farley s'étrangla presque :

— C'est un jeune, lui aussi ! Sa théorie est le comble du grotesque ! Il prétend que je suis, moi, fatigué de vivre, que la vie m'est devenue insupportable à un degré tel que je veux délibérément y mettre un terme ! Mais l'admettre revenant à reconnaître du même coup que mon existence est un échec, je refuse, pendant mon temps de veille, de regarder la réalité en face. Alors que quand je dors, toutes inhibitions dissipées, je fais *ce que je désire réellement faire* : je mets fin à mes jours.

— Son diagnostic serait donc que, sans que vous le sachiez, votre plus profond désir est de vous suicider ?

— Oui, et ça ne tient pas debout ! s'égosilla Farley. Ça ne tient pas debout ! Je suis aussi heureux qu'on peut l'être ! Je possède tout ce que je veux, tout ce que l'argent peut procurer ! C'est ahurissant, c'est dément, d'avancer des théories pareilles !

Poirot le dévisagea avec intérêt. Peut-être quelque chose dans le tremblement de ses mains, dans le chevrotement suraigu de sa voix, l'avertit que ses dénégations étaient trop insistantes, trop véhémentes pour n'être pas suspectes.

— Et où puis-je intervenir là-dedans, cher monsieur ? se contenta-t-il de questionner.

Benedict Farley se calma soudain.

— Il existe une autre possibilité, fit-il en tapotant la table d'un doigt emphatique. Et si elle s'avère exacte, vous êtes l'homme qu'il me faut ! Vous êtes célèbre, vous avez traité des centaines d'affaires – les plus extraordinaires, les plus incroyables qui soient ! Alors si quelqu'un doit savoir, ce ne peut être que vous.

— Savoir quoi ?

— Imaginez qu'on veuille me tuer… Pourrait-on le faire de cette manière ? Peut-on m'envoyer ce rêve nuit après nuit ?

— Par hypnotisme, voulez-vous dire ?

— Oui.

Hercule Poirot réfléchit. Puis :

— C'est possible, je suppose. Mais cette question relève plutôt d'un médecin.

— Vous ne vous souvenez pas d'un cas pareil dans votre carrière ?

— Pas précisément de cet ordre, non.

— Vous voyez où je veux en venir ? On me fait rêver la même chose nuit après nuit, nuit après nuit, et puis un jour… je n'arrive plus à résister à l'effet de suggestion

et je passe à l'acte. Je fais ce que j'ai si souvent rêvé :
je me tue !

Lentement, Hercule Poirot secoua la tête.

— Vous ne croyez pas ça possible ? demanda
Farley.

— *Possible* et *impossible* sont des termes que je
n'aime pas trop manier.

— Mais vous estimez que c'est improbable ?

— Tout à fait improbable.

— C'est ce que le médecin a dit aussi… murmura
Farley.

Sa voix redevint stridente :

— Mais alors, pourquoi est-ce que je fais ce rêve ?
Pourquoi ? Pourquoi ?

Hercule Poirot ne répondit pas. Benedict Farley
demanda alors brusquement :

— Vous êtes sûr de n'avoir jamais connu de cas
semblable ?

— Jamais.

— C'est ce que je voulais savoir.

Hercule Poirot se racla délicatement la gorge :

— Puis-je vous poser une question ?

— Laquelle ? Laquelle ? Demandez-moi n'importe
quoi.

— Qui soupçonnez-vous de vouloir vous tuer ?

— Personne, jeta tout de suite Farley. Rigoureusement personne.

— Pourtant l'idée vous en est venue à l'esprit ?
insista Poirot.

— Je voulais savoir… si c'était une hypothèse plausible.

— Si j'en crois ma propre expérience, ma réponse est non. Au fait, avez-vous jamais été hypnotisé ?

— Bien sûr que non. Vous croyez que je me prêterais à des âneries de ce genre ?

— Alors je crois pouvoir définitivement ranger votre théorie au rang des improbabilités.

— Mais le rêve, gros malin, vous l'oubliez, le rêve ?

— C'est vrai qu'il présente des aspects remarquables, fit Poirot, pensif.

Il s'interrompit un moment, puis :

— J'aimerais voir le décor du drame : la table, la pendule, le revolver.

— Bien sûr, je vais vous conduire à côté.

Resserrant les pans de robe de chambre, le vieil homme s'extirpa à demi de son fauteuil. Et puis tout à coup, comme si une idée subite lui était venue, il se rassit :

— Après tout, non. Il n'y a rien à voir là-bas. Je vous ai dit tout ce qu'il y avait à dire.

— J'aimerais pourtant me rendre compte par moi-même…

— Pas la peine, coupa sèchement Farley. Vous m'avez donné votre avis. C'est tout ce que je voulais.

— À votre aise, fit Poirot avec un haussement d'épaules.

Il se leva :

— Je suis au regret, Mr Farley, de ne pouvoir vous aider davantage.

Benedict Farley regardait droit devant lui.

— Je n'aime pas trop qu'on fouine chez moi, grogna-t-il. Je vous ai exposé les faits, vous ne pouvez rien en tirer. Bon, cela clôt l'affaire. Envoyez-moi la note de vos honoraires pour la consultation.

— Je n'y manquerai pas, répondit sèchement le détective qui se dirigea vers la porte.

— Un instant, l'arrêta le milliardaire. La lettre… rendez-la-moi.

— La lettre de votre secrétaire ?

— Oui.

Les sourcils de Poirot s'arrondirent de surprise. Il plongea la main dans sa poche et en ressortit une feuille pliée qu'il tendit au vieil homme. Ce dernier la regarda attentivement et la posa sur la table à côté de lui avec un signe de tête.

Une fois de plus, Poirot prit la direction de la porte. Il était perplexe. Il ne cessait de repasser dans son esprit l'histoire qu'on venait de lui raconter, mais en même temps quelque chose le turlupinait. Quelque chose qui le concernait, lui, et non pas Benedict Farley.

Au moment où il posait la main sur le bouton de la porte, la lumière se fit. Lui, Hercule Poirot, s'était rendu coupable d'une erreur ! Il revint une fois de plus dans la pièce :

— Mille excuses ! Absorbé par votre problème, j'ai fait une bêtise ! La lettre que je vous ai donnée… je me suis trompé, je l'ai sortie de ma poche droite au lieu de ma poche gauche !

— Allons bon, qu'est-ce qu'il y a, encore ?

— La lettre que je viens de vous remettre, c'est celle de ma blanchisseuse qui s'excusait pour un mauvais nettoyage de mes cols de chemise, expliqua Poirot avec un sourire penaud.

Il fouilla dans sa poche gauche :

— La vôtre, la voilà !

Benedict Farley la lui arracha presque des mains.

— Sacré bon sang, grommela-t-il, vous ne pouvez pas faire attention à ce que vous faites ?

Poirot reprit le mot de sa blanchisseuse, se répandit une fois encore en excuses et quitta la pièce.

Il fit un instant halte sur le vaste palier. Devant lui se trouvait un grand et vénérable banc à dossier de chêne, face à une table de monastère sur laquelle étaient disposés des magazines. Il y avait aussi deux fauteuils et un guéridon avec des fleurs. On eût dit une salle d'attente de dentiste.

Le majordome patientait dans le hall, en bas, pour le raccompagner à la porte :

— Puis-je vous appeler un taxi, monsieur ?

— Non, merci. La nuit est belle. Je vais marcher.

Il s'arrêta un moment sur le trottoir pour attendre une accalmie dans l'intense circulation.

Un pli profond lui barrait le front.

« Non, se dit-il. Je ne comprends pas. Rien de tout cela n'a de sens. Je regrette de devoir le reconnaître, mais moi, Hercule Poirot, je suis complètement égaré. »

Ç'avait été là ce qu'on pourrait appeler le premier acte du drame. Le second devait commencer une semaine plus tard. Il débuta par un coup de téléphone d'un certain John Stillingfleet, docteur en médecine.

— C'est vous, Poirot, vieille branche ? demanda-t-il avec une remarquable décontraction pour un médecin. Stillingfleet à l'appareil.

— Oui, mon bon ami. Qu'y a-t-il ?

— Je vous appelle de Northway House. De chez Benedict Farley.

— Ah? fit Poirot d'une voix soudain intéressée. Qu'est-ce qui lui arrive, à cet excellent Mr Farley?

— Il est mort. Il s'est tiré une balle dans la tête cet après-midi.

— Tiens donc... fit Poirot après un silence.

— Ça n'a pas l'air de vous surprendre outre mesure. Vous seriez au courant de quelque chose que ça ne m'étonnerait pas.

— Qu'est-ce qui vous fait croire ça?

— Oh! ne voyez pas là le résultat d'une brillante déduction, d'un exercice de télépathie ou de je ne sais quelle faribole de ce genre. Nous avons trouvé un mot de la main de Farley vous fixant rendez-vous il y a environ une semaine.

— Je vois.

— On a mis sur place un inspecteur pas trop regardant... mieux vaut y aller sur des œufs, vous savez, quand un de ces richards se fait sauter le caisson. Je me disais que vous pourriez peut-être jeter un peu de lumière sur l'affaire. Auquel cas, si vous veniez faire un tour par ici...

— J'arrive tout de suite.

— C'est chic de votre part, mon vieux. Il y a vraiment quelque chose de pas catholique là-dedans, hein?

Poirot se contenta de répéter qu'il se mettait en route sans plus tarder.

— Vous ne voulez pas vous étendre au téléphone? Vous avez raison. À tout de suite.

Un quart d'heure plus tard, Poirot était introduit dans la bibliothèque, petite pièce toute en longueur à l'arrière de Northway House, au rez-de-chaussée. Cinq autres personnes étaient présentes : l'inspecteur Barnett, le Dr Stillingfleet, Mrs Farley, la veuve du milliardaire, Joanna Farley, sa fille unique, et Hugo Cornworthy, le secrétaire particulier.

L'inspecteur était un homme discret à l'allure compassée. Le médecin, dont l'attitude en service différait totalement du style au téléphone, un homme d'une trentaine d'années, grand, au visage allongé. Mrs Farley, une jolie femme brune manifestement beaucoup plus jeune que son mari et qui paraissait très sûre d'elle. Le dessin dur de sa bouche et ses yeux noirs ne laissaient absolument rien deviner de ses émotions. Joanna avait, elle, les cheveux blonds et le visage constellé de taches de rousseur. Son nez et son menton étaient de toute évidence hérités de son père. Elle avait l'œil intelligent et malin. Hugo Cornworthy, jeune homme correctement vêtu, semblait vif et efficace.

Les salutations et présentations effectuées, Poirot fit un compte rendu clair et net des circonstances de sa précédente visite et de l'histoire que lui avait racontée Benedict Farley. Il n'aurait pu rêver être écouté avec plus grande attention.

— Je n'ai jamais rien entendu d'aussi extraordinaire ! s'écria l'inspecteur. Un rêve ! Étiez-vous au courant, Mrs Farley ?

Elle inclina affirmativement la tête :

— Mon mari m'en avait parlé. Ça le perturbait beaucoup. Je… j'avais mis ça sur le compte d'une mauvaise digestion – il s'alimentait de façon très particulière – et lui avais conseillé d'appeler le Dr Stillingfleet.

— Il ne l'a pas fait, précisa ce dernier. D'après le récit de M. Poirot, il aurait plutôt opté pour Harley Street.

— J'aimerais votre avis sur ce point, docteur, fit Poirot. Mr Farley m'a dit qu'il avait consulté trois spécialistes. Que pensez-vous des théories qu'ils ont avancées ?

Stillingfleet fronça le sourcil :

— C'est là une question difficile. Il faut tenir compte du fait qu'il ne vous a pas répété les termes exacts de ce qui lui a été dit. Vous avez eu droit à l'interprétation d'un profane.

— Donc, d'après vous, il aura fait erreur sur la terminologie ?

— Pas exactement. Ce que je veux dire, c'est qu'ils lui ont présenté les choses en jargon professionnel, qu'il en aura un peu déformé le sens et qu'il vous l'aura resservi dans son vocabulaire à lui.

— Entre ce qu'il m'a dit et ce que les médecins lui ont dit, il y avait donc une différence ?

— Ça revient à ça. Il a juste compris un peu de travers, si vous voulez.

Poirot hocha pensivement la tête.

— Sait-on chez qui il est allé ? demanda-t-il.

Mrs Farley fit signe que non. Joanna confirma :

— Tout le monde chez nous ignorait qu'il avait consulté.

— Vous a-t-il parlé à *vous* de ce rêve ?

— Non, répondit la fille.

— Et à vous, Mr Cornworthy ?

— Non, il ne m'a rien dit. J'ai pris une lettre pour vous sous sa dictée, mais j'ignorais tout de la raison pour laquelle il désirait vous voir. Je pensais plutôt à un problème dans ses affaires.

— Venons-en maintenant aux circonstances mêmes de sa mort, proposa Poirot.

Après avoir consulté du regard Mrs Farley et le Dr Stillingfleet, l'inspecteur Barnett prit le rôle du porte-parole :

— Mr Farley avait coutume de travailler dans son cabinet particulier, au premier étage, tous les après-midi. Il avait, je crois, une grosse affaire de fusion de sociétés en perspective…

Il interrogea Hugo Cornworthy du regard.

— Les Transports réunis, précisa ce dernier.

— À ce sujet, poursuivit l'inspecteur Barnett, Mr Farley avait accepté d'accorder une entrevue à deux représentants de la presse. Il ne le faisait que rarement. Ça ne s'était produit qu'une fois en cinq ans, semble-t-il. Aussi, deux journalistes, un du Groupement associé de l'information et un des Organes de presse unifiés, sont-ils arrivés à 3 heures et quart sur rendez-vous. Ils ont patienté devant la porte de Mr Farley, sur le palier du premier – l'endroit qui tient normalement lieu de salon d'attente. À 3 h 20, un coursier est arrivé du siège des Transports réunis avec des papiers urgents. On l'a fait entrer dans le bureau de Mr Farley à qui il a remis les documents en main propre. Celui-ci l'a raccompagné à la porte, et s'est brièvement adressé de là aux journalistes : « Désolé de vous faire attendre, messieurs, mais j'ai une affaire importante à régler. Je suis à vous dès que possible. »

» Les deux hommes, Mr Adams et Mr Stoddart, ont assuré Mr Farley qu'ils attendraient son bon vouloir. Il est donc rentré dans son cabinet, a refermé la porte… Et personne ne l'a revu vivant !

— Continuez, fit Poirot.

— Un peu après 4 heures, poursuivit Barnett, Mr Cornworthy, ici présent, est sorti de son bureau qui jouxte celui de Mr Farley et a été tout surpris de trouver les journalistes encore là. Il avait du courrier à faire signer à son patron et voulut en profiter pour lui rappeler que ces deux messieurs attendaient toujours. Il est donc entré. À sa grande surprise, il ne l'a tout d'abord pas vu, et a cru que la pièce était vide. Puis il a aperçu une chaussure qui dépassait de derrière le bureau – positionné devant la fenêtre. Il s'est précipité et a découvert Mr Farley étendu, mort, un revolver à côté de lui.

» Mr Cornworthy s'est ensuite rué hors de la pièce et a demandé au majordome d'appeler le Dr Stillingfleet. Sur les conseils de ce dernier, Mr Cornworthy a aussi prévenu la police.

— A-t-on entendu la détonation ? s'enquit Poirot.

— Non. La circulation est très bruyante, par ici, et la fenêtre du palier était ouverte. Avec les camions et les Klaxons, il était pratiquement impossible de l'entendre.

Poirot resta un moment songeur.

— À quelle heure la mort a-t-elle été estimée ? demanda-t-il enfin.

— J'ai examiné le cadavre dès que je suis arrivé, dit Stillingfleet, c'est-à-dire à 4 h 32. Mr Farley était mort depuis au moins une heure.

Le visage de Poirot se fit très grave :

— Ainsi il pourrait bien être mort à l'heure qu'il m'avait dite : 3 h 28.

— Absolument, acquiesça Stillingfleet.

— Des empreintes, sur le revolver?

— Oui, les siennes.

— Et le revolver lui-même?

L'inspecteur reprit la main :

— Une arme qu'il gardait dans le deuxième tiroir de droite de son bureau, comme il vous l'a dit. Mrs Farley l'a formellement reconnue. De plus, voyez-vous, il y a une seule entrée à cette pièce, la porte qui donne sur le palier. Les deux journalistes étaient assis juste en face, et ils sont formels : entre le moment où Mr Farley leur a parlé et celui où Mr Cornworthy y est entré, un peu après 4 heures, ils n'ont vu personne.

— Il y a donc toutes les raisons de croire que Mr Farley s'est suicidé?

L'inspecteur Barnett esquissa un sourire :

— Toutes, sauf une.

— Laquelle?

— La lettre qu'il vous a écrite.

Poirot sourit à son tour :

— Je vois! Quand Hercule Poirot intervient, immédiatement on pense meurtre!

— Je ne vous le fais pas dire, rétorqua l'inspecteur. Mais maintenant que vous avez éclairci la situation…

Poirot l'interrompit :

— Une petite minute.

Il se tourna vers Mrs Farley :

— Votre mari avait-il jamais été hypnotisé?

— Jamais.

— Avait-il étudié l'hypnotisme? S'intéressait-il à la question?

Elle secoua la tête :

— Je ne crois pas.

Elle sembla soudain perdre sa maîtrise d'elle-même :

— Cet horrible rêve ! C'est à vous donner la chair de poule ! Dire qu'il a rêvé ça… nuit après nuit… et puis… c'est comme si on l'avait… *poussé* à la mort !

Poirot se souvint des paroles de Farley : « *… je fais ce que je désire réellement faire : je mets fin à mes jours.* »

— Avez-vous jamais eu le sentiment que votre mari pourrait être tenté de se suicider ? demanda-t-il.

— Non… mais je reconnais que, parfois, il paraissait très mal à l'aise.

La voix de Joanna s'éleva, claire, pleine de mépris :

— Papa n'aurait jamais osé. Il prenait beaucoup trop soin de sa petite personne.

— Ce ne sont en général pas les gens qui menacent de se suicider qui passent à l'acte, mademoiselle, intervint le Dr Stillingfleet. C'est pourquoi les suicides apparaissent parfois incompréhensibles.

Poirot se leva :

— Me permet-on de voir la pièce où s'est déroulée la tragédie ?

— Certainement. Dr Stillingfleet…

Le médecin accompagna Poirot à l'étage.

Le cabinet particulier de Benedict Farley était beaucoup plus grand que celui du secrétaire, à côté. Il était luxueusement meublé avec de profonds fauteuils de cuir, un épais tapis de laine, un immense et splendide bureau.

Poirot passa derrière pour examiner l'endroit où une tache sombre maculait le tapis, juste devant la fenêtre. Il voyait encore le milliardaire lui dire : « *À 3 h 28,*

*j'ouvre le deuxième tiroir à droite de mon bureau, je
sors le revolver que je garde là, je le charge, je vais
vers la fenêtre, et là... et là... je me tue. »*

Il dodelina de la tête :

— La fenêtre était ouverte comme ça ?

— Oui. Mais personne n'aurait pu entrer par cette
voie.

Poirot se pencha à l'extérieur. Pas de rebord, aucune
corniche, aucun tuyau. Il n'y avait même pas accès
pour un chat. En face, se dressait le mur nu de l'usine,
un mur aveugle, sans la moindre ouverture.

— Drôle d'idée, quand on est plein aux as, de se
choisir comme cabinet particulier une pièce avec
une vue pareille, observa Stillingfleet. On dirait une
enceinte de prison.

— Oui, dit Poirot en rentrant la tête et en regardant
le pan de briques. Je crois que ce mur a son importance.

Le Dr Stillingfleet le considéra avec curiosité :

— Vous voulez dire... psychologiquement ?

Poirot était revenu vers le bureau. Négligemment,
en apparence du moins, il s'était emparé d'une de ces
pinces extensibles à zigzag qui permettent de saisir
à distance. Il appuya sur les poignées : les pinces se
déplièrent de toute leur longueur. Délicatement, Poirot
leur fit ramasser un morceau d'allumette brûlée qui se
trouvait à côté d'une chaise, à moins d'un mètre, et le
convoya précautionneusement jusqu'à la corbeille à
papier.

— Quand vous aurez fini de faire joujou avec ces
machins... s'énerva le Dr Stillingfleet.

— Ingénieux comme tout, cette invention, commenta Hercule Poirot en remettant les longues pinces bien à leur place sur le bureau. Où étaient Mrs Farley et Joanna au moment du… de la mort ?

— Mrs Farley se reposait dans ses appartements, à l'étage du dessus. Quant à miss Farley, elle peignait dans son atelier, tout en haut de la maison.

Hercule Poirot laissa ses doigts pianoter quelques instants sur le bureau :

— J'aimerais voir miss Farley. Pouvez-vous lui demander de me rejoindre ici un moment ?

— Si vous voulez.

Stillingfleet lui jeta un regard intrigué et sortit. Quelques secondes plus tard, Joanna Farley entra.

— Vous ne voyez pas d'inconvénient, mademoiselle, à ce que je vous pose certaines questions ?

— Tout ce que vous voudrez, répondit-elle en soutenant son regard.

— Saviez-vous que votre père avait un revolver dans son bureau ?

— Non.

— Où étiez-vous, votre mère et vous – au fait, c'est votre belle-mère, non ?

— Oui, Louise est la seconde femme de papa. Elle n'a que huit ans de plus que moi. Mais vous étiez en train de me demander…

— Où étiez-vous, donc, jeudi de la semaine dernière ? Jeudi soir, veux-je dire.

Elle réfléchit un moment :

— Jeudi ? Voyons… Ah ! oui, au théâtre. Nous sommes allées voir *Le petit chien qui riait*.

— Votre père n'avait pas manifesté l'envie de vous accompagner ?

— Il n'allait jamais au théâtre.

— À quoi consacrait-il ses soirées ?

— Il restait ici à lire.

— Ce n'était pas un homme très sociable ?

La fille le regarda droit dans les yeux :

— Mon père avait un caractère éminemment déplaisant. Personne, parmi ceux qui le côtoyaient, ne pouvait le souffrir.

— Vous ne mâchez pas vos mots, mademoiselle.

— C'est pour vous faire gagner du temps, monsieur Poirot, car je vois très bien à quoi vous en venez. Ma belle-mère a épousé mon père pour son argent. Moi, j'habite ici parce que je n'ai pas les moyens de vivre ailleurs. Il y a un homme dans ma vie, mais il est pauvre et mon père s'est débrouillé pour lui faire perdre son emploi. Il voulait me trouver un beau parti – tâche facile, puisque je devais être son héritière !

— C'est à vous que revient sa fortune ?

— Oui. Enfin… il laissait à Louise, ma belle-mère, 250 000 livres net d'impôt et il y a quelques autres petits legs, mais tout le reste me revient.

Un brusque sourire lui vint aux lèvres :

— Ainsi donc, comme vous le voyez, monsieur Poirot, j'avais toutes les raisons de désirer la mort de mon père !

— Ce que je vois aussi, c'est que vous avez hérité de son intelligence.

— C'est vrai que papa n'en manquait pas, fit-elle après un moment de réflexion. On le sentait à son contact – on sentait sa force, sa puissance compulsive. Mais il s'était aigri… il avait perdu tout sens de l'humain.

— Grands dieux, marmotta doucement Hercule Poirot, mais quel imbécile je suis…

Joanna Farley se tourna vers la porte :

— Y a-t-il autre chose ?

— Deux petites questions. Ces pinces, là, fit-il en les prenant, elles étaient toujours ici, sur le bureau ?

— Oui. Il les utilisait pour ramasser des objets. Il avait horreur de se baisser.

— Autre détail encore. Votre père avait-il une bonne vue ?

Elle écarquilla les yeux :

— Oh ! non, il était myope comme une taupe – sans ses lunettes, veux-je dire. Depuis tout petit.

— Et avec ses lunettes ?

— Là, il y voyait parfaitement, bien sûr.

— Il pouvait lire les journaux et les petits caractères ?

— Tout à fait.

— Ce sera tout, mademoiselle.

Elle quitta la pièce.

— Je suis un âne, murmura-t-il. C'était là tout le temps, sous mon nez. Tellement près que je ne l'ai pas vu.

Il se pencha une fois de plus à la fenêtre. Juste en dessous, dans l'étroit passage qui séparait la maison de l'usine, il vit un petit objet sombre.

Hercule Poirot hocha la tête d'un air satisfait et redescendit.

Les autres étaient toujours dans la bibliothèque. Il s'adressa au secrétaire :

— Mr Cornworthy, je voudrais que vous me disiez dans quelles circonstances exactes Mr Farley a fait appel à moi. Par exemple, quand vous a-t-il dicté cette lettre ?

— Le mercredi après-midi. À 5 heures et demie, si je me souviens bien.

— Aviez-vous des instructions spéciales pour la poster ?

— Il m'a demandé de m'en charger personnelle-ment.

— Vous l'avez fait ?

— Oui.

— A-t-il fait prendre au majordome des dispositions spéciales pour me recevoir ?

— Oui. Il a prévenu Holmes – c'est son nom – qu'un monsieur allait venir à 9 heures et demie. Il faudrait lui demander son nom et demander à voir la lettre.

— Singulières précautions, ne trouvez-vous pas ?

Cornworthy eut un haussement d'épaules :

— Mr Farley était un homme un peu spécial.

— D'autres instructions ?

— Oui. Il m'a dit de prendre ma soirée.

— L'avez-vous fait ?

— Oui. Tout de suite après le dîner, je suis allé au cinéma.

— Quand êtes-vous rentré ?

— Vers 11 heures et quart.

— Avez-vous revu Mr Farley, ce soir-là ?

— Non.

— Et il n'a reparlé de rien le lendemain matin ?

— Non.

Poirot s'interrompit un moment, puis reprit :

— Quand je suis arrivé, on ne m'a pas conduit dans le cabinet particulier de Mr Farley.

— Non. Il m'avait demandé de dire à Holmes de vous introduire dans mon bureau.

— Pourquoi ? Le savez-vous ?

Cornworthy secoua la tête.

— Je ne discutais jamais les ordres de Mr Farley, répondit-il sèchement. Il n'aurait pas du tout apprécié que je le fasse.

— Recevait-il ses visiteurs dans son cabinet particulier, en général ?

— En général, mais pas toujours. Il lui arrivait de le faire dans mon bureau.

— Une raison particulière à cela ?

— Non… je ne vois pas… je ne me suis pas vraiment posé la question.

Poirot se tourna alors vers Mrs Farley :

— Vous permettez que je fasse venir votre majordome ?

— Certainement, monsieur Poirot.

Holmes répondit au coup de sonnette, toujours aussi correct et policé :

— Madame m'a appelé ?

Mrs Farley lui désigna Poirot d'un geste de la main.

— Oui, monsieur ? s'enquit-il aussitôt.

— Quelles instructions aviez-vous, Holmes, le jeudi soir où je suis venu ?

Le majordome s'éclaircit la gorge :

— Après le dîner, Mr Cornworthy m'a informé que Monsieur attendait un certain M. Hercule Poirot à 9 heures et demie. Je devais m'assurer que tel était bien le nom du visiteur et vérifier en jetant un coup d'œil sur la lettre. Puis l'accompagner au bureau de Mr Cornworthy.

— Vous avait-on également demandé de frapper à la porte ?

Une expression désapprobatrice passa sur le visage du majordome :

— Cela faisait partie des ordres de Mr Farley. Je devais toujours frapper quand j'introduisais des visiteurs – les visiteurs pour affaire, faut-il le préciser.

— Ah, cela m'intriguait ! Aviez-vous reçu d'autres instructions me concernant ?

— Non, monsieur. Après m'avoir transmis les ordres, Mr Cornworthy est sorti.

— Quelle heure était-il ?

— 9 heures moins 10, monsieur.

— Avez-vous vu Mr Farley après cela ?

— Oui. Je lui ai monté son verre d'eau chaude habituel à 9 heures.

— Était-il alors dans sa pièce à lui ou dans celle de Mr Cornworthy ?

— Dans sa pièce à lui.

— Et vous n'y avez rien remarqué d'anormal ?

— D'anormal ? Non, monsieur.

— Où étaient Mrs Farley et miss Farley ?

— Au théâtre, monsieur.

— Merci, Holmes, ce sera tout.

Le majordome s'inclina et quitta la pièce. Poirot se tourna vers la veuve du milliardaire :

— Encore une question, Mrs Farley. Votre mari avait-il une bonne vue ?

— Non. Pas sans verres correcteurs.

— Il était très myope ?

— Je pense bien. Il ne pouvait pas faire grand-chose sans ses lunettes.

— Il en avait plusieurs paires ?

— Oui.

— Ah ! fit Poirot en se carriant dans son fauteuil. Eh bien voilà qui clôt l'affaire, il me semble.

Il y eut un silence dans la pièce. Tous les regards convergeaient vers le petit homme qui se caressait la moustache d'un air satisfait. La perplexité se lisait sur le visage de l'inspecteur, le Dr Stillingfleet fronçait les sourcils, Cornworthy ne pouvait que le fixer d'un air ahuri. Mrs Farley restait bouche bée tandis que Joanna paraissait impatiente d'entendre la suite.

Ce fut Mrs Farley qui rompit le silence :

— Je ne comprends pas, monsieur Poirot, fit-elle d'une voix nerveuse. Le rêve…

— Oui, dit Poirot, ce rêve était très important.

Mrs Farley frissonna :

— Jusque-là, je n'avais jamais cru au surnaturel… mais maintenant… ce rêve qui revient chaque nuit et qui au bout du compte se réalise…

— C'est vrai que c'est extraordinaire, renchérit Stillingfleet. Extraordinaire ! Si nous ne l'avions entendu de vous, Poirot, qui le tenez de la bouche du vieux cheval lui-même…

Il toussota, embarrassé, puis reprit un ton plus professionnel :

— Hem… pardonnez-moi, Mrs Farley. Si Mr Farley lui-même ne vous avait pas raconté cette histoire…

— Précisément, dit Poirot.

Il rouvrit brusquement ses yeux qu'il avait gardés depuis un moment mi-clos. Ils luisaient de tout leur éclat vert :

— *Si Benedict Farley lui-même ne me l'avait pas racontée.*

Il s'interrompit un instant pour contempler les visages interdits autour de lui :

— Certaines choses se sont passées ce soir-là, voyez-vous, que j'étais bien en peine d'expliquer. D'abord, pourquoi tenir à ce point à ce que j'apporte cette lettre ?

— Pour vous identifier, suggéra Cornworthy.

— Sûrement pas, mon jeune ami. Cette idée est trop simpliste. Il doit y avoir une bien meilleure raison. Car Mr Farley a non seulement voulu la voir, mais il a insisté pour que je la laisse. Et le comble, c'est qu'il ne l'a même pas détruite ! On l'a retrouvée cet après-midi dans ses papiers. *Pourquoi l'avait-il conservée ?*

La voix de Joanna s'éleva :

— Peut-être désirait-il, au cas où il lui arriverait quelque chose, que toutes les circonstances de cette étrange histoire de rêve soient connues ?

Poirot hocha la tête d'un air approbateur :

— Vous êtes ingénieuse, mademoiselle. Ce doit être pour cela – ce ne peut être que pour cela – qu'il a gardé la lettre. Quand Mr Farley mourrait, il faudrait que cette étrange histoire de rêve soit révélée ! Il était très important, ce rêve ! Il était *vital !*

» J'en viens maintenant au second point. Après avoir entendu son histoire, je demande à Mr Farley de me montrer le bureau et le revolver. Il fait mine de se lever pour m'y accompagner, puis se ravise soudain. Pourquoi ?

Personne, cette fois, n'avança de réponse.

— Je vais poser la question différemment. *Qu'y avait-il dans cette pièce voisine que Mr Farley ne voulait pas que je voie ?*

Toujours le silence.

— Effectivement, c'est assez difficile à trouver. Et pourtant, il y avait une raison, une raison *impérative* qui faisait que Mr Farley me recevait dans le bureau de son secrétaire et refusait tout net de me faire pénétrer dans le sien. *Il y avait quelque chose dans cette pièce qu'il ne fallait surtout pas que je voie.*

» Et j'en arrive au troisième fait inexplicable de cette soirée. Mr Farley, juste au moment où je partais, m'a demandé de lui rendre la lettre que j'avais reçue. Par inadvertance, je lui ai remis une correspondance de ma blanchisseuse. Il a jeté un coup d'œil dessus et l'a posée à côté de lui sur le bureau. Juste au moment de quitter la pièce, je me suis aperçu de mon erreur et je l'ai réparée, après quoi j'ai quitté la maison. Je dois le reconnaître : j'étais dans le brouillard complet ! L'affaire tout entière – et particulièrement ce dernier incident – me semblait totalement inexplicable.

Il les regarda tous, les uns après les autres :

— Vous ne comprenez pas ?

— Ce que je ne comprends pas, Poirot, protesta Stillingfleet, c'est ce que votre blanchisseuse vient faire là-dedans.

— Ma blanchisseuse, répondit Poirot, a été un élément déterminant. Cette déplorable personne qui esquinte mes cols de chemise s'est montrée utile pour la première fois de sa vie. Vous devez comprendre, maintenant, c'est tellement évident. Mr Farley a jeté un coup d'œil sur la lettre, et ce *seul* coup d'œil aurait dû lui dire que ce n'était pas la bonne. Pourtant, il n'a rien remarqué. Pourquoi? *Parce qu'il ne la voyait pas bien!*

— Il n'avait pas ses lunettes? demanda vivement l'inspecteur Barnett.

Hercule Poirot eut un sourire :

— Si, il les avait. C'est justement ça qui est intéressant.

Il se pencha en avant :

— Le rêve de Mr Farley est très révélateur. Il rêve qu'il se suicide. Et un peu plus tard, il se suicide effectivement. Enfin, disons qu'on le retrouve mort, un revolver à côté de lui, seul dans une pièce où personne n'est entré et dont personne n'est sorti au moment du coup de feu. Qu'est-ce que cela signifie? Qu'il s'est *forcément* suicidé, n'est-ce pas?

— Oui, acquiesça Stillingfleet.

Poirot secoua la tête :

— Eh bien non. C'était un meurtre. Mais un meurtre peu commun et ingénieux.

De nouveau, il se pencha en avant et pianota sur la table. Ses yeux reprirent leur intense reflet vert :

— Pourquoi Mr Farley ne m'a-t-il pas autorisé à pénétrer dans son bureau ce soir-là? Qu'y avait-il dans cette pièce que je ne devais pas voir? Je vais vous le dire, mes amis. C'était… Benedict Farley lui-même!

Il sourit devant l'ahurissement général :

— Non, non, je ne déraisonne pas. Pourquoi le Mr Farley auquel j'ai parlé ne s'est-il pas aperçu de la différence entre deux lettres totalement dissemblables ? Tout simplement parce que c'était un homme doté d'une *vue normale* qui portait des lunettes très fortes. Des verres pareils rendraient un non-myope pratiquement aveugle. N'est-ce pas, docteur ?

— C'est juste… bien sûr, balbutia Stillingfleet.

— Voilà pourquoi j'ai eu l'impression, en parlant à Mr Farley, de m'adresser à un *charlatan*, à un acteur tenant un rôle ! Voyez le décor. La pièce dans la pénombre, la lampe à abat-jour vert tournée pour aveugler à l'opposé de la silhouette assise. Qu'ai-je pu distinguer ? La fameuse robe de chambre en patchwork, le nez en bec d'aigle – facile à se fabriquer avec cette substance très utile qu'est le mastic de théâtre –, la huppe de cheveux blancs, les verres épais qui masquaient les yeux. Quelle preuve a-t-on que Mr Farley ait effectivement rêvé ? Aucune, sinon l'histoire qu'on m'a racontée et la confirmation de *Mrs Farley*. Quelle preuve a-t-on que Benedict Farley ait gardé un revolver dans son bureau ? Encore une fois, uniquement ce qu'on m'en a dit et la parole de Mrs Farley. Deux personnes ont monté cette supercherie : Mrs Farley et Hugo Cornworthy. Cornworthy m'a écrit la lettre, a donné ses instructions au majordome, est sorti ostensiblement au cinéma mais s'est dépêché de rentrer discrètement en ouvrant avec sa propre clé pour monter dans son bureau, se grimer et jouer le rôle de Benedict Farley.

» Nous en venons donc à cet après-midi. L'occasion qu'attendait Mr Cornworthy arrive. Il y a deux visiteurs sur le palier qui pourront jurer que personne n'est entré dans la pièce de Mr Farley ni n'en est sorti. Il attend un moment où la circulation est à son comble, se penche à sa fenêtre, et à l'aide des pinces extensibles qu'il a subtilisées dans le bureau voisin, maintient un objet contre la fenêtre de son patron. Benedict Farley s'y précipite. Cornworthy rentre d'un geste les pinces, et au moment où Farley sort la tête, il profite du bruit des camions pour lui tirer dessus avec le revolver qu'il tenait prêt. Le mur d'en face est aveugle, souvenez-vous, si bien qu'il ne peut y avoir de témoin. Cornworthy attend une bonne demi-heure, rassemble des papiers, y dissimule les pinces et le revolver, sort sur le palier, entre dans la pièce d'à côté. Il ne lui reste plus qu'à remettre les pinces à leur place sur le bureau, à disposer le revolver près du corps après avoir pressé les doigts du mort dessus, et à se ruer au-dehors en répandant la nouvelle du « suicide » de Mr Farley.

» Il fait en sorte qu'on trouve la lettre qui m'a été adressée, et que j'arrive avec mon histoire, une histoire que j'aurai entendue *de la bouche même de Mr Farley*, celle de son rêve extraordinaire, de l'étrange compulsion qu'il éprouvait de se tuer ! Quelques crédules partiront sur la théorie de l'hypnotisme, mais le résultat essentiel sera de confirmer sans l'ombre d'un doute que la main qui a tenu le revolver était celle de Benedict Farley lui-même.

Poirot tourna son regard vers le visage de la veuve. Il en remarqua avec plaisir la consternation, la pâleur livide, le masque de peur…

— Et bien sûr, à terme, acheva-t-il doucement, on en serait arrivé à l'heureuse conclusion : 250 000 livres, et deux cœurs qui battent à l'unisson…

*

Le Dr Stillingfleet et Hercule Poirot longeaient ensemble le flanc gauche de Northway House. À leur droite se dressait le mur de l'usine. À gauche, juste au-dessus d'eux, se trouvaient les fenêtres de Benedict Farley et de Hugo Cornworthy. Poirot s'arrêta et ramassa par terre un objet : un chat noir en peluche.

— Voilà, dit-il. C'est ça que Cornworthy a agité du bout de ses pinces devant la fenêtre de son patron. Quand on se rappelle la phobie de Farley pour les chats, pas étonnant qu'il se soit rué dessus.

— Mais pourquoi diable Cornworthy n'est-il pas allé le récupérer ensuite ?

— Difficile. Cela lui aurait immanquablement attiré les soupçons. Et puis si quelqu'un trouvait le chat, qu'est-ce que ça pouvait faire ? On se serait dit qu'un gamin quelconque l'avait perdu en se promenant par ici.

— Évidemment, soupira Stillingfleet, c'est sans doute ce qu'un esprit ordinaire aurait pensé. Mais pas notre brave Hercule Poirot ! Vous savez, vieille branche, jusqu'à la dernière minute, j'ai cru que vous alliez nous embarquer dans une grande théorie fumeuse de crime psychologiquement « suggéré ». Je suis sûr que les deux autres aussi, d'ailleurs ! Sale bonne femme, la Farley ! Bon Dieu, comme elle a craqué ! Cornworthy aurait peut-être pu s'en tirer si elle n'avait pas piqué sa crise et essayé d'altérer votre beauté naturelle à coups de griffes. J'ai juste eu le temps de la séparer de vous.

Il s'arrêta un instant et reprit :

— La fille, en revanche, elle me plairait plutôt. Elle a du cran, cette petite, et quelque chose dans le crâne.

Je suppose qu'on me prendrait pour un chasseur de fortune si je tentais ma chance… ?

— Trop tard, mon bon ami, il y a déjà un candidat sur les rangs. La mort de son père lui a ouvert le chemin du bonheur.

— Tout bien considéré, elle aussi avait un bon motif pour ficher en l'air l'empêcheur de tourner en rond.

— Avoir le mobile et l'occasion, ça ne suffit pas à faire un criminel, décréta Poirot. Il faut aussi avoir une mentalité d'assassin !

— Je me demande si vous ne pourriez pas un jour commettre un crime, Poirot ? lança Stillingfleet. Je parie que vous vous en tireriez sans que ça fasse un pli. Mais en fait, pour vous, ce serait *trop* facile… le résultat ne serait même pas admis par les règlements : on considérerait que ça n'est pas de jeu.

— Alors, là, conclut Poirot, voilà bien une idée d'Anglais !

Le policeman vous dit l'heure

(Greenshaw's Folly)

Les deux hommes atteignirent la corne du bosquet.

— Nous y sommes, annonça Raymond West. Voici l'objet.

Horace Bindler prit une longue inspiration admirative.

— Mon cher, s'écria-t-il, quelle merveille !

Le ravissement esthétique avait fait s'envoler sa voix jusqu'au couinement d'extase avant qu'elle ne redescende vers un grave empreint de vénération :

— C'est incroyable ! Hallucinant ! Un chef-d'œuvre absolu !

— Je me disais bien que ça vous plairait, se rengorgea Raymond West.

— Me plaire ? Mais, très cher…

Les mots manquèrent à Horace Bindler. Il déboucla la lanière de son appareil photo et s'activa.

— Ce sera un des joyaux de ma collection, fit-il, tout heureux. Je persiste à penser, voyez-vous, que rien n'est plus plaisant qu'une collection de monstruosités et autres témoignages d'excentricité. L'idée m'en est venue il y a sept ans, une nuit, dans mon bain. Ma plus belle pièce, jusqu'à présent, se trouvait au Campo Santo de Gênes, mais ça, je crois que c'est le pompon. Et ça s'appelle ?

— Pas la moindre idée, avoua Raymond.

— On lui a bien donné un nom, pourtant ?

— Sûrement. Toujours est-il que, par ici, on ne dit jamais que La Folie Greenshaw.

— Greenshaw étant l'individu qui l'a fait bâtir ?

— Oui. En 1860, ou 70, dans ces eaux-là. Le symbole local de réussite sociale de l'époque. Un va-nu-pieds qui se hisse jusqu'à la richesse absolue. Les avis sont partagés sur ce qui l'a poussé à construire ce caravansérail : folie des grandeurs ou désir d'impressionner ses créanciers. Dans ce dernier cas, c'était raté : il a fini ruiné, ou peu s'en faut. D'où ce nom de Folie Greenshaw.

L'appareil photo émit un déclic.

— Voilà, se réjouit Horace. Rappelez-moi de vous montrer le numéro 310 de ma collection : un manteau de cheminée en marbre dans le goût italien… absolument dément.

Il regarda de nouveau la construction :

— Je n'arrive pas à imaginer que ce Greenshaw ait pu concevoir tout ça.

— À bien y regarder, ça ne paraît pourtant pas sorcier. Il avait visité les châteaux de la Loire, vous ne croyez pas ? Voyez ces tourelles. Et puis il semble, hélas, avoir voyagé en Orient. L'influence du Taj Mahal est manifeste. En revanche, j'aime assez l'aile mauresque et ce clin d'œil aux palais vénitiens.

— C'est à se demander comment il a pu dégotter un architecte capable de mettre tout ça bout à bout.

Raymond haussa les épaules :

— Sans grande difficulté, à mon avis. Et l'architecte en question a dû se retirer fortune faite tandis que le pauvre vieux Greenshaw finissait sur la paille.

— On peut aller la voir par l'autre côté, demanda Horace, ou est-ce une propriété privée ?

— C'est une propriété privée, mais je ne crois pas qu'on nous en voudra.

Il obliqua vers l'angle de la bâtisse, Horace gambadant dans son sillage et s'époumonant :

— Mais qui peut bien loger ici, très cher ? Un troupeau d'orphelins ou de congés payés ? Ça ne peut être un collège : pas de terrains de jeu, nul grouillement d'activités diverses.

— Oh ! une Greenshaw vit toujours dans la place, fit Richard par-dessus son épaule. La maison n'a pas été vendue lors de la déconfiture. C'est le fils du vieux Greenshaw qui en a hérité. Il était du genre grippe-sou et n'habitait qu'un coin de la maison. Sans jamais dépenser un fifrelin. Il n'en avait d'ailleurs sans doute pas un seul à dépenser. C'est sa fille qui y vit maintenant. Une vieille demoiselle… tout ce qu'il y a d'excentrique.

Tout en parlant, Raymond se félicitait d'avoir songé à La Folie pour distraire son invité. Ces critiques littéraires n'avaient prétendument de cesse que de passer un bon week-end à la campagne mais se rasaient prodigieusement une fois sur place. Demain, il y aurait la lecture des journaux et suppléments du dimanche.

Aujourd'hui, cette visite à La Folie était la bienvenue pour enrichir la fameuse collection d'horreurs en tous genres d'Horace Bindler.

Une fois la bâtisse contournée, ils débouchèrent sur une pelouse à l'abandon. À l'angle, s'étirait une vaste rocaille artificielle au cœur de laquelle une silhouette courbée s'activait. D'extase, Horace agrippa Raymond par le bras :

— Mais regardez-moi ça, très cher ! Regardez ce qu'elle porte : une robe d'indienne à ramages ! Exactement comme les femmes de chambre — au temps béni où il y avait encore des femmes de chambre. Un de mes plus chers souvenirs est celui où, petit garçon, j'étais allé dans une maison à la campagne et où une vraie femme de chambre venait vous réveiller le matin, toute froufroutante dans sa robe d'indienne et sa coiffe. Parfaitement, mon tout bon... une coiffe. Avec des pans de mousseline. Non, c'était peut-être celle qui servait au salon qui avait droit aux pans de mousseline. Bref, c'était une vraie femme de chambre et elle portait un énorme broc à eau chaude en cuivre. Ah ! vraiment, je ne regrette pas ma journée !

La silhouette en robe d'indienne s'était redressée et tournée vers eux, déplantoir à la main. C'était une apparition plutôt saisissante. Des mèches hirsutes de cheveux poivre et sel dégringolaient en boucles désordonnées jusque sur ses épaules, un chapeau de paille, un peu semblable à ceux que portent les mules en Italie du Sud, était vissé sur sa tête. Sa robe d'indienne colorée lui descendait pratiquement jusqu'aux chevilles. Dans son visage hâlé – et assez mal débarbouillé –

ressortaient deux yeux malins qui observaient leur arrivée.

— Pardonnez-nous notre intrusion, miss Greenshaw, fit Raymond West en se dirigeant vers elle, mais mon ami Horace Bindler, qui passe quelques jours chez moi…

Horace se découvrit et s'inclina.

— … est passionné de… euh… d'histoire et de… euh… de belles constructions.

Raymond West s'exprimait avec l'assurance de l'auteur connu auquel sa célébrité permet des libertés inaccessibles au commun des mortels.

Miss Greenshaw désigna du regard l'orgie de pierre qui s'étalait derrière elle.

— C'est une belle demeure, se rengorgea-t-elle, attendrie. C'est mon grand-père qui l'a construite – avant que je sois née, bien entendu. Il paraît qu'il l'aurait faite pour épater les gens du coin.

— M'est avis qu'il a dû réussir, chère mademoiselle, roucoula Horace Bindler.

— Mr Bindler est le critique littéraire bien connu, expliqua Raymond West.

Miss Greenshaw ne vouait manifestement aucune vénération particulière aux critiques littéraires. Elle poursuivit comme si de rien n'était :

— Je la considère comme un témoin du génie de mon grand-père. Il y a des imbéciles qui me conseillent de la vendre et de m'installer en appartement. *Moi*, en appartement ? C'est ma maison et c'est ici que je veux vivre – ici que j'ai toujours vécu.

Elle s'abandonna à la nostalgie du passé :

— Nous étions trois. Laura a épousé le vicaire. Papa ne lui a pas donné un sou, il disait que les hommes de Dieu devaient être détachés des biens d'ici-bas. Elle est morte en couches. Le bébé est mort aussi. Nettie, elle, est partie avec le maître d'équitation. Évidemment, papa l'a rayée de son testament. Un beau garçon, ce Harry Fletcher, mais il ne valait pas tripette. M'étonnerait que Nettie ait été heureuse avec lui. D'ailleurs elle n'a pas vécu longtemps. Ils ont eu un fils. Qui m'écrit, parfois – seulement lui, bien sûr, ce n'est pas un Greenshaw. La dernière du nom, c'est *moi*.

Elle redressa non sans une certaine fierté ses épaules voûtées, et en fit autant du chapeau qui lui tombait sur le coin de l'œil. Puis, pivotant sur ses talons, elle demanda sèchement :

— Oui, Mrs Cresswell, qu'est-ce qu'il y a ?

Venant de la maison, une femme s'approchait d'eux. Vues côte à côte, miss Greenshaw et elle formaient un contraste frisant l'absurdité. Mrs Cresswell arborait de superbes cheveux aux reflets bleutés qui s'élevaient en un échafaudage méticuleusement élaboré de boucles et de rouleaux. On aurait dit qu'elle s'était fait la tête d'une marquise française pour un bal masqué. Pour le reste, cette personne entre deux âges, au lieu de la froufroutante robe de soie noire qui eût été de mise, portait un succédané de rayonne – noire, certes, mais déplorablement luisante. Bien que de faible corpulence, elle était dotée d'un buste somptueusement développé. Quand elle parla, ce fut d'une voix étonnamment profonde. Elle faisait preuve d'une grande afféterie d'élocution, teintée d'un soupçon d'accent cockney laissant à penser qu'elle avait usé, dans sa jeunesse, d'un style moins châtié :

— Le poisson, madame, votre tranche de cabillaud. Elle n'a pas été livrée. J'ai prié Alfred de descendre la chercher mais il s'y refuse.

De façon inattendue, miss Greenshaw émit un petit rire sec :

— Ah ! il s'y refuse, comme vous dites ?

— Il s'est même montré, madame, fort désobligeant.

Miss Greenshaw porta deux de ses doigts souillés de terre à sa bouche et émit soudain un sifflement suraigu avant de hurler :

— Alfred ! Alfred ! Veux-tu rappliquer illico !

En réponse à cet appel, un jeune homme apparut au coin de la maison, une bêche à la main. Il avait un beau visage décidé, et le regard qu'il décocha au passage à Mrs Cresswell était indubitablement malveillant.

— Vous m'avez appelé, Miss ?

— Oui, Alfred. Il paraît que tu as refusé de descendre chercher le poisson. Qu'est-ce que ça signifie, hein ?

— Si c'est vous qui voulez que j'y aille, j'irai, répondit-il d'une voix maussade. À vous de le dire.

— Bien sûr que je veux que t'y ailles. J'en ai besoin pour mon souper.

— Comme ça, ça me va, miss. J'y file tout de suite.

Il adressa un regard insolent à Mrs Cresswell, qui rougit et murmura entre ses dents :

— Vraiment ! C'est intolérable !

— Mais j'y songe, fit miss Greenshaw, deux étrangers qui viennent nous rendre visite, c'est exactement ce qu'il nous faut, n'est-ce pas, Mrs Cresswell?

Laquelle parut désorientée :

— Je vous demande pardon, mais…

— Pour ce que vous savez, voyons, insista miss Greenshaw avec un hochement de tête. On ne peut être à la fois légataire et témoin d'un testament. C'est bien ça, non ? demanda-t-elle en se tournant vers Raymond West.

— Absolument, confirma-t-il.

— Je connais assez de droit pour savoir ça. Et vous êtes deux messieurs tout à fait respectables.

Elle jeta son outil dans son panier :

— Voulez-vous bien m'accompagner à la bibliothèque ?

— Avec grand plaisir, s'empressa de répondre Horace.

Elle les fit entrer par une porte-fenêtre, traverser un vaste salon jaune et or, aux murs tapissés d'un brocart un tantinet fané et dont les meubles étaient recouverts de housses à poussière, puis un grand hall mal éclairé, et enfin gravir un escalier pour pénétrer dans une pièce du premier étage.

— La bibliothèque de mon grand-père, annonça-t-elle.

Horace regarda autour de lui avec ravissement. Cet endroit, à ses yeux, regorgeait de monstruosités de toute première grandeur. Des têtes de sphinx apparaissaient sur les meubles les plus inattendus, un bronze colossal représentait, estima-t-il, Paul et Virginie, et il y avait une grande pendule rococo, en bronze elle aussi, qu'il mourait d'envie de prendre en photo.

— Une belle collection de livres, poursuivit miss Greenshaw.

Raymond était déjà en train de les examiner. À première vue, aucun ne semblait présenter grand intérêt ni d'ailleurs avoir jamais été ouvert. Il s'agissait en quasi-totalité d'ouvrages classiques superbement reliés tels qu'on les fabriquait en série il y a quatre-vingt-dix ans pour meubler la bibliothèque des hommes comme il faut. Quelques romans d'une époque révolue s'y trouvaient aussi. Eux non plus ne semblaient pas avoir été souvent feuilletés.

Miss Greenshaw s'était mise à fouiller dans les tiroirs d'un grand bureau. Elle en sortit enfin un document sur parchemin.

— Mon testament, expliqua-t-elle. Il faut laisser son argent à quelqu'un, paraît-il. Si je ne le faisais pas et que je venais à mourir, c'est ce fils de maquignon qui l'aurait, je suppose. C'était un bien beau gosse, Harry Fletcher, mais comme ruffian, on ne faisait pas mieux. Je ne vois pas pourquoi c'est un fils à *lui* qui hériterait de la maison. Non, poursuivit-elle comme en réponse à une objection non formulée, j'ai pris ma décision. Je la laisse à Cresswell.

— Votre gouvernante?

— Oui. Je le lui ai expliqué. Je fais un testament où tout ce que je possède lui revient, et en contrepartie je ne lui verse plus de gages. Ça me fait faire un tas d'économies, et elle, ça l'oblige à filer doux : pas question de me rendre son tablier et de ficher le camp sur un coup de tête. Elle fait beaucoup de chichis, comme vous avez pu le remarquer. Mais son père n'était qu'un petit plombier de rien, alors elle est assez mal venue de jouer les grandes dames.

Elle avait déplié le parchemin. Prenant une plume, elle la trempa dans l'encrier et signa : Katherine Dorothy Greenshaw.

— Parfait, dit-elle. Vous m'avez vue faire. À votre tour, comme ça, tout sera dans les règles.

Elle tendit la plume à Raymond West. Il hésita un instant, pris d'une répulsion inattendue à faire ce qu'on lui demandait. Puis il gribouilla à la hâte la signature bien connue que chaque jour six lettres d'admiratrices au moins lui réclamaient dans le courrier du matin.

Horace l'imita de son paraphe en pattes de mouche.

— Voilà une bonne chose de faite, conclut miss Green-shaw.

Elle se dirigea vers les bibliothèques vitrées, regarda à l'intérieur d'un air indécis, puis ouvrit une porte, sortit l'un des volumes et glissa le parchemin dedans.

— J'ai mes petites cachettes, expliqua-t-elle.

— *Le Secret de lady Audley*, lut Raymond au passage quand elle replaça le livre.

Miss Greenshaw émit de nouveau son petit rire sec :

— Un triomphe, à son époque. Pas comme vos titres à vous, hein ?

Elle ponctua ces mots d'un léger coup de coude amical dans les côtes de Raymond. Lequel se trouva fort surpris qu'elle le sache écrivain. Raymond West était certes un nom dans le monde littéraire, mais on pouvait difficilement le qualifier de best-seller. Bien qu'il ait un peu adouci sa plume au fil des années, ses livres décrivaient non sans âpreté le côté sordide de la vie.

— S'il vous plaît, balbutia Horace auquel l'émotion faisait perdre le souffle, est-ce que je pourrais prendre juste une petite photo de la pendule ?

— Mais bien sûr, répondit miss Greenshaw. Elle vient, si je ne me trompe, de l'Exposition universelle de Paris.

— C'est fort probable, convint Horace en prenant la photo.

— Cette pièce n'a guère été utilisée depuis la mort de mon grand-père. Le bureau est plein de ses vieux carnets intimes. Ils doivent être passionnants, j'en suis sûre, mais je n'ai plus les yeux pour les lire. J'aimerais les faire publier, seulement il doit falloir les retravailler à fond.

— Vous pourriez engager quelqu'un pour ça, suggéra Raymond West.

— Vous croyez ? Tiens, c'est une idée. Je vais y réfléchir.

Raymond consulta sa montre :

— Nous ne voudrions pas abuser davantage de votre gentillesse, miss Greenshaw.

— C'est moi qui ai été ravie de votre visite, répondit-elle aimablement. Quand je vous ai entendus à l'angle de la maison, j'ai cru que vous étiez de la police.

— La police ? Pourquoi ? demanda Horace qui ne se gênait pas pour poser des questions.

La réponse de miss Greenshaw fut inattendue :

— « Si tu veux vraiment savoir l'heure, demande-la à un policeman », psalmodia-t-elle gaiement.

Et sur ce petit dicton pétri de sagesse victorienne, elle éclata de rire en donnant une bourrade à Horace.

— J'ai passé un merveilleux après-midi, fit ce dernier avec un soupir de béatitude tandis qu'ils prenaient le chemin du retour. Vraiment, il a tout pour lui, cet endroit. La seule chose qui manque à la bibliothèque, c'est un cadavre. Je suis sûr que c'est ce genre de salle de lecture que ces vieux auteurs de romans policiers démodés avaient en tête quand ils vous ressassaient leurs histoires de cadavre dans la bibliothèque.

— Si vous voulez parler meurtre, dit Raymond, c'est à ma tante Jane qu'il faut vous adresser.

— Votre tante Jane ? Vous voulez dire miss Marple ?

Horace Bindler se montra quelque peu interloqué. La charmante vieille demoiselle à laquelle il avait été présenté la veille au soir lui semblait bien la dernière personne à laquelle il aurait songé dans ce domaine.

— Parfaitement, renchérit Raymond. Le meurtre, c'est une de ses spécialités.

— Allons, très cher, vous m'intriguez. Que voulez-vous dire par là ?

— Juste ce que j'ai dit.

Il ajouta, paraphrasant Shakespeare :

— Il en est qui naissent criminels, d'autres qui arrivent par le crime et d'autres à qui le crime s'impose. Tante Jane appartient à cette troisième catégorie.

— Vous plaisantez.

— Pas le moins du monde. Vous pouvez demander à l'un de nos anciens gros bonnets de Scotland Yard, à bon nombre de chefs de la police des comtés environnants, à un ou deux des inspecteurs les plus actifs du CID !

Horace Bindler, comblé, déclara qu'il allait décidément ce jour-là d'émerveillements en émerveillements.

À la table du thé, ils firent à Joan West, la femme de Raymond, à Lou Oxley, la nièce de Joan, et à cette bonne vieille miss Marple un compte rendu des événements de l'après-midi sans omettre le moindre détail de ce que miss Greenshaw leur avait dit.

— Mais je trouve vraiment, tint à préciser Horace, qu'il y a quelque chose d'un peu sinistre dans toute leur affaire. Cette créature aux allures de duchesse, la gouvernante, qu'est-ce qui l'empêche de mettre de l'arsenic dans le thé, maintenant qu'elle sait que sa patronne a rédigé un testament en sa faveur ?

— Quel est votre avis, tante Jane ? s'enquit Raymond. Va-t-il y avoir meurtre ou pas meurtre ? Qu'est-ce que vous en pensez, vous ?

— J'en pense, répondit miss Marple en rembobinant sa pelote de laine d'un air sévère, que personne ne devrait jamais plaisanter sur ce genre de sujet, mon cher Raymond. L'arsenic, bien évidemment, n'est jamais une hypothèse à écarter, il est si facile de s'en procurer. Sans doute en ont-elles déjà, sous forme d'herbicide, dans leurs produits de jardin.

— Quand même, tantine, fit affectueusement Joan, ce serait un peu cousu de fil blanc, non ?

— C'est bien beau de faire un testament, réfléchit Raymond, mais je ne crois pas qu'elle ait grand-chose à léguer, la pauvre vieille, à part cette énorme tarte à la crème qui lui tient lieu de maison. Et ça, qui en voudrait?

— Une firme de cinéma, peut-être? suggéra Horace. Ou encore un hôtel ou un pensionnat?

— Pour une bouchée de pain, alors, fit Raymond.

Mais miss Marple secoua la tête :

— Là, Raymond, mon cher petit, je ne suis pas d'accord. À propos de la fortune, veux-je dire. Le grand-père était de toute évidence un de ces paniers percés qui dépensent leur argent aussi vite qu'ils le gagnent. Il s'est peut-être ruiné, mais sans jamais se voir vraiment acculé à la banqueroute, sans quoi le fils n'aurait pas hérité la maison. Lequel fils, comme c'est souvent le cas, était de caractère diamétralement opposé. Un grippe-sou. Un homme qui comptait jusqu'au dernier centime. Et j'incline à penser qu'au cours de sa longue existence, il a dû parvenir à économiser une somme rondelette. Cette miss Greenshaw semble beaucoup tenir de lui et être assez regardante. Oui, je crois bien possible qu'elle ait de l'argent.

— Si tel est le cas, intervint Joan West, je me demande dans quelle mesure... est-ce que par exemple Lou ne pourrait pas... ?

Lou, la nièce de Joan, était assise auprès du feu et ne soufflait mot. Tous les regards se tournèrent de son côté. Son ménage s'était récemment « défait », comme elle disait elle-même, la laissant seule avec deux enfants en bas âge et à peine de quoi les nourrir.

— Si cette miss Greenshaw, poursuivit Joan, a vraiment besoin de quelqu'un pour remettre des carnets en ordre et les rendre publiables...

— Voilà une idée, fit Raymond.

— C'est un travail que je pourrais faire, acquiesça Lou d'une voix basse. Et qui me plairait assez.

— Je vais lui écrire, décida Raymond.

— Je me demande, rêva tout haut miss Marple, ce que la vieille demoiselle voulait dire avec son histoire de policeman.

— Oh! c'était sans doute une plaisanterie connue d'elle seule.

— Cela me rappelle, décréta miss Marple en hochant vigoureusement la tête, oui, cela me rappelle beaucoup Mr Naysmith.

— Qui était Mr Naysmith? s'enquit Raymond, curieux.

— Il élevait des abeilles, répondit miss Marple, et il n'avait pas son pareil pour réussir les mots croisés des journaux du dimanche. Par surcroît, il n'aimait rien tant que donner aux gens de fausses impressions, histoire de s'amuser. Ce qui, parfois, lui attirait des ennuis.

Tout le monde resta un moment silencieux, à réfléchir sur le cas de Mr Naysmith. Mais personne ne voyant le rapport avec miss Greenshaw, on en conclut que cette brave tante Jane gâtifiait peut-être *un petit peu* avec l'âge.

*

Horace Bindler rentra à Londres sans avoir trouvé d'autres monstruosités à ajouter à sa collection et Raymond écrivit à miss Greenshaw pour lui signaler qu'il connaissait une certaine Louisa Oxley qui serait tout à fait qualifiée pour se charger du travail sur les carnets. Quelques jours plus tard, arriva une lettre rédigée d'une écriture alambiquée à l'ancienne et dans laquelle miss Greenshaw se déclarait toute prête à s'attacher les services de Mrs Oxley à qui elle demandait de venir la voir.

Lou fut exacte au rendez-vous, des émoluments généreux furent fixés et elle se mit au travail dès le lendemain.

— Je tiens vraiment à vous remercier, dit-elle à Raymond. Tout se combine à merveille : je peux emmener les enfants à l'école, aller à La Folie et les récupérer sur le chemin du retour. C'est un endroit hallucinant ! Quant à la vieille demoiselle, il faut la voir pour le croire !

De retour à la maison à l'issue de son premier jour de travail, elle raconta sa journée :

— La gouvernante s'est à peine montrée. Elle est juste venue à 11 heures et demie m'apporter du café et des biscuits, très chochotte et bouche en cul de poule, et apparemment outrée d'avoir à m'adresser la parole. Je crois qu'elle n'apprécie pas du tout de me voir engagée. Par ailleurs, cela semble être la grosse bagarre entre le jardinier Alfred et elle. C'est un garçon du cru, assez paresseux je crois, et ils ne peuvent pas se voir en peinture. Miss Greenshaw l'a d'ailleurs expliqué, avec ses grandes phrases : « Les rivalités entre personnel de jardin et gens de maison ont toujours existé. Du temps de mon grand-père, déjà, il y avait trois hommes et un gosse au jardin, huit domestiques femmes à la maison : les frictions étaient incessantes. »

Le lendemain, Lou rentra avec d'autres nouvelles :

— Vous vous rendez compte ? C'est moi qu'on a chargée d'appeler le neveu, ce matin.

— Le neveu de miss Greenshaw ?

— Oui. Il est apparemment acteur dans une troupe qui fait la saison d'été à Boreham-on-Sea. J'ai appelé le théâtre et laissé un message pour qu'il vienne déjeuner demain. Le plus drôle, c'est que la vieille demoiselle ne voulait pas que la gouvernante soit au courant. J'ai l'impression très nette que Mrs Cresswell a gravement démérité.

— Demain, la suite de ce feuilleton palpitant, murmura Raymond.

— Oui, cela ressemble fort à un feuilleton. Réconciliation avec le neveu – les liens du sang sont les plus forts –, rédaction d'un nouveau testament, destruction de l'ancien…

— Tante Jane, vous me semblez tout à coup bien grave.

— Grave, moi ? Au fait, ma chère petite, en avez-vous appris davantage sur le policeman ?

Lou parut interloquée :

— Le policeman ? Quel policeman ?

— Cette remarque qu'elle a faite l'autre fois, rappela miss Marple. Elle doit bien correspondre à *quelque chose* ?

Lou arriva toute guillerette à son travail le lendemain. Elle franchit la porte d'entrée qui était ouverte – portes et fenêtres restaient toujours ouvertes : miss Greenshaw ne semblait pas craindre les cambrioleurs, à juste titre sans doute puisque la plupart des bibelots de la maison pesaient plusieurs tonnes et auraient difficilement trouvé acquéreur.

Lou avait rencontré Alfred dans l'allée. En train de fumer une cigarette, adossé à un arbre, il s'était rué sur son balai dès qu'il l'avait aperçue et s'était mis à balayer frénétiquement les feuilles mortes. Un garçon plutôt fainéant, s'était-elle dit, mais pas vilain à regarder. Sa tête lui rappelait quelqu'un. En traversant le hall pour atteindre l'escalier qui menait à la bibliothèque, elle jeta un coup d'œil à l'immense portrait de Nathaniel Greenshaw qui trônait au-dessus de la cheminée et le montrait au faîte de la prospérité victorienne, bien carré dans son vaste fauteuil, les mains posées sur la lourde chaîne giletière en or qui barrait son estomac pansu. Quand son regard atteignit le visage aux lourdes bajoues, aux sourcils broussailleux et à l'exubérante moustache noire, l'idée lui vint que Nathaniel Greenshaw avait dû être beau dans sa jeunesse. Ressembler un peu à Alfred, peut-être…

Elle gagna la bibliothèque et referma la porte derrière elle. Puis elle ouvrit sa machine à écrire et sortit les carnets du tiroir latéral du bureau. Par la fenêtre entrebâillée, elle aperçut miss Greenshaw, vêtue d'une robe d'indienne à ramages de couleur puce, penchée au-dessus de sa rocaille, en plein désherbage. Il y avait eu deux jours de pluie et les adventices s'en étaient donné à cœur joie.

Lou, en parfaite citadine, se jura bien, si elle possédait un jour un jardin, d'éviter ce genre de rocaille qu'il fallait entretenir à la main. Puis elle se mit au travail.

Quand Mrs Cresswell entra dans la bibliothèque avec le plateau du café, sur le coup de 11 heures et demie, elle était manifestement de fort mauvaise humeur. Elle jeta le plateau sur la table plus qu'elle ne l'y déposa et prit l'univers à témoin :

— Du monde à déjeuner... et rien dans la maison ! Comment suis-je censée faire, moi, je vous demande un peu ? Et Alfred qui est introuvable !

— Il balayait dans l'allée quand je suis arrivée, indiqua obligeamment Lou.

— Pardi ! Pas trop fatigant, comme travail !

Mrs Cresswell quitta la pièce comme une furie en claquant la porte derrière elle. Lou rit sous cape. Et elle se demanda à quoi « le neveu » pouvait bien ressembler.

Son café terminé, elle se remit à la tâche. C'était un travail si absorbant que le temps passait vite. Nathaniel Greenshaw, en décidant de tenir un journal, avait cédé au plaisir du franc réalisme. Comme dans cette description du charme d'une serveuse de bar de la ville voisine : il y aurait beaucoup à reprendre pour rendre ce texte publiable.

Au beau milieu de ces pensées, un cri venu du jardin la fit sursauter. Elle bondit sur ses pieds et se précipita à la fenêtre. Miss Greenshaw s'éloignait en titubant de la rocaille et tentait de rejoindre la maison. Entre ses mains, crispées à la base de son cou, dépassait une tige à l'extrémité sertie de plumes que Lou, abasourdie, reconnut pour être l'empennage d'une flèche.

La tête de miss Greenshaw, surmontée de son chapeau de paille tout cabossé, retomba sur sa poitrine. Elle appela Lou à la rescousse d'une voix défaillante :

— Tiré… il m'a tiré… une flèche… cherchez… du secours…

Lou se rua vers sa porte. Elle tourna le bouton, mais en vain. Elle comprit l'inanité de ses efforts en découvrant qu'elle était enfermée à double tour. Elle se précipita de nouveau à la fenêtre :

— Je suis enfermée !

Miss Greenshaw lui tournait le dos. Vacillant sur ses jambes, elle appelait la gouvernante à une fenêtre voisine :

— Prévenez… police… téléphone…

Puis elle se dirigea en titubant comme un ivrogne vers le salon du rez-de-chaussée et disparut du champ de vision de Lou. Un instant plus tard, celle-ci entendit un bruit de vaisselle brisée, le son mat d'une chute, puis plus rien. Elle reconstitua mentalement la scène : miss Greenshaw avait dû heurter de plein fouet un guéridon et le service à thé en Sèvres qui se trouvait dessus.

Désespérément, Lou tambourina sur sa porte, appela, hurla. Lasse de taper, elle retourna à la fenêtre. Il n'y avait ni lierre ni tuyauterie qui lui auraient permis d'espérer descendre par cette voie.

De la fenêtre de sa chambre, un peu plus loin, la gouvernante l'appela :

— Venez me faire sortir, Mrs Oxley ! Je suis enfermée !

— Moi aussi !

— Nous voilà bien ! J'ai appelé la police, il y a un téléphone dans cette pièce, mais ce que je n'arrive pas à comprendre, Mrs Oxley, c'est comment on a pu verrouiller. Je n'ai pas entendu de clé tourner, et vous ?

— Non, moi non plus. Mon Dieu, que faire ? Appeler Alfred, peut-être ? Alfred ! Alfred ! hurla-t-elle de toutes ses forces.

— Il y a de grandes chances qu'il soit parti déjeuner. Quelle heure est-il ?

Lou regarda sa montre :

— Midi 25.

— Il n'est pas censé y aller avant midi et demi, mais il carotte toujours quelques minutes chaque fois qu'il peut.

— Croyez-vous que… qu'elle…

Lou voulait demander : « Croyez-vous qu'elle soit morte ? », mais les mots s'étranglèrent dans sa gorge.

Il n'y avait rien d'autre à faire que d'attendre. Elle s'assit sur le rebord de la fenêtre. Une éternité sembla s'écouler avant que la silhouette impassible d'un agent de police, casque sur la tête, apparaisse au coin de la maison. Elle se pencha au-dehors. Il leva la tête, mit sa main en visière sur ses yeux et l'apostropha d'un ton bourru :

— Qu'est-ce qui se passe, ici ?

Chacune à sa fenêtre, Lou et Mrs Cresswell lui déversèrent un flot effréné d'explications.

L'agent sortit un carnet et un crayon :

— Donc vous avez couru là-haut vous enfermer dans vos chambres. Comment vous appelez-vous, mesdames ?

— Mais non ! *Quelqu'un d'autre* nous a enfermées ! Montez, faites-nous sortir !

— Chaque chose en son temps, ronchonna-t-il.

Et il disparut par la porte-fenêtre du salon.

Là encore, l'attente fut interminable. Lou entendit une voiture arriver et, au bout de trois minutes qui lui semblèrent une heure, Mrs Cresswell d'abord, Lou ensuite, furent délivrées par un sergent un peu plus dégourdi que l'agent du début.

— Miss Greenshaw… articula Lou d'une voix défaillante. Que… qu'est-ce qui lui est arrivé ?

Le sergent se racla la gorge :

— Je suis navré de devoir vous dire, madame, comme je l'ai annoncé à Mrs Cresswell ici présente, que miss Greenshaw est morte.

— Assassinée, ajouta Mrs Cresswell. C'est un meurtre.

Le sergent secoua la tête d'un air dubitatif :

— Ça pourrait être un accident, des gamins du village qui jouaient avec un arc et des flèches.

De nouveau, une voiture arriva.

— Sans doute le médecin légiste, fit le sergent avant de dévaler l'escalier.

Mais ce n'était pas le médecin légiste. Quand Lou et Mrs Cresswell descendirent à leur tour, un jeune homme franchissait le seuil d'un pas hésitant. Il s'arrêta et regarda autour de lui, la mine ahurie.

D'une voix agréable, qui d'une certaine manière sembla familière à Lou – peut-être présentait-elle un certain air de famille avec celle de miss Greenshaw – il demanda :

— Excusez-moi, euh… c'est bien ici qu'habite miss Greenshaw ?

— Votre nom, s'il vous plaît, fit le sergent en s'avançant vers lui.

— Fletcher, répondit le jeune homme. Nat Fletcher. Je suis le neveu de miss Greenshaw.

— Ah! monsieur, je suis navré de… croyez bien que…

— Il s'est passé quelque chose?

— Un… un accident… Votre tante a été atteinte par une flèche… qui a sectionné la veine jugulaire…

Mrs Cresswell, au bord de la crise de nerfs, en perdit son raffinement coutumier :

— Assassinée, qu'elle a été, vot'tante! Le v'là, ce qui s'est passé! Assassinée, qu'elle a été!

*

L'inspecteur Welch rapprocha un peu sa chaise de la table et promena son regard sur les quatre autres personnes réunies dans la pièce. C'était au soir de cette même journée, et il s'était rendu chez les West afin de recueillir une fois de plus les déclarations de Lou.

— Ce sont ses mots exacts, vous en êtes bien sûre? *Tiré… il m'a tiré… une flèche… cherchez… du secours?*

Lou fit signe que oui.

— Et l'heure?

— J'ai regardé ma montre une ou deux minutes après. Il était alors midi 25.

— Votre montre est juste?

— J'ai aussi regardé la pendule.

L'inspecteur se tourna vers Raymond West :

— Il apparaît, monsieur, qu'il y a environ une semaine, un certain Horace Bindler et vous-même avez servi de témoins lorsque miss Greenshaw a apposé sa signature au bas de son testament ?

Raymond raconta brièvement les péripéties de leur visite à La Folie cet après-midi-là.

— Votre témoignage peut être important, commenta Welch. Miss Greenshaw vous a clairement laissé entendre, n'est-il pas vrai, qu'elle rédigeait ce testament en faveur de Mrs Cresswell, sa gouvernante, à laquelle elle ne verserait plus de gages vu les avantages que celle-ci pouvait espérer à son décès ?

— Tout à fait, oui.

— Pensez-vous que Mrs Cresswell avait connaissance de ces dispositions ?

— Sans aucun doute. Miss Greenshaw a fait en ma présence allusion à l'impossibilité d'être à la fois bénéficiaire et témoin d'un testament, et Mrs Cresswell a fort bien compris de quoi elle parlait. Miss Greenshaw m'a d'ailleurs elle-même confirmé être arrivée à cet arrangement en accord avec elle.

— Mrs Cresswell avait donc tout lieu de s'estimer intéressée. Le mobile est flagrant dans son cas, et je peux affirmer qu'elle serait maintenant notre suspect numéro un si nous ne l'avions trouvée comme Mrs Oxley enfermée à double tour chez elle, et si miss Greenshaw n'avait pas distinctement crié qu'un *homme* lui avait décoché la flèche…

— Elle était *vraiment* – et sans contestation possible – enfermée dans sa chambre ?

— Oh ! oui, c'est le sergent Cayley qui l'a délivrée. Il s'est trouvé devant une bonne grosse serrure avec une bonne vieille clé. La clé était dans la serrure et il n'y avait aucun moyen de la tourner de l'intérieur ou de faire je ne sais quel tour de passe-passe de ce genre. Non, force nous est d'admettre que Mrs Cresswell était enfermée là et ne pouvait sortir. Comme d'autre part il n'y avait chez elle ni arc ni flèches et que miss Greenshaw ne pouvait de toute façon pas avoir été atteinte à partir d'une fenêtre – l'angle de pénétration l'interdit –, Mrs Cresswell est hors de cause.

Il s'interrompit un moment, puis reprit :

— À votre avis, miss Greenshaw était-elle capable de mystifications ?

Le regard de miss Marple, assise dans son coin, s'alluma aussitôt :

— Ah ! le testament n'était donc finalement pas du tout en faveur de Mrs Cresswell ?

L'inspecteur Welch la considéra avec quelque étonnement.

— Très bien vu, madame, répondit-il. Eh bien non, Mrs Cresswell n'était pas désignée comme bénéficiaire.

— Exactement comme Mr Naysmith, fit miss Marple en hochant la tête. Miss Greenshaw a fait croire à Mrs Cresswell qu'elle lui laissait tout de façon à ne plus lui payer de gages, et puis elle a légué l'argent à quelqu'un d'autre. Nul doute qu'elle devait être très fière d'elle-même. Pas étonnant qu'elle ait eu un petit rire en cachant le testament dans *Le Secret de lady Audley.*

— Une chance que Mrs Oxley ait pu nous parler de ce testament et nous dire où il était caché, reconnut l'inspecteur. Sans quoi nous aurions pu chercher longtemps.

— L'humour victorien, sans doute, glissa Raymond West.

— Elle avait donc, en fin de compte, légué l'argent à son neveu? demanda Lou.

L'inspecteur secoua la tête :

— Pas du tout, elle ne léguait rien à Nat Fletcher. Le bruit circule dans le pays – bien sûr, je suis nouveau par ici et je ne recueille les on-dit qu'indirectement – que dans leur âge tendre, miss Greenshaw et sa sœur avaient toutes deux des vues sur leur jeune et fringant professeur d'équitation, et que c'est la sœur qui a décroché la timbale. Alors non, elle n'a pas légué l'argent à son neveu…

Il marqua un temps, se frotta le menton :

— Elle l'a laissé à Alfred.

— À Alfred… le jardinier? fit Joan, stupéfaite.

— Oui, Mrs West. Alfred Pollock.

— Mais pourquoi? s'écria Lou.

Miss Marple toussota.

— J'imagine, encore que je puisse me tromper, fit-elle d'une voix menue, qu'il doit y avoir là des raisons que l'on pourrait qualifier de... : de *familiales*.

— Vous pouvez appeler ça comme ça, en effet, acquiesça l'inspecteur. Il est de notoriété publique, au village, que le grand-père d'Alfred, Thomas Pollock, était l'un des enfants naturels du vieux Mr Greenshaw.

— Ah! je comprends enfin cette ressemblance! s'exclama Lou. Je l'avais remarquée ce matin.

Elle se souvenait comment, après avoir croisé Alfred dans l'allée, elle était tombée en arrêt, dans le hall, devant le portrait de Nathaniel Greenshaw.

— Alors à mon avis, continua miss Marple, elle a dû se dire qu'Alfred serait peut-être fier de posséder cette maison, qu'il irait peut-être même jusqu'à l'habiter, tandis que le neveu n'en aurait certainement pas l'utilité et la vendrait dans les plus brefs délais. Il est acteur, n'est-ce pas ? Dans quelle pièce joue-t-il en ce moment ?

« On peut toujours compter sur ces vieilles pour faire dévier une conversation ! » ragea intérieurement l'inspecteur Welch. Il n'en répondit pas moins avec la plus grande obligeance :

— Je crois qu'ils ont axé leur saison sur le théâtre de James Barrie.

— James Barrie… médita miss Marple.

— *Ce que toute femme doit savoir*, crut bon de la renseigner l'inspecteur Welch en rougissant. C'est le nom d'une de ses pièces, se hâta-t-il d'ajouter. Je ne suis pas tellement amateur de théâtre moi-même mais Mrs Welch est allée la voir la semaine dernière. Un bon spectacle, d'après mon épouse.

— Barrie a écrit des pièces tout à fait charmantes, opina miss Marple. Je dois pourtant vous avouer que quand je suis allée voir *La Petite Mary* avec mon vieil ami le général Easterly…

Elle secoua tristement la tête :

— … nous ne savions plus où nous mettre.

L'inspecteur, qui ne connaissait pas *La Petite Mary*, semblait dans un brouillard total. Miss Marple s'expliqua :

— Quand j'étais jeune fille, inspecteur, personne n'aurait imaginé que le mot *ventre* puisse être jamais prononcé.

La confusion de l'inspecteur ne fit que s'amplifier tandis que miss Marple égrenait à mi-voix des titres de pièces :

— *L'Admirable Crichton.* Excellent. *Marie-Rose…* une pièce charmante. J'ai pleuré, je m'en souviens comme si c'était hier. *Quality Street*, là, je n'ai pas trop aimé. Et puis il y a eu *Un baiser pour Cendrillon.* Ah ! alors, là, *bien sûr…*

L'inspecteur Welch n'avait pas de temps à perdre en considérations théâtrales. Il en revint à leur affaire :

— Toute la question est de savoir si Alfred Pollock était au courant de ce testament rédigé en sa faveur. La vieille demoiselle le lui avait-elle dit ? Car voyez-vous, il y a un club de tir à l'arc à Boreham Lovell, et *Alfred Pollock en est membre.* Il se débrouille paraît-il très bien avec un arc et une flèche.

— Mais alors, est-ce que ça ne règle pas votre affaire ? demanda Raymond West. Voilà qui expliquerait les portes fermées à double tour sur les deux femmes : qui mieux que lui pouvait savoir au juste dans quelles pièces elles se trouvaient ?

L'inspecteur le regarda d'un air profondément navré :

— Il a un alibi.

— J'ai toujours trouvé les alibis éminemment suspects.

— Chacun est libre de ses opinions, monsieur. Mettons seulement que c'est là le romancier qui parle en vous.

— Vous ne pensez tout de même pas que j'écris des romans policiers ! se récria Raymond West, horrifié à cette seule perspective.

— Généraliser sur les alibis est facile, poursuivit l'inspecteur Welch. Mais, hélas, il n'en faut pas moins tenir compte des faits.

Il poussa un soupir :

— Nous avons à notre disposition trois excellents suspects. Trois personnes qui se trouvaient tout près au moment du crime. Seulement voilà : il semble bien qu'aucune des trois n'ait été en mesure de le commettre. La gouvernante, j'en ai déjà parlé. Nat Fletcher, le neveu, faisait le plein d'essence dans une station-service à quelques kilomètres de là et demandait son chemin au moment précis où miss Greenshaw a été atteinte par la flèche. Quant à Alfred Pollock, six témoins sont prêts à jurer l'avoir vu arriver au *Dog and Duck* à midi 20 et y rester une bonne heure avec son sandwich au fromage et son demi habituels.

— Justement pour se constituer un alibi, hasarda Raymond.

— Possible. Quoi qu'il en soit, il y est bel et bien parvenu.

Un long silence s'ensuivit. Raymond se tourna alors vers miss Marple qui, toute droite dans son fauteuil, réfléchissait intensément :

— À vous la main, tante Jane. L'inspecteur donne sa langue au chat, le sergent aussi, Joan aussi, Lou aussi et moi aussi. Tandis que, pour vous, la situation est d'une limpidité cristalline, n'est-ce pas ?

— Cristalline... je n'irai peut-être pas jusque-là. Et puis le crime, mon cher Raymond, n'est pas un jeu. Cette pauvre miss Greenshaw n'avait sans doute aucune envie de mourir et on l'a tuée d'une manière

particulièrement atroce. Son meurtre a été préparé avec
soin et exécuté de sang-froid. Ce n'est pas un de ces
sujets qu'il est permis de traiter à la légère !

— Je suis désolé, s'excusa Raymond d'un air
penaud. Mais je ne suis pas aussi insensible que je le
parais. On traite souvent certains sujets par-dessus la
jambe précisément pour en conjurer le… l'horreur.

— Sans doute est-ce là la tendance moderne, soupira
miss Marple. Toutes ces guerres, et toutes ces plaisanteries qu'on se croit obligés de faire sur les enterre-
ments… C'est vrai, j'ai peut-être eu l'indignation un
peu prompte, mon cher petit.

— D'autant que ce n'est pas comme si nous l'avions
bien connue, renchérit Joan.

— Vous ne croyez pas si bien dire, souligna miss Marple. Vous, ma chère Joan, vous ne la connaissiez pas
du tout. Moi non plus. Raymond n'en garde que les
impressions recueillies au cours d'un après-midi. Quant
à Lou, elle ne l'a fréquentée que deux jours.

— Allons, tante Jane, insista Raymond, livrez-nous
votre théorie. Vous n'y voyez pas d'objection, inspecteur ?

— Absolument aucune, répondit ce dernier en
s'efforçant à la courtoisie.

— Eh bien voyez-vous, mes chers enfants, il semble-
rait que nous nous trouvions face à trois personnes qui
ont eu – ou pu penser qu'elles avaient – un bon motif de
tuer la vieille demoiselle. Mais il est en regard de cela
trois raisons toutes simples qui font qu'aucune d'entre
elles n'a pu commettre le meurtre en question. La gouvernante ne l'a pas pu parce qu'elle était enfermée dans
sa chambre et que miss Greenshaw a par ailleurs claire-

ment dit que c'était un *homme* qui lui avait décoché la flèche ; le jardinier ne l'a pas pu parce qu'il était au *Dog and Duck* à l'heure du crime ; et le neveu pas davantage parce qu'il se trouvait encore dans sa voiture à quelques kilomètres de là au même moment.

— Très clairement exposé, mademoiselle, apprécia l'inspecteur.

— Et comme il semble plus qu'improbable qu'un étranger ait pu le commettre, que nous reste-t-il ?

— C'est ce que l'inspecteur aimerait savoir, fit Raymond.

— On envisage si souvent les choses sous un mauvais angle, s'excusa presque miss Marple. Puisque nous ne pouvons modifier les faits et gestes ni l'emploi du temps des gens, pourquoi ne tenterions-nous pas de modifier l'heure du crime ?

— Ce qui signifierait qu'à la fois ma montre et la pendule se trompaient ? demanda Lou.

— Non, ma chérie, fit miss Marple. Vous n'y êtes pas du tout. Ce que je m'aventure à prétendre, c'est que le meurtre n'a pas été commis à l'heure que vous avez cru.

— Mais j'y ai assisté, cela s'est passé sous mes yeux ! se récria Lou.

— Eh bien, ce que je me suis demandé, c'est si vous n'étiez pas là *précisément* pour y assister. Si ce n'était pas en fait pour cela qu'on vous avait offert ce travail.

— Allons, que diable avez-vous en tête, tante Jane ?

— Eh bien, ma chère enfant, je trouve cela bizarre. Miss Greenshaw était plutôt regardante, et pourtant elle vous avait engagée et vous avait accordé sans discuter le salaire que vous lui demandiez. C'est ce simple fait qui m'incline à penser qu'il *fallait* sans doute que vous vous trouviez dans cette bibliothèque du premier étage d'où vous regardiez par la fenêtre afin de fournir – vous, personne extérieure à la maison et dont la bonne foi ne pouvait être mise en doute – le témoignage clef sur lequel on se fonderait pour établir les circonstances du crime.

— Mais enfin, protesta Lou, incrédule, vous n'allez pas soutenir que miss Greenshaw avait l'*intention* de se faire assassiner !

— Non, ma chérie. Ce que je veux dire, c'est que vous ne connaissiez absolument pas miss Greenshaw. Qu'est-ce qui vous prouve que la miss Greenshaw que vous avez vue quand vous êtes allée à La Folie était la même que celle que Raymond avait rencontrée quelques jours plus tôt ? Oh ! je sais, fit-elle en prévision de l'objection de Lou, elle portait la même robe démodée dont s'était émerveillé l'ami de Raymond, le même drôle de chapeau de paille d'où dépassaient les mêmes cheveux hirsutes. Elle correspondait trait pour trait à la description que Raymond nous en avait donnée le week-end dernier. Seulement ces deux femmes, voyez-vous, étaient plus ou moins du même âge, de la même taille et de la même corpulence. La gouvernante, veux-je dire, et miss Greenshaw.

— La gouvernante ? Mais elle est beaucoup plus forte ! Elle a une poitrine monumentale !

Miss Marple toussota :

— Certes oui, ma chère petite, c'est une affaire entendue, seulement il existe de nos jours des… euh… enfin, j'en ai moi-même vu dans des magasins, exposés avec la plus grande indécence… Grâce à ces sortes de… prothèses, la première venue peut maintenant arborer sans problème une… un buste de *n'importe quelle* ampleur.

— Qu'essayez-vous de nous faire comprendre? questionna Raymond.

— Je me disais tout simplement que pendant les deux ou trois jours que Lou a passés à travailler là-bas, une seule femme aurait pu tenir les deux rôles. Vous avez dit vous-même, Lou, n'avoir pratiquement pas vu la gouvernante, à l'exception du moment où elle vous apportait le plateau du café matinal. On connaît ces excellents artistes de la scène qui incarnent plusieurs personnages avec seulement une ou deux minutes de battement, et je suis sûre que là, la transformation aurait pu s'effectuer très facilement. Cette coiffure de marquise pouvait n'être qu'une perruque qu'on enfile et qu'on ôte à volonté.

— Tante Jane! Prétendriez-vous que miss Greenshaw était morte avant que je ne commence à travailler là-bas?

— Morte, non. Maintenue droguée, à mon humble avis. Un jeu d'enfant, pour une femme aussi dénuée de scrupules que la gouvernante. Puis elle a pris ses petites dispositions avec vous et vous a fait téléphoner au neveu pour qu'il vienne déjeuner à une heure bien précise. La seule personne qui aurait pu reconnaître que cette miss Greenshaw n'était pas la vraie aurait été Alfred. Or, souvenez-vous, les deux premiers jours où vous avez travaillé à La Folie, il a plu et miss Greenshaw est restée à la maison, où Alfred ne mettait d'ailleurs pas les pieds à cause de ses démêlés avec la gouvernante. Et le dernier matin, il était dans l'allée tandis que miss Greenshaw travaillait dans la rocaille. Entre parenthèses, j'aimerais bien y jeter un coup d'œil, à cette rocaille.

— Vous voulez dire que c'est Mrs Cresswell qui a tué miss Greenshaw ?

— Je crois qu'après vous avoir apporté votre café, cette femme a fermé sur vous la porte à double tour en sortant, a transporté le corps inanimé de sa maîtresse, a revêtu son costume « miss Greenshaw » et est sortie travailler sur la rocaille où vous pouviez la voir depuis la fenêtre. À un moment donné, elle a crié et est revenue en titubant vers la maison, les mains crispées sur une flèche comme si elle était plantée dans sa gorge. Elle a crié au secours en ayant soin de préciser « *il* m'a tiré une flèche » de façon à ce que la gouvernante ne puisse être soupçonnée. Elle a aussi appelé sous sa propre fenêtre comme si elle y voyait Mrs Cresswell. Une fois dans le salon, elle a volontairement culbuté un guéridon et le service en porcelaine qui se trouvait dessus, elle est montée quatre à quatre chez elle, a mis sa perruque de marquise, et en quelques instants, était parée pour se montrer à sa fenêtre et vous dire qu'elle était elle aussi enfermée.

— Mais elle l'était effectivement, objecta Lou.

— Je sais. Et c'est là que le policeman entre en jeu.

— Quel policeman ?

— Précisément – quel policeman ? Puis-je vous demander, inspecteur, quand et comment *vous* êtes arrivé sur les lieux ?

L'inspecteur parut un tantinet déconcerté :

— À 12 h 29, nous avons reçu un appel téléphonique de Mrs Cresswell, gouvernante de miss Greenshaw, qui nous déclarait que sa maîtresse avait été tuée. Le sergent Cayley et moi-même nous sommes aussitôt rendus sur place en voiture pour y arriver à 12 h 35. Nous avons trouvé miss Greenshaw morte et les deux femmes enfermées chacune dans leur chambre.

— Vous voyez, ma chère, dit miss Marple à Lou. L'agent de police que vous avez vu n'était pas un vrai policier. Vous n'avez pas vraiment fait attention à lui – c'est normal : un uniforme, c'est toujours un uniforme.

— Mais qui… et pourquoi ?

— Qui ? Ma foi, quand ils jouent *Un baiser pour Cendrillon*, le personnage principal est un agent de police. Nat Fletcher n'avait qu'à emporter son costume de scène, à demander sa route dans un garage en faisant bien remarquer l'heure – midi 25 – puis à foncer jusqu'à la maison, laisser sa voiture dans un coin, enfiler son costume et faire son petit numéro.

— Mais pourquoi… pourquoi ?

— Pour verrouiller de l'extérieur la porte de la gouvernante – et enfoncer la flèche dans la gorge de miss Greenshaw. On peut transpercer quelqu'un avec une pointe de flèche à la main aussi bien qu'avec un arc, à ceci près qu'il y faut davantage de force.

— Vous voulez dire qu'ils étaient tous les deux dans le coup ?

— Oh ! oui, je pense bien. Ce sont vraisemblablement la mère et le fils.

— Mais la sœur de miss Greenshaw est morte il y a belle lurette.

— Sans doute, mais je suis persuadée que Mr Fletcher se sera remarié. Il devait être du genre à cela. Et je n'exclus pas que l'enfant soit peut-être bien mort lui aussi, et que ce prétendu neveu soit le fils de la seconde épouse, donc sans aucun lien de parenté avec les Greenshaw. Cette femme s'est fait engager comme gouvernante afin d'explorer le terrain. Ensuite de quoi le fils a écrit une lettre à miss Greenshaw en se faisant passer pour son neveu et a proposé de venir la voir – il est peut-être même allé jusqu'à faire une plaisanterie quelconque sur sa possible apparition en costume de policeman ou à lui offrir de venir le voir jouer dans la pièce. Mais je crois qu'elle s'est doutée de quelque chose et qu'elle a refusé de le rencontrer. Il aurait été son héritier de plein droit si elle était décédée intestat. Seulement bien sûr, comme elle avait fait un testament en faveur de la gouvernante – du moins le croyaient-ils –, la voie leur était ouverte.

— Pourquoi cette histoire de flèche? objecta Joan. C'est tellement tiré par les cheveux.

— Pas tiré par les cheveux du tout, ma chère petite. Alfred est membre d'un club de tir à l'arc, les soupçons se seraient donc immanquablement portés sur lui. Le fait qu'il soit allé au pub plus tôt que prévu, dès midi 20, a été fort malencontreux pour leurs affaires. Il avait l'habitude de partir toujours juste un tout petit peu avant son heure, ce qui aurait « collé » à la perfection…

Elle secoua tristement la tête :

— Il y a quelque chose de foncièrement répréhensible – moralement parlant s'entend – dans le fait que ce soit la paresse d'Alfred qui l'ait tiré de ce mauvais pas !

L'inspecteur se racla la gorge.

— Eh bien, mademoiselle, vos réflexions sont des plus intéressantes. Il va cependant falloir, vous vous en doutez bien, que j'enquête sur tout ceci…

*

Miss Marple et Raymond West, face à la rocaille, regardaient à terre le panier de jardinier plein de plantes avachies.

— Alysses, saxifrages, millepertuis, campanules… énuméra à mi-voix miss Marple. Ce sont là toutes les preuves dont j'ai personnellement besoin pour me conforter dans mon opinion. La personne qui désherbait ici hier matin ne connaissait rien au jardinage, elle a arraché les bonnes plantes aussi bien que les mauvaises herbes. Alors maintenant, je *sais* que j'ai raison. Merci, mon petit Raymond, de m'avoir amenée ici. Pour ma gouverne, je tenais à voir l'endroit.

Son neveu et elle levèrent les yeux sur la monstruosité hétéroclite qu'était La Folie Greenshaw.

Un toussotement les fit se retourner. Comme eux, un jeune homme contemplait l'immense bâtisse.

— Sacré morceau, c'te baraque, hein ? lança-t-il. Paraît qu'elle est trop grande, au goût d'aujourd'hui. Moi, j'sais pas. Si j'gagnais l'gros lot au concours de pronostics du foot, p'têt'ben que j'aimerais m'en faire construire une pareille.

Alfred Pollock leur sourit d'un air modeste :

— J'pense que j'peux ben l'dire, maintenant : celle-là, c'est mon arrière-grand-père qui l'a bâtie. Et j'la trouve rudement chouette, même si tout le monde l'appelle La Folie Greenshaw.

Table

PAPIER À BASE DE
FIBRES CERTIFIÉES

Le Livre de Poche s'engage pour
l'environnement en réduisant
l'empreinte carbone de ses livres.
Celle de cet exemplaire est de :
650 g éq. CO_2
Rendez-vous sur
www.livredepoche-durable.fr

Composition réalisée par DATAGRAFIX

Achevé d'imprimer en octobre 2013 en France par
CPI BRODARD ET TAUPIN
La Flèche (Sarthe)
N° d'impression : 3002465
Dépôt légal 1re publication : novembre 2013
LIBRAIRIE GÉNÉRALE FRANÇAISE
31, rue de Fleurus – 75278 Paris Cedex 06

31/7775/5